中國國家圖書館編

國家圖書館藏敦煌遺書

第十三册　北敦〇〇八八二號——北敦〇〇九四三號

北京圖書館出版社

圖書在版編目(CIP)數據

國家圖書館藏敦煌遺書・第十三册/中國國家圖書館編;任繼愈主編. —北京:北京圖書館出版社,2005.12
ISBN 7-5013-2955-9

Ⅰ.國… Ⅱ.①中…②任… Ⅲ.敦煌學—文獻 Ⅳ.K870.6

中國版本圖書館 CIP 數據核字(2005)第 136365 號

ISBN 7-5013-2955-9

9 787501 329557 >

書　　名　國家圖書館藏敦煌遺書・第十三册
著　　者　中國國家圖書館編　任繼愈主编
責任編輯　徐　蜀　孫　彦
封面設計　李　璀

出　　版　北京圖書館出版社　(100034　北京西城區文津街 7 號)
發　　行　010-66139745　66151313　66175620　66126153
　　　　　66174391(傳真)　66126156(門市部)
E-mail　cbs@nlc.gov.cn(投稿)　btsfxb@nlc.gov.cn(郵購)
Website　www.nlcpress.com
經　　銷　新華書店
印　　刷　北京文津閣印務有限責任公司

開　　本　八開
印　　張　50.5
版　　次　2005 年 12 月第 1 版第 1 次印刷
印　　數　1-150 册(套)

書　　號　ISBN 7-5013-2955-9/K・1238
定　　價　990.00 圓

目錄

夜隨我
便引導　法中舍利弗我昔
願佛道汝今悉忘而便自謂已得滅度我
還欲令汝憶念本願所行道故為諸聲聞說
是大乘經名妙法蓮華教菩薩法佛所護念
舍利弗汝於未來世過無量無邊不可思議
劫供養若干千万億佛奉持正法具足菩薩
所行之道當得作佛号曰華光如來應供正
遍知明行足善逝世間解無上士調御丈夫
天人師佛世尊國名離垢其土平正清淨嚴
飾安隱豐樂天人熾盛瑠璃為地有八交道
黃金為繩以界其側其傍各有七寶行樹常
有華菓華光如來亦以三乘教化眾生舍利
弗彼佛出時雖非惡世以本願故說三乘法
其劫名大寶莊嚴何故名曰大寶莊嚴其國
中以菩薩為大寶故彼諸菩薩無量無邊不
可思議筭數譬喻所不能及非佛智力無能

有華菓華光如來亦以三乘教化眾生舍利
弗彼佛出時雖非惡世以本願故說三乘法
其劫名大寶莊嚴何故名曰大寶莊嚴其國
中以菩薩為大寶故彼諸菩薩無量無邊不
可思議筭數譬喻所不能及非佛智力無能
知者若欲行時寶華承足此諸菩薩非初發
意皆久植德本於無量百千万億佛所淨脩
梵行恒為諸佛之所稱歎常脩佛慧具大神
通善知一切諸法之門質直無偽志念堅固
如是菩薩充滿其國舍利弗華光佛壽十二
小劫除為王子未作佛時其國人民壽八小
劫華光如來過十二小劫授堅滿菩薩阿耨
多羅三藐三菩提記告諸比丘是堅滿菩薩
次當作佛号曰華足安行多陁阿伽度阿羅
訶三藐三佛陁其佛國土亦復如是舍利弗
是華光佛滅度之後正法住世三十二小劫
像法住世亦三十二小劫尒時世尊欲重宣
此義而說偈言
舍利弗來世　成佛普智尊　号名曰華光　當度無量眾
供養無數佛　具足菩薩行　十力等功德　證於無上道
過無量劫已　劫名大寶嚴　世界名離垢　清淨無瑕穢
以瑠璃為地　金繩界其道　七寶雜色樹　常有華菓實
彼國諸菩薩　志念常堅固　神通波羅蜜　皆已悉具足
於無數佛所　善學菩薩道　如是等大士　華光佛所化
佛為王子時　棄國捨世榮　於最末後身　出家成佛道
華光佛住世　壽十二小劫　其國人民眾　壽命八小劫
佛滅度之後　正法住於世　三十二小劫　廣度諸眾生
正法滅盡已　像法三十二　舍利廣流布　天人普供養

華光佛住世　壽十二小劫　其國人民衆　壽命八小劫
佛滅度之後　正法住於世　三十二小劫　廣度諸衆生
正法滅盡已　像法三十二　舍利廣流布　天人普供養
華光佛所為　其事皆如是　其兩足聖尊　最勝無倫匹
彼即是汝身　宜應自欣慶
尒時四部衆比丘比丘尼優婆塞優婆夷天
龍夜叉乾闥婆阿脩羅迦樓羅緊那羅摩睺
羅伽等大衆見舍利弗於佛前受阿耨多羅
三藐三菩提記心大歡喜踊躍無量各各脫
身所著上衣以供養佛釋提桓因梵天王等
與無數天子亦以天妙衣天曼陀羅華摩訶
曼陀羅華等供養於佛所散天衣住虛空中
而自迴轉諸天伎樂百千万種於虛空中一
時俱作雨衆天華而作是言佛昔於波羅柰
初轉法輪今乃復轉無最大法輪尒時諸天
子欲重宣此義而說偈言
昔於波羅柰　轉四諦法輪　分別說諸法　五衆之生滅
今復轉最妙　無上大法輪　是法甚深奧　少有能信者
我等從昔來　數聞世尊說　未曾聞如是　深妙之上法
世尊說是法　我等皆隨喜　大智舍利弗　今得受尊記
我等亦如是　必當得作佛　於一切世間　最尊無有上
佛道叵思議　方便隨宜說　我所有福業　今世若過世
及見佛功德　盡迴向佛道
尒時舍利弗白佛言世尊我今無復疑悔親
於佛前得受阿耨多羅三藐三菩提記是諸
千二百心自在者昔住學地佛常教化言我
法能離生老病死究竟涅槃是學無學人亦

尒時舍利弗白佛言世尊我今無復疑悔親
於佛前得受阿耨多羅三藐三菩提記是諸
千二百心自在者昔住學地佛常教化言我
法能離生老病死究竟涅槃是學無學人亦
各自以離我見及有無見等謂得涅槃而今
於世尊前聞所未聞皆墮疑惑善哉世尊願
為四衆說其因緣令離疑悔尒時佛告舍利弗
我先不言諸佛世尊以種種因緣譬喻言辭
方便說法皆為阿耨多羅三藐三菩提邪是
諸所說皆為化菩薩故然舍利弗今當復以
譬喻更明此義諸有智者以譬喻得解舍利
弗若國邑聚落有大長者其年衰邁財富
無量多有田宅及諸僮僕其家廣大唯有一
門多諸人衆一百二百乃至五百人止住其中
堂閣朽故墻壁頹落柱根腐敗梁棟傾危周
帀俱時歘然火起焚燒舍宅長者諸子若十
二十或至三十在此宅中長者見是大火從
四面起即大驚怖而作是念我雖能於此所
燒之門安隱得出而諸子等於火宅內樂著
嬉戲不覺不知不驚不怖火來逼身苦痛切
己心不猒患無求出意舍利弗是長者作是
思惟我身手有力當以衣裓若以几案從舍
出之復更思惟是舍唯有一門而復狹小諸
子幼稚未有所識戀著戲處或當墮落為火
所燒我當為說怖畏之事此舍已燒宜時疾
出無令為火之所燒害作是念已如所思惟
具告諸子汝等速出父雖憐愍善言誘喻而

子幼稚未有所識戀著戲處或當墮落為火
所燒我當為說怖畏之事此舍已燒宜時疾
出無令為火之所燒害作是念已如所思惟
具告諸子汝等速出父雖憐愍善言誘喻而
諸子等樂著嬉戲不肯信受不驚不畏了無
出心亦復不知何者是火何者為舍云何為
失但東西走戲視父而已尒時長者即作是
念此舍已為大火所燒我及諸子若不時出
必為所焚我今當設方便令諸子等得免斯
害父知諸子先心各有所好種種珍玩奇異
之物情必樂著而告之言汝等所可玩好希
有難得汝若不取後必憂悔如此種種羊車
鹿車牛車今在門外可以遊戲汝等於此火
宅宜速出來隨汝所欲皆當與汝尒時諸子
聞父所說珍玩之物適其願故心各勇銳互
相推排競共馳走爭出火宅是時長者見諸
子等安隱得出皆於四衢道中露地而坐無
復障礙其心泰然歡喜踊躍時諸子等各白
父言父先所許玩好之具羊車鹿車牛車願
時賜與舍利弗尒時長者各賜諸子等一大
車其車高廣衆寶莊校周帀欄楯四面懸鈴
又於其上張設幰蓋亦以珍奇雜寶而嚴飾
之寶繩交絡垂諸華瓔重敷綩綖安置丹枕
駕以白牛膚色充潔形體姝好有大筋力行
步平正其疾如風又多僕從而侍衛之所以
者何是大長者財富無量種種諸藏悉皆充
溢而作是念我財物無極不應以下劣小車

步平正其疾如風又多僕從而侍衛之所以
者何是大長者財富無量種種諸藏悉皆充
溢而作是念我財物無極不應以下劣小車
與諸子等今此幼童皆是吾子愛無偏黨我
有如是七寶大車其數無量應當等心各各
與之不宜差別所以者何以我此物周給一
國猶尚不匱何況諸子是時諸子各乘大車
得未曾有非本所望舍利弗於汝意云何是
長者等與諸子珍寶大車寧有虛妄不舍利
弗言不也世尊是長者但令諸子得免火難
全其軀命非為虛妄何以故若全身命便為
已得玩好之具況復方便於彼火宅而拔濟
之世尊若是長者乃至不與最小一車猶不
虛妄何以故是長者先作是意我以方便令
子得出以是因緣無虛妄也何況長者自知
財富無量欲饒益諸子等與大車佛告舍利
弗善哉善哉如汝所言舍利弗如來亦復如
是則為一切世間之父於諸怖畏衰惱憂患
無明闇蔽永盡無餘而悉成就無量知見力
無所畏有大神力及智慧力具足方便智慧
波羅蜜大慈大悲常無懈惓恒求善事利益
一切而生三界朽故火宅為度衆生生老病
死憂悲苦惱愚癡闇蔽三毒之火教化令得
阿耨多羅三藐三菩提見諸衆生為生老病
死憂悲苦惱之所燒煮亦以五欲財利故受
種種苦又以貪著追求故現受衆苦後受地
獄畜生餓鬼之苦若生天上及在人間貧窮

阿耨多羅三藐三菩提見諸衆生爲生老病
死憂悲苦惱之所燒煮亦以五欲財利故受
種種苦又以貪著追求故現受衆苦後受地
獄畜生餓鬼之苦若生天上及在人間貧窮
困苦愛別離苦怨憎會苦如是等種種諸苦
衆生沒在其中歡喜遊戲不覺不知不驚不
怖亦不生猒不求解脫於此三界火宅東西
馳走雖遭大苦不以爲患舍利弗佛見此已
便作是念我爲衆生之父應拔其苦難與無
量無邊佛智慧樂令其遊戲舍利弗如來復
作是念若我但以神力及智慧力捨於方便
爲諸衆生讚如來知見力無所畏者衆生不
能以是得度所以者何是諸衆生未免生老
病死憂悲苦惱而爲三界火宅所燒何由能
解佛之智慧舍利弗如彼長者雖復身手
有力而不用之但以慇懃方便勉濟諸子火
宅之難然後各與珍寶大車如來亦復如是
雖有力無所畏而不用之但以智慧方便於
三界火宅拔濟衆生爲說三乘聲聞辟支佛
佛乘而作是言汝等莫得樂住三界火宅勿
貪麁弊色聲香味觸也若貪著生愛則爲所
燒汝速出三界當得三乘聲聞辟支佛佛乘
我今爲汝保任此事終不虛也汝等但當勤
脩精進如來以是方便誘進衆生復作是言
汝等當知此三乘法皆是聖所稱歎自在無
繫無所依求乘是三乘以無漏根力覺道禪
定解脫三昧等而自娛樂便得無量安隱快

脩精進如來以是方便誘進衆生復作是言
汝等當知此三乘法皆是聖所稱歎自在無
繫無所依求乘是三乘以無漏根力覺道禪
定解脫三昧等而自娛樂便得無量安隱快
樂舍利弗若有衆生內有智性從佛世尊聞
法信受慇懃精進欲速出三界自求涅槃是
名聲聞乘如彼諸子爲求羊車出於火宅若
有衆生從佛世尊聞法信受慇懃精進求自
然慧樂獨善寂深知諸法因緣是名辟支佛
乘如彼諸子爲求鹿車出於火宅若有衆生
從佛世尊聞法信受勤脩精進求一切智佛
智自然智無師智如來知見力無所畏愍念
安樂無量衆生利益天人度脫一切是名大
乘菩薩求此乘故名爲摩訶薩如彼諸子爲
求牛車出於火宅舍利弗如彼長者見諸子
等安隱得出火宅到無畏處自惟財富無量
等以大車而賜諸子如來亦復如是爲一切
衆生之父若見無量億千衆生以佛教門出
三界苦怖畏險道得涅槃樂如來尒時便作
是念我有無量無邊智慧力無畏等諸佛法
藏是諸衆生皆是我子等與大乘不令有人
獨得滅度皆以如來滅度而滅度之是諸衆
生脫三界者悉與諸佛禪定解脫等娛樂之
具皆是一相一種聖所稱歎能生淨妙第一
之樂舍利弗如彼長者初以三車誘引諸子
然後但與大車寶物莊嚴安隱第一然彼長
者無虛妄之咎如來亦復如是無有虛妄初

之樂舍利弗如彼長者初以三車誘引諸子
然後但與大車寶物莊嚴安隱第一然彼長
者無虛妄之咎如來亦復如是無有虛妄初
說三乘引導衆生然後但以大乘而度脫之
何以故如來有無量智慧力無所畏諸法之
藏能與一切衆生大乘之法但不盡能受舍
利弗以是因緣當知諸佛方便力故於一佛乘
分別說三佛欲重宣此義而說偈言
譬如長者 有一大宅 其宅久故 而復頓弊
堂舍高危 柱根摧朽 梁棟傾斜 基陛頹毀
墻壁圮坼 泥塗褫落 覆苫亂墜 椽梠差脫
周障屈曲 雜穢充遍 有五百人 止住其中
鴟梟鵰鷲 烏鵲鳩鴿 蚖虵蝮蝎 蜈蚣蚰蜒
守宮百足 狖狸鼷鼠 諸惡虫輩 交橫馳走
屎尿臭處 不淨流溢 蜣蜋諸虫 而集其上
狐狼野干 咀嚼踐蹋 嚌齧死屍 骨肉狼藉
由是群狗 競來搏撮 飢羸慞惶 處處求食
鬪諍齟掣 啀喍嘷吠 其舍恐怖 變狀如是
處處皆有 魑魅魍魎 夜叉惡鬼 食噉人肉
毒虫之屬 諸惡禽獸 孚乳產生 各自藏護
夜叉競來 爭取食之 食之既飽 惡心轉熾
鬪諍之聲 甚可怖畏 鳩槃荼鬼 蹲踞土埵
或時離地 一尺二尺 往返遊行 縱逸嬉戲
捉狗兩足 撲令失聲 以脚加頸 怖狗自樂
復有諸鬼 其身長大 裸形黑瘦 常住其中
發大惡聲 叫呼求食 復有諸鬼 其咽如針
復有諸鬼 首如牛頭 或食人肉 或復噉狗

BD00882號　妙法蓮華經卷二　(25-9)

復有諸鬼 其身長大 裸形黑瘦 常住其中
發大惡聲 叫呼求食 復有諸鬼 其咽如針
復有諸鬼 首如牛頭 或食人肉 或復噉狗
頭髮蓬亂 殘害凶險 飢渴所逼 叫喚馳走
夜叉餓鬼 諸惡鳥獸 飢急四向 窺看窗牖
如是諸難 恐畏無量 是朽故宅 屬于一人
其人近出 未久之間 於後舍宅 欻然火起
四面一時 其焰俱熾 棟梁椽柱 爆聲震裂
摧折墮落 墻壁崩倒 諸鬼神等 揚聲大叫
鵰鷲諸鳥 鳩槃荼等 周章惶怖 不能自出
惡獸毒虫 藏竄孔穴 毗舍闍鬼 亦住其中
薄福德故 為火所逼 共相殘害 飲血噉肉
野干之屬 並已前死 諸大惡獸 競來食噉
臭烟熢㶿 四面充塞 蜈蚣蚰蜒 毒蛇之類
為火所燒 爭走出穴 鳩槃荼鬼 隨取而食
又諸餓鬼 頭上火然 飢渴熱惱 周章悶走
其宅如是 甚可怖畏 毒害火災 衆難非一
是時宅主 在門外立 聞有人言 汝諸子等
先因遊戲 來入此宅 稚小無知 歡娛樂著
長者聞已 驚入火宅 方宜救濟 令無燒害
告喻諸子 說衆患難 惡鬼毒虫 災火蔓莚
衆苦次第 相續不絕 毒蛇蚖蝮 及諸夜叉
鳩槃荼鬼 野干狐狗 鵰鷲鵄梟 百足之屬
飢渴惱急 甚可怖畏 此苦難處 況復大火
諸子無知 雖聞父誨 猶故樂著 嬉戲不已
是時長者 而作是念 諸子如此 益我愁惱
今此舍宅 無一可樂 而諸子等 耽湎嬉戲

BD00882號　妙法蓮華經卷二　(25-10)

飢渴惱急　甚可怖畏　此苦難處　況復大火
諸子無知　雖聞父誨　猶故樂著　嬉戲不已
是時長者　而作是念　諸子如此　益我愁惱
今此舍宅　無一可樂　而諸子等　耽湎嬉戲
不受我教　將為火害　即便思惟　設諸方便
告諸子等　我有種種　珍玩之具　妙寶好車
羊車鹿車　大牛之車　今在門外　汝等出來
吾為汝等　造作此車　隨意所樂　可以遊戲
諸子聞說　如此諸車　即時奔競　馳走而出
到於空地　離諸苦難　長者見子　得出火宅
住於四衢　坐師子座　而自慶言　我今快樂
此諸子等　生育甚難　愚小無知　而入險宅
多諸毒虫　魑魅可畏　大火猛焰　四面俱起
而此諸子　貪樂嬉戲　我已救之　令得脫難
是故諸人　我今快樂　尒時諸子　知父安坐
皆詣父所　而白父言　願賜我等　三種寶車
如前所許　諸子出來　當以三車　隨汝所欲
今正是時　唯垂給與　長者大富　庫藏眾多
金銀琉璃　車𤦲馬瑙　以眾寶物　造諸大車
莊挍嚴飾　周帀欄楯　四面懸鈴　金繩交絡
真珠羅網　張施其上　金華諸瓔　處處垂下
眾彩雜飾　周帀圍繞　柔軟繒纊　以為茵蓐
上妙細疊　價直千億　鮮白淨潔　以覆其上
有大白牛　肥壯多力　形體姝好　以駕寶車
多諸儐從　而侍衛之　以是妙車　等賜諸子
諸子是時　歡喜踊躍　乘是寶車　遊於四方
嬉戲快樂　自在無礙　告舍利弗　我亦如是

BD00882號　妙法蓮華經卷二　（25–11）

有大白牛　肥壯多力　形體姝好　以駕寶車
多諸儐從　而侍衛之　以是妙車　等賜諸子
諸子是時　歡喜踊躍　乘是寶車　遊於四方
嬉戲快樂　自在無礙　告舍利弗　我亦如是
眾聖中尊　世間之父　一切眾生　皆是吾子
深著世樂　無有慧心　三界無安　猶如火宅
眾苦充滿　甚可怖畏　常有生老　病死憂患
如是等火　熾然不息　如來已離　三界火宅
寂然閑居　安處林野　今此三界　皆是我有
其中眾生　悉是吾子　而今此處　多諸患難
唯我一人　能為救護　雖復教詔　而不信受
於諸欲染　貪著深故　是以方便　為說三乘
令諸眾生　知三界苦　開示演說　出世間道
是諸子等　若心決定　具足三明　及六神通
有得緣覺　不退菩薩　汝舍利弗　我為眾生
以此譬喻　說一佛乘　汝等若能　信受是語
一切皆當　得成佛道　是乘微妙　清淨第一
於諸世間　為無有上　佛所悅可　一切眾生
所應稱讚　供養礼拜　無量億千　諸力解脫
禪定智慧　及佛餘法　得如是乘　令諸子等
日夜劫數　常得遊戲　與諸菩薩　及聲聞眾
乘此寶乘　直至道場　以是因緣　十方諦求
更無餘乘　除佛方便　告舍利弗　汝諸人等
皆是吾子　我則是父　汝等累劫　眾苦所燒
我皆濟拔　令出三界　我雖先說　汝等滅度
但盡生死　而實不滅　今所應作　唯佛智慧
若有菩薩　於是眾中　能一心聽　諸佛實法
諸佛世尊　雖以方便　所化眾生　皆是菩薩

BD00882號　妙法蓮華經卷二　（25–12）

我皆濟拔令出三界　我雖先說　汝等滅度
但盡生死　而實不滅　今所應作　唯佛智慧
若有菩薩　於是衆中　能一心聽　諸佛實法
諸佛世尊　雖以方便　所化衆生　皆是菩薩
若人小智　深著愛欲　為此等故　說於苦諦
衆生心喜　得未曾有　佛說苦諦　真實無異
若有衆生　不知苦本　深著苦因　不能暫捨
為是等故　方便說道　諸苦所因　貪欲為本
若滅貪欲　無所依止　滅盡諸苦　名第三諦
為滅諦故　脩行於道　離諸苦縛　名得解脫
是人於何　而得解脫　但離虛妄　名為解脫
其實未得　一切解脫　佛說是人　未實滅度
斯人未得　無上道故　我意不欲　令至滅度
我為法王　於法自在　安隱衆生　故現於世
汝舍利弗　我此法印　為欲利益　世間故說
在所遊方　勿妄宣傳　若有聞者　隨喜頂受
當知是人　阿鞞跋致　若有信受　此經法者
是人已曾　見過去佛　恭敬供養　亦聞是法
若人有能　信汝所說　則為見我　亦見於汝
及比丘僧　并諸菩薩　斯法華經　為深智說
淺識聞之　迷惑不解　一切聲聞　及辟支佛
於此經中　力所不及　汝舍利弗　尚於此經
以信得入　況餘聲聞　其餘聲聞　信佛語故
隨順此經　非已智分　又舍利弗　憍慢懈怠
計我見者　莫說此經　凡夫淺識　深著五欲
聞不能解　亦勿為說　若人不信　毀謗此經
則斷一切　世間佛種　或復頻蹙　而懷疑惑

隨順此經　非已智分　又舍利弗　憍慢懈怠
計我見者　莫說此經　凡夫淺識　深著五欲
聞不能解　亦勿為說　若人不信　毀謗此經
則斷一切　世間佛種　或復頻蹙　而懷疑惑
汝當聽說　此人罪報　若佛在世　若滅度後
其有誹謗　如斯經典　見有讀誦　書持經者
輕賤憎嫉　而懷結恨　此人罪報　汝今復聽
其人命終　入阿鼻獄　具足一劫　劫盡更生
如是展轉　至無數劫　從地獄出　當墮畜生
若狗野干　其形頞瘦　黧黮疥癩　人所觸嬈
又復為人　之所惡賤　常困飢渴　骨肉枯竭
生受楚毒　死被瓦石　斷佛種故　受斯罪報
若作駱駝　或生驢中　身常負重　加諸杖捶
但念水草　餘無所知　謗斯經故　獲罪如是
有作野干　來入聚落　身體疥癩　又無一目
為諸童子　之所打擲　受諸苦痛　或時致死
於此死已　更受蟒身　其形長大　五百由旬
聾騃無足　宛轉腹行　為諸小虫　之所唼食
晝夜受苦　無有休息　謗斯經故　獲罪如是
若得為人　諸根闇鈍　矬陋攣躄　盲聾背傴
有所言說　人不信受　口氣常臭　鬼魅所著
貧窮下賤　為人所使　多病痟瘦　無所依怙
雖親附人　人不在意　若有所得　尋復忘失
若脩醫道　順方治病　更增他疾　或復致死
若自有病　無人救療　設服良藥　而復增劇
若他反逆　抄劫竊盜　如是等罪　橫羅其殃
如斯罪人　永不見佛　衆聖之王　說法教化

若自有病　無人救療　設服良藥　而復增劇
若他反逆　抄劫竊盜　如是等罪　橫罹其殃
如斯罪人　永不見佛　衆聖之王　說法教化
如斯罪人　常生難處　狂聾心亂　永不聞法
於無數劫　如恒河沙　生輒聾瘂　諸根不具
常處地獄　如遊園觀　在餘惡道　如己舍宅
駝驢猪狗　是其行處　謗斯經故　獲罪如是
若得為人　聾盲瘖瘂　貧窮諸衰　以自莊嚴
水腫乾痟　疥癩癰疽　如是等病　以為衣服
身常臭處　垢穢不淨　深著我見　增益瞋恚
婬欲熾盛　不擇禽獸　謗斯經故　獲罪如是
告舍利弗　謗斯經者　若說其罪　窮劫不盡
以是因緣　我故語汝　無智人中　莫說此經
若有利根　智慧明了　多聞強識　求佛道者
如是之人　乃可為說　若人曾見　億百千佛
植諸善本　深心堅固　如是之人　乃可為說
若人精進　常脩慈心　不惜身命　乃可為說
若人恭敬　無有異心　離諸凡愚　獨處山澤
如是之人　乃可為說　又舍利弗　若見有人
捨惡知識　親近善友　如是之人　乃可為說
若見佛子　持戒清潔　如淨明珠　求大乘經
如是之人　乃可為說　若人無瞋　質直柔軟
常愍一切　恭敬諸佛　如是之人　乃可為說
復有佛子　於大衆中　以清淨心　種種因緣
譬喻言辭　說法無礙　如是之人　乃可為說
若有比丘　為一切智　四方求法　合掌頂受
但樂受持　大乘經典　乃至不受　餘經一偈
[illegible]

譬喻言辭　說法無礙　如是之人　乃可為說
若有比丘　為一切智　四方求法　合掌頂受
但樂受持　大乘經典　乃至不受　餘經一偈
如是之人　乃可為說　如人至心　求佛舍利
如是求經　得已頂受　其人不復　志求餘經
亦未曾念　外道典籍　如是之人　乃可為說
告舍利弗　我說是相　求佛道者　窮劫不盡
如是等人　則能信解　汝當為說　妙法華經

妙法蓮華經信解品第四

尒時慧命須菩提摩訶迦旃延摩訶迦葉摩
訶目揵連從佛所聞未曾有法世尊授舍利
弗阿耨多羅三藐三菩提記發希有心歡喜
踊躍即從座起整衣服偏袒右肩右膝著地
一心合掌曲躬恭敬瞻仰尊顏而白佛言我
等居僧之首年並朽邁自謂已得涅槃無所
堪任不復進求阿耨多羅三藐三菩提世尊
往昔說法既久我時在座身體疲懈但念空
無相無作於菩薩法遊戲神通淨佛國土成
就衆生心不喜樂所以者何世尊令我等出
於三界得涅槃證又今我等年已朽邁於佛
教化菩薩阿耨多羅三藐三菩提不生一念
好樂之心我等今於佛前聞授聲聞阿耨
多羅三藐三菩提記心甚歡喜得未曾有不
謂於今忽然得聞希有之法深自慶幸獲大
善利無量珍寶不求自得世尊我等今者樂
說譬喻以明斯義譬若有人年既幼稚捨父
逃逝久住他國或十二十至五十歲年既

謂於今忽然得聞希有之法深自慶幸獲大
善利無量珎寶不求自得世尊我等今者樂
說譬喻以明斯義譬若有人年既幼稚捨父
逃逝久住他國或十二十至五十歲年既長
大加復窮困馳騁四方以求衣食漸漸遊行
遇向本國其父先來求子不得中止一城其
家大富財寶無量金銀琉璃珊瑚虎珀頗梨
珠等其諸倉庫悉皆盈溢多有僮僕臣佐吏
民象馬車乘牛羊無數出入息利乃遍他國
商估賈客亦甚衆多時貧窮子遊諸聚落
經歷國邑遂到其父所止之城父每念子與
子離別五十餘年而未曾向人說如此事但
自思惟心懷悔恨自念老朽多有財物金銀
珎寶倉庫盈溢無有子息一旦終沒財物散失
無所委付是以慇懃每憶其子復作是念我
若得子委付財物坦然快樂無復憂慮世尊
尒時窮子傭賃展轉遇到父舍住立門側遙
見其父踞師子床寶几承足諸婆羅門剎利
居士皆恭敬圍繞以真珠瓔珞價直千万莊
嚴其身吏民僮僕手執白拂侍立左右覆以
寶帳垂諸華幡香水灑地散衆名華羅列寶
物出內取與有如是等種種嚴飾威德特尊
窮子見父有大力勢即懷恐怖悔來至此竊
作是念此或是王或是王等非我傭力得
物之處不如往至貧里肆力有地衣食易得
若久住此或見逼迫強使我作作是念已疾
走而去時富長者於師子座見便識心大歡喜

物之處不如往至貧里肆力有地衣食易得
若久住此或見逼迫強使我作作是念已疾
走而去時富長者於師子座見便識心大歡喜
即作是念我財物庫藏今有所付我常思念
此子無由見之而忽自來甚適我願我雖年
朽猶故貪惜即遣傍人急追將還尒時使者
疾走往捉窮子驚愕稱怨大喚我不相犯何
為見捉使者執之愈急強牽將還于時窮子
自念無罪而被囚執此必定死轉更惶怖悶
絕躄地父遙見之而語使言不須此人勿強
將來以冷水灑面令得醒悟莫復與語所以
者何父知其子志意下劣自知豪貴為子所
難審知是子而以方便不語他人云是我子
使者語之我今放汝隨意所趣窮子歡喜得
未曾有從地而起往至貧里以求衣食尒時
長者將欲誘引其子而設方便密遣二人形
色憔悴無威德者汝可詣彼徐語窮子此有
作處倍與汝直窮子若許將來使作若言欲
何所作便可語之雇汝除糞我等二人亦共
汝作時二使人即求窮子既已得之具陳上
事尒時窮子先取其價尋與除糞其父見子
愍而怪之又以他日於窓牖中遙見子身羸
瘦憔悴糞土塵坌汙穢不淨即脫瓔珞細軟
上服嚴飾之具更著麤弊垢膩之衣塵土坌
身右手執持除糞之器狀有所畏語諸作人
汝等勤作勿得懈息以方便故得近其子後
復告言咄男子汝常此作勿復餘去當加汝

服嚴飾之具更著麤弊垢膩之衣塵土坌
身右手執持除糞之器狀有所畏語諸作人
汝等勤作勿得懈息以方便故得近其子後
復告言咄男子汝常此作勿復餘去當加汝
價諸有所須瓮器米麵鹽酢之屬莫自疑難
亦有老弊使人須者相給好自安意我如汝
父勿復憂慮所以者何我年老大而汝少壯
汝常作時無有欺怠瞋恨怨言都不見汝有
此諸惡如餘作人自今已後如所生子即時
長者更與作字名之為兒尒時窮子雖欣此
遇猶故自謂客作賤人由是之故於二十年
中常令除糞過是已後心相體信入出無難
然其所止猶在本處世尊尒時長者有疾自
知將死不久語窮子言我今多有金銀珎寶
倉庫盈溢其中多少所應取與汝悉知之我
心如是當體此意所以者何今我與汝便為
不異宜加用心無令漏失尒時窮子即受教
勅領知衆物金銀珎寶及諸庫藏而無悕取
一飡之意然其所止故在本處下劣之心亦
未能捨復經少時父知子意漸已通泰成就
大志自鄙先心臨欲終時而命其子并會親
族國王大臣剎利居士皆悉已集即自宣言
諸君當知此是我子我之所生於某城中捨
吾逃走跉跰辛苦五十餘年其本字某我名
某甲昔在本城懷憂推覓忽於此間遇會得
之此實我子我實其父今我所有一切財物
皆是子有先所出內是子所知世尊是時窮

某甲昔在本城懷憂推覓忽於此間遇會得
之此實我子我實其父今我所有一切財物
皆是子有先所出內是子所知世尊是時窮
子聞父此言即大歡喜得未曾有而作是念
我本無心有所悕求今此寶藏自然而至世
尊大富長者則是如來我等皆似佛子如來
常說我等為子世尊我等以三苦故於生死
中受諸熱惱迷惑無知樂著小法今日世尊
令我等思惟蠲除諸法戲論之糞我等於中
勤加精進得至涅槃一日之價既得此已心
大歡喜自以為足便自謂於佛法中勤精進
故所得弘多然世尊先知我等心著弊欲樂
於小法便見縱捨不為分別汝等當有如來
知見寶藏之分世尊以方便力說如來智慧
我等從佛得涅槃一日之價以為大得於此
大乘無有志求我等又因如來智慧為諸菩
薩開示演說而自於此無有志願所以者何
佛知我等心樂小法以方便力隨我等說而我
等不知真是佛子今我等方知世尊於佛
智慧無所悋惜所以者何我等昔來真是佛
子而但樂小法若我等有樂大之心佛則為
我說大乘法此經中唯說一乘而昔於菩薩
前毀呰聲聞樂小法者然佛實以大乘教化
是故我等說本無心有所悕求今法王大寶
自然而至如佛子所應得者皆已得之尒時摩
訶迦葉欲重宣此義而說偈言
我等今日聞佛音教歡喜踊躍得未曾有

是故我等說本無心有所悕求今法王大寶
自然而至如佛子所應得者皆已得之尒時摩
訶迦葉欲重宣此義而說偈言
我等今日 聞佛音教 歡喜踊躍 得未曾有
佛說聲聞 當得作佛 無上寶聚 不求自得
譬如童子 幼稚無識 捨父逃逝 遠到他土
周流諸國 五十餘年 其父憂念 四方推求
求之既疲 頓止一城 造立舍宅 五欲自娛
其家巨富 多諸金銀 車𤦲馬瑙 真珠琉璃
象馬牛羊 輦輿車乘 田業僮僕 人民衆多
出入息利 乃遍他國 商估賈人 無處不有
千万億衆 圍繞恭敬 常為王者 之所愛念
群臣豪族 皆共宗重 以諸緣故 往來者衆
豪富如是 有大力勢 而年朽邁 益憂念子
夙夜惟念 死時將至 癡子捨我 五十餘年
庫藏諸物 當如之何 尒時窮子 求索衣食
從邑至邑 從國至國 或有所得 或無所得
飢餓羸瘦 體生瘡癬 漸次經歷 到父住城
傭賃展轉 遂至父舍 尒時長者 於其門內
施大寶帳 處師子座 眷屬圍繞 諸人侍衛
或有計算 金銀寶物 出內財產 注記券疏
窮子見父 豪貴尊嚴 謂是國王 若是王等
驚怖自恠 何故至此 覆自念言 我若久住
或見逼迫 強驅使作 思惟是已 馳走而去
借問貧里 欲往傭作 長者是時 在師子座
遙見其子 嘿而識之 即勑使者 追捉將來
窮子驚喚 迷悶躃地 是人執我 必當見殺

或見逼迫 強驅使作 思惟是已 馳走而去
借問貧里 欲往傭作 長者是時 在師子座
遙見其子 嘿而識之 即勑使者 追捉將來
窮子驚喚 迷悶躃地 是人執我 必當見殺
何用衣食 使我至此 長者知子 愚癡狹劣
不信我言 不信是父 即以方便 更遣餘人
眇目矬陋 無威德者 汝可語之 云當相雇
除諸糞穢 倍與汝價 窮子聞之 歡喜隨來
為除糞穢 淨諸房舍 長者於牖 常見其子
念子愚劣 樂為鄙事 於是長者 著弊垢衣
執除糞器 往到子所 方便附近 語令勤作
既益汝價 并塗足油 飲食充足 薦席厚暖
如是苦言 汝當勤作 又以軟語 若如我子
長者有智 漸令入出 經二十年 執作家事
示其金銀 真珠頗梨 諸物出入 皆使令知
猶處門外 止宿草菴 自念貧事 我無此物
父知子心 漸已曠大 欲與財物 即聚親族
國王大臣 剎利居士 於此大衆 說是我子
捨我他行 經五十歲 自見子來 已二十年
昔於某城 而失是子 周行求索 遂來至此
凡我所有 舍宅人民 悉以付之 恣其所用
子念昔貧 志意下劣 今於父所 大獲珍寶
并及舍宅 一切財物 甚大歡喜 得未曾有
佛亦如是 知我樂小 未曾說言 汝等作佛
而說我等 得諸無漏 成就小乘 聲聞弟子
佛勑我等 說最上道 脩習此者 當得成佛
我承佛教 為大菩薩 以諸因緣 種種譬喻

而說我等 得諸無漏 成就小乘 聲聞弟子
佛勅我等 說最上道 脩習此者 當得成佛
我承佛教 為大菩薩 以諸因緣 種種譬喻
若干言辭 說無上道 諸佛子等 從我聞法
日夜思惟 精勤脩習 是時諸佛 即授其記
汝於來世 當得作佛 一切諸佛 秘藏之法
但為菩薩 演其實事 而不為我 說斯真要
如彼窮子 得近其父 雖知諸物 心不悕取
我等雖說 佛法寶藏 自無志願 亦復如是
我等內滅 自謂為足 唯了此事 更無餘事
我等若聞 淨佛國土 教化眾生 都無欣樂
所以者何 一切諸法 皆悉空寂 無生無滅
無大無小 無漏無為 如是思惟 不生喜樂
我等長夜 於佛智慧 無貪無著 無復志願
而自於法 謂是究竟 我等長夜 脩習空法
得脫三界 苦惱之患 住最後身 有餘涅槃
佛所教化 得道不虛 則為已得 報佛之恩
我等雖為 諸佛子等 說菩薩法 以求佛道
而於是法 永無願樂 導師見捨 觀我心故
初不勸進 說有實利 如富長者 知子志劣
以方便力 柔伏其心 然後乃付 一切財物
佛亦如是 現希有事 知樂小者 以方便力
調伏其心 乃教大智 我等今日 得未曾有
非先所望 而今自得 如彼窮子 得無量寶
世尊我今 得道得果 於無漏法 得清淨眼
我等長夜 持佛淨戒 如於今日 得其果報
法王法中 久脩梵行 今得無漏 無上大果

BD00882號　妙法蓮華經卷二　（25–23）

佛亦如是 現希有事 知樂小者 以方便力
調伏其心 乃教大智 我等今日 得未曾有
非先所望 而今自得 如彼窮子 得無量寶
世尊我今 得道得果 於無漏法 得清淨眼
我等長夜 持佛淨戒 如於今日 得其果報
法王法中 久脩梵行 今得無漏 無上大果
我等今者 真是聲聞 以佛道聲 令一切聞
我等今者 真阿羅漢 於諸世間 天人魔梵
普於其中 應受供養 世尊大恩 以希有事
憐愍教化 利益我等 無量億劫 誰能報者
手足供給 頭頂礼敬 一切供養 皆不能報
若以頂戴 兩肩荷負 於恒沙劫 盡心恭敬
又以美饍 無量寶衣 及諸臥具 種種湯藥
牛頭栴檀 及諸珍寶 以起塔廟 寶衣布地
如斯等事 以用供養 於恒沙劫 亦不能報
諸佛希有 無量無邊 不可思議 大神通力
無漏無為 諸法之王 能為下劣 忍于斯事
取相凡夫 隨宜為說 諸佛於法 得最自在
知諸眾生 種種欲樂 及其志力 隨所堪任
以無量喻 而為說法 隨諸眾生 宿世善根
又知成熟 未成熟者 種種籌量 分別知已
於一乘道 隨宜說三

妙法蓮華經卷第二

BD00882號　妙法蓮華經卷二　（25–24）

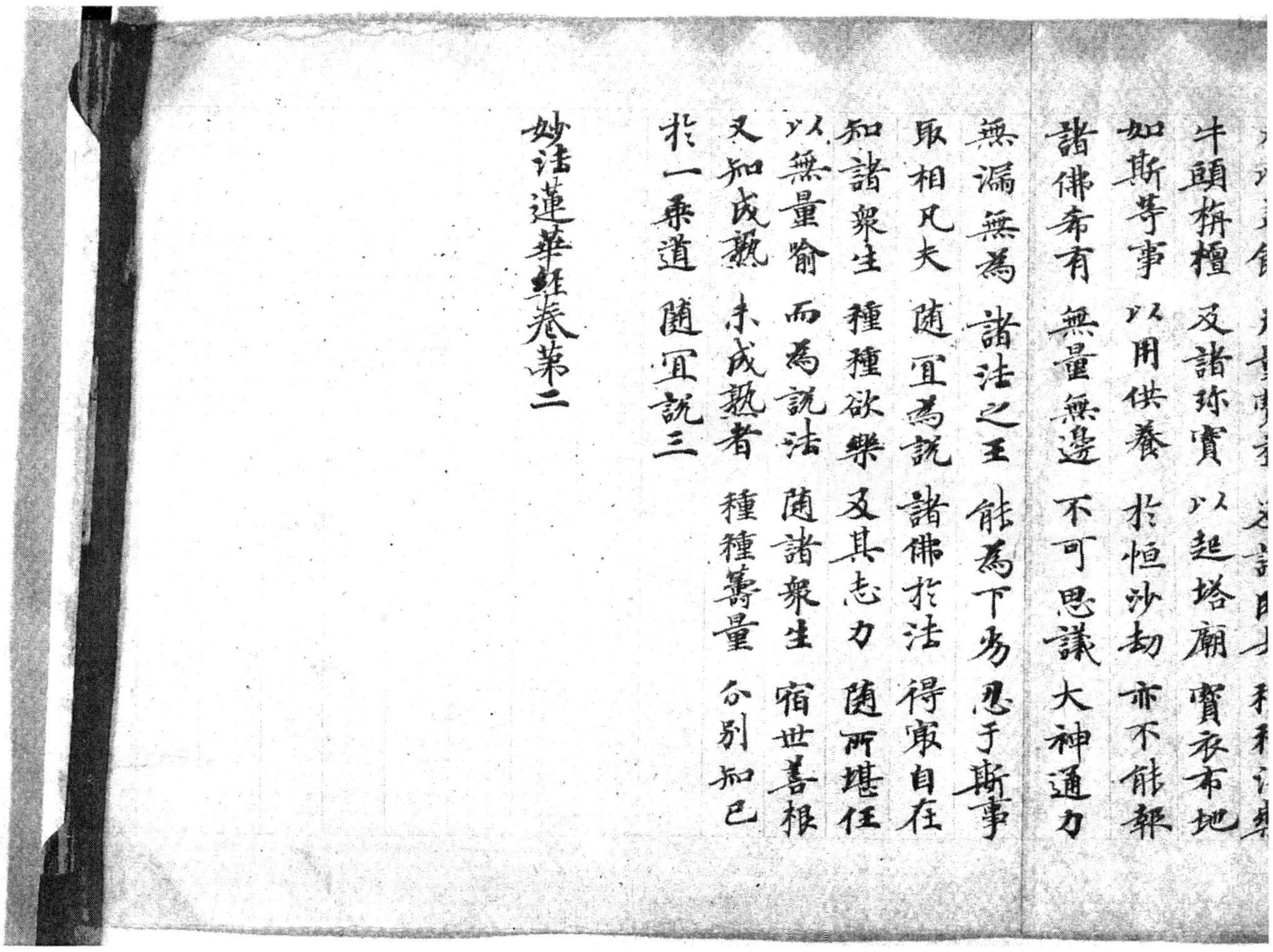
牛頭栴檀　及諸珎寶　以起塔廟　寶衣布地
如斯等事　以用供養　於恒沙劫　亦不能報
諸佛希有　無量無邊　不可思議　大神通力
無漏無為　諸法之王　能為下劣　忍于斯事
取相凡夫　隨宜為說　諸佛於法　得最自在
知諸眾生　種種欲樂　及其志力　隨所堪任
以無量喻　而為說法　隨諸眾生　宿世善根
又知成熟　未成熟者　種種籌量　分別知已
於一乘道　隨宜說三

妙法蓮華經卷第二

BD00882 號　妙法蓮華經卷二　（25–25）

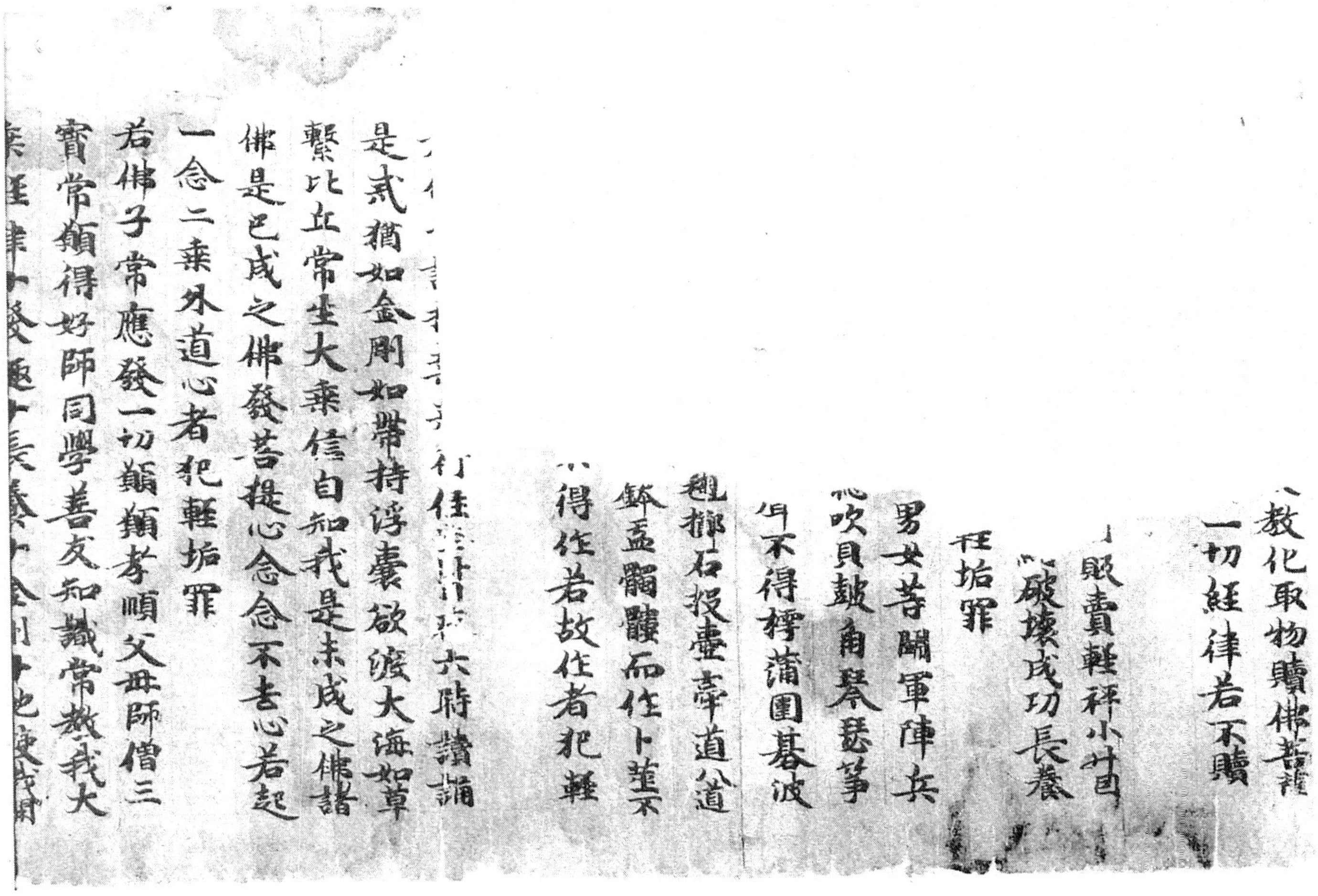
…教化取物贖佛菩薩
一切經律若不贖
…毀賣輕秤小斗…破壞成功長養
…輕垢罪
男女菩薩鬪軍陣兵
…吹貝鼓角琴瑟箏
…不得樗蒲圍碁波
…擲石投壺牽道八道
…缽盂髑髏而作卜筮
…得作若故作者犯輕
…行住…六時讀誦
是戒猶如金剛如帶持浮囊欲渡大海如草
繫比丘常生大乘信自知我是未成之佛諸
佛是已成之佛發菩提心念念不去心若起
一念二乘外道心者犯輕垢罪
若佛子常應發一切願孝順父母師僧三
寶常願得好師同學善友知識常教我大
乘經律十發趣十長養十金剛十地使我開…

BD00883 號　梵網經盧舍那佛說菩薩心地戒品第十卷下　（8–1）

佛是已成之佛發菩提心念念不去心若起
一念二乘外道心者犯輕垢罪
若佛子常應發一切願孝順父母師僧三
寶常願得好師同學善友知識常教我大
乘經律十發趣十長養十金剛十地使我開
解如法修行堅持佛戒寧捨身命念念不
去心若一切菩薩不發是願者犯輕垢罪
若佛子發十大願已持佛禁戒作是願言寧
以此身投於熾然猛火大坑刀山終不毀犯
三世諸佛經律與一切女人作不淨行
復作是願寧以熱鐵羅網千重周匝纏身
終不以破戒之身受信心檀越一切衣服
復作是願寧以此口吞熱鐵丸及大流猛火
經百千劫終不以破戒之口食信心檀越百
味飲食
復作是願寧以此身臥大猛火羅網熱鐵地
上終不以破戒之身受信心檀越百種床座
復作是願寧以此身受三百鉾刺身經一劫
二劫終不以破戒之身受信心檀越百味醫藥
復作是願寧以此身投熱鐵鑊經百千劫終
不以破戒之身受信心檀越千種房舍屋
宅園林田地
復作是願寧以鐵鎚打碎此身從頭至足
合如微塵終不以此破戒之身受信心檀越
恭敬礼拜
復作是願寧以百千熱鐵刀鉾挑其兩目

BD00883號　梵網經盧舍那佛說菩薩心地戒品第十卷下　（8–2）

合如微塵終不以此破戒之身受信心檀越
恭敬礼拜
復作是願寧以百千熱鐵刀鉾挑其兩目
終不以破戒之心視他好色
復作是願寧以百千鐵錐遍身擲刺耳根
經一劫二劫終不以破戒之心聽好音聲
復作是願寧以百千刃刀割去其鼻終不以
破戒之心貪嗅諸香
復作是願寧以百千刃刀割斷其舌終不以破
戒之心食人百味淨食
復作是願寧以利斧斬斫其身終不以破戒
之心貪著好觸
復作是願願一切衆生悉得成佛菩薩
若不發是願者犯輕垢罪
若佛子常應二時頭陀冬夏坐禪結夏安
居常用楊枝澡豆三衣瓶鉢坐具錫杖香爐
濾水囊手巾刀子火燧鑷子繩床經律佛像菩
薩形像而菩薩行頭陀時及遊方時行來
時百里千里此十八種物常隨其身頭陀者
從正月十五日至三月十五日八月十五日至
十月十五日是二時中此十八種物常隨其身
如鳥二翼若布薩日新學菩薩半月半月布
薩誦十重四十八輕戒時於諸佛菩薩形
像前誦一人布薩即一人誦若二人三人至
百千人亦一人誦誦者高坐聽者下坐各各
被九條七條五條袈裟結夏安居一一如法

BD00883號　梵網經盧舍那佛說菩薩心地戒品第十卷下　（8–3）

薩應誦十重四十八輕戒時於諸佛菩薩形
像前誦一人布薩即一人誦若二若三乃至
百千人亦一人誦誦者高坐聽者下坐各各
披九條七條五條袈裟結夏安居一一如法
若頭陀時莫入難處若國難惡王土地高
下草木深邃師子虎狼水火惡風劫賊毒
虵道路一切難處悉不得入若頭陀行道乃
至夏坐安居是諸難處皆不得入若故入
者犯輕垢罪
若佛子應如法次第坐先受戒者在前坐
後受戒者在後坐不問老少比丘比丘尼貴
人國王王子乃至黃門奴婢皆應先受戒者
在前坐後受戒者隨次第坐莫如外道痴
人若老若少無前無後坐無次第兵奴之
法我佛法中先者先坐後者後坐而菩薩不
次第坐者犯輕垢罪
若佛子常應教化一切衆生建立僧坊山
林園田立作佛塔冬夏安居坐禪處所一
切行道處皆應立之而菩薩應為一切衆
生講說大乘經律若疾病國難賊難父母
兄弟和上阿闍梨亡没之日及三七日四五七
日乃至七七日亦應講說大乘經律而齋
會求福行來治生大火所燒大水所漂黑風所
吹船舫江河大海羅剎之難乃至一切罪報三
惡七逆八難杻械枷鎖繫縛其身多婬多
瞋多愚癡多疾病皆應讀誦講說大乘

BD00883號　梵網經盧舍那佛說菩薩心地戒品第十卷下　（8–4）

會求福行來治生大火所燒大水所漂黑風所
吹船舫江河大海羅剎之難乃至一切罪報三
惡七逆八難杻械枷鎖繫縛其身多婬多
瞋多愚癡多疾病皆應讀誦講說大乘
經律而新學菩薩若不尒者犯輕垢罪
如是九戒應當學敬心奉持梵壇品中廣說
佛言佛子與人受戒時不得簡擇一切國王
王子大臣百官比丘比丘尼信男信女婬男
婬女十八梵六欲天無根二根黃門奴婢一切
鬼神盡得受戒應教身所著袈裟皆使
壞色與道相應皆染使青黃赤黑紫色
身所著衣一切染色若一切國土中人所著衣
服比丘皆應與其俗服有異若欲受戒時
師應問言汝現身不作七逆罪 菩薩法師
不得與七逆人現身受戒七逆者出佛身
血殺父殺母殺和上殺阿闍梨破羯磨轉
法輪僧殺聖人具七遮即身不得戒餘一切
人得受戒出家人法不向國王禮拜不向父母
禮拜六親不敬鬼神不禮但解法師語有百
里千里來求戒者而菩薩法師以惡心瞋心
而不即與受一切衆生戒者犯輕垢罪
若佛子教化人起信心時菩薩與他人作教
戒法師者見欲受戒人應教請二師和上
阿闍梨二師應問言汝有七遮罪不若現身
有七遮師不應與受戒無七遮者得受戒
若有犯十戒者應教懺悔在佛菩薩形像

BD00883號　梵網經盧舍那佛說菩薩心地戒品第十卷下　（8–5）

若佛子教化人起信心時菩薩與他人作教
戒法師者見欲受戒人應教請二師和上
阿闍梨二師應問言汝有七遮罪不若現身
有七遮師不應與受戒無七遮者得受戒
若有犯十戒者應教懺悔在佛菩薩形像
前日日六時誦十重四十八輕戒苦到禮三
千佛須見好相若一七日二三七日乃至一年
要見好相好相者佛來摩頂見光見華種種
異相便得滅罪若無好相雖懺無益是人
現身亦不得戒而得增受戒罪若有犯四
十八輕戒者對首懺悔罪得滅不同七遮而
教戒師於是法中一一好解若不解大乘經律
若輕若重是非之相不解第一義諦習種
長養性性種性不可壞性道種性正法性其
中多少觀行出入十禪支一切行法一一不得此
法中意而菩薩為利養故為名聞故惡求
多求貪利弟子而詐現解一切經律是自
欺誑亦欺詐他人若故與人受戒者犯輕垢罪
若佛子不得為利養故於未受菩薩戒者
前外道惡人前說此千佛大戒邪見人前
亦不得說除國王餘一切人不得說是惡人
輩不受佛戒名為畜生生生不見三寶如木
石無心名為外道邪見人輩木頭無異而菩
薩於是惡人前說七佛教戒者犯輕垢罪
若佛子信心出家受佛正戒故起心毀犯聖
戒者不得受一切檀越供養亦不得國王地
上行不得飲國王水五千大鬼常遮其前

BD00883號　梵網經盧舍那佛說菩薩心地戒品第十卷下　（8–6）

石無心名為外道邪見人輩木頭無異而菩
薩於是惡人前說七佛教戒者犯輕垢罪
若佛子信心出家受佛正戒故起心毀犯聖
戒者不得受一切檀越供養亦不得國王地
上行不得飲國王水五千大鬼常遮其前
鬼言大賊入房舍城邑宅中鬼復常掃其腳
跡一切世人罵言佛法中賊一切眾生眼不欲
見犯戒之人畜生無異木頭無異若毀正
戒者犯輕垢罪
若佛子常應一心受持讀誦大乘經律剝
皮為紙刺血為墨以髓為水析骨為筆書
寫佛戒木皮穀紙絹素竹帛亦悉書持常
以七寶無價香華一切雜寶為箱囊盛經
律卷若不如法供養者犯輕垢罪
若佛子常起大悲心若入一切城邑舍宅中
見一切眾生應當唱言汝等眾生盡應受
三歸十戒若見牛馬豬羊一切畜生應心念
口言汝是畜生發菩提心而菩薩入一切處
山川林野皆使一切眾生發菩提心是菩薩
若不發心教化眾生者犯輕垢罪
若佛子常行教化起大悲心若入檀越貴
人家一切眾中不得立為白衣說法應白衣
眾前高座上坐法師比丘不得地立為四眾說
法若說法時法師高坐香華供養四眾聽
者下座而坐如孝順父母敬順師教如事火婆
羅門其說法者若不如法說者犯輕垢罪
若佛子皆以信心受佛戒者若國王太子百官

BD00883號　梵網經盧舍那佛說菩薩心地戒品第十卷下　（8–7）

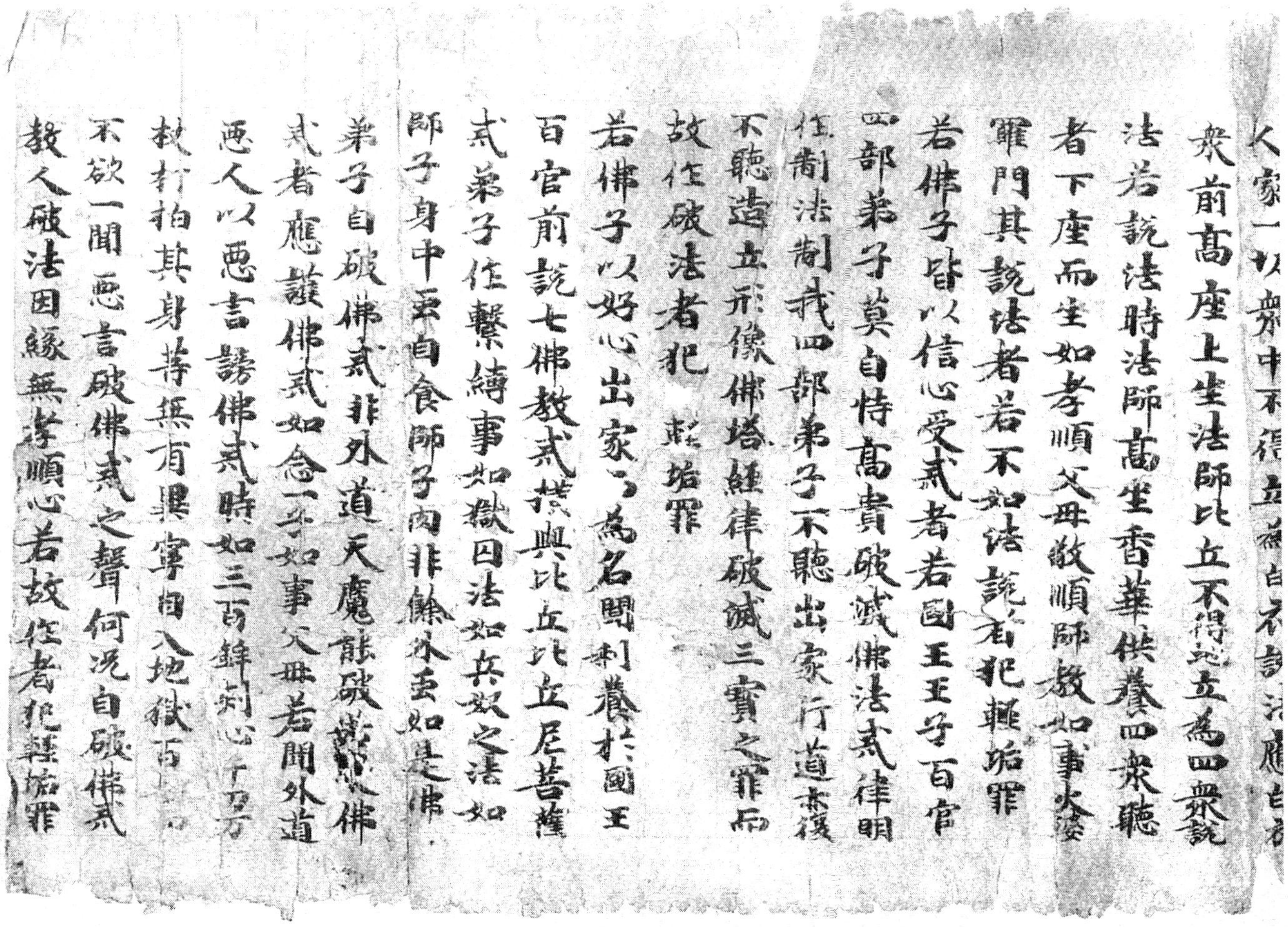

人家一切衆中不得立為白衣說法應白衣
衆前高座上坐法師比丘不得地立為四衆說
法若說法時法師高坐香華供養四衆聽
者下座而坐如孝順父母敬順師教如事火婆
羅門其說法者若不如法說者犯輕垢罪
若佛子皆以信心受戒者若國王王子百官
四部弟子莫自恃高貴破滅佛法戒律明
作制法制我四部弟子不聽出家行道亦復
不聽造立形像佛塔經律破滅三寶之罪而
故作破法者犯 輕垢罪
若佛子以好心出家而為名聞利養於國王
百官前說七佛教戒横與比丘比丘尼菩薩
戒弟子作繫縛事如獄囚法如兵奴之法如
師子身中蟲自食師子肉非餘外蟲如是佛
弟子自破佛戒非外道天魔能破若受佛
戒者應護佛戒如念一子如事父母若聞外道
惡人以惡言謗佛戒時如三百鉾刺心千刀万
杖打拍其身等無有異寧自入地獄百劫
不欲一聞惡言破佛戒之聲何況自破佛戒
教人破法因緣無孝順心若故作者犯輕垢罪

BD00883 號　梵網經盧舍那佛說菩薩心地戒品第十卷下　（8–8）

BD00883 號背　白畫金剛力士（擬）　（4–1）

BD00883 號背　雜寫　（4–2）

BD00883 號背　雜寫　（4–3）

持誦念人

BD00883號背　雜寫　（4–4）

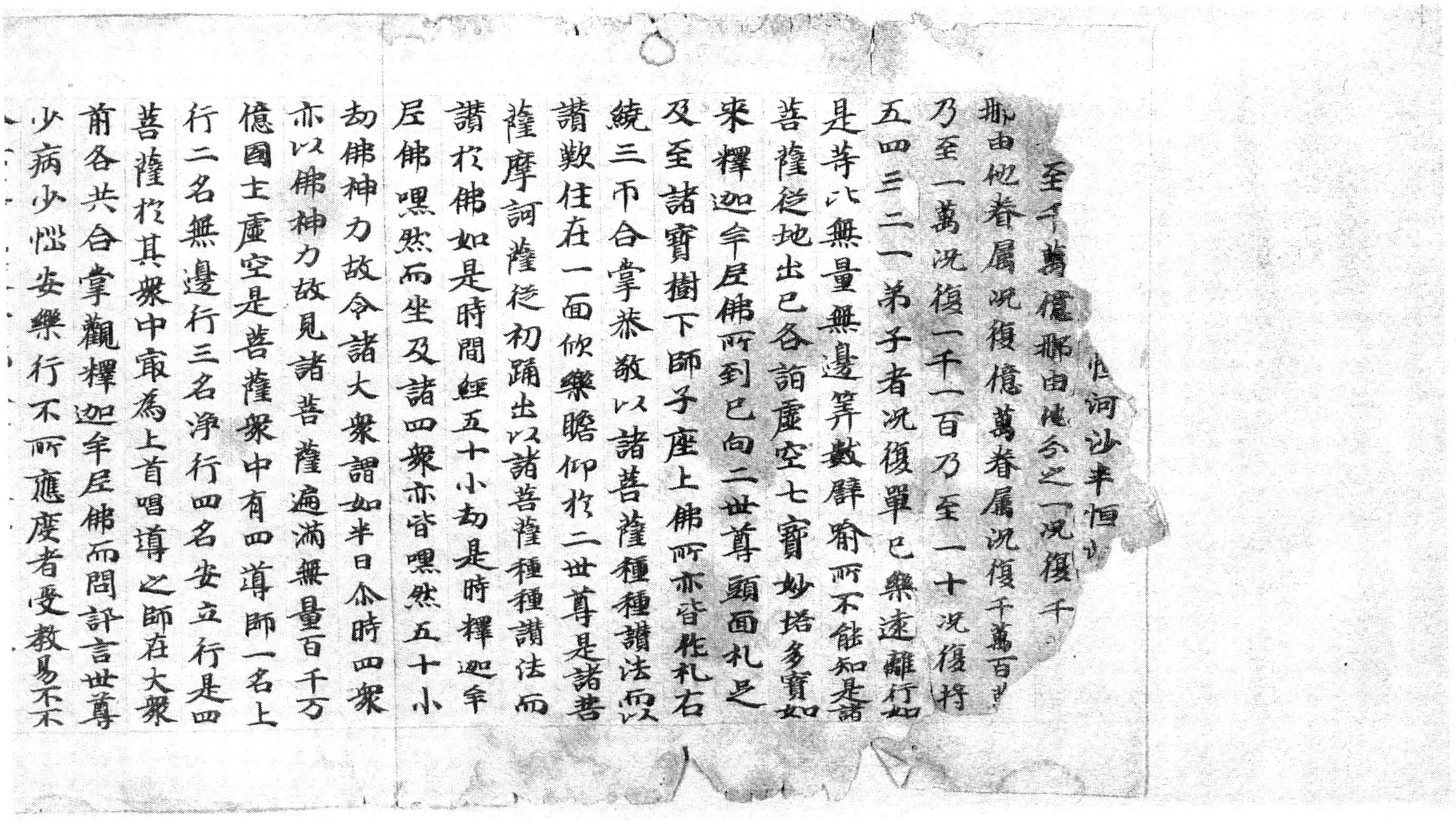

恒河沙半恒河
至千萬億那由他分之一況復千
那由他眷屬況復億萬眷屬況復千萬百萬
乃至一萬況復一千一百乃至一十況復將
五四三二一弟子者況復單已樂遠離行如
是等比無量無邊筭數譬喻所不能知是諸
菩薩從地出已各詣虛空七寶妙塔多寶如
來釋迦牟尼佛所到已向二世尊頭面礼足
及至諸寶樹下師子座上佛所亦皆作礼右
繞三帀合掌恭敬以諸菩薩種種讚法而以
讚歎住在一面欣樂瞻仰於二世尊是諸菩
薩摩訶薩從初踊出以諸菩薩種種讚法而
讚於佛如是時間經五十小劫是時釋迦牟
尼佛嘿然而坐及諸四眾亦皆嘿然五十小
劫佛神力故令諸大眾謂如半日尒時四眾
亦以佛神力故見諸菩薩遍滿無量百千万
億國土虛空是菩薩眾中有四導師一名上
行二名無邊行三名淨行四名安立行是四
菩薩於其眾中最為上首唱導之師在大眾
前各共合掌觀釋迦牟尼佛而問訊言世尊
少病少惱安樂行不所應度者受教易不不

BD00884號　妙法蓮華經卷五　（18–1）

行二名無邊行三名淨行四名安立行是四
菩薩於其衆中最為上首唱導之師在大衆
前各共合掌觀釋迦牟尼佛而問訊言世尊
少病少惱安樂行不所應度者受教易不不
令世尊生疲勞耶尒時四大菩薩而說偈言
世尊安樂 少病少惱 教化衆生 得無疲惓
又諸衆生 受化易不 不令世尊 生疲勞耶
尒時世尊於菩薩大衆中而作是言如是如是
諸善男子如来安樂少病少惱諸衆生等易可
化度無有疲勞所以者何是諸衆生世世已来
常受我化亦於過去諸佛供養尊重種諸善根
此諸衆生始見我身聞我所說即皆信受入如
来慧除先修習學小乘者如是之人我今亦令
得聞是經入於佛慧尒時諸大菩薩而說偈言
善哉善哉 大雄世尊 諸衆生等 易可化度
能問諸佛 甚深智慧 聞已信行 我等隨喜
於時世尊讚歎上首諸大菩薩善哉善哉善
男子汝等能於如来發隨喜心尒時彌勒菩
薩及八千恒河沙諸菩薩衆皆作是念我等
從昔已来不見不聞如是大菩薩摩訶薩衆
從地踊出住世尊前合掌供養問訊如来時
彌勒菩薩摩訶薩知八千恒河沙諸菩薩等
心之所念并欲自決所疑合掌向佛以偈問曰
無量千萬億 大衆諸菩薩 昔所未曾見 願兩足尊說
是從何所来 以何因緣集 巨身大神通 智慧叵思議
其志念堅固 有大忍辱力 衆生所樂見 為從何所来
一一諸菩薩 所將諸眷屬 其數無有量 如恒河沙等

無量千萬億 大衆諸菩薩 昔所未曾見 願兩足尊說
是從何所来 以何因緣集 巨身大神通 智慧叵思議
其志念堅固 有大忍辱力 衆生所樂見 為從何所来
一一諸菩薩 所將諸眷屬 其數無有量 如恒河沙等
或有大菩薩 將六萬恒沙 如是諸大衆 一心求佛道
是諸大師等 六萬恒河沙 俱来供養佛 及護持此經
將五萬恒沙 其數過於是 四萬及三萬 二萬至一萬
一千一百等 乃至一恒沙 半及三四分 億萬分之一
千萬那由他 萬億諸弟子 乃至於半億 其數復過上
百萬至一萬 一千及一百 五十與一十 乃至三二一
單己無眷屬 樂於獨處者 俱来至佛所 其數轉過上
如是諸大衆 若人行籌數 過於恒沙劫 猶不能盡知
是諸大威德 精進菩薩衆 誰為其說法 教化而成就
從誰初發心 稱揚何佛法 受持行誰經 修習何佛道
如是諸菩薩 神通大智力 四方地震裂 皆從中踊出
世尊我昔来 未曾見是事 願說其所從 國土之名号
我常遊諸國 未曾見是衆 我於此衆中 乃不識一人
忽然從地出 願說其因緣 今此之大會 無量百千億
是諸菩薩等 皆欲知此事 是諸菩薩衆 本末之因緣
無量德世尊 唯願決衆疑
尒時釋迦牟尼佛分身諸佛從無量千万億
他方國土来者在於八方諸寶樹下師子座
上結跏趺坐其佛侍者各各見是菩薩大衆
於三千大千世界四方從地踊出住於虛空
各白其佛言世尊此諸無量無邊阿僧祇菩
薩大衆從何所来尒時諸佛各告侍者諸善
男子且待須臾有菩薩摩訶薩名彌勒釋迦

於三千大千世界四方從地踊出住於虛空
各白其佛言世尊此諸無量無邊阿僧祇菩
薩大衆從何所來尒時諸佛各告侍者諸善
男子且待須臾有菩薩摩訶薩名弥勒釋迦
牟尼佛之所授記次後作佛已問斯事佛今
荅之汝等自當因是得聞尒時釋迦牟尼佛
告弥勒菩薩善哉善哉阿逸多乃能問佛如
是大事汝等當共一心披精進鎧發堅固意
如來今欲顯發宣示諸佛智慧諸佛自在神
通之力諸佛師子奮迅之力諸佛威猛大勢
之力尒時世尊欲重宣此義而說偈言
當精進一心　我欲說此事　勿得有疑悔　佛智叵思議
汝今出信力　住於忍善中　昔所未聞法　今皆當得聞
我今安慰汝　勿得懷疑懼　佛無不實語　智慧不可量
所得第一法　甚深叵分別　如是今當說　汝等一心聽
尒時世尊說此偈已告弥勒菩薩我今於此
大衆宣告汝等阿逸多是諸大菩薩摩訶薩
無量無數阿僧祇從地踊出汝等昔所未見
者我於是娑婆世界得阿耨多羅三藐三菩
提已教化示導是諸菩薩調伏其心令發道
意此諸菩薩皆於是娑婆世界之下此界虛
空中住於諸經典讀誦通利思惟分別正憶
念阿逸多是諸善男子等不樂在衆多有所
說常樂靜處懃行精進未曾休息亦不依止
人天而住常樂深智無有障礙亦常樂於諸
佛之法一心精進求無上慧尒時世尊欲重
宣此義而說偈言

人天而住常樂深智無有障礙亦常樂於諸
佛之法一心精進求無上慧尒時世尊欲重
宣此義而說偈言
阿逸汝當知　是諸大菩薩　從無數劫來　脩習佛智慧
悉是我所化　令發大道心　此等是我子　依止是世界
常行頭陁事　志樂於靜處　捨大衆憒閙　不樂多所說
如是諸子等　學習我道法　晝夜常精進　為求佛道故
在娑婆世界　下方空中住　志念力堅固　常勤求智慧
說種種妙法　其心無所畏　我於伽耶城　菩提樹下坐
得成最正覺　轉無上法輪　尒乃教化之　令初發道心
今皆住不退　悉當得成佛　我今說實語　汝等一心信
我從久遠來　教化是等衆
尒時弥勒菩薩摩訶薩及無數諸菩薩等心
生疑惑怪未曾有而作是念云何世尊於少
時間教化如是無量無邊阿僧祇諸大菩薩
令住阿耨多羅三藐三菩提即白佛言世尊
如來為太子時出於釋宮去伽耶城不遠坐
於道場得成阿耨多羅三藐三菩提從是已
來始過四十餘年世尊云何於此少時大作
佛事以佛勢力以佛功德教化如是無量大
菩薩衆當成阿耨多羅三藐三菩提世尊此
大菩薩衆假使有人於千萬億劫數不能盡
不得其邊斯等久遠已來於无量无邊諸佛
所植諸善根成就菩薩道常脩梵行世尊如
此之事世所難信譬如有人色美髮黑年二
十五指百歲人言是我子其百歲人亦指年
少言是我父生育我等是事難信佛亦如是

此之事世所難信譬如有人色美髮黑年二
十五指百歲人言是我子其百歲人亦指年
少言是我父生育我等是事難信佛亦如是
得道已来其實未久而此大衆諸菩薩等已
於无量千萬億劫為佛道故勤行精進善入
出住無量百千萬億三昧得大神通久脩梵
行善能次第習諸善法巧於問荅人中之寶
一切世間甚為希有今日世尊方云得佛道
時初令發心教化示導令向阿耨多羅三藐
三菩提世尊得佛未久乃能作此大功德事
我等雖復信佛隨宜所說佛所出言未曾虚
妄佛所知者皆悉通達然諸新發意菩薩於
佛滅後若聞是語或不信受而起破法罪業
因緣唯然世尊願為解說除我等疑及未来
世諸善男子聞此事已亦不生疑尒時弥勒
菩薩欲重宣此義而說偈言
佛昔從釋種　出家近伽耶　坐於菩提樹　尒来尚未久
此諸佛子等　其數不可量　久已行佛道　住神通智力
善學菩薩道　不染世間法　如蓮華在水　從地而踊出
皆起恭敬心　住於世尊前　是事難思議　云何而可信
佛得道甚近　所成就甚多　願為除衆疑　如實分別說
譬如少壯人　年始二十五　示人百歲子　髮白而面皺
是等我所生　子亦說是父　父少而子老　舉世所不信
世尊亦如是　得道来甚近　是諸菩薩等　志固無怯弱
從無量劫来　而行菩薩道　巧於難問荅　其心無所畏
忍辱心決定　端正有威德　十方佛所讚　善能分別說
不樂在人衆　常好在禪定　為求佛道故　於下空中住

BD00884 號　妙法蓮華經卷五　（18–6）

從無量劫来　而行菩薩道　巧於難問荅　其心無所畏
忍辱心決定　端正有威德　十方佛所讚　善能分別說
不樂在人衆　常好在禪定　為求佛道故　於下空中住
我等從佛聞　於此事無疑　願佛為未来　演說令開解
若有於此經　生疑不信者　即當墮惡道　願今為解說
是無量菩薩　云何於少時　教化令發心　而住不退地
妙法蓮華經如来壽量品第十六
尒時佛告諸菩薩及一切大衆諸善男子汝
等當信解如来誠諦之語復告大衆汝等當
信解如来誠諦之語又復告諸大衆汝等當
信解如来誠諦之語是時菩薩大衆弥勒為
首合掌白佛言世尊唯願說之我等當信受
佛語如是三白已復言唯願說之我等當信
受佛語尒時世尊知諸菩薩三請不止而告
之言汝等諦聽如来秘密神通之力一切世
間天人及阿脩羅皆謂今釋迦牟尼佛出釋
氏宫去伽耶城不遠坐於道場得阿耨多羅
三藐三菩提然善男子我實成佛已来無量
無邊百千萬億那由他劫譬如五百千萬億
那由他阿僧祇三千大千世界假使有人抹為
微塵過於東方五百千萬億那由他阿僧祇
國乃下一塵如是東行盡是微塵諸善男子
於意云何是諸世界可得思惟校計知其數
不弥勒菩薩等俱白佛言世尊是諸世界無
量無邊非算數所知亦非心力所及一切聲
聞辟支佛以無漏智不能思惟知其限數我
等住阿惟越致地於是事中亦所不達世尊

BD00884 號　妙法蓮華經卷五　（18–7）

不弥勒菩薩等俱白佛言世尊是諸世界無
量無邊非算數所知亦非心力所及一切聲
聞辟支佛以無漏智不能思惟知其限數我
等住阿惟越致地於是事中亦所不達世尊
如是諸世界無量無邊尒時佛告大菩薩衆
諸善男子今當分明宣語汝等是諸世界若
著微塵及不著者盡以為塵一塵一劫我成
佛已來復過於此百千萬億那由他阿僧祇
劫自從是來我常在此娑婆世界說法教化亦
於餘處百千萬億那由他阿僧祇國導利衆生
諸善男子於是中間我說然燈佛等又復言
其入於涅槃如是皆以方便分別諸善男子若
有衆生來至我所我以佛眼觀其信等諸根利
鈍隨所應度處處自說名字不同年紀大小
亦復現言當入涅槃又以種種方便說微妙
法能令衆生發歡喜心諸善男子如來見諸
衆生樂於小法德薄垢重者為是人說我少
出家得阿耨多羅三藐三菩提然我實成佛
已來久遠若斯但以方便教化衆生令入佛
道作如是說諸善男子如來所演經典皆為
度脫衆生或說己身或說他身或示己身或示
他身或示己事或示他事諸所言說皆實不
虛所以者何如來如實知見三界之相無有
生死若退若出亦無在世及滅度者非實非
虛非如非異不如三界見於三界如斯之事
如來明見無有錯謬以諸衆生有種種性種
種欲種種行種種憶想分別故欲令生諸善

生死若退若出亦無在世及滅度者非實非
虛非如非異不如三界見於三界如斯之事
如來明見無有錯謬以諸衆生有種種性種
種欲種種行種種憶想分別故欲令生諸善
根以若干因緣譬喻言辭種種說法所作佛
事未曾暫廢如是我成佛已來甚大久遠壽
命無量阿僧祇劫常住不滅諸善男子我本
行菩薩道所成壽命今猶未盡復倍上數然
今非實滅度而便唱言當取滅度如來以是
方便教化衆生所以者何若佛久住於世薄
德之人不種善根貧窮下賤貪著五欲入於
憶想妄見網中若見如來常在不滅便起憍
恣而懷猒怠不能生難遭之想恭敬之心是
故如來以方便說比丘當知諸佛出世難可
值遇所以者何諸薄德人過無量百千萬億
劫或有見佛或不見者以此事故我作是言諸
比丘如來難可得見斯衆生等聞如是語必
當生於難遭之想心懷戀慕渴仰於佛便種
善根是故如來雖不實滅而言滅度又善男
子諸佛如來法皆如是為度衆生皆實不虛
譬如良醫智慧聰達明練方藥善治衆病其
人多諸子息若十二十乃至百數以有事緣遠
至餘國諸子於後飲他毒藥藥發悶亂宛轉
于地是時其父還來歸家諸子飲毒或失本
心或不失者遥見其父皆大歡喜拜跪問訊
善安隱歸我等愚癡誤服毒藥願見救療更
賜壽命父見子等苦惱如是依諸經方求好
藥草色香美味皆悉具足擣篩和合與子令

心亦不失者遥見其父皆大歡喜拜跪問訊
善安隱歸我等愚癡誤服毒藥願見救療更
賜壽命父見子等苦惱如是依諸經方求好
藥草色香美味皆悉具足擣篩和合與子令
服而作是言此大良藥色香美味皆悉具足
汝等可服速除苦惱無復衆患其諸子中不失
心者見此良藥色香俱好即便服之病盡除愈
餘失心者見其父來雖亦歡喜問訊求索治
病然與其藥而不肯服所以者何毒氣深入
失本心故於此好色香藥而謂不美父作是念
此子可愍為毒所中心皆顛倒雖見我喜求
索救療如是好藥而不肯服我今當設方便
令服此藥即作是言汝等當知我今衰老死
時已至是好良藥今留在此汝可取服勿憂
不差作是教已復至他國遣使還告汝父已
死是時諸子聞父背喪心大憂惱而作是念
若父在者慈愍我等能見救護今者捨我
遠喪他國自惟孤露無復恃怙常懷悲感心
遂醒悟乃知此藥色味香美即取服之毒病
皆愈其父聞子悉已得差尋便來歸咸使見
之諸善男子於意云何頗有人能說此良醫
虛妄罪不不也世尊佛言我亦如是成佛已
來無量無邊百千萬億那由他阿僧祇劫為
衆生故以方便力言當滅度亦無有能如法說
我虛妄過者尒時世尊欲重宣此義而說偈言
自我得佛來　所經諸劫數　無量百千萬　億載阿僧祇
常說法教化　無數億衆生　令入於佛道　尒來無量劫
為度衆生故　方便現涅槃　而實不滅度　常住此說法

BD00884號　妙法蓮華經卷五　(18–10)

自我得佛來　所經諸劫數　無量百千萬　億載阿僧祇
常說法教化　無數億衆生　令入於佛道　尒來無量劫
為度衆生故　方便現涅槃　而實不滅度　常住此說法
我常住於此　以諸神通力　令顛倒衆生　雖近而不見
衆見我滅度　廣供養舍利　咸皆懷戀慕　而生渴仰心
衆生既信伏　質直意柔軟　一心欲見佛　不自惜身命
時我及衆僧　俱出靈鷲山　我時語衆生　常在此不滅
以方便力故　現有滅不滅　餘國有衆生　恭敬信樂者
我復於彼中　為說無上法　汝等不聞此　但謂我滅度
我見諸衆生　沒在於苦惱　故不為現身　令其生渴仰
因其心戀慕　乃出為說法　神通力如是　於阿僧祇劫
常在靈鷲山　及餘諸住處　衆生見劫盡　大火所燒時
我此土安隱　天人常充滿　園林諸堂閣　種種寶莊嚴
寶樹多華菓　衆生所遊樂　諸天擊天鼓　常作衆伎樂
雨曼陀羅華　散佛及大衆　我淨土不毀　而衆見燒盡
憂怖諸苦惱　如是悉充滿　是諸罪衆生　以惡業因緣
過阿僧祇劫　不聞三寶名　諸有脩功德　柔和質直者
則皆見我身　在此而說法　或時為此衆　說佛壽無量
久乃見佛者　為說佛難值　我智力如是　慧光照無量
壽命無數劫　久脩業所得　汝等有智者　勿於此生疑
當斷令永盡　佛語實不虛　如醫善方便　為治狂子故
實在而言死　無能說虛妄　我亦為世父　救諸苦患者
為凡夫顛倒　實在而言滅　以常見我故　而生憍恣心
放逸著五欲　墮於惡道中　我常知衆生　行道不行道
隨應所可度　為說種種法　每自作是意　以何令衆生
得入無上道　速成就佛身
妙法蓮華經分別功德品第十七

BD00884號　妙法蓮華經卷五　(18–11)

放逸著五欲 墮於惡道中 我常知眾生 行道不行道
隨應所可度 為說種種法 每自作是意 以何令眾生
得入無上道 速成就佛身

妙法蓮華經分別功德品第十七

爾時大會聞佛說壽命劫數長遠如是無量
無邊阿僧祇眾生得大饒益於時世尊告彌
勒菩薩摩訶薩阿逸多我說是如來壽命
長遠時六百八十萬億那由他恒河沙眾生
得無生法忍復千倍菩薩摩訶薩得聞持陀羅
尼門復有一世界微塵數菩薩摩訶薩得樂
說無礙辯才復有一世界微塵數菩薩摩訶
薩得百千萬億無量旋陀羅尼復有三千大
千世界微塵數菩薩摩訶薩能轉不退法輪
復有二千中國土微塵數菩薩摩訶薩能轉
清淨法輪復有小千國土微塵數菩薩摩訶薩
八生當得阿耨多羅三藐三菩提復有四四天
下微塵數菩薩摩訶薩四生當得阿耨多羅三
藐三菩提復有三四天下微塵數菩薩摩訶薩
三生當得阿耨多羅三藐三菩提復有二四天
下微塵數菩薩摩訶薩二生當得阿耨多羅三
藐三菩提復有一四天下微塵數菩薩摩訶
薩一生當得阿耨多羅三藐三菩提復有八
世界微塵數眾生皆發阿耨多羅三藐三菩提
心佛說是諸菩薩摩訶薩得大法利時於虛空
中雨曼陀羅華摩訶曼陀羅華以散無量百
千萬億寶樹下師子座上諸佛并散七寶塔
中師子座上釋迦牟尼佛及久滅度多寶如
來亦散一切諸大菩薩及四部眾又雨細末栴

中雨曼陀羅華摩訶曼陀羅華以散無量百
千萬億寶樹下師子座上諸佛并散七寶塔
中師子座上釋迦牟尼佛及久滅度多寶如
來亦散一切諸大菩薩及四部眾又雨細末栴
檀沈水香等於虛空中天鼓自鳴妙聲深遠又
雨千種天衣垂諸瓔珞真珠瓔珞摩尼珠瓔
珞如意珠瓔珞遍於九方眾寶香爐燒無價
香自然周至供養大會一一佛上有諸菩薩
執持幡蓋次第而上至于梵天是諸菩薩以
妙音聲歌無量頌讚歎諸佛爾時彌勒菩薩
從座而起偏袒右肩合掌向佛而說偈言

佛說希有法 昔所未曾聞 世尊有大力 壽命不可量
無數諸佛子 聞世尊分別 說得法利者 歡喜充遍身
或住不退地 或得陀羅尼 或無礙樂說 萬億旋總持
或有大千界 微塵數菩薩 各各皆能轉 不退之法輪
或有中千界 微塵數菩薩 各各皆能轉 清淨之法輪
復有小千界 微塵數菩薩 餘各八生在 當得成佛道
復有四三二 如是四天下 微塵諸菩薩 隨數生成佛
或一四天下 微塵數菩薩 餘有一生在 當成一切智
如是等眾生 聞佛壽長遠 得無量無漏 清淨之果報
復有八世界 微塵數眾生 聞佛說壽命 皆發無上心
世尊說無量 不可思議法 多有所饒益 如虛空無邊
雨天曼陀羅 摩訶曼陀羅 釋梵如恒沙 無數佛土來
雨栴檀沈水 繽紛而亂墜 如鳥飛空下 供散於諸佛
天鼓虛空中 自然出妙聲 天衣千萬種 旋轉而來下
眾寶妙香爐 燒無價之香 自然悉周遍 供養諸世尊
其大菩薩眾 執七寶幡蓋 高妙萬億種 次第至梵天

雨栴檀沉水　繽紛而亂墜　如鳥飛空下　供散於諸佛
天鼓虛空中　自然出妙聲　天衣千万種　旋轉而來下
衆寶妙香爐　燒無價之香　自然悉周遍　供養諸世尊
其大菩薩衆　執七寶幡蓋　高妙万億種　次第至梵天
一一諸佛前　寶幢懸勝幡　亦以千万偈　歌詠諸如來
如是種種事　昔所未曾有　聞佛壽無量　一切皆歡喜
佛名聞十方　廣饒益衆生　一切具善根　以助無上心
尒時佛告弥勒菩薩摩訶薩阿逸多其有衆
生聞佛壽命長遠如是乃至能生一念信解
所得功德無有限量若有善男子善女人為
阿耨多羅三藐三菩提於八十萬億那由他
劫行五波羅蜜檀波羅蜜尸羅波羅蜜羼提
波羅蜜毗梨耶波羅蜜禪波羅蜜除般若波
羅蜜以是功德比前功德百分千分百千萬
億分不及其一乃至筭數譬喻所不能知若
善男子有如是功德於阿耨多羅三藐三菩
提退者无有是處尒時世尊欲重宣此義而
說偈言
若人求佛慧　於八十万億　那由他劫數　行五波羅蜜
於是諸劫中　布施供養佛　及緣覺弟子　并諸菩薩衆
珎異之飲食　上服與卧具　栴檀立精舍　以園林莊嚴
如是等布施　種種皆微妙　盡此諸劫數　以迴向佛道
若復持禁戒　清淨無缺漏　求於无上道　諸佛之所歎
若復行忍辱　住於調柔地　設衆惡來加　其心不傾動
諸有得法者　懷於增上慢　為此所輕惱　如是亦能忍
若復勤精進　志念常堅固　於无量億劫　一心不懈息
又於无數劫　住於空閑處　若坐若經行　除睡常攝心

BD00884 號　妙法蓮華經卷五　　(18–14)

若復行忍辱　住於調柔地　設衆惡來加　其心不傾動
諸有得法者　懷於增上慢　為此所輕惱　如是亦能忍
若復勤精進　志念常堅固　於无量億劫　一心不懈息
又於无數劫　住於空閑處　若坐若經行　除睡常攝心
以是因緣故　能生諸禪定　八十億萬劫　安住心不亂
持此一心福　願求无上道　我得一切智　盡諸禪定際
是人於百千　萬億劫數中　行此諸功德　如上之所說
有善男女等　聞我說壽命　乃至一念信　其福過於彼
若人悉無有　一切諸疑悔　深心須臾信　其福為如此
其有諸菩薩　无量劫行道　聞我說壽命　是則能信受
如是諸人等　頂受此經典　願我於未來　長壽度衆生
如今日世尊　諸釋中之王　道場師子吼　說法無所畏
我等未來世　一切所尊敬　坐於道場時　說壽亦如是
若有深心者　清淨而質直　多聞能總持　隨義解佛語
如是諸人等　於此無有疑
又阿逸多若有聞佛壽命長遠解其言趣是
人所得功德無有限量能起如來無上之慧何
况廣聞是經若教人聞若自持若教人持若
自書若教人書若以華香瓔珞幢幡繒蓋
香油蘇燈供養經卷是人功德無量無邊能
生一切種智阿逸多若善男子善女人聞我
說壽命長遠深心信解則為見佛常在耆闍
崛山共大菩薩諸聲聞衆圍繞說法又見此
娑婆世界其地瑠璃坦然平正閻浮檀金以
界八道寶樹行列諸臺樓觀皆悉寶成其
菩薩衆咸處其中若有能如是觀者當知是為
深信解相又復如來滅後若聞是經而不毀
皆起隨喜心當知已為深信解相何况讀誦

BD00884 號　妙法蓮華經卷五　　(18–15)

界八道寶樹行列諸臺樓觀皆悉寶成其
菩薩衆咸處其中若有能如是觀者當知是為
深信解相又復如來滅後若聞是經而不毀
呰起隨喜心當知已為深信解相何況讀誦
受持之者斯人則為頂戴如來阿逸多是善
男子善女人不須為我復起塔寺及作僧坊
以四事供養衆僧所以者何是善男子善女
人受持讀誦是經典者為已起塔造立僧坊
供養衆僧則為以佛舍利起七寶塔高廣漸
小至于梵天懸諸幡蓋及衆寶鈴華香瓔珞
末香塗香燒香衆鼓樂簫笛箜篌種種舞
戲以妙音聲歌唄讚頌則為於無量千萬億
劫作是供養已阿逸多若我滅後聞是經典
有能受持若自書若教人書則為起立僧坊
以赤栴檀作諸殿堂三十有二高八多羅樹高
廣嚴好百千比丘於其中止園林浴池經行
禪窟衣服飲食牀褥湯藥一切樂具充滿其
中如是僧坊堂閣若干百千万億其數无量
以此現前供養於我及比丘僧是故我說如來
滅後若有受持讀誦為他人說若自書若
教人書供養經卷不須復起塔寺及造僧坊
供養衆僧況復有人能持是經兼行布施持
戒忍辱精進一心智慧其德最勝无量无
邊譬如虛空東西南北四維上下無量無邊
是人功德亦復如是無量無邊疾至一切種
智若人讀誦受持是經為他人說若自書若
教人書復能起塔及造僧坊供養讚歎聲聞
衆僧亦以百千萬億讚歎之法讚歎菩薩功

BD00884號　妙法蓮華經卷五　（18–16）

邊譬如虛空東西南北四維上下無量無邊
是人功德亦復如是無量無邊疾至一切種
智若人讀誦受持是經為他人說若自書若
教人書復能起塔及造僧坊供養讚歎聲聞
衆僧亦以百千萬億讚歎之法讚歎菩薩功
德又為他人種種因緣隨義解說此法華經
復能清淨持戒與柔和者而共同止忍辱无
瞋志念堅固常貴坐禪得諸深定精進勇猛
攝諸善法利根智慧善荅問難阿逸多若我
滅後諸善男子善女人受持讀誦是經典者
復有如是諸善功德當知是人已趣道場近
阿耨多羅三藐三菩提坐道樹下阿逸多是
善男子若坐若立若行處此中便應起塔一
切天人皆應供養如佛之塔爾時世尊欲重
宣此義而說偈言
若我滅度後　能奉持此經　斯人福無量　如上之所說
是則為具足　一切諸供養　以舍利起塔　七寶而莊嚴
表剎甚高廣　漸小至梵天　寶鈴千万億　風動出妙音
又於无量劫　而供養此塔　華香諸瓔珞　天衣衆伎樂
然香油蘇燈　周匝常照明　惡世法末時　能持是經者
則為已如上　具足諸供養　若能持此經　則如佛現在
以牛頭栴檀　起僧坊供養　堂有三十二　高八多羅樹
上饌妙衣服　牀卧皆具足　百千衆住處　園林諸浴池
經行及禪窟　種種皆嚴好　若有信解心　受持讀誦書
若復教人書　及供養經卷　散華香末香　以須曼瞻蔔
阿提目多伽　薰油常然之　如是供養者　得無量功德
如虛空無邊　其福亦如是　況復持此經　兼布施持戒
忍辱樂禪定　不瞋不惡口　恭敬於塔廟　謙下諸比丘

BD00884號　妙法蓮華經卷五　（18–17）

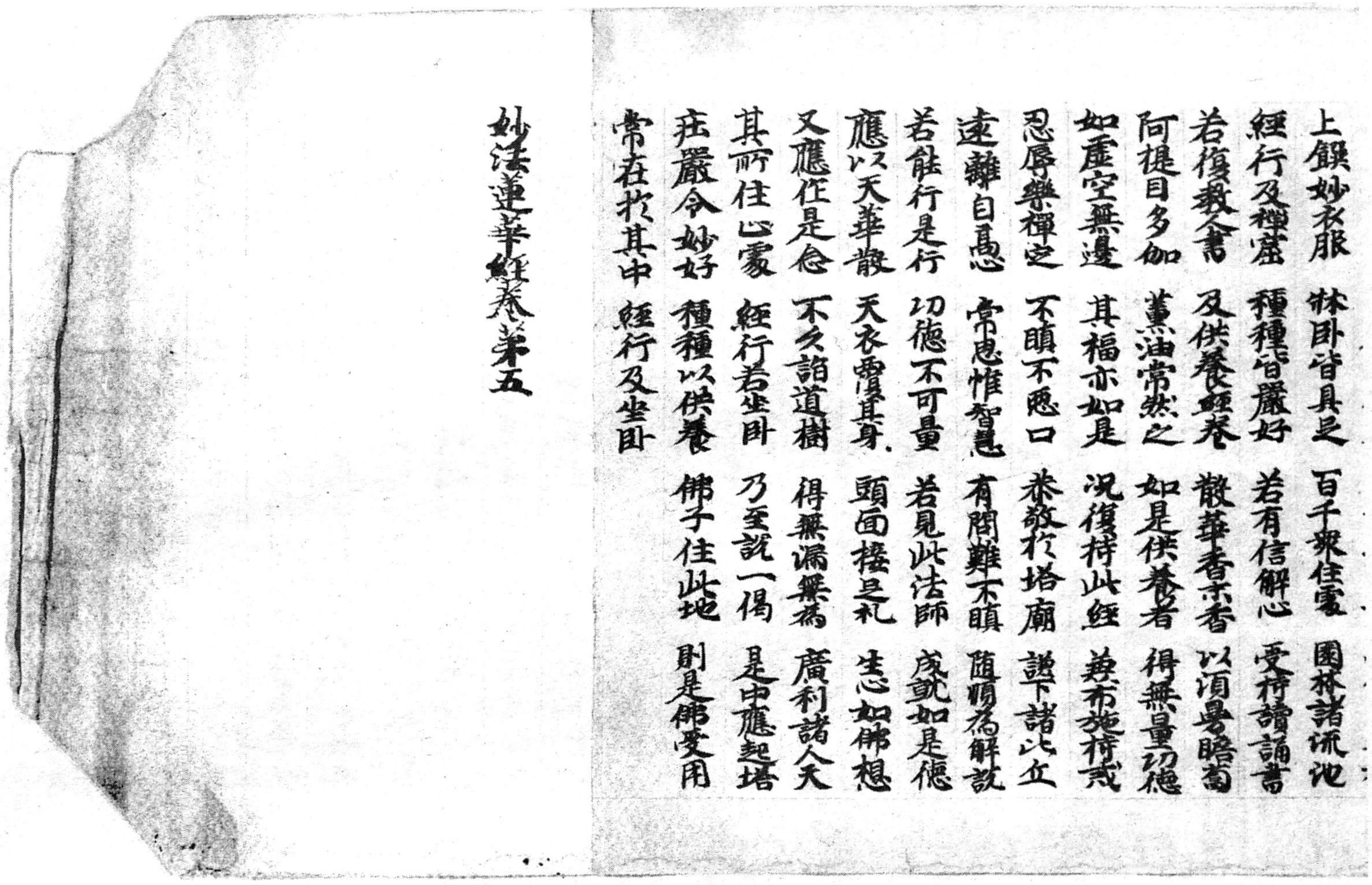
上饌妙衣服　牀卧皆具足　百千衆住處　園林諸流池
經行及禪窟　種種皆嚴好　若有信解心　受持讀誦書
若復教人書　及供養經卷　散華香末香　以須曼瞻蔔
阿提目多伽　薰油常然之　如是供養者　得無量功德
如虚空無邊　其福亦如是　况復持此經　兼布施持戒
忍辱樂禪定　不瞋不惡口　恭敬於塔廟　謙下諸比丘
遠離自高心　常思惟智慧　有問難不瞋　隨順爲解説
若能行是行　功德不可量　若見此法師　成就如是德
應以天華散　天衣覆其身　頭面接足禮　生心如佛想
又應作是念　不久詣道樹　得無漏無爲　廣利諸人天
其所住止處　經行若坐卧　乃至説一偈　是中應起塔
莊嚴令妙好　種種以供養　佛子住此地　則是佛受用
常在於其中　經行及坐卧

妙法蓮華經卷第五

BD00884 號　妙法蓮華經卷五　　（18–18）

在
之一切諸佛說
身說無餘涅槃何以故一
依此三身一切諸佛說无
故不住涅槃離於法身無
不住涅槃二身假名不實
住故數數出現以不定故法
身不住涅槃法身不二是
三身說無住涅槃
善男子一切凡夫爲三相
三身不至三身何者爲三
二者依他起相三者成就
解故不能滅故不能淨故是故不得至於三
身如是三相能解能滅能淨故是故諸佛具
足三身善男子諸凡夫人未能除遣此三
心故遠離三身不能得至何者爲三一者起
事心二者依根本心三者根本心[illegible]伏道起
事心盡依法斷道依根本[illegible]依最勝道根

BD00885 號　金光明最勝王經卷二　　（15–1）

身如是三根能解能滅能淨故是故諸佛具
足三身善男子諸凡夫人未能除遣此三
心故遠離三身不能得至何者為三一者起
事心二者依根本心三者根本心依諸伏道起
事心盡依法斷道依根本心滅依最勝道根
本心盡起事心滅故得現化身依根本心滅
故得顯應身根本心滅故得至法身是故一
切如來具足三身
善男子一切諸佛於第一身與諸佛同事於
第二身與諸佛同意於第三身與諸佛同
體善男子是初佛身隨衆生意有多種故
現種種相是故說多第二佛身弟子一意故
現一相是故說一第三佛身過一切種相非
執相境界故說名不一不二善男子是第一
身依於應身得顯現故是第二身依於法身
得顯現故是法身者是真實有無依
處故善男子如是三身以有義故而說於常以
有義故說於無常化身者恒轉法輪處處隨緣
方便相續不斷絶故是故說常非是本故具
足大用不顯現故說為無常應身者從無始來
相續不斷一切諸佛不共之法能攝持故衆生
無盡用亦無盡是故說常非是本故以具足
用不顯現故說為無常法身者非是行法無
有異相是根本故猶如虛空是故說常善男
子離無分別智更無勝智離法如如無勝境
界是法如如是慧如如是二種如如如如不
一不異是故法身慧清淨故滅清淨故是二
清淨是故法身具足清淨

界是法如如是慧如如是二種如如如如不
一不異是故法身慧清淨故滅清淨故是二
清淨是故法身具足清淨
復次善男子分別三身有四種異有化身非
應身有應身非化身有化身亦應身有非化
身亦非應身何者化身非應身謂諸如來般
涅槃後以願自在故隨緣利益是名化身何
者應身非化身是地前身何者化身亦應身
謂住有餘涅槃之身何者非化身非應身謂
是法身善男子是法身者二無所有所顯現
故何者名為二無所有於此法身相及相處
二皆是無非有非無非一非異非數非非數
非明非闇如是如如智不見相及相處不見
非有非無不見非一非異不見非數非非數
不見非明非闇是故當知境界清淨智慧清
淨不可分別無有中間為滅道本故於此法
身能顯如來種種事業
善男子是身因緣境界處所果依於本難
思議故若了此義是身即是大乘是如來
性是如來藏依於此身得發初心修行地心而得
顯現不退地心亦皆得現一生補處心金剛
之心如來之心而悉顯現無量無邊如來妙法
皆悉顯現依此法身不可思議摩訶三昧而
得顯現依此法身得現一切大智是故二身
依於三昧依於智慧而得顯現如此法身依
於自體說常說我依大三昧故說於樂依於
大智故說清淨是故如來常住自在安樂清

得顯現依止法身得於一切大智是故二身
依於三昧依於智慧而得顯現如此法身依
於自體說常說我依大三昧故說於樂依於
大智故說清淨是故如來常住自在安樂清
淨依大三昧一切禪定首楞嚴等一切念處
大法念等大慈大悲一切陀羅尼一切神通
一切自在一切法平等攝如是佛法悉皆出
現依此大智十力四無所畏四无礙辯一百
八十不共之法一切希有不可思議法悉皆
顯現譬如依如意寶珠无量无邊種種珎寶
悉皆得現如是依大三昧寶依大智慧寶
能出種種無量無邊諸佛妙法善男子如是
法身三昧智慧過一切相不著於相不可分
別非常非斷是名中道雖有分別體无分別
雖有三數而無三體不增不減猶如夢幻亦
无所執亦无能執法體如如是解脫處過死
王境越生死闇一切衆生不能修行所不能
至一切諸佛菩薩之所住處善男子譬如
有人願欲得金處處求覓遂得金礦既
得礦已即便碎之擇取精者鑪中銷鍊得清
淨金隨意迴轉作諸鐶釧種種嚴具雖有諸用
金性不改
復次善男子若善男子善女人求勝解脫修
行世善得見如來及弟子衆得親近已白佛
言世尊何者為善何者不善何者正修得清
淨行諸佛如來及弟子衆見彼問時如是思
惟是善男子善女人欲求清淨欲聽正法即
便為說令其開悟彼既聞已正念憶持發心

BD00885 號　金光明最勝王經卷二　（15–4）

淨行諸佛如來及弟子衆見彼問時如是思
惟是善男子善女人欲求清淨欲聽正法即
便為說令其開悟彼既聞已正念憶持發心
修行得精進力除懶惰障滅一切罪於諸學
處離不尊重息悼悔心入於初地依初地心
除利有情障得入二地於此地中除不逼惱
障入於三地於此地中除心軟淨障入於四
地於此地中除善方便障入於五地於此地
中除見真俗障入於六地於此地中除見行
相障入於七地於此地中除不見滅相障入
於八地於此地中除不見生相障入於九地
於此地中除六通障入於十地於此地中除
所知障除根本心入如來地如來地者由三
淨故名極清淨云何為三一者煩惱淨二者
苦淨三者相淨譬如真金鎔銷治鍊既燒
打已无復塵垢為顯金性本清淨故金體
清淨非謂无金譬如濁水澄渟清淨无復
滓穢為顯水性本清淨故非謂無水如是法
身與煩惱雜苦集除已無復餘習為顯佛
性本清淨故非謂無體譬如虛空烟雲塵霧之
所障蔽若除屏已是空界淨非謂无空如是身
一切衆苦悉皆盡故說為清淨非謂无體譬如
有人於睡夢中見大河水漂泛其身運手動
足截流而渡得至彼岸由彼身心不懈退故
從夢覺已不見有水彼此岸別非謂无心
生死妄想既滅盡已是覺清淨非謂无覺如
是法界一切妄想不復生故說為清淨非是
諸佛无其實體

BD00885 號　金光明最勝王經卷二　（15–5）

足截流而渡得至彼岸由彼身心不懈退故
從夢覺已不見有水彼此岸別非謂无心
生死妄想既滅盡已是覺清淨非謂无覺如
是法界一切妄想不復生故說為清淨非是
諸佛无其實體
復次善男子是法身者惑障清淨能現應
身業障清淨能現化身知障清淨能現法身
辟如依空出電依電出光如是依法身故能現
現應身依應身故能現化身由性淨故能現
法身智慧清淨能現應身三昧清淨能現
化身此三清淨是法如如不異如如一味如如解
脫如如究竟如如是故諸佛體无有異善男
子若有善男子善女人說於如來是我大師
若作如是決定信者此人即應深心解了如
來之身无有別異善男子以是義故於諸境
界不正思惟悉皆除斷即如彼法无有二相
亦无分別聖所脩行如如於彼无有二相正
脩行故如是如是一切諸障悉皆除滅如如
一切障滅如是如是法如如如如智得最清淨
如如法界正智清淨如是如是一切自在具足
攝受皆得成就一切諸障悉皆除滅一切
諸障得清淨故是名真如正智真實之相如
是見者是名聖見是則名為真實見佛何以
故如實得見法真如故是故諸佛悉能普見
一切如來何以故聲聞獨覺已出三界求真
實境不能知見如是聖人所不知見一切凡
夫皆生疑惑顛倒分別不能得度如兔浮
海必不能過所以者何力微劣故凡夫之人

一切如來何以故聲聞獨覺已出三界求真
實境不能知見如是聖人所不知見一切凡
夫皆生疑惑顛倒分別不能得度如兔浮
海必不能過所以者何力微劣故凡夫之人
亦復如是不能通達法如如故然諸如來无
分別心於一切法得大自在具足清淨深智
慧故是自境界不共他故是故諸佛如來於无
量无邊阿僧祇劫不惜身命難行苦行
方得此身最上无比不可思議過言說境是妙
寂靜離諸怖畏
善男子如是知見法真如者无生老死壽命
无限無有睡眠亦无飢渴心常在定无有散
動若於如來起諍論心是則不能見於如來
諸佛所說皆能利益有聽聞者无不解脫
諸惡禽獸惡人惡鬼不相逢值由聞法故果報
無盡然諸如來无无記事一切境界無欲知
心生死涅槃无有異想如來所說无不決定
諸佛如來四威儀中无非智攝一切諸法无
有不為慈悲所攝无有不為利益安樂諸衆
生者善男子若有善男子善女人於此金光
明經聽聞信解不墮地獄餓鬼傍生阿蘇羅
道常處人天不生下賤恒得親近諸佛如來
聽受正法常生諸佛清淨國土所以者何由
得聞此甚深法故是善男子善女人則為如
來已知已記當得不退阿耨多羅三藐三菩
提若善男子善女人於此甚深微妙之法一經
耳者當知是人不謗如來不毀正法不輕聖衆
一切衆生未種善根令得種故已種善

[illegible]
來已知已記當得不退阿耨多羅三藐三菩
提善男子善女人於此甚深微妙之法一經
耳者當知是人不謗如來不毀正法不輕聖衆
一切衆生未種善根令得種故已種善
根令增長成熟故一切世界所有衆生皆勸
修行六波羅蜜
尒時虛空藏菩薩梵釋四王諸天衆等即從
座起偏袒右肩合掌恭敬頂禮佛足白佛
言世尊若所在處講說如是金光明王微妙
經典於其國土有四種利益何者為四一者國
王軍衆強盛無諸怨敵離於疾病壽命延
長吉祥安樂正法興顯二者中宮妃后王子
諸臣和悅无諍離於諂佞王所愛重三者沙
門婆羅門及諸國人脩行正法无病安樂无

而說頌曰
我於昨夜中　夢見大金鼓　其形極姝妙　周遍有金光
猶如盛日輪　光明皆普耀　充滿十方界　咸見於諸佛
在於寶樹下　各處琉璃座　无量百千衆　恭敬而圍繞
有一婆羅門　以杖擊金鼓　於其鼓聲內　說此妙伽他
金光明鼓出妙聲　遍至三千大千界
能滅三塗極重罪　及以人中諸苦厄
由此金鼓聲威力　永滅一切煩惱障
斷除怖畏令安隱　譬如自在牟尼尊
佛於生死大海中　積行脩成一切智
能令衆生覺品具　究竟咸歸功德海
由此金鼓出妙聲　普令聞者獲梵響
證得无上菩提果　常轉清淨妙法輪

佛於生死大海中　積行脩成一切智
能令衆生覺品具　究竟咸歸功德海
由此金鼓出妙聲　普令聞者獲梵響
證得无上菩提果　常轉清淨妙法輪
住壽不可思議劫　隨機說法利群生
能斷煩惱衆苦流　貪瞋癡等皆除滅
若有衆生處惡趣　大火猛焰周遍身
若得聞是妙鼓音　即能離苦歸依佛
皆得成就宿命智　能憶過去百千生
悉皆正念牟尼尊　得聞如來甚深教
由聞金鼓勝妙音　常得親近於諸佛
悉能捨離諸惡業　純脩清淨諸善品
一切天人有情類　慇重至誠祈願者
得聞金鼓妙音聲　能令所求皆滿足
衆生墮在无間獄　猛火炎熾苦焚身
无有救護處輪迴　聞者能令苦除滅
人天餓鬼傍生中　所有現受諸苦難
得聞金鼓發妙響　皆蒙離苦得解脫
現在十方界　常住兩足尊　願以大悲心　哀愍憶念我
衆生无歸依　亦无有救護　為如是等類　能作大歸依
我先所作罪　極重諸惡業　今對十力前　至心皆懺悔
我不信諸佛　亦不敬尊親　不務脩衆善　常造諸惡業
或自恃尊高　種姓及財位　盛年行放逸　常造諸惡業
心恒起邪念　口陳於惡言　不見於過罪　常造諸惡業
恒作愚夫行　无明闇覆心　隨順不善友　常造諸惡業
或因諸戲樂　或復懷憂惱　為貪瞋所纏　故我造諸惡
親近不善人　及由慳嫉意　貧窮行諂曲　故我造諸惡
雖不樂衆過　由有怖畏故　及不得自在　故我造諸惡

或因諸欲樂　或復懷憂惱　為貪瞋所纏　故我造諸惡
親近不善人　及由慳嫉意　貧窮行諂曲　故我造諸惡
雖不樂衆過　由有怖畏故　及不得自在　故我造諸惡
或為躁動心　或因瞋恚恨　及以飢渴惱　故我造諸惡
由飲食衣服　及貪愛女人　煩惱火所燒　故我造諸惡
於佛法僧衆　不生恭敬心　作如是衆罪　我今悉懺悔
於獨覺菩薩　亦无恭敬心　作如是衆罪　我今悉懺悔
无知謗正法　不孝於父母　作如是衆罪　我今悉懺悔
由愚癡憍慢　及以貪瞋力　作如是衆罪　我今悉懺悔
我於十方界　供養无數佛　當願拔衆生　令離諸苦難
願一切有情　皆令住十地　福智圓滿已　成佛導群迷
我為諸衆生　苦行百千劫　以大智慧力　皆令出苦海
我為諸含識　演說甚深經　最勝金光明　能除諸惡業
若人百千劫　造諸極重罪　暫時能發露　衆惡盡消除
依此金光明　作如是懺悔　由斯能速盡　一切諸苦業
勝定百千種　不思議揔持　根力覺道支　修習常无倦
我當至十地　具足珍寶處　圓滿佛功德　濟度生死流
我於諸佛海　甚深功德藏　妙智難思議　皆令得具足
唯願十方佛　觀察護念我　皆以大悲心　哀受我懺悔
我於多劫中　所造諸惡業　由斯生苦惱　哀愍願消除
我造諸惡業　常生憂怖心　於四威儀中　曾无歡樂想
諸佛具大悲　能除衆生怖　願受我懺悔　令得離憂苦
我有煩惱障　及以諸報業　願以大悲水　洗濯令清淨
我先作諸罪　及現造惡業　至心皆發露　咸願得蠲除
未來諸惡業　防護令不起　設令有違者　終不敢覆藏
身三語四種　意業復有三　繫縛諸有情　无始恒相續
由斯三種行　造作十惡業　如是衆多罪　我今皆懺悔
我造諸惡業　苦報當自受　今於諸佛前　至誠皆懺悔

BD00885號　金光明最勝王經卷二　（15–10）

未來諸惡業　防護令不起　設令有違者　終不敢覆藏
身三語四種　意業復有三　繫縛諸有情　无始恒相續
由斯三種行　造作十惡業　如是衆多罪　我今皆懺悔
我造諸惡業　苦報當自受　今於諸佛前　至誠皆懺悔
於此贍部洲　及他方世界　所有諸善業　今我皆隨喜
願離十惡業　修行十善道　安住十地中　常見十方佛
我以身語意　所修福智業　願以此善根　速成无上慧
我今親對十力前　發露衆多苦難事
凡愚迷惑三有難　恒造極重惡業難
我所積集欲耶難　常起貪愛流轉難
於此世間耽著難　一切愚夫煩惱難
狂心散動顛倒難　及以親近惡友難
於生死中貪染難　瞋癡闇鈍造罪難
生八无暇惡處難　未曾積集功德難
我今皆於最勝前　懺悔无邊罪惡業
我今歸依諸善逝　我禮德海无上尊
如大金山照十方　唯願慈悲哀攝受
身色金光淨无垢　目如清淨紺琉璃
吉祥威德名稱尊　大悲慧日除衆闇
佛日光明常普遍　善淨无垢離諸塵
牟尼月照極清涼　能除衆生煩惱熱
三十二相遍莊嚴　八十隨好皆圓滿
福德難思无與等　如日流光照世間
色如琉璃淨无垢　猶如滿月處虛空
妙頗梨網映金軀　種種光明以嚴飾
於生死苦暴流內　老病憂愁水所漂
如是苦海難堪忍　佛日舒光令永竭
我今稽首一切智　三千世界希有尊

BD00885號　金光明最勝王經卷二　（15–11）

妙頗梨網映金軀　種種光明以嚴飾
於生死苦暴流內　老病憂愁水所漂
如是苦海難堪忍　佛日舒光令永竭
我今稽首一切智　三千世界希有尊
光明晃曜紫金身　種種妙好皆嚴飾
如大海水量難知　大地微塵不可數
如妙高山叵稱量　亦如虛空无有際
諸佛功德亦如是　一切有情不能知
於无量劫諦思惟　无有能知德海岸
盡此大地諸山岳　析如微塵能算知
毛端渧海尚可量　佛之功德无能數
一切有情皆共讚　世尊名稱諸功德
清淨相好妙莊嚴　不可稱量知分齊
我之所有眾善業　願得速成无上尊
廣說正法利群生　悉令解脫於眾苦
降伏大力魔軍眾　當轉无上正法輪
久住劫數難思議　充足眾生甘露味
猶如過去諸最勝　六波羅蜜皆圓滿
滅諸貪欲及瞋癡　降伏煩惱除眾苦
願我常得宿命智　能憶過去百千生
亦常憶念牟尼尊　得聞諸佛甚深法
願我以斯諸善業　奉事无邊最勝尊
遠離一切不善因　恒得修行真妙法
一切世界諸眾生　悉皆離苦得安樂
所有諸根不具足　令彼身相皆圓滿
若有眾生遭病苦　身形羸瘦无所依
咸令病苦得消除　諸根色力皆充滿
若犯王法當刑戮　眾苦逼迫生憂惱

所有諸根不具足　令彼身相皆圓滿
若有眾生遭病苦　身形羸瘦无所依
咸令病苦得消除　諸根色力皆充滿
若犯王法當刑戮　眾苦逼迫生憂惱
彼受如斯極苦時　无有歸依能救護
若受鞭杖枷鎖繫　種種苦具切其身
无量百千憂惱時　逼迫身心无暫樂
皆令得免於繫縛　及以鞭杖苦楚事
將臨刑者得命全　眾苦皆令永除盡
若有眾生飢渴逼　令得種種殊勝味
盲者得視聾者聞　跛者能行瘂能語
貧窮眾生獲寶藏　倉庫盈溢无所乏
皆令得受上妙樂　无一眾生受苦惱
一切人天皆樂見　容儀溫雅甚端嚴
悉皆現受无量樂　受用豐饒福德具
隨彼眾生念伎樂　眾妙音聲皆現前
念水即現清涼池　金色蓮花泛其上
隨彼眾生心所念　飲食衣服及床敷
金銀珍寶妙琉璃　瓔珞莊嚴皆具足
勿令眾生聞惡響　亦復不見有相違
所受容貌悉端嚴　各各慈心相愛樂
世間資生諸樂具　隨心念時皆滿足
所得珍財无悋惜　分布施與諸眾生
燒香末香及塗香　眾妙雜花非一色
每日三時從樹墮　隨心受用生歡喜
普願眾生咸供養　十方一切最勝尊
三乘清淨妙法門　菩薩獨覺聲聞眾
常願勿處於卑賤　不墮无暇八難中

每日三時從樹墮　隨心受用生歡喜
普願眾生咸供養　十方一切最勝尊
三乘清淨妙法門　菩薩獨覺聲聞眾
常願勿處於卑賤　不墮无暇八難中
生在有暇人中尊　恒得親承十方佛
願得常生富貴家　財寶倉庫皆盈滿
顏貌名稱无與等　壽命延長經劫數
悉願女人變為男　勇健聰明多智慧
一切常行菩薩道　勤脩六度到彼岸
常見十方无量佛　寶王樹下而安處
處妙琉璃師子座　恒得親承轉法輪
若於過去及現在　輪迴三有造諸業
能招可猒不善趣　願得消滅永无餘
一切眾生於有海　生死羂網堅牢縛
願以智劍為斷除　離苦速證菩提處
眾生於此贍部內　或於他方世界中
所作種種勝福因　我今皆悉生隨喜
以此隨喜福德事　及身語意造眾善
願此勝業常增長　速證无上大菩提
所有礼讚佛功德　深心清淨无瑕穢
迴向發願福无邊　當超惡趣六十劫
若有男子及女人　婆羅門等諸勝族
合掌一心讚歎佛　生生常憶宿世事
諸根清淨身圓滿　殊勝功德皆成就
願於未來所生處　常得人天共瞻仰
非於一佛十佛所　脩諸善根今得聞
百千佛所種善根　方得聞斯懺悔法
尒時世尊聞此說已讚妙幢菩薩言善哉善

BD00885 號　金光明最勝王經卷二　（15–14）

諸根清淨身圓滿　殊勝功德皆成就
願於未來所生處　常得人天共瞻仰
非於一佛十佛所　脩諸善根今得聞
百千佛所種善根　方得聞斯懺悔法
尒時世尊聞此說已讚妙幢菩薩言善哉善
哉善男子如汝所夢金鼓出聲讚歎如來真
實功德并懺悔法若有聞者獲福甚多廣利
有情滅除罪障汝今應知此之勝業皆是過
去讚歎發願宿習因緣及由諸佛威力加
護此之因緣當為汝說時諸大眾聞是法
已咸皆歡喜信受奉行

金光明最勝王經卷第二

礦古猛　鍊蓮見　鍍欲鍾　淳大丁　桴[illegible]　鎖蘇果　躡[illegible]

BD00885 號　金光明最勝王經卷二　（15–15）

BD00885 號背　雜寫　　（1–1）

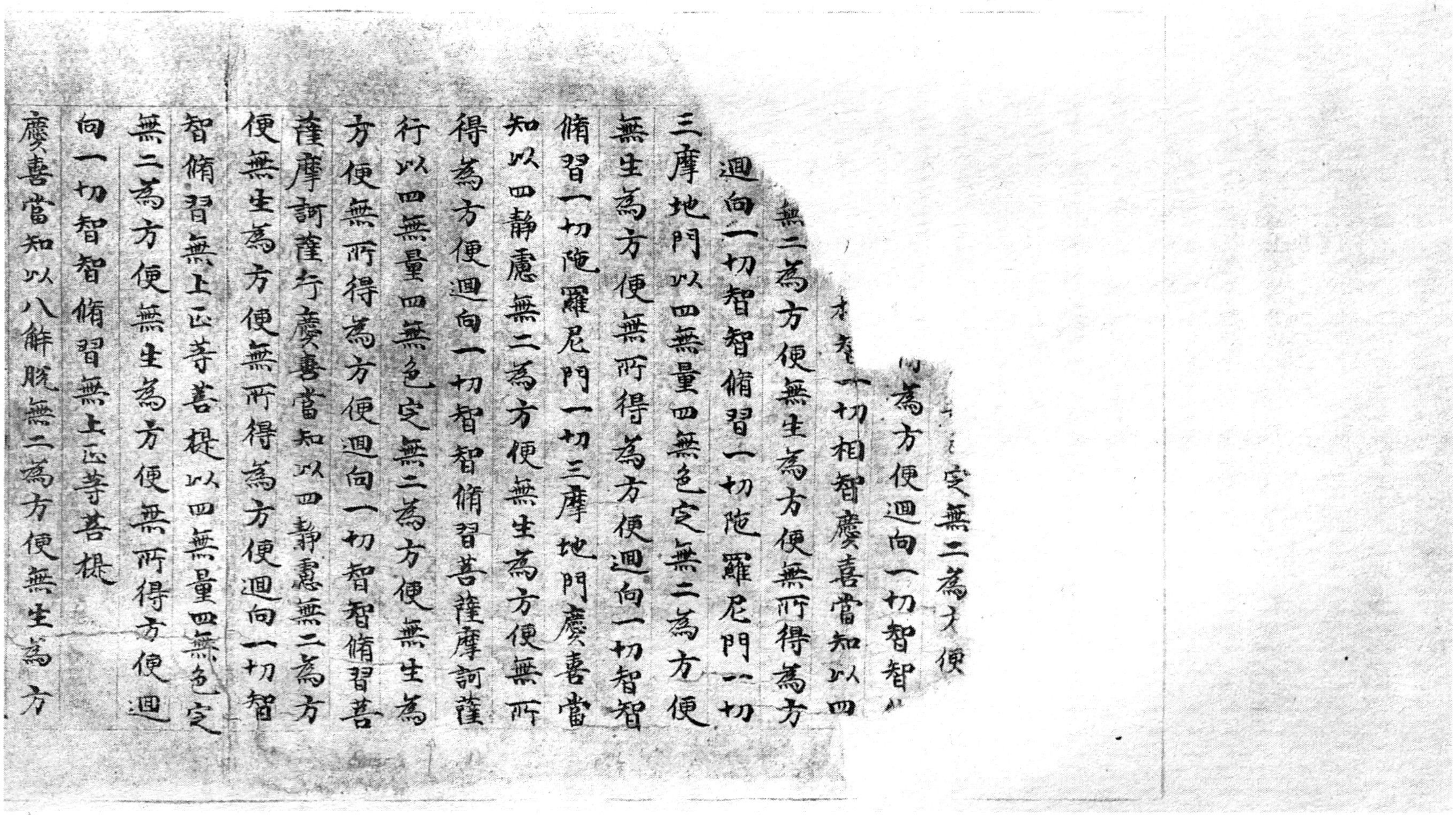
……定無二為大便
……為方便迴向一切智智……
……一切相智慶喜當知以四
無二為方便無生為方便無所得為方
迴向一切智智脩習一切陀羅尼門一切
三摩地門以四無量四無色定無二為方便
無生為方便無所得為方便迴向一切智智
脩習一切陀羅尼門一切三摩地門慶喜當
知以四靜慮無二為方便無生為方便無所
得為方便迴向一切智智脩習菩薩摩訶薩
行以四無量四無色定無二為方便無生為
方便無所得為方便迴向一切智智脩習菩
薩摩訶薩行慶喜當知以四靜慮無二為方
便無生為方便無所得為方便迴向一切智
智脩習無上正等菩提以四無量四無色定
無二為方便無生為方便無所得方便迴
向一切智智脩習無上正等菩提
慶喜當知以八解脫無二為方便無生為方

BD00887 號　大般若波羅蜜多經卷一一〇　　（16–1）

智脩習無上正等菩提以四無量四無色定
無二為方便無生為方便無所得方便迴
向一切智智脩習無上正等菩提
慶喜當知以八解脫無二為方便無生為方
便無所得為方便迴向一切智智脩習布施
淨戒安忍精進靜慮般若波羅蜜多以八勝
處九次第定十遍處無二為方便無生為方
便無所得為方便迴向一切智智脩習布施
淨戒安忍精進靜慮般若波羅蜜多慶喜當
知以八解脫無二為方便無生為方便無所
得為方便迴向一切智智安住內空外空內
外空空空大空勝義空有為空無為空畢竟空
無際空散空無變異空本性空自相空共相
空一切法空不可得空無性空自性空無性
自性空以八勝處九次第定十遍處無二為
方便無生為方便無所得為方便迴向一切
智智安住內空乃至無性自性空慶喜當
知以八解脫無二為方便無生為方便無所
得為方便迴向一切智智安住真如法界法
性不虛妄性不變異性平等性離生性法定
法住實際虛空界不思議界以八勝處九次
第定十遍處無二為方便無生為方便無所
得為方便迴向一切智智安住真如乃至不
思議界慶喜當知以八解脫無二為方便無
生為方便無所得為方便迴向一切智智安
住苦集滅道聖諦以八勝處九次第定十遍

思議界慶喜當知以八解脫無二為方便無
生為方便無所得為方便迴向一切智智安
住苦集滅道聖諦以八勝處九次第定十遍
處無二為方便無生為方便無所得為方便
迴向一切智智安住苦集滅道聖諦慶喜當
知以八解脫無二為方便無生為方便無所
得為方便迴向一切智智脩習四靜慮四無
量四無色定以八勝處九次第定十遍處無
二為方便無生為方便無所得為方便迴向
一切智智脩習四靜慮四無量四無色定慶
喜當知以八解脫無二為方便無生為方便
無所得為方便迴向一切智智脩習八解脫
八勝處九次第定十遍處以八勝處九次第
定十遍處無二為方便無生為方便無所得
為方便迴向一切智智脩習八解脫八勝處
九次第定十遍處慶喜當知以八解脫無二
為方便無生為方便無所得為方便迴向一
切智智脩習四念住四正斷四神足五根五
力七等覺支八聖道支以八勝處九次第定
十遍處無二為方便無生為方便無所得為
方便迴向一切智智脩習四念住四正斷四
神足五根五力七等覺支八聖道支慶喜當
知以八解脫無二為方便無生為方便無所
得為方便迴向一切智智脩習空解脫門無
相解脫門無願解脫門以八勝處九次第定
十遍處無二為方便無生為方便無所得為

得為方便迴向一切智智脩習空解脫門無
相解脫門無願解脫門以八勝處九次第定
十遍處無二為方便無生為方便無所得為
方便迴向一切智智脩習空解脫門無相解
脫門無願解脫門慶喜當知以八解脫無二
為方便無生為方便無所得為方便迴向一
切智智脩習五眼六神通以八勝處九次第
定十遍處無二為方便無生為方便無所得
為方便迴向一切智智脩習五眼六神通慶
喜當知以八解脫無二為方便無生為方便
無所得為方便迴向一切智智脩習佛十力
四無所畏四無礙解大慈大悲大喜大捨十
八佛不共法以八勝處九次第定十遍處無
二為方便無生為方便無所得為方便迴向
一切智智脩習佛十力四無所畏四無礙解
大慈大悲大喜大捨十八佛不共法慶喜當
知以八解脫無二為方便無生為方便無所
得為方便迴向一切智智脩習無忘失法恒
住捨性以八勝處九次第定十遍處無二為
方便無生為方便無所得為方便迴向一切
智智脩習無忘失法恒住捨性
慶喜當知以八解脫無二為方便無生為方
便無所得為方便迴向一切智智脩習一切
智道相智一切相智以八勝處九次第定十
遍處無二為方便無生為方便無所得為方
便迴向一切智智脩習一切智道相智一切相
智慶喜當知以八解脫無二為方便無生為

遍處無二為方便無生為方便無所得為方
便迴向一切智智脩習一切智道相智一切相
智慶喜當知以八解脫無二為方便無生為
方便無所得為方便迴向一切智智脩習一
切陁羅尼門一切三摩地門以八勝處九次
第定十遍處無二為方便無生為方便無所
得為方便迴向一切智智脩習一切陁羅尼
門一切三摩地門慶喜當知以八解脫無二
為方便無生為方便無所得為方便迴向一
切智智脩習菩薩摩訶薩行以八勝處九次
第定十遍處無二為方便無生為方便無所
得為方便迴向一切智智脩習菩薩摩訶薩
行慶喜當知以八解脫無二為方便無生為
方便無所得為方便迴向一切智智脩習
無上正等菩提以八勝處九次第定十遍處
無二為方便無生為方便無所得為方便迴
向一切智智脩習無上正等菩提
慶喜當知以四念住無二為方便無生為方
便無所得為方便迴向一切智智脩習布施
淨戒安忍精進靜慮般若波羅蜜多以四正
斷四神足五根五力七等覺支八聖道支無
二為方便無生為方便無所得為方便迴向
一切智智脩習布施淨戒安忍精進靜慮般
若波羅蜜多慶喜當知以四念住無二為方
便無生為方便無所得為方便迴向一切智
智安住內空外空內外空空空大空勝義空

若波羅蜜多慶喜當知以四念住無二為方
便無生為方便無所得為方便迴向一切智
智安住内空外空内外空空空大空勝義空
有為空無為空畢竟空無際空散空無變異
空本性空自相空共相空一切法空不可得
空無性空自性空無性自性空以四正斷四
神足五根五力七等覺支八聖道支無二為
方便無生為方便無所得為方便迴向一切
智智安住内空乃至無性自性空慶喜當知
以四念住無二為方便無生為方便無所得
為方便迴向一切智智安住真如法界法性
不虛妄性不變異性平等性離生性法定法
住實際虛空界不思議界以四正斷四神足
五根五力七等覺支八聖道支無二為方便
無生為方便無所得為方便迴向一切智智
安住真如乃至不思議界慶喜當知以四念
住無二為方便無生為方便無所得為方便
迴向一切智智安住苦集滅道聖諦以四正
斷四神足五根五力七等覺支八聖道支無
二為方便無生為方便無所得為方便迴向
一切智智安住苦集滅道聖諦慶喜當知以
四念住無二為方便無生為方便無所得為
方便迴向一切智智脩習四靜慮四無量四
無色定以四正斷四神足五根五力七等覺
支八聖道支無二為方便無生為方便無所
得為方便迴向一切智智脩習四靜慮四無
量四無色定慶喜當知以四念住無二為方

支八聖道支無二為方便無生為方便無所
得為方便迴向一切智智脩習四靜慮四無
量四無色定慶喜當知以四念住無二為方
便無生為方便無所得為方便迴向一切智
智脩習八解脫八勝處九次第定十遍處以
四正斷四神足五根五力七等覺支八聖道
支無二為方便無生為方便無所得為方便
迴向一切智智脩習八解脫八勝處九次第
定十遍處慶喜當知以四念住無二為方便
無生為方便無所得為方便迴向一切智智
脩習四念住以四正斷四神足五根五力七等
覺支八聖道支以四正斷四神足五根五力
七等覺支八聖道支無二為方便無生為方
便無所得為方便迴向一切智智脩習四念
住四正斷四神足五根五力七等覺支八聖
道支慶喜當知以四念住無二為方便無生
為方便無所得為方便迴向一切智智脩習
空解脫門無相解脫門無願解脫門以四正
斷四神足五根五力七等覺支八聖道支無
二為方便無生為方便無所得為方便迴向
一切智智脩習空解脫門無相解脫門無願
解脫門慶喜當知以四念住無二為方便無
生為方便無所得為方便迴向一切智智脩
習五眼六神通以四正斷四神足五根五力
七等覺支八聖道支無二為方便無生為方
便無所得為方便迴向一切智智脩習五眼

七等覺支八聖道支無二為方便無生為方
便無所得為方便迴向一切智智脩習五眼
六神通慶喜當知以四念住無二為方便無
生為方便無所得為方便迴向一切智智脩
習佛十力四無所畏四無礙解大慈大悲大
喜大捨十八佛不共法以四正斷四神足五
根五力七等覺支八聖道支無二為方便無
生為方便無所得為方便迴向一切智智脩
習佛十力四無所畏四無礙解大慈大悲大
喜大捨十八佛不共法慶喜當知以四念住
無二為方便無生為方便無所得為方便迴
向一切智智脩習無忘失法恒住捨性以四
正斷四神足五根五力七等覺支八聖道支
無二為方便無生為方便無所得為方便迴
向一切智智脩習無忘失法恒住捨性慶喜
當知以四念住無二為方便無生為方便無
所得為方便迴向一切智智脩習一切智道
相智一切相智以四正斷四神足五根五力
七等覺支八聖道支無二為方便無生為方
便無所得為方便迴向一切智智脩習一切
智道相智一切相智慶喜當知以四念住無
二為方便無生為方便無所得為方便迴向
一切智智脩習一切陁羅尼門一切三摩地
門以四正斷四神足五根五力七等覺支八
聖道支無二為方便無生為方便無所得為
方便迴向一切智智脩習一切陁羅尼門一

BD00887 號　大般若波羅蜜多經卷一一〇　（16–8）

門以四正斷四神足五根五力七等覺支八
聖道支無二為方便無生為方便無所得為
方便迴向一切智智脩習一切陁羅尼門一
切三摩地門慶喜當知以四念住無二為方
便無生為方便無所得為方便迴向一切智
智脩習菩薩摩訶薩行以四正斷四神足五
根五力七等覺支八聖道支無二為方便無
生為方便無所得為方便迴向一切智智脩
習菩薩摩訶薩行慶喜當知以四念住無二
為方便無生為方便無所得為方便迴向一
切智智脩習無上正等菩提以四正斷四神
足五根五力七等覺支八聖道支無二為方
便無生為方便無所得為方便迴向一切智
智脩習無上正等菩提
慶喜當知以空解脫門無二為方便無生為
方便無所得為方便迴向一切智智脩習布
施淨戒安忍精進靜慮般若波羅蜜多以無
相無願解脫門無二為方便無生為方便無
所得為方便迴向一切智智脩習布施淨戒
安忍精進靜慮般若波羅蜜多慶喜當知以
空解脫門無二為方便無生為方便無所得
為方便迴向一切智智安住內空外空內外
空空空大空勝義空有為空無為空畢竟空
無際空散空無變異空本性空自相空共相
空一切法空不可得空無性空自性空無性
自性空以無相無願解脫門無二為方便無

BD00887 號　大般若波羅蜜多經卷一一〇　（16–9）

無際空散空無變異空本性空自相空共相
空一切法空不可得空無性空自性空無性
自性空以無相無願解脫門無二為方便無
生為方便無所得為方便迴向一切智智安
住內空乃至無性自性空慶喜當知以空解
脫門無二為方便無生為方便無所得為方
便迴向一切智智安住真如法界法性不虛
妄性不變異性平等性離生性法定法住實
際虛空界不思議界以無相無願解脫門無
二為方便無生為方便無所得為方便迴向
一切智智安住真如乃至不思議界慶喜當
知以空解脫門無二為方便無生為方便無
所得為方便迴向一切智智安住苦集滅道
聖諦以無相無願解脫門無二為方便無生
為方便無所得為方便迴向一切智智安住
苦集滅道聖諦慶喜當知以空解脫門無二
為方便無生為方便無所得為方便迴向一
切智智脩習四靜慮四無量四無色定以無
相無願解脫門無二為方便無生為方便無
所得為方便迴向一切智智脩習四靜慮四
無量四無色定慶喜當知以空解脫門無二
為方便無生為方便無所得為方便迴向一
切智智脩習八解脫八勝處九次第定十遍
處以無相無願解脫門無二為方便無生為
方便無所得為方便迴向一切智智脩習八
解脫八勝處九次第定十遍處慶喜當知以

BD00887號　大般若波羅蜜多經卷一一〇　（16–10）

切智智脩習八解脫八勝處九次第定十遍
處以無相無願解脫門無二為方便無生為
方便無所得為方便迴向一切智智脩習八
解脫八勝處九次第定十遍處慶喜當知以
空解脫門無二為方便無生為方便無所得
為方便迴向一切智智脩習四念住四正斷
四神足五根五力七等覺支八聖道支以無
相無願解脫門無二為方便無生為方便無
所得為方便迴向一切智智脩習四念住四
正斷四神足五根五力七等覺支八聖道支
慶喜當知以空解脫門無二為方便無生為
方便無所得為方便迴向一切智智脩習空
解脫門無相解脫門無願解脫門以無相無
願解脫門無二為方便無生為方便無所得
為方便迴向一切智智脩習空解脫門無相
解脫門無願解脫門慶喜當知以空解脫門
無二為方便無生為方便無所得為方便迴
向一切智智脩習五眼六神通以無相無願
解脫門無二為方便無生為方便無所得為
方便迴向一切智智脩習五眼六神通慶喜
當知以空解脫門無二為方便無生為方便
無所得為方便迴向一切智智脩習佛十力
四無所畏四無礙解大慈大悲大喜大捨十
八佛不共法以無相無願解脫門無二為方
便無生為方便無所得為方便迴向一切智
智脩習佛十力四無所畏四無礙解大慈大
悲大喜大捨十八佛不共法慶喜當知以空

BD00887號　大般若波羅蜜多經卷一一〇　（16–11）

八佛不共法以無相無願解脫門無二為方
便無生為方便無所得為方便迴向一切智
智脩習佛十力四無所畏四無礙解大慈大
悲大喜大捨十八佛不共法慶喜當知以空
解脫門無二為方便無生為方便無所得為
方便迴向一切智智脩習無忘失法恒住捨
性以無相無願解脫門無二為方便無生為
方便無所得為方便迴向一切智智脩習無
忘失法恒住捨性慶喜當知以空解脫門無
二為方便無生為方便無所得為方便迴向
一切智智脩習一切智道相智一切相智以
無相無願解脫門無二為方便無生為方便
無所得為方便迴向一切智智脩習一切智
道相智一切相智慶喜當知以空解脫門無
二為方便無生為方便無所得為方便迴向
一切智智脩習一切陁羅尼門一切三摩地
門以無相無願解脫門無二為方便無生為
方便無所得為方便迴向一切智智脩習一
切陁羅尼門一切三摩地門慶喜當知以空
解脫門無二為方便無生為方便無所得為
方便迴向一切智智脩習菩薩摩訶薩行以
無相無願解脫門無二為方便無生為方便
無所得為方便迴向一切智智脩習菩薩摩
訶薩行慶喜當知以空解脫門無二為方便
無生為方便無所得為方便迴向一切智智
脩習無上正等菩提以無相無願解脫門無
二為方便無生為方便無所得為方便迴向一

BD00887號　大般若波羅蜜多經卷一一〇　（16–12）

訶薩行慶喜當知以空解脫門無二為方便
無生為方便無所得為方便迴向一切智智
脩習無上正等菩提以無相無願解脫門無
二為方便無生為方便無所得為方便迴向一
切智智脩習無上正等菩提
慶喜當知以五眼無二為方便無生為方便
無所得為方便迴向一切智智脩習布施淨
戒安忍精進靜慮般若波羅蜜多以六神通
無二為方便無生為方便無所得為方便迴
向一切智智脩習布施淨戒安忍精進靜慮
般若波羅蜜多慶喜當知以五眼無二為方
便無生為方便無所得為方便迴向一切智
智安住內空外空內外空空空大空勝義空
有為空無為空畢竟空無際空散空無變異
空本性空自相空共相空一切法空不可得
空無性空自性空無性自性空以六神通無
二為方便無生為方便無所得為方便迴
向一切智智安住內空乃至無性自性空慶
喜當知以五眼無二為方便無生為方便無
所得為方便迴向一切智智安住真如法界
法性不虛妄性不變異性平等性離生性法
定法住實際虛空界不思議界以六神通無
二為方便無生為方便無所得為方便迴向
一切智智安住真如乃至不思議界慶喜當知
以五眼無二為方便無生為方便無所得為
方便迴向一切智智安住苦集滅道聖諦以

BD00887號　大般若波羅蜜多經卷一一〇　（16–13）

一切智智安住真如乃至不思議界慶喜當知
以五眼無二為方便無生為方便無所得為
方便迴向一切智智安住苦集滅道聖諦以
六神通無二為方便無生為方便無所得為
方便迴向一切智智安住苦集滅道聖諦慶
喜當知以五眼無二為方便無生為方便無
所得為方便迴向一切智智脩習四靜慮四
無量四無色定以六神通無二為方便無生
為方便無所得為方便迴向一切智智脩習
四靜慮四無量四無色定慶喜當知以五眼
無二為方便無生為方便無所得為方便迴
向一切智智脩習八解脫八勝處九次第定
十遍處以六神通無二為方便無生為方便
無所得為方便迴向一切智智脩習八解脫
八勝處九次第定十遍處慶喜當知以五眼
無二為方便無生為方便無所為方便迴
向一切智智脩習四念住四正斷四神足五
根五力七等覺支八聖道支以六神通無二
為方便無生為方便無所得為方便迴向一
切智智脩習四念住四正斷四神足五根五
力七等覺支八聖道支慶喜當知以五眼無
二為方便無生為方便無所得為方便迴向
一切智智脩習空解脫門無相解脫門無願
解脫門以六神通無二為方便無生為方便
無所得為方便迴向一切智智脩習空解脫
門無相解脫門無願解脫門慶喜當知以五

BD00887 號　大般若波羅蜜多經卷一一〇　　（16–14）

解脫門以六神通無二為方便無生為方便
無所得為方便迴向一切智智脩習空解脫
門無相解脫門無願解脫門慶喜當知以五
眼無二為方便無生為方便無所得為方便
迴向一切智智脩習五眼六神通以六神通
無二為方便無生為方便無所得為方便迴
向一切智智脩習五眼六神通慶喜當知以
五眼無二為方便無生為方便無所得為方
便迴向一切智智脩習佛十力四無所畏四
無礙解大慈大悲大喜大捨十八佛不共法
以六神通無二為方便無生為方便無所得
為方便迴向一切智智脩習佛十力四無所
畏四無礙解大慈大悲大喜大捨十八佛不
共法慶喜當知以五眼無二為方便無生為
方便無所得為方便迴向一切智智脩習無
忘失法恒住捨性以六神通無二為方便無
生為方便無所得為方便迴向一切智智脩
習無忘失法恒住捨性慶喜當知以五眼無
二為方便無生為方便無所得為方便迴向
一切智智脩習一切智道相智一切相智以
六神通無二為方便無生為方便無所得為
方便迴向一切智智脩習一切智道相智一
切相智慶喜當知以五眼無二為方便無生
為方便無所得為方便迴向一切智智脩習
一切陁羅尼門一切三摩地門以六神通無
二為方便無生為方便無所得為方便迴向

BD00887 號　大般若波羅蜜多經卷一一〇　　（16–15）

方便迴向一切智智脩習一切智道相智一
切相智慶喜當知以五眼無二為方便無生
為方便無所得為方便迴向一切智智脩習
一切陁羅尼門一切三摩地門以六神通無
二為方便無生為方便無所得為方便迴向
一切智智脩習一切陁羅尼門一切三摩地
門慶喜當知以五眼無二為方便無生為方
便無所得為方便迴向一切智智脩習菩薩
摩訶薩行以六神通無二為方便無生為方
便無所得為方便迴向一切智智脩習菩薩
摩訶薩行慶喜當知以五眼無二為方便無
生為方便無所得為方便迴向一切智智
脩習無上正等菩提以六神通無二為方便無
生為方便無所得為方便迴向一切智智脩
習無上正等菩提

大般若波羅蜜多經卷第一百一十

BD00887號　大般若波羅蜜多經卷一一〇　（16–16）

震動其國中間幽冥之處日月威光所不能
照而皆大明其中衆生各得相見咸作是言
此中云何忽生衆生又其國界諸天宮殿乃
至梵宮六種震動大光普照遍滿世界勝諸
天光尒時東方五百万億諸國土中梵天宮
殿光明照曜倍於常明諸梵天王各作是念
今者宮殿光明昔所未有以何因緣而現此
相是時諸梵天王即各相詣共議此事而彼
衆中有一大梵天王名救一切為諸梵衆而
說偈言

我等諸宮殿　光明昔未有　此是何因緣　宜各共求之
為大德天生　為佛出世間　而此大光明　遍照於十方

尒時五百万億國土諸梵天王與宮殿俱各
以衣裓盛諸天華共詣西方推尋是相見大

BD00888號　妙法蓮華經卷三　（9–1）

我等諸宫殿 光明昔未有 此是何因緣 宜各共求之
為大德天生 為佛出世間 而此大光明 遍照於十方
尒時五百万億國土諸梵天王與宫殿俱各
以衣裓盛諸天華共詣西方推尋是相見大
通智勝如來處于道場菩提樹下坐師子座
諸天龍王乾闥婆緊那羅摩睺羅伽人非人
等恭敬圍繞及見十六王子請佛轉法輪即
時諸梵天王頭面礼佛繞百千帀即以天華
而散佛上其所散華如須弥山并以供養佛
菩提樹其菩提樹高十由旬華供養已各以
宫殿奉上彼佛而作是言唯見哀愍饒益我
等所獻宫殿願垂納處時諸梵天王即於佛
前一心同聲以偈頌曰
世尊甚希有 難可得值遇 具无量功德 能救護一切
天人之大師 哀愍於世間 十方諸衆生 普皆蒙饒益
我等所從來 五百万億國 捨深禪定樂 為供養佛故
我等先世福 宫殿甚嚴飾 今以奉世尊 唯願哀納受
尒時諸梵天王偈讚佛已各作是言唯願世
尊轉於法輪度脫衆生開涅槃道時諸梵天
王一心同聲而說偈言
世雄兩足尊 唯願演說法 以大慈悲力 度苦惱衆生
尒時大通智勝如來嘿然許之又諸比丘東
南方五百万億國土諸大梵王各自見宫殿
光明照曜昔所未有歡喜踊躍生希有心即
各相詣共議此事而彼衆中有一大梵天王
名曰大悲為諸梵衆而說偈言

南方五百万億國土諸大梵王各自見宫殿
光明照曜昔所未有歡喜踊躍生希有心即
各相詣共議此事而彼衆中有一大梵天王
名曰大悲為諸梵衆而說偈言
是事何因緣 而現如此相 我等諸宫殿 光明昔未有
為大德天生 為佛出世間 未曾見此相 當共一心求
過千万億土 尋光共推之 多是佛出世 度脫苦衆生
尒時五百万億諸梵天王與宫殿俱各以衣
裓盛諸天華共詣西北方推尋是相見大通
智勝如來處于道場菩提樹下坐師子座諸
天龍王乾闥婆緊那羅摩睺羅伽人非人等
恭敬圍繞及見十六王子請佛轉法輪時諸
梵天王頭面礼佛繞百千帀即以天華而散
佛上所散之華如須弥山并以供養佛菩提
樹華供養已各以宫殿奉上彼佛而作是言
唯見哀愍饒益我等所獻宫殿願垂納處尒
時諸梵天王即於佛前一心同聲以偈頌曰
聖主天中王 迦陵頻伽聲 哀愍衆生者 我等今敬礼
世尊甚希有 久遠乃一現 一百八十劫 空過无有佛
三惡道充滿 諸天衆減少 今佛出於世 為衆生作眼
世間所歸趣 救護於一切 為衆生之父 哀愍饒益者
我等宿福慶 今得值世尊
尒時諸梵天王偈讚佛已各作是言唯願世
尊哀愍一切轉於法輪度脫衆生時諸梵天
王一心同聲而說偈言
大聖轉法輪 顯示諸法相 度苦惱衆生 令得大歡喜

尊哀愍一切轉於法輪度脫衆生時諸梵天
王一心同聲而說偈言
大聖轉法輪 顯示諸法相 度苦惱衆生 令得大歡喜
衆生聞此法 得道若生天 諸惡道減少 忍善者增益
尒時大通智勝如來默然許之又諸比丘西南
方五百万億國土諸大梵王各自見宮殿光
明照曜昔所未有歡喜踊躍生希有心即各
相詣共議此事以何因緣我等宮殿有此光
曜而彼衆中有一大梵天王名曰妙法為諸
梵衆而說偈言
我等諸宮殿 光明甚威曜 此非無因緣 是相宜求之
過於百千劫 未曾見是相 為大德天生 為佛出世間
尒時五百万億諸梵天王與宮殿俱各以衣
裓盛諸天華共詣北方推尋是相見大通智
勝如來處于道場菩提樹下坐師子座諸天
龍王乾闥婆緊那羅摩睺羅伽人非人等恭
敬圍繞及見十六王子請佛轉法輪時諸梵
天王頭面礼佛繞百千帀即以天華而散佛
上所散之華如須弥山并以供養佛菩提樹
華供養已各以宮殿奉上彼佛而作是言唯
見哀愍饒益我等所獻宮殿願垂納處尒時
諸梵天王即於佛前一心同聲以偈頌曰
世尊甚難見 破諸煩惱者 過百三十劫 今乃得一見
諸飢渴衆生 以法雨充滿 昔所未曾覩 无量智慧者
如優曇波羅 今日乃值遇 我等諸宮殿 蒙光故嚴飾
世尊大慈愍 唯願垂納受

如優曇波羅 今日乃值遇 我等諸宮殿 蒙光故嚴飾
世尊大慈愍 唯願垂納受
尒時諸梵天王偈讚佛已各作是言唯願世
尊轉於法輪令一切世間諸天魔梵沙門婆
羅門皆獲安隱而得度脫時諸梵天王一心
同聲以偈頌曰
唯願天人尊 轉無上法輪 擊于大法鼓 而吹大法螺
普雨大法雨 度无量衆生 我等咸歸請 當演深遠音
尒時大通智勝如來默然許之西南方乃至
下方亦復如是尒時上方五百万億國土諸
大梵王皆悉自覩所止宮殿光明威曜昔所
未有歡喜踊躍生希有心即各相詣共議此
事以何因緣我等宮殿有斯光明而彼衆中
有一大梵天王名曰尸棄為諸梵衆而說偈
言
今以何因緣 我等諸宮殿 威德光明曜 嚴飾未曾有
如是之妙相 昔所未聞見 為大德天生 為佛出世間
尒時五百万億諸梵天王與宮殿俱各以衣
裓盛諸天華共詣下方推尋是相見大通智
勝如來處于道場菩提樹下坐師子座諸天
龍王乾闥婆緊那羅摩睺羅伽人非人等恭
敬圍繞及見十六王子請佛轉法輪時諸梵
天王頭面礼佛繞百千帀即以天華而散佛
上所散之華如須弥山并以供養佛菩提樹
華供養已各以宮殿奉上彼佛而作是言唯

上所散之華如須弥山并以供養佛菩提樹
華供養已各以宮殿奉上彼佛而作是言唯
見哀愍饒益我等所獻宮殿願垂納處時諸
梵天王即於佛前一心同聲以偈頌曰
善哉見諸佛 救世之聖尊 能於三界獄 勉出諸衆生
普智天人尊 哀愍群萌類 能開甘露門 廣度於一切
於昔无量劫 空過无有佛 世尊未出時 十方常暗暝
三惡道增長 阿脩羅亦盛 諸天衆轉減 死多墮惡道
不從佛聞法 常行不善事 色力及智慧 斯等皆減少
罪業因緣故 失樂及樂想 住於邪見法 不識善儀則
不蒙佛所化 常墮於惡道 佛為世間眼 久遠時乃出
哀愍諸衆生 故現於世間 超出成正覺 我等甚欣慶
及餘一切衆 喜歎未曾有 我等諸宮殿 蒙光故嚴飾
今以奉世尊 唯垂哀納受 願以此功德 普及於一切
我等與衆生 皆共成佛道
尒時五百万億諸梵天王偈讚佛已各白佛
言唯願世尊轉於法輪多所安隱多所度脫
時諸梵天王而說偈言
世尊轉法輪 擊甘露法鼓 度苦惱衆生 開示涅槃道
唯願受我請 以大微妙音 哀愍而敷演 无量劫習法
尒時大通智勝如來受十方諸梵天王及十
六王子請即時三轉十二行法輪若沙門婆
羅門若天魔梵及餘世間所不能轉謂是苦
是苦集是苦滅是苦滅道及廣說十二因緣
法无明緣行行緣識識緣名色名色緣六入
六入緣觸觸緣受受緣愛愛緣取取緣有有

BD00888號　妙法蓮華經卷三　（9–6）

羅門若天魔梵及餘世間所不能轉謂是苦
是苦集是苦滅是苦滅道及廣說十二因緣
法无明緣行行緣識識緣名色名色緣六入
六入緣觸觸緣受受緣愛愛緣取取緣有有
緣生生緣老死憂悲苦惱无明滅則行滅行
滅則識滅識滅則名色滅名色滅則六入滅
六入滅則觸滅觸滅則受滅受滅則愛滅愛
滅則取滅取滅則有滅有滅則生滅生滅則
老死憂悲苦惱滅佛於天人大衆之中說是
法時六百万億那由他人以不受一切法故
而於諸漏心得解脫皆得深妙禪定三明六
通具八解脫第二第三第四說法時千万億
恒河沙那由他等衆生亦以不受一切法故
而於諸漏心得解脫從是已後諸聲聞衆无
量无邊不可稱數尒時十六王子皆以童子
出家而為沙弥諸根通利智慧明了已曾供
養百千万億諸佛淨脩梵行求阿耨多羅三
藐三菩提俱白佛言世尊是諸无量千万億
大德聲聞皆已成就世尊亦當為我等說阿
耨多羅三藐三菩提法我等聞已皆共脩學
世尊我等志願如來知見深心所念佛自證
知尒時轉輪聖王所將衆中八万億人見十
六王子出家亦求出家王即聽許尒時彼佛
受沙弥請過二万劫已乃於四衆之中說是
大乘經名妙法蓮華教菩薩法佛所護念說
是經已十六沙弥為阿耨多羅三藐三菩提

BD00888號　妙法蓮華經卷三　（9–7）

受沙弥請過二万劫已乃於四衆之中說是
大乘經名妙法蓮華教菩薩法佛所護念說
是經已十六沙弥為阿耨多羅三藐三菩提
故皆共受持諷誦通利說是經時十六菩薩
沙弥皆悉信受聲聞衆中亦有信解其餘衆
生千万億種皆生疑惑佛說是經於八千劫
未曾休廢說此經已即入靜室住於禪定八
万四千劫是時十六菩薩沙弥知佛入室寂
然禪定各昇法座亦於八万四千劫為四部
衆廣說分別妙法華經一一皆度六百万億
那由他恒河沙等衆生示教利喜令發阿耨
多羅三藐三菩提心大通智勝佛過八万四
千劫已從三昧起往詣法座安詳而坐普告
大衆是十六菩薩沙弥甚為希有諸根通利
智慧明了已曾供養无量千万億數諸佛於
諸佛所常脩梵行受持佛智開示衆生令入
其中汝等皆當數數親近而供養之所以者
何若聲聞辟支佛及諸菩薩能信是十六菩
薩所說經法受持不毀者是人皆當得阿耨
多羅三藐三菩提如來之慧佛告諸比丘是
十六菩薩常樂說是妙法蓮華經一一菩薩
所化六百万億那由他恒河沙等衆生世世
所生與菩薩俱從其聞法悉皆信解以此因
緣得值四万億諸佛世尊于今不盡諸比丘
我今語汝彼佛弟子十六沙弥今皆得阿耨
多羅三藐三菩提於十方國土現在說法有

BD00888 號　妙法蓮華經卷三　（9–8）

所生與菩薩俱從其聞法悉皆信解以此因
緣得值四万億諸佛世尊于今不盡諸比丘
我今語汝彼佛弟子十六沙弥今皆得阿耨
多羅三藐三菩提於十方國土現在說法有
无量百千万億菩薩聲聞以為眷屬其二沙
弥東方作佛一名阿閦在歡喜國二名須弥
頂東南方二佛一名師子音二名師子相南
方二佛一名虛空住二名常滅西南方二佛
一名帝相二名梵相西方二佛一名阿弥陁
二名度一切世間苦惱西北方二佛一名多
摩羅跋栴檀香神通二名須弥相北方二佛
一名雲自在二名雲自在王東北方佛名壞
一切世間怖畏第十六我釋迦牟尼佛於娑
婆國土成阿耨多羅三藐三菩提諸比丘我
等為沙弥時各各教化无量百千万億恒河
沙等衆生從我聞法為阿耨多羅三藐三菩
提此諸衆生于今有住聲聞地者我
阿耨多羅三藐三菩提[illegible]

BD00888 號　妙法蓮華經卷三　（9–9）

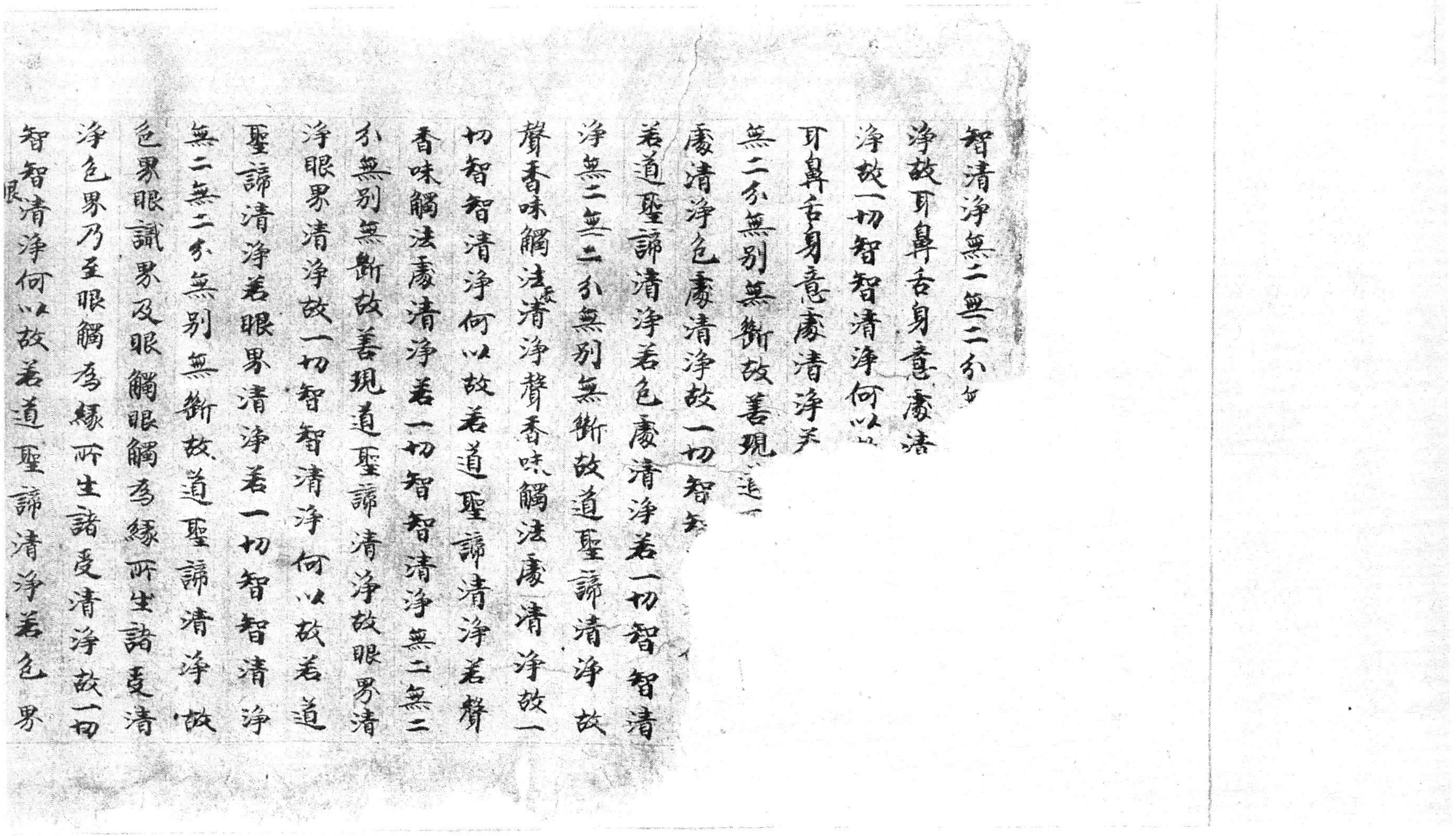

智清淨無二無二分無
淨故耳鼻舌身意處清
淨故一切智智清淨何以
耳鼻舌身意處清淨若
無二分無別無斷故善現道
處清淨色處清淨故一切智
若道聖諦清淨若色處清淨若一切智智清
淨無二無二分無別無斷故道聖諦清淨故
聲香味觸法處清淨聲香味觸法處清淨故一
切智智清淨何以故若道聖諦清淨若聲
香味觸法處清淨若一切智智清淨無二無二
分無別無斷故善現道聖諦清淨故眼界清
淨眼界清淨故一切智智清淨何以故若道
聖諦清淨若眼界清淨若一切智智清淨
無二無二分無別無斷故道聖諦清淨故
色界眼識界及眼觸眼觸為緣所生諸受清
淨色界乃至眼觸為緣所生諸受清淨故一切
智智清淨何以故若道聖諦清淨若色界眼

BD00889號　大般若波羅蜜多經卷二二四　　（10–1）

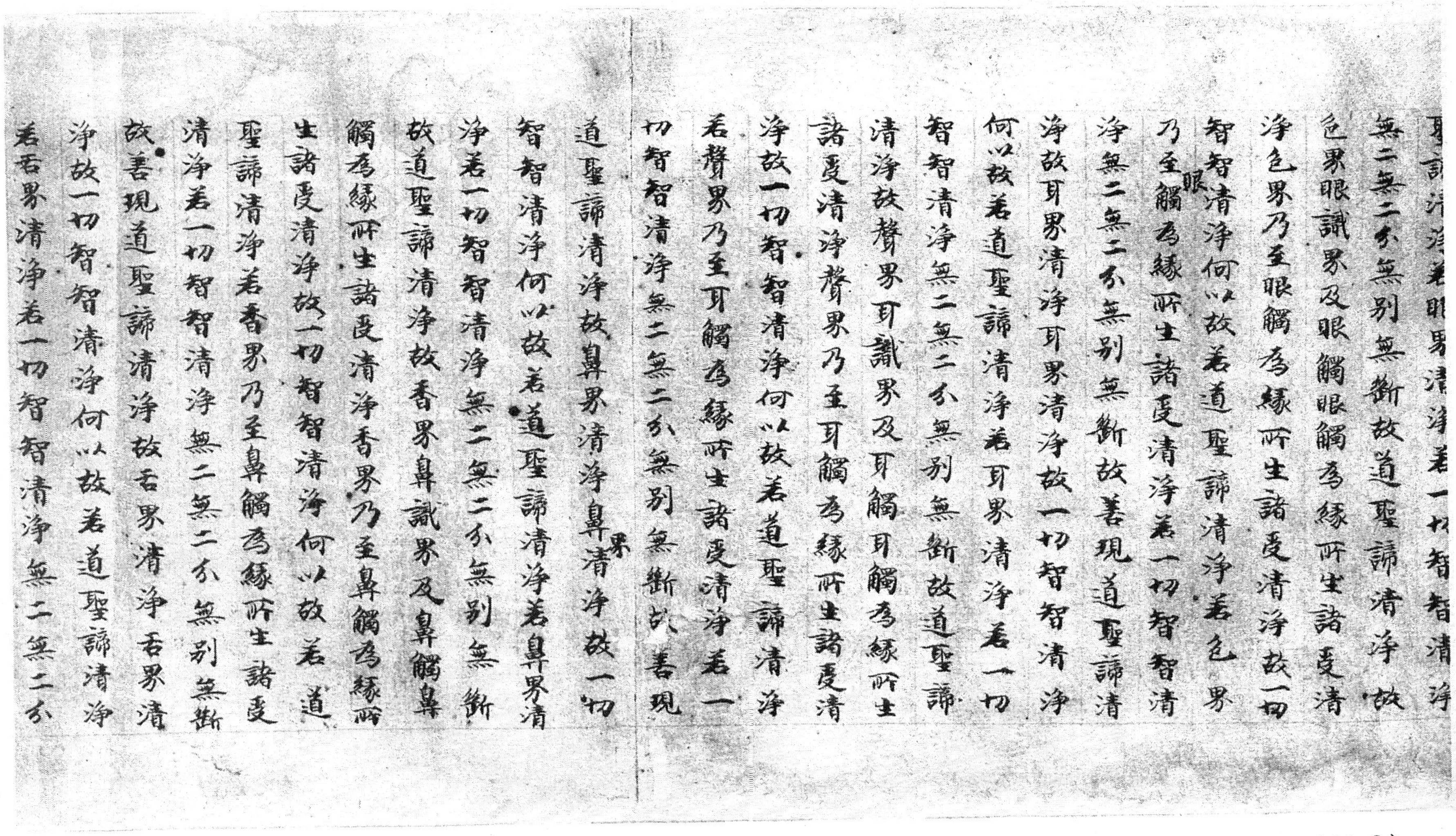

聖諦清淨若眼界清淨若一切智智清淨
無二無二分無別無斷故道聖諦清淨故
色界眼識界及眼觸眼觸為緣所生諸受清
淨色界乃至眼觸為緣所生諸受清淨故一切
智智清淨何以故若道聖諦清淨若色界
乃至眼觸為緣所生諸受清淨若一切智智清
淨無二無二分無別無斷故善現道聖諦清
淨故耳界清淨耳界清淨故一切智智清淨
何以故若道聖諦清淨若耳界清淨若一切
智智清淨無二無二分無別無斷故道聖諦
清淨故聲界耳識界及耳觸耳觸為緣所生
諸受清淨聲界乃至耳觸為緣所生諸受清
淨故一切智智清淨何以故若道聖諦清淨
若聲界乃至耳觸為緣所生諸受清淨若一
切智智清淨無二無二分無別無斷故善現
道聖諦清淨故鼻界清淨鼻界清淨故一切
智智清淨何以故若道聖諦清淨若鼻界清
淨若一切智智清淨無二無二分無別無斷
故道聖諦清淨故香界鼻識界及鼻觸鼻
觸為緣所生諸受清淨香界乃至鼻觸為緣所
生諸受清淨故一切智智清淨何以故若道
聖諦清淨若香界乃至鼻觸為緣所生諸受
清淨若一切智智清淨無二無二分無別無斷
故善現道聖諦清淨故舌界清淨舌界清
淨故一切智智清淨何以故若道聖諦清淨
若舌界清淨若一切智智清淨無二無二分

BD00889號　大般若波羅蜜多經卷二二四　　（10–2）

清淨若一切智智清淨無二無二分無別無斷
故善現道聖諦清淨故舌界清淨舌界清
淨故一切智智清淨何以故若道聖諦清淨
若舌界清淨若一切智智清淨無二無二分
無別無斷故道聖諦清淨故味界舌識界及
舌觸舌觸為緣所生諸受清淨味界乃至舌
觸為緣所生諸受清淨故一切智智清淨何
以故若道聖諦清淨若味界乃至舌觸為緣
所生諸受清淨若一切智智清淨無二無二
分無別無斷故善現道聖諦清淨故身界清
淨身界清淨故一切智智清淨何以故若道
聖諦清淨若身界清淨若一切智智清淨無
二無二分無別無斷故道聖諦清淨故觸界
身識界及身觸身觸為緣所生諸受清淨觸
界乃至身觸為緣所生諸受清淨故一切智智
清淨何以故若道聖諦清淨若觸界乃至
身觸為緣所生諸受清淨若一切智智清淨
無二無二分無別無斷故善現道聖諦清淨
故意界清淨意界清淨故一切智智清淨何
以故若道聖諦清淨若意界清淨若一切智
智清淨無二無二分無別無斷故道聖諦清
淨故法界意識界及意觸意觸為緣所生諸
受清淨法界乃至意觸為緣所生諸受清淨
故一切智智清淨何以故若道聖諦清淨若
法界乃至意觸為緣所生諸受清淨若一切

BD00889 號　大般若波羅蜜多經卷二二四　（10–3）

受清淨法界乃至意觸為緣所生諸受清淨
故一切智智清淨何以故若道聖諦清淨若
法界乃至意觸為緣所生諸受清淨若一切
智智清淨無二無二分無別無斷故善現道
聖諦清淨故地界清淨地界清淨故一切智
智清淨何以故若道聖諦清淨若地界清淨
若一切智智清淨無二無二分無別無斷故道
聖諦清淨故水火風空識界清淨水火風空
識界清淨故一切智智清淨何以故若道聖
諦清淨若水火風空識界清淨若一切智智
清淨無二無二分無別無斷故善現道聖
諦清淨故無明清淨無明清淨故一切智智
清淨何以故若道聖諦清淨若無明清淨若
一切智智清淨無二無二分無別無斷故道聖
諦清淨故行識名色六處觸受愛取有生
老死愁歎苦憂惱清淨行乃至老死愁歎苦
憂惱清淨故一切智智清淨何以故若道聖
諦清淨若行乃至老死愁歎苦憂惱清淨若
一切智智清淨無二無二分無別無斷故
善現道聖諦清淨故布施波羅蜜多清淨
布施波羅蜜多清淨故一切智智清淨何以故
若道聖諦清淨若布施波羅蜜多清淨若一切
智智清淨無二無二分無別無斷故道聖諦
清淨故淨戒安忍精進靜慮般若波羅蜜
多清淨淨戒乃至般若波羅蜜多清淨故一
切智智清淨何以故若道聖諦清淨若淨戒

BD00889 號　大般若波羅蜜多經卷二二四　（10–4）

清淨故淨戒安忍精進靜慮般若波羅蜜
多清淨淨戒乃至般若波羅蜜多清淨故一
切智智清淨何以故若道聖諦清淨若淨戒
乃至般若波羅蜜多清淨若一切智智清淨
無二無二分無別無斷故善現道聖諦清淨
故內空清淨內空清淨故一切智智清淨何
以故若道聖諦清淨若內空清淨若一切智
智清淨無二無二分無別無斷故道聖諦清
淨故外空內外空空空大空勝義空有為空
無為空畢竟空無際空散空無變異空本性
空自相空共相空一切法空不可得空無性空
自性空無性自性空清淨外空乃至無性自
性空清淨故一切智智清淨何以故若道聖
諦清淨若外空乃至無性自性空清淨若一
切智智清淨無二無二分無別無斷故善現
道聖諦清淨故真如清淨真如清淨故一切
智智清淨何以故若道聖諦清淨若真如
清淨若一切智智清淨無二無二分無別無
斷故道聖諦清淨故法界法性不虛妄性不
變異性平等性離生性法定法住實際虛空
界不思議界清淨法界乃至不思議界清淨
故一切智智清淨何以故若道聖諦清淨若
法界乃至不思議界清淨若一切智智清淨
無二無二分無別無斷故善現道聖諦清
淨故苦聖諦清淨苦聖諦清淨故一切智智清
淨何以故若道聖諦清淨若苦聖諦清淨若

無二無二分無別無斷故善現道聖諦清
淨故苦聖諦清淨苦聖諦清淨故一切智智清
淨何以故若道聖諦清淨若苦聖諦清淨若
一切智智清淨無二無二分無別無斷故道
聖諦清淨故集滅聖諦清淨集滅聖諦清
淨故一切智智清淨何以故若道聖諦清淨
若集滅聖諦清淨若一切智智清淨無二無二
分無別無斷故善現道聖諦清淨故四靜慮
清淨四靜慮清淨故一切智智清淨何以故
道聖諦清淨若四靜慮清淨若一切智智
淨無二無二分無別無斷故道聖諦清
故四無量四無色定清淨四無量四無色定
淨故一切智智清淨何以故若道聖諦清淨若
四無量四無色定清淨若一切智智清淨無
二無二分無別無斷故善現道聖諦清淨
故八解脫清淨八解脫清淨故一切智智清
淨何以故若道聖諦清淨若八解脫清淨若
一切智智清淨無二無二分無別無斷故道聖
諦清淨故八勝處九次第定十遍處清淨
八勝處九次第定十遍處清淨故一切智智
清淨何以故若道聖諦清淨若八勝處九
次第定十遍處清淨若一切智智清淨無二
無二分無別無斷故善現道聖諦清淨故四
念住清淨四念住清淨故一切智智清淨何
以故若道聖諦清淨若四念住清淨若一切
智智清淨無二無二分無別無斷故道聖諦

無二分無別無斷故善現道聖諦清淨故四
念住清淨四念住清淨故一切智智清淨何
以故若道聖諦清淨若四念住清淨若一切
智智清淨無二無二分無別無斷故道聖諦
清淨故四正斷四神足五根五力七等覺支
八聖道支清淨四正斷乃至八聖道支清淨
故一切智智清淨何以故若道聖諦清淨若
四正斷乃至八聖道支清淨若一切智智清
淨無二無二分無別無斷故善現道聖諦清
淨故空解脫門清淨空解脫門清淨故一切
智智清淨何以故若道聖諦清淨若空解脫
門清淨若一切智智清淨無二無二分無別無
斷故道聖諦清淨故無相無願解脫門清淨
無相無願解脫門清淨故一切智智清淨何
以故若道聖諦清淨若無相無願解脫門清
淨若一切智智清淨無二無二分無別無斷故
善現道聖諦清淨故菩薩十地清淨菩薩
十地清淨故一切智智清淨何以故若道聖
諦清淨若菩薩十地清淨若一切智智清淨
無二無二分無別無斷故
善現道聖諦清淨故五眼清淨五眼清淨故
一切智智清淨何以故若道聖諦清淨若五
眼清淨若一切智智清淨無二無二分無別無
斷故道聖諦清淨故六神通清淨六神通清
淨故一切智智清淨何以故若道聖諦清淨
若六神通清淨若一切智智清淨無二無二分

BD00889號　大般若波羅蜜多經卷二二四　（10–7）

斷故道聖諦清淨故六神通清淨六神通清
淨故一切智智清淨何以故若道聖諦清淨
若六神通清淨若一切智智清淨無二無二分
無別無斷故善現道聖諦清淨故佛十力清
淨佛十力清淨故一切智智清淨何以故若道
聖諦清淨若佛十力清淨若一切智智清淨
無二無二分無別無斷故道聖諦清淨故四
無所畏四無礙解大慈大悲大喜大捨十八佛
不共法清淨四無所畏乃至十八佛不共法清
淨故一切智智清淨何以故若道聖諦清淨若
四無所畏乃至十八佛不共法清淨若一切智智
無二無二分無別無斷故善現道聖諦清淨故
無忘失法清淨無忘失法清淨故一切智智清淨
何以故若道聖諦清淨若無忘失法清淨若一切智
智清淨無二無二分無別無斷故道聖諦清
淨故恒住捨性清淨恒住捨性清淨故一切
智智清淨何以故若道聖諦清淨若恒住捨性
清淨若一切智智清淨無二無二分無別無斷
故善現道聖諦清淨故一切智　清淨一切智
清淨故一切智智清淨何以故若道聖諦
清淨若一切智清淨若一切智智清淨無二
無二分無別無斷故道聖諦清淨故道相智
一切相智清淨道相智一切相智清淨故一切
智智清淨何以故若道聖諦清淨若道相
智一切相智清淨若一切智智清淨無二無
二分無別無斷故善現道聖諦清淨故一切

BD00889號　大般若波羅蜜多經卷二二四　（10–8）

一切相智清淨道相智一切相智清淨故一切
智智清淨何以故若道聖諦清淨若道相
智一切相智清淨若一切智智清淨無二無
二分無別無斷故善現道聖諦清淨故一切
陁羅尼門清淨一切陁羅尼門清淨故一切智
智清淨何以故若道聖諦清淨若一切陁羅
尼門清淨若一切智智清淨無二無二分無
別無斷故道聖諦清淨一切三摩地門清淨
一切三摩地門清淨故一切智智清淨何以
故若道聖諦清淨若一切三摩地門清淨若
一切智智清淨無二無二分無別無斷故
善現道聖諦清淨故預流果清淨預流果清
淨故一切智智清淨何以故若道聖諦清淨若
預流果清淨若一切智智清淨無二無二分無
別無斷故道聖諦清淨故一來不還阿羅
漢果清淨一來不還阿羅漢果清淨故一切
智智清淨何以故若道聖諦清淨若一來不
還阿羅漢果清淨若一切智智清淨無二
無二分無別無斷故善現道聖諦清淨故獨
覺菩提清淨獨覺菩提清淨故一切智智清
淨何以故若道聖諦清淨若獨覺菩提清淨
若一切智智清淨無二無二分無別無斷故善
現道聖諦清淨故一切菩薩摩訶薩行清淨一
切菩薩摩訶薩行清淨故一切智智清淨何以
故若道聖諦清淨若一切菩薩摩訶薩行清
淨若一切智智清淨無二無二分無別無斷故
善現道聖諦清淨故諸佛無上正等菩提清

BD00889 號　大般若波羅蜜多經卷二二四　（10–9）

無二分無別無斷故善現道聖諦清淨故獨
覺菩提清淨獨覺菩提清淨故一切智智清
淨何以故若道聖諦清淨若獨覺菩提清淨
若一切智智清淨無二無二分無別無斷故善
現道聖諦清淨故一切菩薩摩訶薩行清淨一
切菩薩摩訶薩行清淨故一切智智清淨何以
故若道聖諦清淨若一切菩薩摩訶薩行清
淨若一切智智清淨無二無二分無別無斷故
善現道聖諦清淨故諸佛無上正等菩提清
淨諸佛無上正等菩提清淨故一切智智清淨
何以故若道聖諦清淨若諸佛無上正等菩提
清淨若一切智智清淨無二無二分無別無斷故

大般若波羅蜜多經卷第二百廿四

BD00889 號　大般若波羅蜜多經卷二二四　（10–10）

BD00889 號背　勘記　　（1–1）

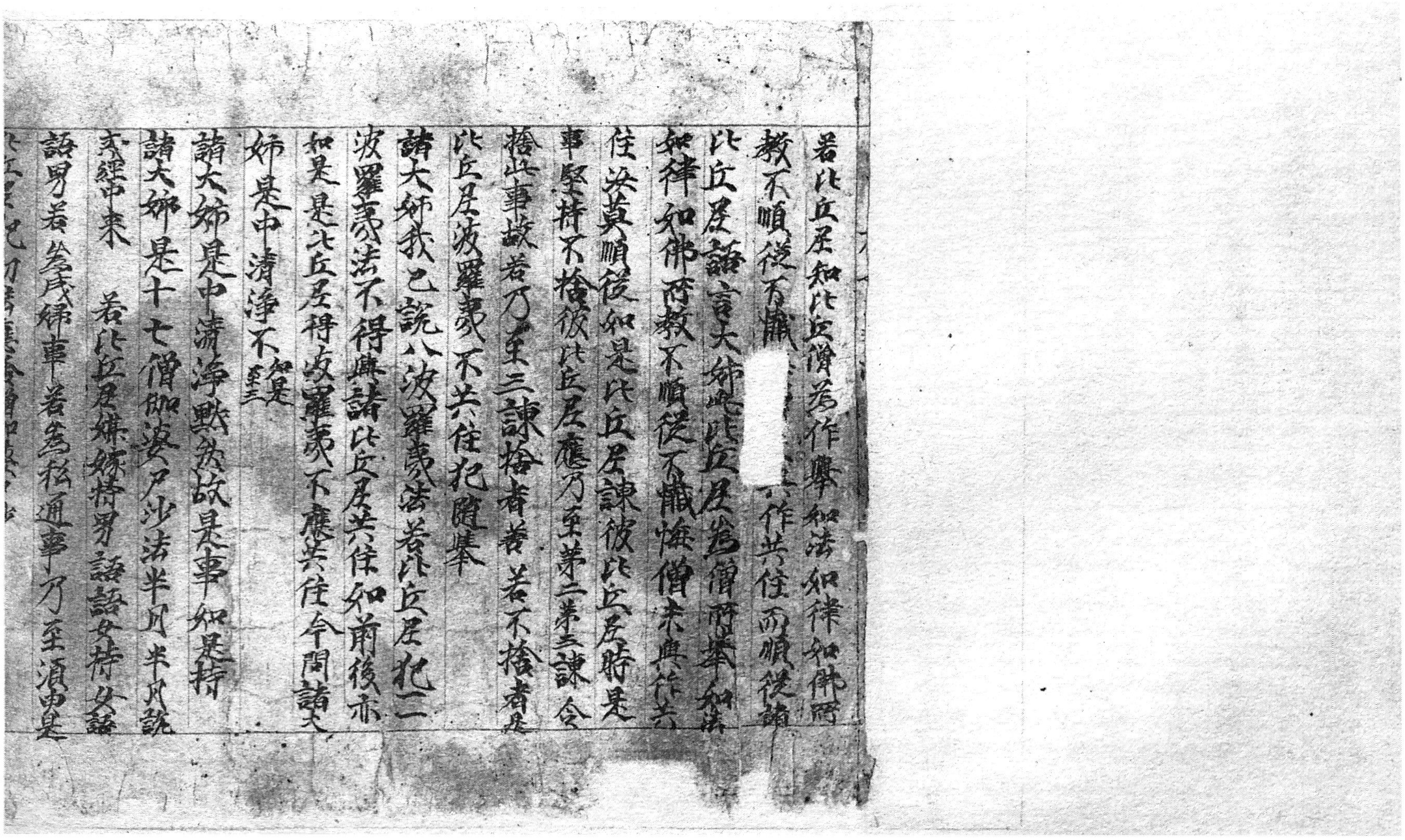

若比丘尼知比丘僧為作舉知法知律知佛所
教不順從不懺[illegible]作共住而順從諸
比丘尼語言大姊此比丘尼為僧所舉知法
知律知佛所教不順從不懺悔僧未與作共
住汝莫順從如是比丘尼諫彼比丘尼時是
事堅持不捨彼比丘尼應乃至第二第三諫令
捨此事故若乃至三諫捨者善　若不捨者是
比丘尼波羅夷不共住犯隨舉
諸大姊我已說八波羅夷法若比丘尼犯一一
波羅夷法不得與諸比丘尼共住如前後亦
如是是比丘尼得波羅夷不應共住今問諸大
姊是中清淨不　如是至三
諸大姊是中清淨默然故是事如是持
諸大姊是十七僧伽婆尸沙法半月半月說
戒經中來　若比丘尼媒嫁持男語語女持女語
語男若為成婦事若為私通事乃至須臾是
[illegible]

BD00890 號　四分比丘尼戒本　　（32–1）

諸大姊是中清淨默然故是事如是持
諸大姊是十七僧伽婆尸沙法半月半月說
戒經中來　若比丘尼媒嫁持男語語女持女語
語男若為成婦事若為私通事乃至須臾頃是
比丘尼犯初法應捨僧伽婆尸沙
若比丘尼瞋恚不喜以無根波羅夷法謗欲
破彼清淨行後於異時若問若不問知是
事無根說我瞋恚故作是語是比丘尼犯初法
應捨僧伽婆尸沙
若比丘尼瞋恚不喜於異分事中取片非波羅
夷比丘尼以無根波羅夷法謗欲破彼人梵行
後於異時若問若不問知是異分事中取片
彼比丘尼住瞋恚法作如是說是比丘尼犯初
法應捨僧伽婆尸沙
若比丘尼詣官言人若居士居士兒若奴若客
作人若晝若夜若一念頃若彈指頃若須臾
頃是比丘尼犯初法應捨僧伽婆尸沙
若比丘尼知是賊女罪應死多人所知不問王大
臣不問種姓便度出家受具足戒是比丘尼
犯初法應捨僧伽婆尸沙
若比丘尼知比丘尼為僧所舉如法如律如佛所
教不順從未懺悔僧未與作共住羯磨為愛故
不問僧不約勅出界外作羯磨與解罪是
比丘尼犯初法應捨僧伽婆尸沙　若比丘尼獨度水獨入村
獨宿獨在後行是比丘尼犯初法應捨僧伽婆尸沙
若比丘尼染汙心知染汙心男子從彼受可食
者及食并餘物是比丘尼犯初法應捨僧伽婆尸沙
若比丘尼教比丘尼作如是語大姊彼有染汙心

BD00890號　四分比丘尼戒本　（32–2）

獨宿獨在後行是比丘尼犯初法應捨僧伽婆尸沙
若比丘尼染汙心知染汙心男子從彼受可食
者及食并餘物是比丘尼犯初法應捨僧伽婆尸沙
若比丘尼教比丘尼作如是語大姊彼有染汙心
無染汙心能那汝何汝自無染汙心於彼若得食
以時清淨受取此比丘尼犯初法應捨僧伽婆尸沙
若比丘尼欲壞和合僧方便受破僧法堅持不捨
是比丘尼應諫彼比丘尼言大姊汝莫壞和
合僧莫方便壞和合僧莫受破僧法堅持
不捨大姊應與僧和合與僧和合歡喜不諍同一
師學如水乳合於佛法中有增益安樂住是
比丘尼諫彼比丘尼時堅持不捨是比丘尼應三
諫捨此事故乃至三諫捨者善不捨者是比丘
尼犯三法應捨僧伽婆尸沙
若比丘尼有餘比丘尼群黨若一若二若三乃至
無數彼比丘尼語是比丘尼言大姊汝莫諫此比丘
尼此比丘尼是法語比丘尼律語比丘尼此比丘尼所
說我等心喜樂此比丘尼所說我等忍可是
比丘尼語彼比丘尼言大姊莫作是說言此
比丘尼是法語比丘尼律語比丘尼此比丘尼
所說我等喜樂此比丘尼所說我等忍可何
以故此比丘尼所說非法語非律語大姊莫欲
破壞和合僧當樂欲和合僧大姊與僧和合歡喜
不諍同一師學如水乳合於佛法中有增益安
樂住是比丘尼諫彼比丘尼時堅持不捨是
比丘尼應三諫捨此事故乃至三諫捨者善不
捨者是比丘尼犯三法應捨僧伽婆尸沙

BD00890號　四分比丘尼戒本　（32–3）

衆住是比丘尼諫彼比丘尼時堅持不捨是
比丘尼應三諫捨此事故乃至三諫捨者善不
捨者是比丘尼犯三法應捨僧伽婆尸沙
若比丘尼依城邑若村落住汙家他行惡行行
惡行亦見亦聞汙他家亦見亦聞是比丘尼
諫比丘尼言大姊汝汙他家行惡行行惡行亦
見亦聞汙他家亦見聞大姊汙汝他家行惡
行今可離此村落去不須住此彼比丘尼語此
比丘尼作如是言大姊諸比丘尼有愛有恚
有怖有癡有如是同罪比丘尼有驅者有不驅
者是諸比丘尼語彼比丘尼言大姊莫作是語
有愛有恚有怖有癡亦莫言有如是同罪比
丘尼有驅者有不驅者何以故而諸比丘尼不愛
不恚不怖不癡有如是同罪比丘尼有驅者
有不驅者大姊汙他家行惡行行惡行亦見
亦聞汙他家亦見亦聞是比丘尼諫彼比丘尼
時堅持不捨是比丘尼應三諫捨此事故乃至
三諫捨者善不捨者是比丘尼犯三法
應捨僧伽婆尸沙
若比丘尼惡性不受人語於戒法中諸比丘
尼如法諫已自身不受諫語言大姊汝莫
向我說若好若惡我亦不向汝說若好若惡
諸大姊且止莫諫我是比丘尼當諫彼比丘
尼言大姊汝莫自身不受諫語大姊自身
當受諫語大姊如法諫諸比丘尼諸比丘尼亦當
如法諫大姊如是佛弟子衆得增益展
轉相諫展轉相教展轉懺悔是比丘尼如是

尼言大姊汝莫自身不受諫語大姊自身
當受諫語大姊如法諫諸比丘尼諸比丘尼亦當
如法諫大姊如是佛弟子衆得增益展
轉相諫展轉相教展轉懺悔是比丘尼如是
諫時堅持不捨是比丘尼應三諫捨此事故乃
至三諫捨者善不捨者是比丘尼犯三法應捨
僧伽婆尸沙
若比丘尼相親近住共作惡行惡聲流布展
轉共相覆罪是比丘尼當諫彼比丘尼言大姊
汝等莫相親近共作惡行惡聲流布共相
覆罪汝等若不相親近於佛法中得增益安
樂住是比丘尼諫彼比丘尼時堅持不捨是比丘
尼應三諫捨此事故乃至三諫捨者善不捨
者是比丘尼犯三法應捨僧伽婆尸沙
若比丘尼比丘尼僧為作呵諫時餘比丘尼教
作如是言汝等莫別住當共住我亦見餘比
丘尼不別住共作惡行惡聲流布共相覆
罪僧以恚故教汝別住是比丘尼應諫彼比
丘尼言大姊汝等莫教餘比丘尼言汝等莫別
住我亦見餘比丘尼共住共作惡行惡聲流
布共相覆罪僧以恚故教汝別住今正有此
二比丘尼共住共作惡行惡聲流布共相覆
罪更無有餘若此比丘尼別住於佛法中有
增益安樂住是比丘尼諫彼比丘尼時堅持不
捨是比丘尼應三諫令捨此事故乃至三諫捨
者善不捨者是比丘尼犯三法應捨僧伽婆
尸沙
若比丘尼發起一小事瞋恚不喜便作是語我

者善不捨者是比丘尼犯三法應捨僧伽婆
尸沙
若比丘尼趣以一小事瞋恚不喜便作是語我
捨佛捨法捨僧不獨有此沙門釋子亦更有
餘沙門婆羅門修梵行者我等亦可於彼修
梵行是比丘尼當諫彼比丘尼言大姊汝莫
趣以一小事瞋恚不喜便作是語我捨佛捨法
捨僧不獨有此沙門釋子亦更有沙門婆羅
門修梵行者我等亦可於彼修梵行若是
比丘尼諫彼比丘尼時堅持不捨彼比丘尼應
三諫捨此事故乃至三諫捨者善不捨者是比
丘尼犯三法應捨僧伽婆尸沙
若比丘尼喜鬪諍不善憶持諍事後瞋恚作是語
僧有愛有恚有怖有癡是比丘尼應諫彼比丘
尼言妹汝莫喜鬪諍不善憶持諍事後瞋
恚作是語僧有愛有恚有怖有癡而僧不愛
不恚不怖不癡汝自有愛有恚有怖有癡
是比丘尼諫彼比丘尼時堅持不捨彼比丘
尼應三諫捨此事故乃至三諫捨者善不捨者
是比丘尼犯三法應捨僧伽婆尸沙
諸大姊我已說十七僧伽婆尸沙法九初犯罪
八乃至三諫若比丘尼犯一一法應半月二部
僧行摩那埵行摩那埵已餘有出罪應二
部四十人僧中出是比丘尼罪若少一人不滿
四十眾出是比丘尼罪是比丘尼罪不得除諸比
丘尼亦可呵此是時今問諸大姊是中清淨不 如是至三
諸大姊是中清淨默然故是事如是持

BD00890號　四分比丘尼戒本

（32–6）

四十眾出是比丘尼罪是比丘尼罪不得除諸比
丘尼亦可呵此是時今問諸大姊是中清淨不 如是至三
諸大姊是中清淨默然故是事如是持
諸大姊是三十尼薩耆波逸提法半月半月說
戒經中來
若比丘尼衣已竟迦絺那衣已捨畜長衣經十
日不淨施得畜若過者尼薩耆波逸提
若比丘尼衣已竟迦絺那衣已捨五衣中若離
一一衣異處宿經一夜除僧羯磨尼薩耆波逸提
若比丘尼衣已竟迦絺那衣已捨若得非時衣欲
須便受受已疾成衣若足者善若不足者得
畜一月為滿足故若過畜者尼薩耆波逸提
若比丘尼從非親里居士居士婦乞衣除餘時
尼薩耆波逸提餘時者若比丘尼奪衣失衣
燒衣漂衣是名時
若比丘尼奪衣失衣燒衣漂衣若非親里居
士若居士婦自恣請多與衣是比丘尼當知足
受衣若過受尼薩耆波逸提
若比丘尼居士居士婦為比丘尼辦衣價具
知是衣價與某甲比丘尼是比丘尼先不受自恣
請到居士家作如是說善哉居士為我辦如是
如是衣價與我為好故若得衣者尼薩耆
波逸提
若比丘尼二居士居士婦與比丘尼辦衣價
我曹知是衣價與某甲比丘尼是比丘尼先
不受自恣請到二居士家作如是言善哉居
士辦如是如是衣價與我共作一衣為好故
若得衣者尼薩耆波逸提

BD00890號　四分比丘尼戒本

（32–7）

我曹知是衣價與某甲比丘尼是比丘尼先
不受自恣請到二居士家作如是言善哉居
士辦如是如是衣價與我共作一衣為好故
若得者尼薩耆波逸提
若比丘尼若王若大臣若婆羅門若居士居
士婦遣使為比丘尼送衣價持如是衣價
與某甲比丘尼彼使至比丘尼所語言阿姨
為汝送衣價受取是比丘尼語彼使如是言我
不應受此衣價我若須衣合時清淨當受彼使語
比丘尼言阿姨有執事人不須衣比丘尼應言有
若僧伽藍民若優婆塞此是比丘尼執事人
常為比丘尼執事彼使至執事人所與衣價已還
到比丘尼所如是言阿姨所示某甲執事人
我已與衣價大姊知時往彼當得衣比丘尼
若須衣者當往執事人所二反三反語言我
須衣若二反三反為作憶念得衣者善若
不得衣四反五反六反在前默然立令彼憶念若
四反五反六反在前默然住得衣者善若不
得衣過是求得衣者尼薩耆波逸提若不
得衣隨彼使所來處若自往若遣使往語言
汝先遣使持衣價與某甲比丘尼是比丘尼
竟不得衣汝還取莫使失此是時
若比丘尼自取金銀若錢若教人取若口可受
者尼薩耆波逸提
若比丘尼　種種買賣寶物者尼
薩耆波逸提
若比丘尼種種販賣者尼薩耆波逸提

BD00890號　四分比丘尼戒本　（32–8）

若比丘尼　種種買賣寶物者尼
薩耆波逸提
若比丘尼種種販賣者尼薩耆波逸提
若比丘尼鉢減五綴不漏更求新鉢為好故
尼薩耆波逸提是比丘尼當持此鉢於尼衆中
捨從次第貿至下坐以下坐鉢與比丘尼言妹
持此鉢乃至破此是時
若比丘尼自求縷使非親里織師織作衣者
尼薩耆波逸提
若比丘尼居士居士婦使織師為比丘尼織作
衣彼比丘尼先不受自恣請便往到彼所語織
師言此衣為我織極好織令廣長堅緻齊整
好我當少多與汝價若比丘尼與價乃至一食
直得衣者尼薩耆波逸提
若比丘尼與比丘尼衣已後瞋恚若自奪若
教人奪取還我衣來不與汝是比丘尼應還
衣彼取衣者尼薩耆波逸提
若比丘尼有病畜藥酥油生酥蜜石蜜得
食殘宿乃至七日得服若過七日服尼薩耆
者波逸提
若比丘尼十日未滿夏三月若有急施衣比
丘尼知是急施衣應受受已乃至衣時應
畜若過畜者尼薩耆波逸提
若比丘尼知物向僧自求入已者尼薩耆波逸提
若比丘尼欲索是更索彼者尼薩耆波逸提
若比丘尼知檀越所為僧施異迴作餘用者尼
薩耆波逸提

BD00890號　四分比丘尼戒本　（32–9）

若比丘尼欲索是更索彼者尼薩耆波逸提
若比丘尼知檀越所為僧施異迴作餘用者尼
薩耆波逸提
若比丘尼所為施物異自求為僧迴作餘用者
尼薩耆波逸提
若比丘尼檀越所施物異迴作餘用者尼薩耆
波逸提
若比丘尼檀越所為施物異自求為僧迴作
餘用者尼薩耆波逸提
若比丘尼畜長鉢者尼薩耆波逸提
若比丘尼多畜好色器者尼薩耆波逸提
若比丘尼許他比丘尼病衣後不與者尼薩耆
波逸提
若比丘尼以非時衣受作時衣者尼薩耆波逸提
若比丘尼與比丘尼貿易衣後瞋恚還自奪取
若使人奪妹還我衣來我不與汝汝衣屬汝
我衣還我者尼薩耆波逸提
若比丘尼乞重衣齊價直四張氎過者尼薩
耆波逸提
若比丘尼欲乞輕衣極重價直兩張半過者尼
薩耆波逸提
諸大姊我已說三十尼薩耆波逸提法今問諸
大姊是中清淨不 如是 至三
諸大姊是中清淨默然故是事如是持
諸大姊是一百七十八波逸提法半月半月說戒
經中來　若比丘尼故妄語者波逸提

諸大姊是一百七十八波逸提法半月半月說戒
經中來　若比丘尼故妄語者波逸提
若比丘尼毀呰語者波逸提
若比丘尼兩舌語者波逸提
若比丘尼與男子同室宿者波逸提
若比丘尼共未受大戒女人同一室宿若過三
宿波逸提
若比丘尼與未受具戒人共誦者波逸提
若比丘尼知他有麁惡罪向未受大戒人說除
僧羯磨波逸提
若比丘尼向未受大戒人說過人法言我知是
我見是實者波逸提
若比丘尼與男子說法過五六語除有知女人
波逸提
若比丘尼自掘地若教人掘波逸提 下
若比丘尼壞鬼神村波逸提
若比丘尼妄作異語惱他者波逸提
若比丘尼嫌罵他者波逸提
若比丘尼取僧繩床若木牀若臥具坐褥
露地自敷若教人敷捨去不自舉不教人舉
波逸提
若比丘尼於僧房中取僧臥具自敷若教人
敷在中若坐若臥從彼處捨去不自舉不
教人舉者波逸提
若比丘尼知比丘尼住處後來於中間敷臥具
止宿念言彼若嫌迮者自當避我去作如

教人舉者波逸提
若比丘尼知比丘尼住處後來於中間敷臥具
止宿念言彼若嫌迮者自當避我去作如
是因緣非餘非威儀波逸提
若比丘尼瞋他比丘尼不喜衆僧房中自牽
出若教人牽出者波逸提
若比丘尼若在重閣上脫脚繩牀若木牀若
坐若卧波逸提
若比丘尼知水有虫自用洗浴若草若教人
洗者波逸提
若比丘尼作大房戶扉窻牖及餘莊飾具指
授覆苫齊二三節若過者波逸提 廿
若比丘尼施一食處無病比丘尼應一食若過
受者波逸提
若比丘尼別衆食除餘時波逸提餘時者
病時作衣時施衣時道行時船上時大會時
沙門施食時此是時
若比丘尼至檀越家殷勤請與餅麨飯比
丘尼欲須者當二三鉢應受持至寺內分與
餘比丘尼食若比丘尼無病過三鉢受持至
寺中不分與餘比丘尼食者波逸提
若比丘尼非時取食者波逸提
若比丘尼殘宿食取者波逸提
若比丘尼不受食及藥著口中除水楊枝波
逸提
若比丘尼先受請已若前食後食行詣餘
家不囑餘比丘尼除餘時波逸提餘時者

逸提
若比丘尼先受請已若前食後食行詣餘
家不囑餘比丘尼除餘時波逸提餘時者
病時作衣時施衣時此是時
若比丘尼食家中有寶强安坐者波逸提
若比丘尼食家中有寶在屏處坐者波逸提
若比丘尼獨與男子露地一處共坐者波逸提 卅
若比丘尼語比丘尼如是語大姉共汝至聚落
當與汝食彼比丘尼竟不教與是比丘尼食
如是言大姉去我與汝一處共坐共語不樂
我獨坐獨語樂以是因緣非餘方便遣去波
逸提
若比丘尼請比丘尼四月與藥無病比丘尼應受
若過受除常請更請分請盡形請波逸提
若比丘尼往觀軍陣除時因緣波逸提
若比丘尼有因緣至軍中若二宿三宿過者
波逸提
若比丘尼軍中住若二宿三宿或時觀軍陣
鬪戰若觀遊軍象馬力勢波逸提
若比丘尼飲酒者波逸提
若比丘尼水中嬉戲者波逸提
若比丘尼以指相擊攊者波逸提
若比丘尼不受諫者波逸提
若比丘尼恐怖他比丘尼者波逸提 四十
若比丘尼半月洗浴無病比丘尼應受若過
受除餘時波逸提餘時者熱時病時作時風
雨時遠行時此是時

若比丘尼半月洗浴無病比丘尼應受若過
受除餘時波逸提餘時者熱時病時作時風
雨時遠行時此是時
若比丘尼無病為炙身故露地然火若教人然
除餘時波逸提
若比丘尼藏他比丘尼若鉢若衣若坐具針筒
若自藏教人藏下至戲笑者波逸提
若比丘尼淨施比丘比丘尼式叉摩那沙弥
沙弥尼衣後不問主取着者波逸提
若比丘尼得新衣當作三種染壞色青黑木
蘭若比丘尼得衣不作三種染壞色青黑
木蘭新衣持者波逸提
若比丘尼故斷畜生命者波逸提
若比丘尼知水有蟲飲者波逸提
若比丘尼故惱他比丘尼乃至少時不樂波逸提
若比丘尼知比丘尼有麤惡罪覆藏者波逸提
若比丘尼知僧有諍事如法懺悔已後更發
舉者波逸提五十
若比丘尼知是賊伴共期一道行乃至一聚落
波逸提
若比丘尼作如是語我知佛所說法行婬欲非是
障道法彼比丘尼諫此比丘尼言大姊莫作是
語莫謗世尊謗世尊者不善世尊不作是
語世尊無數方便說婬欲是障道法犯婬
者是鄣道法彼比丘尼諫此比丘尼時堅持
不捨彼比丘尼乃至三諫令捨是事乃至三諫
時捨者善不捨者波逸提

者是鄣道法彼比丘尼諫此比丘尼時堅持
不捨彼比丘尼乃至三諫令捨是事乃至三諫
時捨者善不捨者波逸提
若比丘尼知如是語人未作法如是邪見而不
捨若畜同一羯磨同一止宿波逸提
若比丘尼知沙弥尼作如是語我知佛所說法行
婬欲非障道法彼比丘尼諫此沙弥尼言汝
莫作是語莫誹謗世尊誹謗世尊不善世
尊不作是語沙弥尼世尊無數方便說婬欲
是鄣道法犯婬欲者是障道法彼比丘尼諫
此沙弥尼時堅持不捨彼比丘尼應乃至三呵
諫捨此事故乃至三諫時若捨者善不捨
者彼比丘尼應語是沙弥尼言汝自今已去
非佛弟子不得隨餘比丘尼行如諸沙弥
尼得與比丘尼二三宿汝今無是事汝去滅去
不須此中住若比丘尼知是被擯沙弥尼若
畜共同止宿者波逸提
若比丘尼知法諫時作如是語我今不學是戒
乃至問智慧持律者當難問波逸提若為
求解應當難問
若比丘尼說戒時作如是語大姊用是雜碎
戒為說是戒時令人惱愧懷疑輕毀戒故
波逸提
若比丘尼說戒時作如是語大姊我今始
知是戒半月半月說戒經中來餘比丘尼知
是比丘尼若二若三說戒中坐何况多彼比丘

波逸提
若比丘尼說戒時作如是語大姊我今始
知是戒半月半月說戒經中來餘比丘尼知
是比丘尼若二若三說戒中坐何況多彼比丘
尼無知無解若犯罪應如法治更重增無知
法大姊汝無利得不善汝說戒時不用心念
不一心兩耳聽法彼無知故波逸提
若比丘尼共同羯磨已後作如是說諸比丘尼隨
親厚以衆僧物與者波逸提
若比丘尼僧斷事時不與欲而起去者波逸提
若比丘尼與欲竟後更呵者波逸提 六十
若比丘尼比丘尼共鬪諍後聽此語已欲向彼說者
波逸提
若比丘尼瞋恚故不喜打彼比丘尼者波逸提
若比丘尼瞋恚故不喜以手搏比丘尼者波逸提
若比丘尼瞋恚故不喜以無根僧伽婆尸沙法謗者
波逸提
若比丘尼剎利水澆頭王未出未藏寶若入
宮過門閫者波逸提
若比丘尼若寶及寶莊飾具自捉若教人捉
除僧伽藍中及寄宿處波逸提若僧伽
藍中若寄宿處若寶若以寶莊飾具自
捉若教人捉若識者當取如是因緣非餘
若比丘尼非時入聚落又不囑比丘尼者波逸提
若比丘尼作繩牀若木牀足應高如來八指
除入陛孔上若截竟過者波逸提
若比丘尼持兜羅綿貯作繩牀木牀若卧具

若比丘尼作繩牀若木牀足應高如來八指
除入陛孔上若截竟過者波逸提
若比丘尼持兜羅綿貯作繩牀木牀若卧具
坐具波逸提
若比丘尼噉蒜者波逸提 七十
若比丘尼剃三處毛者波逸提
若比丘尼以水作淨應齊兩指各一節若過
者波逸提
若比丘尼以胡膠作男根者波逸提
若比丘尼共相拍者波逸提
若比丘尼比丘無病時供給水以扇扇者波
逸提
若比丘尼乞生穀者波逸提
若比丘尼在生草上大小便者波逸提
若比丘尼夜大小便器中晝不看牆外棄
者波逸提
若比丘尼往觀看伎樂者波逸提
若比丘尼入村內與男子在屏處共立共
語者波逸提 八十
若比丘尼與男子共入屏障處者波逸提
若比丘尼入村內巷陌中遣伴遠去在屏處
與男子共立耳語者波逸提
若比丘尼入白衣家內坐不語主人捨去者波逸
提若比丘尼入白衣家內不語主人輒自敷坐
宿者波逸提
若比丘尼與男子共入闇室中者波逸提

提若比丘尼入白衣家內不語主人輒自敷坐
宿者波逸提
若比丘尼與男子共入闇室中者波逸提
若比丘尼不審諦受師語便向人說者波逸提
若比丘尼有小因緣事便祝詛墮三惡道不生佛
法中若汝有如是事亦墮三惡道不生
佛法中波逸提
若比丘尼共鬪諍不善憶持諍事搥胷啼
者波逸提
若比丘尼無病二人共牀卧者波逸提
若比丘尼共同一褥一被卧除時者波逸提
若比丘尼知先住後至知後至先住為惱故
在前誦經問義教授者波逸提
若比丘尼同活比丘尼病不瞻視者波逸提
若比丘尼安居初聽餘比丘尼在房中安牀
後瞋恚駈出者波逸提
若比丘尼春夏冬一切時人間遊行除餘因
緣者波逸提
若比丘尼夏安居訖不去者波逸提
若比丘尼邊界有疑恐怖處人間遊行者
波逸提
若比丘尼於界內有疑恐怖處在人間遊行
波逸提
若比丘尼親近居士居士兒共住作不隨順
行餘比丘尼諫此比丘尼言妹汝莫親近居
士居士兒共住作不隨順行大姊可別住若
別住於佛法中有增益安樂住彼比丘尼諫

行餘比丘尼諫此比丘尼言妹汝莫親近居
士居士兒共住作不隨順行大姊可別住若
別住於佛法中有增益安樂住彼比丘尼諫
此比丘尼時堅持不捨彼比丘尼應三諫捨此事
故乃至三諫捨此事者善若不捨者波逸提
若比丘尼往觀王宮文飾畫堂園林浴池者
波逸提一百
若比丘尼露身形在河水流水池水中浴者
波逸提
若比丘尼作浴衣應量作應量作者長佛六
磔手廣二磔手半若過者波逸提
若比丘尼縫僧伽梨過五日者波逸提
若比丘尼過五日不看僧伽梨波逸提
若比丘尼與衆僧衣作留難者波逸提
若比丘尼不問主便著他衣者波逸提
若比丘尼持沙門衣施與外道白衣者波逸提
若比丘尼作如是意衆僧如法分衣遮令不分
恐弟子不得者波逸提
若比丘尼作如是意令衆僧今不得出迦絺
那衣後當出欲令五事久得放捨者波逸提
若比丘尼作如是意遮比丘尼僧不出迦絺那衣
欲令久得五事放捨者波逸提一百十
若比丘尼餘比丘尼語言為我滅此諍事而不
與作方便令滅者波逸提
若比丘尼自手持食與白衣入外道食者波
逸提
若比丘尼為白衣作使者波逸提

與作方便令減者波逸提
若比丘尼自手持食與白衣入外道食者波
逸提
若比丘尼為白衣作使者波逸提
若比丘尼自手紡縷者波逸提
若比丘尼入白衣舍內在小林大牀上若坐若卧
者波逸提
若比丘尼至白衣舍語主人敷座止宿明日不辭
主人而去者波逸提
若比丘尼自誦習世俗呪術者波逸提
若比丘尼教人誦習世俗呪術者波逸提
若比丘尼知女人任身度與受具足戒者波逸提
若比丘尼知婦女乳兒與受具足戒者波逸提
若比丘尼知年不滿二十與受具足戒者波逸提
若比丘尼年十八童女不與二歲學戒年二十便
與受具足戒者波逸提
若比丘尼年十八童女與二歲學戒不與六法滿
二十便與受具足戒者波逸提
若比丘尼年十八童女與二歲學戒與六法滿二十
衆僧不聽便與受具足戒者波逸提
若比丘尼度曾嫁婦女年十歲與二歲學
戒年滿十二聽與受具足戒若減十二與受
具足戒者波逸提
若比丘尼度他小年曾嫁婦女與二歲學
戒年滿十二不白衆僧便與受具足戒波逸提
若比丘尼知知是人與受具足戒者波逸提
若比丘尼多度弟子不教二歲學戒不以二法

BD00890號　四分比丘尼戒本　（32–20）

若比丘尼度他小年曾嫁婦女與二歲學
戒年滿十二不白衆僧便與受具足戒波逸提
若比丘尼知知是人與受具足戒者波逸提
若比丘尼多度弟子不教二歲學戒不以二法
攝取者波逸提
若比丘尼不二歲隨和上尼者波逸提
若比丘尼僧不聽而授人具足戒者波逸提
若比丘尼年未滿十二歲授人具足戒者波逸提
若比丘尼年滿十二歲衆僧不聽便授人具足戒
者波逸提　若比丘尼僧不聽授人具足戒
便言衆僧有愛有恚有怖有癡欲聽者便
聽不欲聽者便不聽知是語者波逸提
若比丘尼父母夫主不聽與受具足戒者波逸提
若比丘尼知女人與童男男子相敬愛愁憂
瞋恚女人度令出家授具足戒者波逸提
若比丘尼語式叉摩那言汝妹捨是學當與
汝受具足戒若不方便與受具足戒者波
逸提
若比丘尼語式叉摩那言持衣來與我我
當與汝受具足戒而不方便與受具足戒
者波逸提　若比丘尼不滿一歲授人具足戒者波逸提
若比丘尼與人受具足戒已經宿方往比丘僧中
與受具足戒者波逸提
若比丘尼不病不往受教授者波逸提　一百四十
若比丘尼半月應往比丘僧中求教授若不求者波
逸提　若比丘尼僧夏安居竟應往比丘僧中說
三事自恣見聞疑若不往者波逸提

BD00890號　四分比丘尼戒本　（32–21）

若比丘尼半月應往比丘僧中求教授若不求者波
逸提　若比丘尼僧夏安居竟應往比丘僧中說
三事自恣見聞疑若不往者波逸提
若比丘尼在無比丘處夏安居者波逸提
若比丘尼知有比丘僧伽藍不白而入者波逸提
若比丘尼罵比丘者波逸提
若比丘尼喜鬭諍不善憶持諍事後瞋恚不
喜罵比丘尼衆者波逸提
若比丘尼身生癰及種種瘡不白衆及餘人
輒使男子破若裹者波逸提
若比丘尼先授請若足食已後食飯麨乾飯魚
及肉者波逸提
若比丘尼於家生嫉心者波逸提
若比丘尼以香塗摩身者波逸提 一百五十
若比丘尼以胡麻滓塗摩身者波逸提
若比丘尼使比丘尼塗摩身者波逸提
若比丘尼使式叉摩那塗摩身者波逸提
若比丘尼使沙彌尼塗摩身者波逸提
若比丘尼使白衣婦女塗摩身者波逸提
若比丘尼著貯髁衣者波逸提
若比丘尼畜婦女莊嚴身具除時因緣波
逸提　若比丘尼著革屣持蓋行除時因緣波逸提
若比丘尼無病乘乘行除時因緣波逸提
若比丘尼不著僧祇支入村者波逸提 一百六十
若比丘尼向暮至白衣家先不被喚者波逸提
若比丘尼向暮開僧伽藍門不囑授餘比丘尼而
出者波逸提

若比丘尼不著僧祇支入村者波逸提 一百六十
若比丘尼向暮至白衣家先不被喚者波逸提
若比丘尼向暮開僧伽藍門不囑授餘比丘尼而
出者波逸提
若比丘尼日沒開僧伽藍門不囑授而出者波逸提
若比丘尼不前安居不後安居者波逸提
若比丘尼知女人常漏大小便涕唾常出者與具足
戒者波逸提
若比丘尼知二形人與受具足戒者波逸提
若比丘尼知二道合者與受具足戒波逸提
若比丘尼知有負債難者病難者與受具足戒波
逸提　若比丘尼學世俗伎術以自活命者波逸提
若比丘尼以世俗伎術教授白衣者波逸提
若比丘尼被擯不去者波逸提
若比丘尼欲問比丘義先不求而問者波逸提
若比丘尼知先住後至後至先住欲惱彼故在前
經行若立若坐若臥者波逸提
若比丘尼在有比丘僧伽藍內起塔者波逸提
若比丘尼見新受戒比丘應起迎送恭敬禮拜問
訊請與坐不者除時因緣波逸提
若比丘尼為好故搖身趨行者波逸提
若比丘尼作婦女莊嚴香塗摩身者波逸提
若比丘尼使外道女香塗身者波逸提
諸大姊我已說一百七十八波逸提法今問諸大
姊是中清淨不　如是至三
諸大姊是中清淨默然故是事如是持
諸大姊是八波羅提提舍尼法半月半月

尼是中清淨不至三
諸大姊是中清淨默然故是事如是持
諸大姊是八波羅提提舍尼法半月半月
說戒經中來
若比丘尼無病乞蘇而食者犯應懺悔可訶
法應向餘比丘尼說言大姊我犯可訶法所
不應為我今向大姊懺悔是名悔過法
若比丘尼不病乞油而食者犯應懺悔可訶
法應向餘比丘尼說言大姊我犯可訶法所不
應為我今向大姊懺悔是名悔過法
若比丘尼不病乞蜜食者犯應懺悔可訶法應
向餘比丘尼說言大姊我犯可訶法所不應為
我今向大姊懺悔是名悔過法
若比丘尼不病乞黑石蜜食者犯應懺悔可訶
法應向餘比丘尼說言大姊我犯可訶法所不
應為我今向大姊懺悔是名悔過法
若比丘尼不病乞乳而食者犯應懺悔可訶
法應向餘比丘尼說言大姊我犯可訶法所不
應為我今向大姊懺悔是名悔過法
若比丘尼不病乞酪而食者犯應懺悔可訶法應
向餘比丘尼說言大姊我犯可訶法所不應為
我今向大姊懺悔是名悔過法
若比丘尼不病乞魚食者犯應懺悔可訶法應向
餘比丘尼說言大姊我犯可訶法所不應為今我
向大姊懺悔是名悔過法
若比丘尼不病乞肉食犯應懺悔可訶法應向
餘比丘尼說大姊我犯可訶法所不應為我
今向大姊懺悔是名悔過法

若比丘尼不病乞肉食犯應懺悔可訶法應向
餘比丘尼說大姊我犯可訶法所不應為我
今向大姊懺悔是名悔過法
諸大姊我已說八波羅提提舍尼法今問諸大
姊是中清淨不如是至三
諸大姊是中清淨默然故是事如是持
諸大姊是眾學戒法半月半月說戒經中來
當齊整着涅槃僧應當學
當齊整著三衣應當學
不得反抄衣入白衣舍應當學
不得反抄衣入白衣舍坐應當學
不得衣纏頸入白衣舍應當學
不得衣纏頸入白衣舍坐應當學
不得覆頭入白衣舍應當學
不得覆頭入白衣舍坐應當學
不得跳行入白衣舍應當學
不得跳行入白衣舍坐應當學十
不得白衣舍內蹲坐應當學
不得叉腰行入白衣舍應當學
不得叉腰行入白衣舍坐應當學
不得搖身行入白衣舍應當學
不得搖身行入白衣舍坐應當學
不得掉臂行入白衣舍應當學
不得掉臂行入白衣舍坐應當學
好覆身入白衣舍應當學
好覆身入白衣舍坐應當學
不得左右顧視行入白衣舍應當學廿

好覆身入白衣舍應當學
好覆身入白衣舍坐應當學
不得左右顧視行入白衣舍應當學 二十
不得左右顧視行入白衣舍坐應當學
靜默入白衣舍應當學
靜默入白衣舍坐應當學
不得戲笑行入白衣舍應當學
不得戲笑行入白衣舍坐應當學
用意受食應當學
平鉢受食應當學
平鉢受羹應當學
羹飯等食應當學
以次食應當學 三十
不得挑鉢中而食應當學
不得自為己索羹飯應當學
不得以飯覆羹更望得應當學
不得視比坐鉢中食當應學
當繫鉢想食應當學
不得大摶飯食應當學
不得大張口待飯食應當學
不得含飯語應當學
不得摶飯遥擲口中應當學
不得遺落飯食應當學 四十
不得頰食食應當學
不得嚼飯作聲食應當學
不得大噏飯食應當學
不得舌舐食應當學

BD00890號　四分比丘尼戒本　（32–26）

不得嚼飯作聲食應當學
不得大噏飯食應當學
不得舌舐食應當學
不得振手食應當學
不得手把散飯食應當學
不得汙手捉飯器應當學
不得洗鉢水棄白衣舍內應當學
不得生草菜上大小便涕唾除病應當學
不得淨水中大小便涕唾除病應當學 五十
不得立大小便除病應當學
不得與反抄衣不恭敬人說法除病應當學
不得為衣纏頸者說法除病應當學
不得為覆頭者說法除病應當學
不得為裹頭者說法除病應當學
不得為叉腰者說法除病應當學
不得為著革屣者說法除病應當學
不得為著木屐者說法除病應當學
不得為騎乘者說法除病應當學
不得在佛塔中止宿除為守護應當學 六十
不得藏財物置佛塔中除為堅牢應當學
不得著革屣入佛塔中應當學
不得手捉革屣入佛塔中應當學
不得著革屣繞佛塔行應當學
不得著富羅入佛塔中應當學
不得手捉富羅入佛塔中應當學
不得塔下坐食留草及食汙地應當學

BD00890號　四分比丘尼戒本　（32–27）

不得著富羅入佛塔中應當學
不得手捉富羅入佛塔中應當學
不得塔下坐食留草及食汙地應當學
不得擔死尸從塔下過應當學
不得塔下埋死屍應當學
不得在塔下燒死屍應當學七十
不得向塔燒死屍應當學
不得佛塔四邊燒死屍臭氣來入應當學
不得持死人衣及牀從塔下過除浣染香熏應當學
不得佛塔下大小便應當學
不得向佛塔大小便應當學
不得遶佛塔四邊大小便臭氣來入應當學
不得持佛像至大小便處應當學
不得在佛塔下嚼楊枝應當學
不得向佛塔嚼楊枝應當學
不得佛塔四邊嚼楊枝應當學八十
不得在佛塔下涕唾應當學
不得向佛塔涕唾應當學
不得佛塔四邊涕唾應當學
不得向塔舒脚坐應當學
不得安佛塔在下房已在上房住應當學
人坐已立不得為說法除病應當學
人卧已坐不得為說法除病應當學
人在坐已在非坐不得為說法除病應當學
人在高坐已在下坐不得為說法除病應當學
人在前行已在後行不得為說法除病應當學
人在高經行處已在下經行處不應為說法除病應當學

[illegible]
人在前行已在後行不得為說法除病應當學
人在高經行處已在下經行處不應為說法除病應當學
人在道已在非道不應為說法除病應當學
不得携手在道行應當學
不得上樹過人頭除時因緣應當學
不得絡囊盛鉢貫杖頭著肩上而行應當學
人持杖不恭敬不應為說法除病應當學
人持劍不應為說法除病應當學
人持鉾不應為說法除病應當學
人持刀不應為說法除病應當學
人持蓋不應為說法除病應當學
諸大姊我已說衆學式法今問諸大姊是中
清淨不　如是至三
諸大姊是中清淨默然故是事如是持
諸大姊是七滅諍法半月半月說戒經中來
若比丘尼有諍事起即應除滅
應與現前毗尼　當與現前毗尼
當與憶念毗尼　應與憶念毗尼
應與不癡毗尼　當與不癡毗尼
應與自言治　當與自言治
應與覓罪相　應與覓罪相
當與多人語　應與多人語
應與如草覆地　當與如草覆地
諸大姊我已說七滅諍法今問諸大姊是中清淨不
諸大姊是中清淨默然故是事如是持
諸大姊我已說戒經序已說八波羅夷法已說
十七僧伽婆尸沙法已說三十尼薩耆波
逸提法已說一百七十八波逸提法已說八波
羅提是[illegible]

諸大姊我已說戒經序已說八波羅夷法已說
十七僧伽婆尸沙法已說三十尼薩耆波
逸提法已說一百七十八波逸提法已說八波
羅提提舍尼法已說眾學戒法已說七滅諍法此
是佛所說戒經半月半月說戒經中來若更有
餘佛法是中皆共和合應當學
忍辱第一道　佛說無為最　出家惱他人　不名為沙門
此是毗婆尸如來無所著等正覺說是戒經
譬如明眼人　能避險惡道　世有聰明人　能遠離諸惡
此是尸棄如來無所著等正覺說是戒經
不謗亦不嫉　當奉行於戒　飲食知止足　常樂在空閑
心定樂精進　是名諸佛教
此是毗葉羅如來無所著等正覺說是戒經
譬如蜂採花　不壞色與香　但取其味去　比丘入聚然
不違戾他事　不觀作不作　但自觀身行　若正若不正
此是拘樓孫如來無所著等正覺說是戒經
心莫作放逸　聖法當勤學　如是無憂愁　心定入涅槃
此是拘那含牟尼如來無所著等正覺說是戒經
一切惡莫作　當奉行諸善　自淨其志意　是則諸佛教
此是迦葉如來無所著等正覺說是戒經
善護於口言　自淨其志意　身莫作諸惡　此三業道淨
能得如是行　是大仙人道
此是釋迦牟尼如來無所著等正覺於十二年中
為無事僧說是戒經從是已後廣分別說諸比丘
尼自為樂法樂沙門者有慚有愧樂學
戒者當於中學
明人能護戒　能得三種樂　名譽及利養　死得生天上

BD00890號　四分比丘尼戒本　（32–30）

為無事僧說是戒經從是已後廣分別說諸比丘
尼自為樂法樂沙門者有慚有愧樂學
戒者當於中學
明人能護戒　能得三種樂　名譽及利養　死得生天上
當觀如是處　有智勤護戒　戒淨有智慧　便得第一道
如過去諸佛　及以未來者　現在諸世尊　能勝一切憂
皆共尊敬戒　此是諸佛法　若有自為身　欲求於佛道
當尊重正法　此是諸佛教　七佛為世尊　滅除諸結使
說是七戒經　諸縛得解脫　已入於涅槃　諸戲永滅盡
尊行大仙說　聖賢稱譽戒　弟子之所行　入寂滅涅槃
世尊涅槃時　興起於大悲　集諸比丘眾　與如是教誡
莫謂我涅槃　淨行者無護　我今說戒經　亦善說毗尼
我雖般涅槃　當視如世尊　此經久住世　佛法得熾盛
以是熾盛故　得入於涅槃　若不持此戒　如所應布薩
喻如日沒時　世界皆闇冥　當護持是戒　如犛牛愛尾
和合一處坐　如佛之所說　我已說戒經　眾僧布薩竟
我今說戒經　所說諸功德　施一切眾生　皆共成佛道
四分尼戒本

BD00890號　四分比丘尼戒本　（32–31）

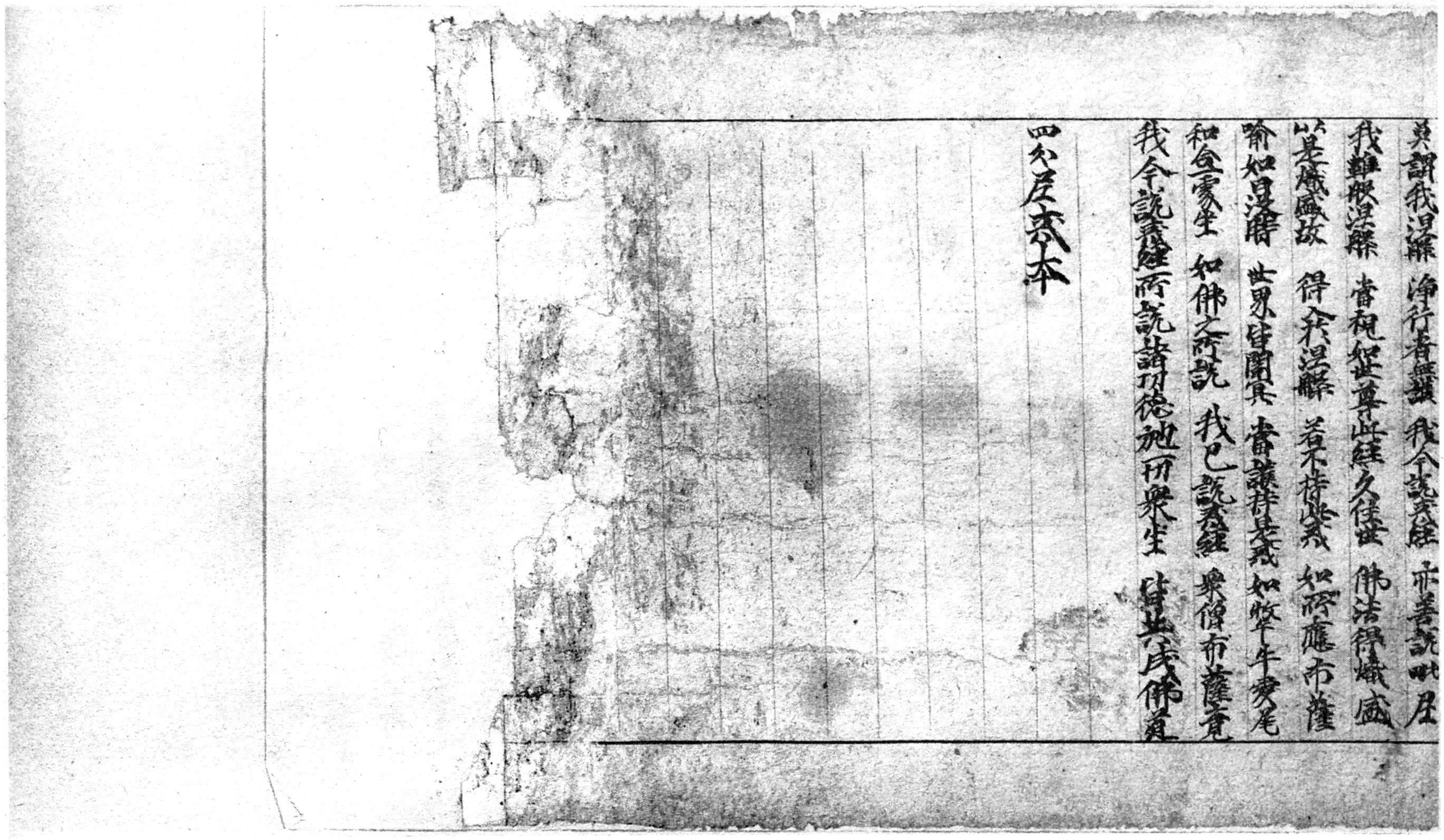

是謂我涅槃 淨行者無欲 我今說戒經 亦善說毗尼
我雖般涅槃 當視如世尊 此經久住世 佛法得熾盛
以是熾盛故 得入於涅槃 若不持此戒 如所應布薩
喻如日沒時 世界皆闇冥 當護持是戒 如犛牛愛尾
和合一處坐 如佛之所說 我已說戒經 眾僧布薩竟
我今說戒經 所說諸功德 施一切眾生 皆共成佛道

四分尼戒本

BD00890號　四分比丘尼戒本　（32–32）

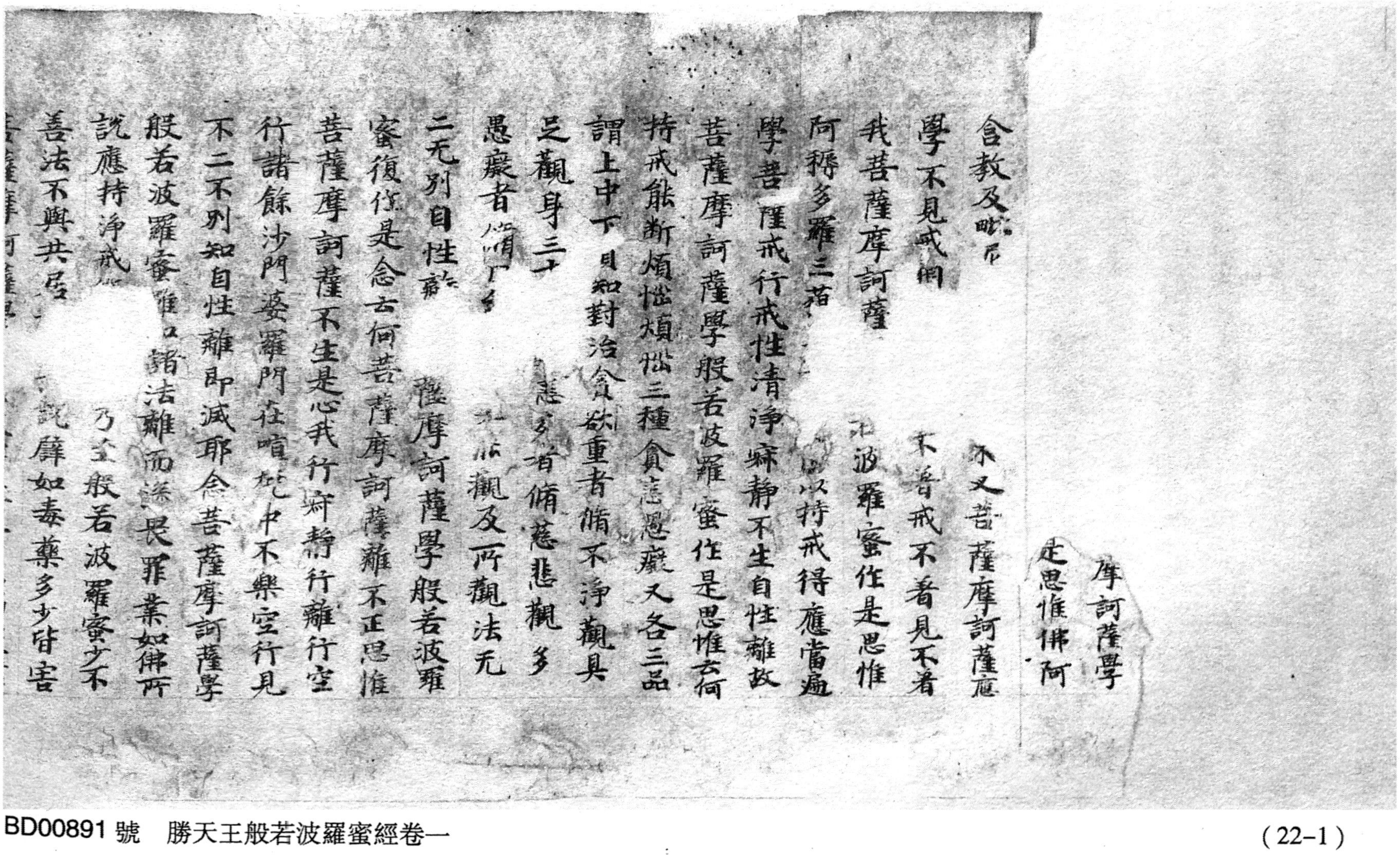

摩訶薩學
是思惟佛阿

舍教及毗尼　又菩薩摩訶薩應
學不見戒相　不著戒不著見不著
我菩薩摩訶薩　波羅蜜作是思惟
阿耨多羅三藐　以持戒得應當遍
學菩薩戒行戒性清淨寂靜不生自性離故
菩薩摩訶薩學般若波羅蜜作是思惟云何
持戒能斷煩惱煩惱三種貪恚愚癡又各三品
謂上中下　自知對治貪欲重者脩不淨觀具
足觀身三十　恚多者脩慈悲觀　多
愚癡者脩　緣觀及所觀法无
二无別自性　薩摩訶薩學般若波羅
蜜復作是念云何菩薩摩訶薩離不正思惟
菩薩摩訶薩不生是心我行寂靜行離行空
行諸餘沙門婆羅門在喧鬧中不樂空行見
不二不別如自性離即滅邪念菩薩摩訶薩學
般若波羅蜜　諸法離而滅長罪業如佛所
說應持淨戒　乃至般若波羅蜜少不
善法不與共居　說譬如毒藥多少皆害

BD00891號　勝天王般若波羅蜜經卷一　（22–1）

不二不別知自性離即滅耶念菩薩摩訶薩學
般若波羅蜜　諸法離而深畏罪業如佛所
說應持淨戒　乃至般若波羅蜜亦不
善法不與共居　說譬如毒藥多多皆害
菩薩摩訶薩學　般若波羅蜜常生怖畏信
行相應菩薩摩訶薩於空曠處獨行无侶或
有沙門婆羅門寺賚持金銀瑠璃真珠馬瑙
硨磲珊瑚車璖白玉以寄菩薩不起貪着无
有取心作是思惟世尊所說常自割身取肉
而食於他之　取菩薩摩訶薩學般
若波羅蜜時　魔及魔眷屬以妙
色形逼試菩薩　不動搖作是思惟世尊所
說一切諸法如夢幻化无二无別自性離故菩
薩摩訶薩學般若波羅蜜雖勤持戒不求生
人若作人王不求生天若作天王身離三失无
口四過意勉三　此持戒不見我能持不見
戒相无二　離故是名菩薩摩訶
訶薩學般　通達尸羅波羅蜜大
王菩薩摩訶薩　般若波羅蜜行羼提波
羅蜜菩薩摩訶薩於其內心常能生忍憂悲
苦惱皆悉不隨亦學外忍若他打罵終不生瞋
亦學法忍如世尊說甚深實　无人无法不
生不滅靜即是涅槃如此說心不驚怖作是
思惟不學　何能得阿耨多羅三藐三
菩提深　是貪瞋於何處起何因緣

BD00891 號　勝天王般若波羅蜜經卷一　（22–2）

生不滅靜即是涅槃如此說心不驚怖作是
思惟不學　何能得阿耨多羅三藐三
菩提深　是貪瞋於何處起何因緣
生何因緣滅作　觀察不見有生及可生法
不見能滅及所滅法如是忍心相續不斷於六
時中无有間隙不擇境界父母國王我則須
忍餘可以滅即便加惡菩薩　行忍不為報恩
名利仁義慚恥怖畏菩薩摩訶薩法應行
忍若人加害　於罵辱心不傾動菩薩摩訶
薩若作國　貧賤人罵詈恥辱不示威
形云我是王　即作是念我於往昔諸
世尊前發大誓願一切眾生我皆濟拔令得阿
耨多羅三藐三菩提令若起瞋則違本誓譬
如良醫發如是誓世間盲瞶我悉治愈若自
失明豈療他疾如是菩薩為除眾生无明黑
暗自起瞋恚　能救彼不見我能忍不見可
忍无二无　性離故是名菩薩摩訶薩學
般若波羅蜜　通達羼提波羅蜜
大王菩薩摩訶薩學般若波羅蜜行毗棃耶
波羅蜜未度令度未脫令脫未安
令安未覺令覺菩薩如是行精進時有諸惡
魔為作留難　菩薩言善男子莫脩此法空
受懃苦何　我往昔時曾脩此法未滅令
滅未度令度　脫令脫未安令安未覺令覺空
受懃苦　无實利我從昔來多見菩薩脩

BD00891 號　勝天王般若波羅蜜經卷一　（22–3）

受懃苦何□□我往昔時曾脩此法未滅令
滅未度令度□□令脫未安令安未覺令覺宣
受懃苦都无實利我從昔來多見菩薩脩
學此行並皆退轉汝可迴心以取聲聞辟支佛
乘而自滅度菩薩摩訶薩即便覺知告言
惡魔汝復道去我心如金剛非汝能壞汝
若作鄣㝵自得長衣苦魔即不現若餘菩薩
脩五波羅□□未得般若波羅蜜者菩薩摩訶
薩如是□□□百千劫亦能超過況復聲聞
辟支佛□□□摩訶薩行般若波羅蜜成
就佛法衆惡悉離雖行精進不疾不遲而發
大願使我得身與世尊等肩間白毫頂上肉髻
佛轉法輪我亦如是譬如真金衆寶瑩飾則為
嚴淨菩薩精進亦復如是遠離垢穢所謂嬾
墮懈怠疲極不自覺知不正思惟離此垢穢
即獲清淨□□一切德而共莊嚴身不疲勞
心无厭怠鄣道惡法一切不善皆悉賊除其
有助道向涅槃法悉令增長少惡不起何況
其多假使十方恒河沙世界滿中大火如阿鼻
地獄此世界外有一衆生可度脫者菩薩摩
訶薩能從中過況多衆生不作是念无上菩
提不易可得菩薩脩行如救頭然百千万劫
如此重擔離荷負作是思惟過現諸佛
皆脩此行成阿耨多羅三藐三菩提我亦如是
正應脩習淨百千劫處地獄中使衆生度終不棄

提不易可得菩薩脩行如救頭然百千万劫
如此重擔離荷負作是思惟過現諸佛
皆脩此行成阿耨多羅三藐三菩提我亦如是
正應脩習淨百千劫處地獄中使衆生度終不棄
捨速取涅槃如是精進心不自高於他不下
不見我能行及所行法无二无別自性離
故是名菩薩摩訶薩學般若波羅蜜通達
毗梨耶波羅蜜大王菩薩摩訶薩學般若
波羅蜜行禪波羅蜜深種善根於大乘中世
世生生多習妙行近善知識生不貪眊常在
婆羅門刹利大姓正信三寶增長善法因
宿善根住如是念衆生長夜流轉六道皆輪不
息皆由貪愛菩薩摩訶薩趣厭離心知從虛
妄分別而有脩多羅中方便種種說欲過患如
聚如衝如刀如虵如泡臭穢不淨无常苦何智
人貪著此法即剃鬚髮出家脩道未見令見未
得令得未證令證聞說受持若世諦第一義
諦如實脩行如法觀察所謂正見正分別正精進
正語正業正命正念正定遠離喧雜不求名
聞供養恭敬身心精進常无休息思惟此心
多行何境若善若惡无記境界若行善境
則勤精進增□善根三十七品以治諸惡不善
之法惡不善者貪恚愚癡貪欲三品謂上中
下其上品者若聞欲名遍身戰動心踊歡悅
不觀欲過厭離不生无慚无愧何謂无慚經

下其上品者若聞欲名遍身戰動心踊歡悦
不覩欲過猒離不生无慙无愧何謂无慙經
遊獨行恒思欲境心心相續唯見妙好不知
過患若其父母及餘尊長呵彼所欲於所尊所
不覺起諍是名无慙此人命終當生惡趣中
品欲者若離境界不恒生心下品欲者但共
言咲欲情即歇瞋亦三品上品瞋者憤恚若發
心惛目亂或造五逆若謗正法及大重罪五
逆之惡於百分中不及其一中品瞋者以瞋
恚故而造諸惡即生悔心下品瞋者心无嫌
恨但口呵毀隨生悔過癡亦如是雖住是觀知一
切法如幻夢犍闥婆城虛妄不實顛倒
故見滅外境界內心寂靜不見我能行及
所行法无二无別自性離故是名菩薩摩訶
薩學般若波羅蜜通達禪波羅蜜
大王菩薩摩訶薩學般若波羅蜜行般若
波羅蜜正智觀色受想行識不見色生不見
色集不見色滅受想行識亦復如是何以故自
性皆空无有真實但虛名字而行般若波羅
蜜化諸衆生終不為說无業果報一切諸法如夢
如幻无我无人无衆生无壽者无養育而說有業
果報菩薩摩訶薩如是脩行般若波羅蜜惡魔
不能得便何以故近善知識成助菩提離世
間法於諸如來甚深正法歡喜讚歎若天若
魔沙門婆羅門除佛正智无及菩薩

BD00891號　勝天王般若波羅蜜經卷一　（22–6）

果報菩薩摩訶薩如是脩行般若波羅蜜惡魔
不能得便何以故近善知識成助菩提離世
間法於諸如來甚深正法歡喜讚歎若天若
魔沙門婆羅門除佛正智无及菩薩不見我
能行及所法无二无別自性離故是名菩薩摩
訶薩學般若波羅蜜通達般若波羅蜜
大王菩薩摩訶薩學般若波羅蜜行優波憍
舍羅波羅蜜菩薩摩訶薩善巧迴向阿耨多
羅三藐三菩提若見花菓日夜六時供養諸
佛及菩薩以此善根迴向菩提花樹菓樹亦
復如是若聞如來脩多羅中說甚深義信樂
受持為衆說以此善根迴向菩提若見如來
塔廟形像香花供養令諸衆生離破戒香
獲得如來清淨戒香掃灑塗地令諸衆生
威儀齊整華蓋覆窣令諸衆生皆離惱熱
入僧伽藍願諸衆生悉入涅槃若出伽藍願
諸衆生出魔境界開伽藍門住如是願以
出世智為諸衆生啓未開門若見開門願為
衆生開閉惡趣及以三有坐時念言願諸衆生
坐菩提坐若右脇卧願諸衆生皆得涅槃起
時念言願諸衆生起離諸惑若洗脚足願諸
衆生遠離塵垢礼佛旋塔願諸衆生成天人
師若有外道邪見難化即自念言我為彼師
必不肯信且住同學或為弟子雖處彼衆戒

BD00891號　勝天王般若波羅蜜經卷一　（22–7）

衆生遠離塵垢礼佛旋塔願諸衆生成天人
師若有外道邪見難化即自念言我為彼師
必不肯信旦作同學或為弟子雖處彼衆戒
行多聞勝諸外道因尒降伏尊事為師言必
信受毀其邪法為說涅槃令入正教精脩梵
行禪定三昧得諸神通見多欲者化為女人
第一端正令彼愛着倏忽之須亦現无常色
變膖脹爛壞臭處使其增惡起厭離心即
復本形為菩薩像而為說法令發阿耨多羅
三藐三菩提心成无上果見大乘人離善知識
學二乘道不得其果唐失大乘觀彼根性
即為說法入无上道未發心者化令發心已發
心者教使堅固見持戒人犯少輕罪不解懺
悔慚退憂愁不復脩進即為說法對治懺
除令道勝進菩薩摩訶薩少欲知足唯求法
利為衆生說供養如来成就六波羅蜜說法
供養是為檀波羅蜜行不違言是尸波羅
蜜若天若魔不能壞亂是羼提波羅蜜心
心相續不覺疲勌是毗離耶波羅蜜專心一
念不緣異境是禪波羅蜜說法供養不見
我我所是般若波羅蜜不見我能行及所行
法无二无別自性離故是名菩薩摩訶薩學
般若波羅蜜通達方便波羅蜜大王菩薩摩
訶薩學般若波羅蜜行尼坻波羅蜜菩薩
發願不為有樂出離三界求二乘道作大願

般若波羅蜜通達方便波羅蜜大王菩薩摩
訶薩學般若波羅蜜行尼坻波羅蜜菩薩
發願不為有樂出離三界求二乘道作大願
言一切衆生衆生所攝皆入涅槃然後我身
乃成正覺未發心者即令發心已發心者令
其脩行已脩行者令得菩提得菩提者請
轉法輪乃至尒身舍利起塔供養復作願言
若有世界諸佛成道悉无天魔願自智慧發
无上心不由外緣又願我身常在世間一切衆
生悉令成就願新發意諸菩薩等若聞如来
說甚深法心不驚怖无邊佛道无邊佛境界无
邊大悲願諸衆生皆悉通達又願我身常
生穢國不生淨土何以故辟如病人乃須醫藥
无病不須不見我能行及所行法无二无別自
性離故是名菩薩摩訶薩學般若波羅蜜
通達願波羅蜜大王菩薩摩訶薩學般若波
羅蜜行婆羅波羅蜜菩薩摩訶薩能伏天魔
摧諸外道具足功德智慧力故一切佛法无不
脩行无不證見以神通力用一毛髮能舉閻浮
提乃至四天下三千大千世界乃至无量百千世
界能於空中取種種寶施諸衆生十方无量
无邊世界諸佛說法无不聞持不我見能行
及所行法无二无別自性離故是名菩薩摩
訶薩學般若波羅蜜通達力波羅蜜大王菩
薩摩訶薩學般若波羅蜜行闍那波羅蜜

无邊世界諸佛說法无不聞持不我見能行
及所行法无二无別自性離故是名菩薩摩
訶薩學般若波羅蜜通達力波羅蜜大王菩
薩摩訶薩學般若波羅蜜行闍那波羅蜜
菩薩摩訶薩觀五陰生不見實生滅非實滅
作是思惟此五陰空无我无人无衆生无壽者
无養育凡夫衆生虛妄著我五陰非我陰中
无我我非五陰我中无陰凡夫愚惑不如實知
流轉生死如旋火輪一切諸法自性本空无
生无滅緣合謂生緣散為滅自性非无是故
不生自性非有是故无滅菩薩摩訶薩一切
境界无有一法不通達者循行如是智波羅
蜜二乘外道不能椅蔽以智觀察從初發心
至入涅槃皆悉明了能以一法知一切境一切
境界即是一法何以故如如一故不見我能
脩及所脩法无二无別自性離故是名菩薩
摩訶薩行般若波羅蜜通達智波羅蜜

勝天王般若波羅蜜經顯相品第二

尒時勝天王即從坐起偏袒右肩右膝著地
合掌向佛頭面作礼而白佛言世尊是般若
波羅蜜甚深何者是般若波羅蜜相佛告勝
天王言如地水火風相般若波羅蜜相亦復
如是世尊云何地相佛言普遍廣大難可度
量是為地相般若波羅蜜相亦復如是何以
故如如普遍廣大難思量故大王一切藥草

如是世尊云何地相佛言普遍廣大難可度
量是為地相般若波羅蜜相亦復如是何以
故如如普遍廣大難思量故大王一切藥草
皆依地生一切善法皆依般若波羅蜜生又
如大地增之不喜減之不瞋離我我所无二
相故般若波羅蜜亦復如是讚歎不增毀呰
不減離我我所无二相故世間行來舉足下
足悉依於地若求善道趣向涅槃應當依是
般若波羅蜜又如大地出種種寶般若波
羅蜜亦復如是生出世閒種種功德又如
大地虫蟻蚊虻種種諸毒不能傾動般若波
羅蜜亦復如是離我我所不可傾動又如大
地若聞師子龍象之聲終无驚怖般若波羅
蜜亦復如是天魔外道不能恐懼何以故不
見有人不見有法自性空故又如水大從高
赴下一切善法皆向般若波羅蜜又如水大能
潤草木得生花菓般若波羅蜜亦復如是
潤諸三脉生助道法成一切智樹得佛法菓
利益衆生又如水大清草木根能使傾拔隨
流而去般若波羅蜜亦復如是一切諸見煩惱
習氣根本悉滅永不復生又如水大性本清
淨无垢不濁般若波羅蜜亦復如是體无
煩惱故名清淨離諸惑故名為无垢一相非異
故名不濁如人夏熱遇水清涼熱惱衆生聞
般若波羅蜜亦即清涼如人患渴得水乃止

惱故名[illegible]離說[illegible]故名為无垢一相非異
故名不濁如人夏熱遇水清涼熱惱衆生聞
般若波羅蜜亦即清涼如人患渴得水乃止
求出世法得般若波羅蜜思願亦止又如水
泉甚深難入般若波羅蜜亦復如是諸佛境
界甚深難入又如坑塪之處水悉平等般若
波羅蜜亦復如是一切聲聞辟支佛及諸凡
夫皆悉平等又如水能洗垢悉得清淨菩
薩摩訶薩通達般若波羅蜜離諸煩惱即
得清淨何以故自性清淨離諸惑故又如火
大能燒一切樹木藥草不作是念我能燒物
般若波羅蜜亦復如是能滅一切煩惱習氣
亦不作念我能除滅又辟如火悉能成熟一
切諸物般若波羅蜜亦能成熟一切佛法又
辟如火悉能乾竭一切濕物般若波羅蜜亦
復如是竭諸漏流永不復起假使火聚在雪
山頂若一由旬至十由旬皆悉能照而无是念
我能照遠般若波羅蜜亦復如是皆悉能照
聲聞緣覺及以菩薩亦不作念我能照彼又
如禽獸夜見火光恐怖遠避薄福凡夫及以
二乘若聞般若波羅蜜恐懼捨離般若波羅
蜜聞名尚難况復脩學如夜遠行迷失道路
若見火光即生歡喜知有聚落疾往投趣至
則安隱永无怖畏生死曠野有福德人若聞
般若波羅蜜生大歡喜歸趣受持永離煩惱

若見火光即生歡喜知有聚落疾往投趣至
則安隱永无怖畏生死曠野有福德人若聞
般若波羅蜜生大歡喜歸趣受持永離煩惱
心得安樂如世間火貴賤共同般若波羅蜜
亦復如是凡聖等有又如婆羅門刹利咸供
養火諸佛菩薩咸皆供養般若波羅蜜又
小火能燒三千大千世界般若波羅蜜亦復
如是若聞一句則能焚燒无量煩惱大王般若
波羅蜜離垢无著寂靜无量无邊智慧等
達法相猶如虛空性无所住離相境界過諸
覺觀心心數法无有分別无生无滅自性離
故
大王菩薩摩訶薩行般若波羅蜜世間希有
利益衆生猶如日月一切受用又辟如月能
除熱惱般若波羅蜜亦復如是能除一切煩
惱熱毒又辟如月世間樂見般若波羅蜜亦
復如是一切聖人之所樂見又如初月日日增
長菩薩摩訶薩親近般若波羅蜜從初發
心乃至菩提漸次增長如黑分月日日漸盡菩
薩摩訶薩脩行般若波羅蜜煩惱結使次第
減盡如世間月婆羅門刹利咸所讚歎若善
男子善女人親近般若波羅蜜一切世間天人
阿脩羅皆所讚歎如月遊行遍四天下般若波
羅蜜亦復如是若色若心无處不遍如世間
月常自在嚴般若波羅蜜亦復如是性自在

所循渉皆所謂數如月遊行遍四天下般若波
羅蜜亦復如是若色若心无處不遍如世間
月常自在嚴般若波羅蜜亦復如是性自在
嚴何以故不生不滅性本清淨遍一切法自
性離故如世間日破一切暗而不作念我能
破暗般若波羅蜜亦復如是能破无知一切
煩惱亦不作念我破煩惱又譬如日開敷蓮
花而不作念我開蓮花般若波羅蜜亦復如
是能開菩薩亦无是念又譬如日遍照十方
不作是念我能遍照般若波羅蜜亦復如是
能照无邊而无照相又如見東方赤則知日出
不久若聞般若波羅蜜當知去佛不遠如閻
浮提人若見日出生大歡喜若聞世中有般
若波羅蜜名字一切聖人皆大歡喜又如日
出月及星宿光悉不現菩薩摩訶薩行般若
波羅蜜二乘外道德亦不現又如日出方見坑
塪高下之處菩薩摩訶薩行般若波羅蜜世
間乃知邪正之道何以故般若波羅蜜自相
平等不生不滅性是離故
大王菩薩摩訶薩行般若波羅蜜多脩空行
无所住着脩道離鄣遠惡知識親近諸佛心
心相續念佛不斷通達平等隨順法界神通
遊戲十方國土於其本處都不動搖見諸佛法
猶如現前雖處世間世法不染猶如蓮花生
在淤泥菩薩摩訶薩雖處生死以般若波羅

遊戲十方國土於其本處都不動搖見諸佛法
猶如現前雖處世間世法不染猶如蓮花生
在淤泥菩薩摩訶薩雖處生死以般若波羅
蜜方便力故而不染着何以故般若波羅蜜
不生不滅自相平等不見不着性是離故又如
蓮花不停水滴菩薩摩訶薩行般若波羅蜜
一不善法不得暫住又如蓮花所在悉香菩
薩摩訶薩行般若波羅蜜若在城邑聚落
天上悉具戒香又如蓮花體性清淨婆羅門
剎利長者居士之所愛重菩薩摩訶薩行般
若波羅蜜天龍夜叉乾闥婆阿脩羅迦樓羅
緊那羅摩睺羅伽人非人等菩薩諸佛咸所
愛敬又如蓮花始欲敷啓能悅衆心菩薩摩
訶薩行般若波羅蜜面門常咲曾无頻蹙
能悅衆生又如世人夢見蓮花亦是吉相一切人
天乃至夢中聞見菩薩行般若波羅蜜亦是
吉祥況當真見又如蓮花初始生時若人非人
之所愛護菩薩摩訶薩始學般若波羅蜜諸
佛菩薩釋梵諸天之所衛護菩薩摩訶薩行
般若波羅蜜興如是心如理通達諸波羅蜜
滿足佛法教化衆生坐菩提樹成就阿耨多
羅三藐三菩提轉正法輪世間沙門婆羅門
天魔釋梵所不能轉化度十方无邊世界一
切衆生平等濟拔於生死海皆悉安置般若
波羅蜜中无歸无依无救護者為作救護欲

羅三藐三菩提轉正法輪世間沙門婆羅門
天魔釋梵所不能轉化度十方无邊世界一
切衆生平等濟拔於生死海皆悉安置般若
波羅蜜中无歸无依无救護者為作救護欲
見佛者即為示之作師子吼神通遊戲歎佛
功德令衆渴仰其心清淨而不轉移意无諂
曲遠離邪念所謂不念聲聞辟支佛法盡諸
垢穢无復煩惱身无爲行離耶威儀口无巧
言如實而說受恩常感輕恩重報心不懷憾
口恒潤語如是脩習清淨之心不見能汙不
見可染无二无別自性離故
大王菩薩摩訶薩行般若波羅蜜能信如来
三種清淨作是思惟脩多羅說如来法身寂
靜身无等等身无量身不共身金剛身於
此決定心无疑惑是名能信如来身淨復次思
惟脩多羅說如来口淨如為凡夫授作佛說亦
為菩薩授記成佛信如是言不相違背何以
故如来永離一切過失无諸垢穢无有煩惱
寂靜清淨若天若魔沙門婆羅門若梵能
得如来口業失者无有是處是名能信如来
口淨復次脩多羅說如来意淨諸佛世尊
心所思事若聲聞辟支佛菩薩一切天人无
能知者何以故如来之心甚深難入非諸覺觀
離思量境无有邊量同虛空界如是信知心
不疑惑是名能信如来意淨復次菩薩摩訶

心所思事若聲聞辟支佛菩薩一切天人无
能知者何以故如来之心甚深難入非諸覺觀
離思量境无有邊量同虛空界如是信知心
不疑惑是名能信如来意淨復次菩薩摩訶
薩行般若波羅蜜作是思惟如佛所說菩
薩摩訶薩為諸衆生不怖不疲荷負重擔其心
堅固曾无退轉次第脩習諸波羅蜜成就佛法
无有障㝵无邊无等不共之法所言決定其
性勇猛成就如来廣大之事菩薩摩訶薩於
是事中不疑不惑深心信受菩薩摩訶薩行般
若波羅蜜作是思惟菩薩摩訶薩行般若波
羅蜜坐道場時能得无㝵清淨天眼天耳他心
智宿命智漏盡智於一念中通達三世平等智
如實觀察一切世間如是衆生具身惡行口惡
行意惡行毀謗聖人邪見造邪業身壞命終
當墮惡道如是衆生具身善行口善行意善
行不謗聖人正見正業身壞命終當生善道如
實觀察衆生界已作如是念我昔發願行菩
道薩自覺覺他此願應滿菩薩摩訶薩行般
若波羅蜜於如是事不疑不惑如實信受
大王菩薩成佛所名為覺處自覺名正覺成
就衆生名正遍覺大王如是菩薩摩訶薩行
般若波羅蜜信如如来出興於世大王菩薩
摩訶薩行般若波羅蜜聞說一乘即便信受
何以故諸佛所說真實不虛種種餘乘皆佛

鈍衆生名正遍覺大王如是菩薩摩訶薩行
般若波羅蜜信知如來出興於世大王菩薩
摩訶薩行般若波羅蜜聞說一乘即便信受
何以故諸佛所說真實不虛種種餘乘皆佛
乘出如閻浮提種種城邑聚落別名並屬此
洲如是諸乘種種名說皆屬佛乘復作是
念如來世尊善巧方便種種說法皆實不虛何
以故世尊說法隨衆根性是故分別說有三
乘其實一道菩薩摩訶薩行般若波羅蜜復
作是念如來說法深遠音聲真實不虛何以
故釋梵天等以少功德尚復能有深遠音聲
何況如來无量億劫積習功德菩薩摩訶薩行
般若波羅蜜作如是念如來說法不違衆根
若上中下皆使成就衆生各謂獨為我說諸
佛本來无說无示菩薩摩訶薩於如此事不
起信解大王菩薩摩訶薩行般若波羅蜜得
心微細作是思惟世間熾然大火之聚所謂貪
欲火瞋恚煙愚癡闇云何當令一切衆生皆
得出離若能通達諸法平等名為出離如
實知法猶如幻相善觀因緣而不分別菩薩
摩訶薩行般若波羅蜜作是思惟諸法无本
而有業報諸佛菩薩凡所發言我知其意既
知意已即思量義思量義已即見真實見真
實已濟度衆生
大王菩薩摩訶薩行般若波羅蜜善巧方便

而有業報諸佛菩薩凡所發言我知其意既
知意已即思量義思量義已即見真實見真
實已濟度衆生
大王菩薩摩訶薩行般若波羅蜜善巧方便
為衆說法所謂一切諸法皆悉无我无衆生
无養育无人无作者无覺者无生者无見者
空无所有非自在性虛妄分別因和合生大王
若說諸法皆悉无我乃至无見者為稱理說
空无所有乃至緣生亦復如是大王夫其說
法隨順法相是名稱理不違法相與法相應
得入平等顯現義理名巧說法大王菩薩摩
訶薩行般若波羅蜜得无导辯才所謂无
著辯才无盡辯才相續辯才不斷辯才不怯
弱辯才不驚怖辯才不共辯才天人所重辯
才无邊辯才菩薩摩訶薩行般若波羅蜜得
清淨辯才所謂不嘶喝辯才不忘亂辯才不
怖畏辯才不高慢辯才義具足辯才味具足
辯才不拙澁辯才應時節辯才大王菩薩摩
訶薩行般若波羅蜜離大衆威德畏故不嘶
喝堅住不怯智故不迷亂菩薩處衆如師子
王故无怖畏離諸煩惱故不高慢不說无義
通達法相故義具足善解書論文字世智故
味具足无量劫來習巧便語故不拙澁如是
說法隨順四時春如春說秋冬亦然尒應前說
者不中後說應後說者不前中說應中說者

味具足无量劫來習巧便語故不拙澁如是
說法隨順四時春如春說秋冬亦然尒應前說
者不中後說應後說者不前中說應中說者
不前後說善知時故大王菩薩摩訶薩行般
若波羅蜜所得辯才令衆歡喜所謂愛語而
門常咲不曾嚬蹙發言有義能稱如實所說
決定不欺侮人種種樂說以柔軟言令衆歡
喜顏色寬和使他親附隨義而說聞者悟解
稱法相說為利益故平等為說心无偏黨住
決定說无虛妄言種種樂說隨衆根性令得
歡喜
大王菩薩摩訶薩行般若波羅蜜成大威
德何以故非器不聞故尒時勝天王即白佛言
世尊菩薩摩訶薩行般若波羅蜜其心平等
云何不為非器者說佛告勝天王言大王般若
波羅蜜性自平等不見器不見非器不見能
說及以所說衆生虛妄見說不說何以故般
若波羅蜜不生不滅无相分別猶如虛空一
切遍滿衆生亦尒不生不滅聲聞辟支佛菩
薩及佛亦復如是无名字法假立名字云是
衆生云是般若云有能說云有所說云有
聽者第一義中同是一相所謂无相菩薩摩
訶薩行是甚深般若波羅蜜威德重故非器
不聞大王般若波羅蜜不為非器衆生說不
為外道說不為不尊重者說不為不正信者

BD00891 號　勝天王般若波羅蜜經卷一　（22–20）

聽者第一義中同是一相所謂无相菩薩摩
訶薩行是甚深般若波羅蜜威德重故非器
不聞大王般若波羅蜜不為非器衆生說不
為外道說不為不尊重者說不為不正信者
說不為求法貿易者說不為貪利養者說不
為嫉妬者說不為盲聾瘖瘂說何以故菩薩摩
訶薩行般若波羅蜜時心无慳悋不祕深法
非於衆生无大慈悲不捨衆生衆生宿世善
根得見如來及聞正法諸佛如來本无說心
為此為彼但鄭重者雖復在近而不見聞尒
時勝天王白佛言世尊何等衆生堪聞諸佛
菩薩說法佛告勝天王言大王具正信者諸
佛菩薩即為說法根性純熟堪為法器於過
去佛曾種善根心无諂曲威儀齊整不求名
利親近善友利根性人說文知義為法精進
不違佛言大王諸佛菩薩為如是等衆生說
法
大王菩薩摩訶薩行般若波羅蜜能作法師
善巧說法云何巧說諸法為利益佛法而說
佛法竟不可見雖說波羅蜜而波羅蜜竟不
可得雖說菩提而說菩提竟不可得雖斷煩
惱而說煩惱竟不可得雖涅槃而說涅槃竟
不可得雖為須陀洹向須陀洹果乃至阿羅
漢向阿羅漢果而四果向竟不可得雖為
辟支佛果而辟支佛果竟不可得斷除我見

BD00891 號　勝天王般若波羅蜜經卷一　（22–21）

可得雖說菩提而說菩提竟不可得雖斷煩
惱而說煩惱竟不可得雖涅槃而說涅槃竟
不可得雖為須陁洹向須陁洹果乃至阿羅
漢向阿羅漢果而四果向竟不可得雖為
辟支佛果而辟支佛果竟不可得斷除我見
而說我見竟不可得說有業報而說業報竟
不可得何以故名字所得非是實法法非名
字非言境界法非可識非心所量名字非法
法非名字但以世諦虛妄假名有說无名字
法說為名字名字是空空无所有无所有
者非第一義非第一義即是虛妄凡夫之法大
王是名菩薩摩訶薩善巧說法菩薩摩訶
薩般若波羅蜜以方便力得无礙辯才隨衆
生根性說是甚深般若波羅蜜

勝天王般若波羅蜜經卷第一

BD00891 號　勝天王般若波羅蜜經卷一　（22–22）

未來世
氏恭敬尊重讚歎
身得成為佛名曰光
明行足善逝世間解无上
師佛世尊國名光德劫名
二小劫正法住世二十小劫
劫國界嚴飾无諸穢惡瓦
土平正无有高下坑坎
樹行列黃金為繩以界道
遍清淨其國菩薩无量千億
數无有魔事雖有魔及魔
世尊欲重宣此義而說偈

告諸比丘　我以佛眼　見是迦葉　於未來世
過无數劫　當得作佛　而於來世　供養奉覲
三百万億　諸佛世尊　為佛智慧　淨脩梵行
供養最上　二足尊已　脩習一切　无上之慧

BD00892 號　妙法蓮華經卷三　（20–1）

告諸比丘 我以佛眼 見是迦葉 於未來世
過无數劫 當得作佛 而於來世 供養奉覲
三百万億 諸佛世尊 為佛智慧 淨脩梵行
供養冣上 二足尊已 脩習一切 无上之慧
於冣後身 得成為佛 其土清淨 琉璃為地
多諸寶樹 行列道側 金繩界道 見者歡喜
常出好香 散衆名華 種種奇妙 以為莊嚴
其地平正 无有丘坑 諸菩薩衆 不可稱計
其心調柔 逮大神通 奉持諸佛 大乘經典
諸聲聞衆 无漏後身 法王之子 亦不可計
乃以天眼 不能數知 其佛當壽 十二小劫
正法住世 二十小劫 像法亦住 二十小劫
光明世尊 其事如是
尒時大目揵連須菩提摩訶迦栴延等皆悉
悚慄一心合掌瞻仰世尊目不暫捨即共同
聲而說偈言
大雄猛世尊 諸釋之法王 哀愍我等故 而賜佛音聲
若知我深心 見為授記者 如以甘露灑 除熱得清涼
如從飢國來 忽遇大王饍 心猶懷疑懼 未敢即便食
若復得王教 然後乃敢食 我等亦如是 每惟小乘過
不知當云何 得佛无上慧 雖聞佛音聲 言我等作佛
心尚懷憂懼 如未敢便食 若蒙佛授記 尒乃快安樂
大雄猛世尊 常欲安世間 願賜我等記 如飢須教食
尒時世尊知諸大弟子心之所念告諸比丘
是須菩提於當來世奉覲三百万億那由他
佛供養恭敬尊重讚歎常脩梵行具菩薩道
於冣後身得成為佛号曰名相如來應供正

尒時世尊知諸大弟子心之所念告諸比丘
是須菩提於當來世奉覲三百万億那由他
佛供養恭敬尊重讚歎常脩梵行具菩薩道
於冣後身得成為佛号曰名相如來應供正
遍知明行足善逝世間解无上士調御丈夫
天人師佛世尊劫名有寶國名寶生其土平
正頗梨為地寶樹莊嚴无諸丘坑沙礫荊棘
便利之穢寶華覆地周遍清淨其土人民皆
處寶臺珎妙樓閣聲聞弟子无量无邊筭數
譬喻所不能知諸菩薩衆无數千万億那由
他佛壽十二小劫正法住世二十小劫像法
亦住二十小劫其佛常處虛空為衆說法度
脫无量菩薩及聲聞衆尒時世尊欲重宣此
義而說偈言
諸比丘衆 今告汝等 皆當一心 聽我所說
我大弟子 須菩提者 當得作佛 号曰名相
當供无數 万億諸佛 隨佛所行 漸具大道
冣後身得 三十二相 端正姝妙 猶如寶山
其佛國土 嚴淨第一 衆生見者 无不愛樂
佛於其中 度无量衆 其佛法中 多諸菩薩
皆悉利根 轉不退輪 彼國常以 菩薩莊嚴
諸聲聞衆 不可稱數 皆得三明 具六神通
住八解脫 有大威德 其佛說法 現於无量
神通變化 不可思議 諸天人民 數如恒沙
皆共合掌 聽受佛語 其佛當壽 十二小劫
正法住世 二十小劫 像法亦住 二十小劫
尒時世尊復告諸比丘衆我今語汝是大迦

正法住世二十小劫　像法亦住二十小劫
尒時世尊復告諸比丘衆　我今語汝是大迦
栴延於當来世以諸供具供養奉事八千億
佛恭敬尊重諸佛滅後各起塔廟高千由旬
縱廣正等五百由旬以金銀琉璃車𤦲馬瑙
真珠玫瑰七寶合成衆華瓔珞塗香末香燒
香繒蓋幢幡供養塔廟過是已後當復供養
二万億佛亦復如是供養是諸佛已具菩薩
道當得作佛号曰閻浮那提金光如来應供
正遍知明行足善逝世間解无上士調御丈
夫天人師佛世尊其土平正頗梨為地寶樹
莊嚴黄金為繩以界道側妙華覆地周遍清
淨見者歡喜无四惡道地獄餓鬼畜生阿脩
羅道多有天人諸聲聞衆及諸菩薩无量万
億莊嚴其國佛壽十二小劫正法住世二十
小劫像法亦住二十小劫尒時世尊欲重宣
此義而說偈言
諸比丘衆　皆一心聽　如我所說　真實无異
是迦栴延　當以種種　妙好供具　供養諸佛
諸佛滅後　起七寶塔　亦以華香　供養舍利
其最後身　得佛智慧　成等正覺　國土清淨
度脫无量　万億衆生　皆為十方　之所供養
佛之光明　无能勝者　其佛号曰　閻浮金光
菩薩聲聞　斷一切有　无量无數　莊嚴其國
尒時世尊復告大衆　我今語汝是大目揵連
當以種種供具供養八千諸佛恭敬尊重諸
佛滅後各起塔廟高千由旬縱廣正等五百

BD00892號　妙法蓮華經卷三　（20–4）

菩薩聲聞　斷一切有　无量无數　莊嚴其國
尒時世尊復告大衆　我今語汝是大目揵連
當以種種供具供養八千諸佛恭敬尊重諸
佛滅後各起塔廟高千由旬縱廣正等五百
由旬以金銀琉璃車𤦲馬瑙真珠玫瑰七寶
合成衆華瓔珞塗香末香燒香繒蓋幢幡以
用供養過是已後當復供養二百万億諸佛
亦復如是當得成佛号曰多摩羅跋栴檀香
如来應供正遍知明行足善逝世間解无上
士調御丈夫天人師佛世尊劫名喜滿國名
意樂其土平正頗梨為地寶樹莊嚴散真珠
華周遍清淨見者歡喜多諸天人菩薩聲聞
其數无量佛壽二十四小劫正法住世四十
小劫像法亦住四十小劫尒時世尊欲重宣
此義而說偈言
我此弟子　大目揵連　捨是身已　得見八千
二百万億　諸佛世尊　為佛道故　供養恭敬
於諸佛所　常脩梵行　於无量劫　奉持佛法
諸佛滅後　起七寶塔　長表金刹　華香伎樂
而以供養　諸佛塔廟　漸漸具足　菩薩道已
於意樂國　而得作佛　号多摩羅　栴檀之香
其佛壽命　二十四劫　常為天人　演說佛道
聲聞无量　如恒河沙　三明六通　有大威德
菩薩无數　志固精進　於佛智慧　皆不退轉
佛滅度後　正法當住　四十小劫　像法亦尒
我諸弟子　威德具足　其數五百　皆當授記

BD00892號　妙法蓮華經卷三　（20–5）

佛滅度後 正法當住 四十小劫 像法亦尒
我諸弟子 威德具足 其數五百 皆當授記
於未來世 咸得成佛 我及汝等 宿世因緣
吾今當說 汝等善聽
妙法蓮華經化城喻品第七
佛告諸比丘乃往過去无量无邊不可思議
阿僧祇劫尒時有佛名大通智勝如來應供
正遍知明行足善逝世間解无上士調御丈
夫天人師佛世尊其國名好成劫名大相諸
比丘彼佛滅度已來甚大久遠譬如三千大
千世界所有地種假使有人磨以為墨過於
東方千國土乃下一點大如微塵又過千國
土復下一點如是展轉盡地種墨於汝等意
云何是諸國土若筭師若筭師弟子能得邊
際知其數不不也世尊諸比丘是人所經國
土若點不點盡末為塵一塵一劫彼佛滅度
已來復過是數无量无邊百千万億阿僧祇
劫我以如來知見力故觀彼久遠猶若今日
尒時世尊欲重宣此義而說偈言
我念過去世 无量无邊劫 有佛兩足尊 名大通智勝
如人以力磨 三千大千土 盡此諸地種 皆悉以為墨
過於千國土 乃下一塵點 如是展轉點 盡此諸塵墨
如是諸國土 點與不點等 復盡末為塵 一塵為一劫
此諸微塵數 其劫復過是 彼佛滅度來 如是无量劫
如來无礙智 知彼佛滅度 及聲聞菩薩 如見今滅度
諸比丘當知 佛智淨微妙 无漏无所礙 通達无量劫
佛告諸比丘大通智勝佛壽五百四十万億

BD00892號 妙法蓮華經卷三 （20–6）

此諸微塵數 其劫復過是 彼佛滅度來 如是无量劫
如來无礙智 知彼佛滅度 及聲聞菩薩 如見今滅度
諸比丘當知 佛智淨微妙 无漏无所礙 通達无量劫
佛告諸比丘大通智勝佛壽五百四十万億
那由他劫其佛本坐道場破魔軍已垂得阿
耨多羅三藐三菩提而諸佛法不現在前如
是一小劫乃至十小劫結跏趺坐身心不動
而諸佛法猶不在前尒時忉利諸天先為彼
佛於菩提樹下敷師子座高一由旬佛於此
座當得阿耨多羅三藐三菩提適坐此座時
諸梵天王雨衆天華面百由旬香風時來吹
去萎華更雨新者如是不絕滿十小劫供養
於佛乃至滅度常雨此華四王諸天為供養
佛常擊天鼓其餘諸天作天伎樂滿十小劫
至于滅度亦復如是諸比丘大通智勝佛過
十小劫諸佛之法乃現在前成阿耨多羅三
藐三菩提其佛未出家時有十六子其第一
者名曰智積諸子各有種種珍異玩好之具
聞父得成阿耨多羅三藐三菩提皆捨所珍
往詣佛所諸母涕泣而隨送之其祖轉輪聖
王與一百大臣及餘百千万億人民皆共圍
繞隨至道場咸欲親近大通智勝如來供養
恭敬尊重讚歎到已頭面礼足繞佛畢已一心
合掌瞻仰世尊以偈頌曰
大威德世尊 為度衆生故 於无量億歲 尒乃得成佛
諸願已具足 善哉吉无上 世尊甚希有 一坐十小劫
身體及手足 靜然安不動 其心常惔怕 未曾有散亂
[illegible]

BD00892號 妙法蓮華經卷三 （20–7）

大威德世尊　為度衆生故　於无量億歲　尒乃得成佛
諸願已具足　善哉吉无上　世尊甚希有　一坐十小劫
身體及手足　静然安不動　其心常惔怕　未曾有散亂
究竟永寂滅　安住无漏法　今者見世尊　安隱成佛道
我等得善利　稱慶大歡喜　衆生常苦惱　盲瞑无導師
不識苦盡道　不知求解脫　長夜增惡趣　減損諸天衆
從瞑入於瞑　永不聞佛名　今佛得最上　安隱无漏法
我等及天人　為得最大利　是故咸稽首　歸命无上尊
尒時十六王子偈讚佛已勸請世尊轉於法
輪咸作是言世尊說法多所安隱憐愍饒益
諸天人民重說偈言
世雄无等倫　百福自莊嚴　得无上智慧　願為世間說
度脫於我等　及諸衆生類　為分別顯示　令得是智慧
若我等得佛　衆生亦復然　世尊知衆生　深心之所念
亦知所行道　又知智慧力　欲樂及脩福　宿命所行業
世尊悉知已　當轉无上輪
佛告諸比丘大通智勝佛得阿耨多羅三藐
三菩提時十方各五百万億諸佛世界六種
震動其國中間幽瞑之處日月威光所不能
照而皆大明其中衆生各得相見咸作是言
此中云何忽生衆生又其國界諸天宮殿乃
至梵宮六種震動大光普照遍滿世界勝諸
天光尒時東方五百万億諸國土中梵天宮
殿光明照曜倍於常明諸梵天王各作是念
今者宮殿光明昔所未有以何因緣而現此
相是時諸梵天王即各相詣共議此事而彼
衆中有一大梵天王名救一切為諸梵衆而
說偈言

今者宮殿光明昔所未有以何因緣而現此
相是時諸梵天王即各相詣共議此事而彼
衆中有一大梵天王名救一切為諸梵衆而
說偈言
我等諸宮殿　光明昔未有　此是何因緣　宜各共求之
為大德天生　為佛出世間　而此大光明　遍照於十方
尒時五百万億國土諸梵天王與宮殿俱各
以衣裓盛諸天華共詣西方推尋是相見大
通智勝如来處于道場菩提樹下坐師子座
諸天龍王乾闥婆緊那羅摩睺羅伽人非人
等恭敬圍繞及見十六王子請佛轉法輪即
時諸梵天王頭面礼佛繞百千帀即以天華
而散佛上其所散華如須弥山并以供養佛
菩提樹其菩提樹高十由旬華供養已各以
宮殿奉上彼佛而作是言唯見哀愍饒益我
等所獻宮殿願垂納處時諸梵天王即於佛
前一心同聲以偈頌曰
世尊甚希有　難可得值遇　具无量功德　能救護一切
天人之大師　哀愍於世間　十方諸衆生　普皆蒙饒益
我等所從來　五百万億國　捨深禪定樂　為供養佛故
我等先世福　宮殿甚嚴飾　今以奉世尊　唯願哀納受
尒時諸梵天王偈讚佛已各作是言唯願世
尊轉於法輪度脫衆生開涅槃道時諸梵天
王一心同聲而說偈言
世雄兩足尊　唯願演說法　以大慈悲力　度苦惱衆生
尒時大通智勝如来嘿然許之又諸比丘東
南方五百万億國土諸大梵王各自見宮殿
光明照曜昔所未有歡喜踊躍生希有心即

王一心同聲而說偈言
世雄兩足尊　唯願演說法　以大慈悲力　度苦惱衆生
尒時大通智勝如來嘿然許之又諸比丘東
南方五百万億國土諸大梵王各自見宮殿
光明照曜昔所未有歡喜踊躍生希有心即
各相詣共議此事而彼衆中有一大梵天王
名曰大悲為諸梵衆而說偈言
是事何因緣　而現如此相　我等諸宮殿　光明昔未有
為大德天生　為佛出世間　未曾見此相　當共一心求
過千万億土　尋光共推之　多是佛出世　度脫苦衆生
尒時五百万億諸梵天王與宮殿俱各以衣
祴盛諸天華共詣西北方推尋是相見大通
智勝如來處于道場菩提樹下坐師子座諸
天龍王乹闥婆緊那羅摩睺羅伽人非人等
恭敬圍繞及見十六王子請佛轉法輪時諸
梵天王頭面礼佛繞百千帀即以天華而散
佛上所散之華如須弥山并以供養佛菩提
樹華供養已各以宮殿奉上彼佛而作是言
唯見哀愍饒益我等所獻宮殿願垂納處尒
時諸梵天王即於佛前一心同聲以偈頌曰
聖主天中王　迦陵頻伽聲　哀愍衆生者　我等今敬礼
世尊甚希有　久遠乃一現　一百八十劫　空過无有佛
三惡道充滿　諸天衆減少　今佛出於世　為衆生作眼
世間所歸趣　救護於一切　為衆生之父　哀愍饒益者
我等宿福慶　今得值世尊
尒時諸梵天王偈讚佛已各作是言唯願世
尊哀愍一切轉於法輪度脫衆生時諸梵天

我等宿福慶　今得值世尊
尒時諸梵天王偈讚佛已各作是言唯願世
尊哀愍一切轉於法輪度脫衆生時諸梵天
王一心同聲而說偈言
大聖轉法輪　顯示諸法相　度苦惱衆生　令得大歡喜
衆生聞此法　得道若生天　諸惡道減少　忍善者增益
尒時大通智勝如來嘿然許之又諸比丘南
方五百万億國土諸大梵王各自見宮殿光
明照曜昔所未有歡喜踊躍生希有心即各
相詣共議此事以何因緣我等宮殿有此光
曜而彼衆中有一大梵天王名曰妙法為諸
梵衆而說偈言
我等諸宮殿　光明甚威曜　此非无因緣　是相宜求之
過於百千劫　未曾見是相　為大德天生　為佛出世間
尒時五百万億諸梵天王與宮殿俱各以衣
祴盛諸天華共詣北方推尋是相見大通智
勝如來處于道場菩提樹下坐師子座諸天
龍王乹闥婆緊那羅摩睺羅伽人非人等恭
敬圍繞及見十六王子請佛轉法輪時諸梵
天王頭面礼佛繞百千帀即以天華而散佛
上所散之華如須弥山并以供養佛菩提樹
華供養已各以宮殿奉上彼佛而作是言唯
見哀愍饒益我等所獻宮殿願垂納處尒時
諸梵天王即於佛前一心同聲以偈頌曰
世尊甚難見　破諸煩惱者　過百三十劫　今乃得一見
諸飢渇衆生　以法雨充滿　昔所未曾覩　无量智慧者
如優曇波羅　今日乃值遇　我等諸宮殿　蒙光故嚴飾

世尊甚難見 破諸煩惱者 過百三十劫 今乃得一見
諸飢渴衆生 以法雨充滿 昔所未曾覩 无量智慧者
如優曇波羅 今日乃值遇 我等諸宮殿 蒙光故嚴飾
世尊大慈愍 唯願垂納受
尒時諸梵天王偈讚佛已各作是言唯願世
尊轉於法輪令一切世間諸天魔梵沙門婆
羅門皆獲安隱而得度脫時諸梵天王一心
同聲以偈頌曰
唯願天人尊 轉无上法輪 擊于大法鼓 而吹大法螺
普雨大法雨 度无量衆生 我等咸歸請 當演深遠音
尒時大通智勝如来嘿然許之西南方乃至
下方亦復如是尒時上方五百万億國土諸
大梵王皆悉自覩所止宮殿光明威曜昔所
未有歡喜踊躍生希有心即各相詣共議此
事以何因緣我等宮殿有斯光明而彼衆中
有一大梵天王名曰尸棄為諸梵衆而說偈言
今以何因緣 我等諸宮殿 威德光明曜 嚴飾未曾有
如是之妙相 昔所未聞見 為大德天生 為佛出世間
尒時五百万億諸梵天王與宮殿俱各以衣
祴盛諸天華共詣下方推尋是相見大通智
勝如来處于道場菩提樹下坐師子座諸天
龍王乾闥婆緊那羅摩睺羅伽人非人等恭
敬圍繞及見十六王子請佛轉法輪時諸梵
天王頭面礼佛繞百千帀即以天華而散佛
上所散之華如須弥山并以供養佛菩提樹
華供養已各以宮殿奉上彼佛而作是言唯

BD00892號　妙法蓮華經卷三　（20–12）

天王頭面礼佛繞百千帀即以天華而散佛
上所散之華如須弥山并以供養佛菩提樹
華供養已各以宮殿奉上彼佛而作是言唯
見哀愍饒益我等所獻宮殿願垂納處時諸
梵天王即於佛前一心同聲以偈頌曰
善哉見諸佛 救世之聖尊 能於三界獄 勉出諸衆生
普智天人尊 愍哀群萌類 能開甘露門 廣度於一切
於昔无量劫 空過无有佛 世尊未出時 十方常闇瞑
三惡道增長 阿脩羅亦盛 諸天衆轉減 死多墮惡道
不從佛聞法 常行不善事 色力及智慧 斯等皆減少
罪業因緣故 失樂及樂想 住於邪見法 不識善儀則
不蒙佛所化 常墮於惡道 佛為世間眼 久遠時乃出
哀愍諸衆生 故現於世間 超出成正覺 我等甚欣慶
及餘一切衆 喜歎未曾有 我等諸宮殿 蒙光故嚴飾
今以奉世尊 唯垂哀納受 願以此功德 普及於一切
我等與衆生 皆共成佛道
尒時五百万億諸梵天王偈讚佛已各白佛
言唯願世尊轉於法輪多所安隱多所度脫
時諸梵天王而說偈言
世尊轉法輪 擊甘露法鼓 度苦惱衆生 開示涅槃道
唯願受我請 以大微妙音 哀愍而敷演 无量劫習法
尒時大通智勝如来受十方諸梵天王及十
六王子請即時三轉十二行法輪若沙門婆
羅門若天魔梵及餘世間所不能轉謂是苦
是苦集是苦滅是苦滅道及廣說十二因緣
法无明緣行行緣識識緣名色名色緣六入
六入緣觸觸緣受受緣愛愛緣取取緣有有

BD00892號　妙法蓮華經卷三　（20–13）

是苦集是苦滅是苦滅道及廣說十二因緣
法无明緣行行緣識識緣名色名色緣六入
六入緣觸觸緣受受緣愛愛緣取取緣有有
緣生生緣老死憂悲苦惱无明滅則行滅行
滅則識滅識滅則名色滅名色滅則六入滅
六入滅則觸滅觸滅則受滅受滅則愛滅愛
滅則取滅取滅則有滅有滅則生滅生滅則
老死憂悲苦惱滅佛於天人大衆之中說是
法時六百万億那由他人以不受一切法故
而於諸漏心得解脫皆得深妙禪定三明六
通具八解脫第二第三第四說法時千万億
恒河沙那由他等衆生亦以不受一切法故
而於諸漏心得解脫後是已後諸聲聞衆无
量无邊不可稱數尒時十六王子皆以童子
出家而為沙弥諸根通利智慧明了已曽供
養百千万億諸佛淨脩梵行求阿耨多羅三
藐三菩提俱白佛言世尊是諸无量千万億
大德聲聞皆已成就世尊亦當為我等說阿
耨多羅三藐三菩提法我等聞已皆共脩學
世尊我等志願如來知見深心所念佛自證
知尒時轉輪聖王所將衆中八万億人見十
六王子出家亦求出家王即聽許尒時彼佛
受沙弥請過二万劫已乃於四衆之中說是
大乘經名妙法蓮華教菩薩法佛所護念說
是經已十六沙弥為阿耨多羅三藐三菩提
故皆共受持諷誦通利說是經時十六菩薩
沙弥皆悉信受聲聞衆中亦有信解其餘衆

BD00892號　妙法蓮華經卷三　(20–14)

大乘經名妙法蓮華教菩薩法佛所護念說
是經已十六沙弥為阿耨多羅三藐三菩提
故皆共受持諷誦通利說是經時十六菩薩
沙弥皆悉信受聲聞衆中亦有信解其餘衆
生千万億種皆生疑惑佛說是經於八千劫
未曽休癈說此經已即入靜室住於禪定八
万四千劫是時十六菩薩沙弥知佛入室寂
然禪定各昇法座亦於八万四千劫為四部
衆廣說分別妙法華經一一皆度六百万億
那由他恒河沙等衆生示教利喜令發阿耨
多羅三藐三菩提心大通智勝佛過八万四
千劫已從三昧起往詣法座安詳而坐普告
大衆是十六菩薩沙弥甚為希有諸根通利
智慧明了已曽供養无量千万億數諸佛於
諸佛所常脩梵行受持佛智開示衆生令入
其中汝等皆當數數親近而供養之所以者
何若聲聞辟支佛及諸菩薩能信是十六菩
薩所說經法受持不毀者是人皆當得阿耨
多羅三藐三菩提如來之慧佛告諸比丘是
十六菩薩常樂說是妙法蓮華經一一菩薩
所化六百万億那由他恒河沙等衆生世世
所生與菩薩俱從其聞法悉皆信解以此因
緣得值四万億諸佛世尊于今不盡諸比丘
我今語汝彼佛弟子十六沙弥今皆得阿耨
多羅三藐三菩提於十方國土現在說法有
无量百千万億菩薩聲聞以為眷屬其二沙
弥東方作佛一名阿閦在歡喜國二名須弥
頂東南方二佛一名師子音二名師子相南

BD00892號　妙法蓮華經卷三　(20–15)

多羅三藐三菩提於十方國土現在說法有
无量百千万億菩薩聲聞以為眷屬其二沙
弥東方作佛一名阿閦在歡喜國二名須弥
頂東南方二佛一名師子音二名師子相南
方二佛一名虛空住二名常滅西南方二佛
一名帝相二名梵相西方二佛一名阿弥陁
二名度一切世間苦惱西北方二佛一名多
摩羅跋栴檀香神通二名須弥相北方二佛
一名雲自在二名雲自在王東北方佛名壞
一切世間怖畏第十六我釋迦牟尼佛於娑
婆國土成阿耨多羅三藐三菩提諸比丘我
等為沙弥時各各教化无量百千万億恒河
沙等衆生從我聞法為阿耨多羅三藐三菩
提此諸衆生于今有住聲聞地者我常教化
阿耨多羅三藐三菩提是諸人等應以是法
漸入佛道所以者何如來智慧難信難解尒
時所化无量恒河沙等衆生者汝等諸比丘
及我滅度後未來世中聲聞弟子是也我滅
度後復有弟子不聞是經不知不覺菩薩所
行自於所得功德生滅度想當入涅槃我於
餘國作佛更有異名是人雖生滅度之想入
於涅槃而於彼土求佛智慧得聞是經唯以
佛乘而得滅度更无餘乘除諸如來方便說
法諸比丘若如來自知涅槃時到衆又清淨
信解堅固了達空法深入禪定便集諸菩薩
及聲聞衆為說是經世間无有二乘而得滅
度唯一佛乘得滅度耳比丘當知如來方便

BD00892號　妙法蓮華經卷三　（20–16）

信解堅固了達空法深入禪定便集諸菩薩
及聲聞衆為說是經世間无有二乘而得滅
度唯一佛乘得滅度耳比丘當知如來方便
深入衆生之性知其志樂小法深著五欲為
是等故說於涅槃是人若聞則便信受譬如
五百由旬險難惡道曠絶无人怖畏之處若
有多衆欲過此道至珎寶處有一導師聰慧
明達善知險道通塞之相將導衆人欲過此
難所將人衆中路懈退白導師言我等疲極
而復怖畏不能復進前路猶遠今欲退還導
師多諸方便而作是念此等可愍云何捨大
珎寶而欲退還作是念已以方便力於險道
中過三百由旬化作一城告衆人言汝等勿
怖莫得退還今此大城可於中止隨意所作
若入是城快得安隱若能前至寶所亦可得
去是時疲極之衆心大歡喜歎未曾有我等
今者免斯惡道快得安隱於是衆人前入化
城生已度想生安隱想尒時導師知此人衆
既得止息无復疲惓即滅化城語衆人言汝
等去來寶處在近向者大城我所化作為止
息耳諸比丘如來亦復如是今為汝等作大
導師知諸生死煩惱惡道險難長遠應去應
度若衆生但聞一佛乘者則不欲見佛不欲
親近便作是念佛道長遠久受勤苦乃可得
成佛知是心怯弱下劣以方便力而於中道
為止息故說二涅槃若衆生住於二地如來
尒時即便為說汝等所作未辦汝所住地近

BD00892號　妙法蓮華經卷三　（20–17）

親近便作是念佛道長遠久受懃苦乃可得
成佛知是心怯弱下劣以方便力而於中道
為止息故說二涅槃若衆生住於二地如來
尒時即便為說汝等所作未辦汝所住地近
於佛慧當觀察籌量所得涅槃非真實也但
是如來方便之力於一佛乘分別說三如彼
導師為止息故化作大城既知息已而告之
言寶處在近此城非實我化作耳尒時世尊
欲重宣此義而說偈言
大通智勝佛　十劫坐道場　佛法不現前　不得成佛道
諸天神龍王　阿脩羅衆等　常雨於天華　以供養彼佛
諸天擊天鼓　并作衆伎樂　香風吹萎華　更雨新好者
過十小劫已　乃得成佛道　諸天及世人　心皆懷踊躍
彼佛十六子　皆與其眷屬　千万億圍繞　俱行至佛所
頭面礼佛足　而請轉法輪　聖師子法雨　充我及一切
世尊甚難值　久遠時一現　為覺悟群生　震動於一切
東方諸世界　五百万億國　梵宮殿光曜　昔所未曾有
諸梵見此相　尋來至佛所　散華以供養　并奉上宮殿
請佛轉法輪　以偈而讚歎　佛知時未至　受請嘿然坐
三方及四維　上下亦復尒　散華奉宮殿　請佛轉法輪
世尊甚難值　願以大慈悲　廣開甘露門　轉无上法輪
无量慧世尊　受彼衆人請　為宣種種法　四諦十二緣
无明至老死　皆從生緣有　如是衆過患　汝等應當知
宣暢是法時　六百万億姟　得盡諸苦際　皆成阿羅漢
第二說法時　千万恒沙衆　於諸法不受　亦得阿羅漢
從是後得道　其數无有量　万億劫筭數　不能得其邊
時十六王子　出家作沙弥　皆共請彼佛　演說大乘法

BD00892號　妙法蓮華經卷三　（20–18）

宣暢是法時　六百万億姟　得盡諸苦際　皆成阿羅漢
第二說法時　千万恒沙衆　於諸法不受　亦得阿羅漢
從是後得道　其數无有量　万億劫筭數　不能得其邊
時十六王子　出家作沙弥　皆共請彼佛　演說大乘法
我等及營從　皆當成佛道　願得如世尊　慧眼第一淨
佛知童子心　宿世之所行　以无量因緣　種種諸譬喻
說六波羅蜜　及諸神通事　分別真實法　菩薩所行道
說是法華經　如恒河沙偈　彼佛說經已　靜室入禪定
一心一處坐　八万四千劫　是諸沙弥等　知佛禪未出
為无量億衆　說佛无上慧　各各坐法座　說是大乘經
於佛宴寂後　宣揚助法化　一一沙弥等　所度諸衆生
有六百万億　恒河沙等衆　彼佛滅度後　是諸聞法者
在在諸佛土　常與師俱生　是十六沙弥　具足行佛道
今現在十方　各得成正覺　尒時聞法者　各在諸佛所
其有住聲聞　漸教以佛道　我在十六數　曾亦為汝說
是故以方便　引汝趣佛慧　以是本因緣　今說法華經
令汝入佛道　慎勿懷驚懼　譬如險惡道　迴絕多毒獸
又復无水草　人所怖畏處　无數千万衆　欲過此險道
其路甚曠遠　經五百由旬　時有一導師　強識有智慧
明了心決定　在險濟衆難　衆人皆疲惓　而白導師言
我等今頓乏　於此欲退還　導師作是念　此輩甚可愍
如何欲退還　而失大珍寶　尋時思方便　當設神通力
化作大城郭　莊嚴諸舍宅　周帀有園林　渠流及浴池
重門高樓閣　男女皆充滿　即作是化已　慰衆言勿懼
汝等入此城　各可隨所樂　諸人既入城　心皆大歡喜
皆生安隱想　自謂已得度　導師知息已　集衆而告言
汝等當前進　此是化城耳　我見汝疲極　中路欲退還

BD00892號　妙法蓮華經卷三　（20–19）

其路甚曠遠　經五百由旬　時有一導師　強識有智慧
明了心決定　在險濟衆難　衆人皆疲惓　而白導師言
我等今頓乏　於此欲退還　導師作是念　此輩甚可愍
如何欲退還　而失大珍寶　尋時思方便　當設神通力
化作大城郭　莊嚴諸舍宅　周帀有園林　渠流及浴池
重門高樓閣　男女皆充滿　即作是化已　慰衆言勿懼
汝等入此城　各可隨所樂　諸人既入城　心皆大歡喜
皆生安隱想　自謂已得度　導師知息已　集衆而告言
汝等當前進　此是化城耳　我見汝疲極　中路欲退還
故以方便力　權化作此城　汝今勤精進　當共至寶所
我亦復如是　爲一切導師　見諸求道者　中路而懈廢
不能度生死　煩惱諸險道　故以方便力　爲息說涅槃
言汝等苦滅　所作皆已辦　既知到涅槃　皆得阿羅漢
爾乃集大衆　爲說眞實法　諸佛方便力　分別說三乘
唯有一佛乘　息處故說二　今爲汝說實　汝所得非滅
爲佛一切智　當發大精進　汝證一切智　十力等佛法
具三十二相　乃是眞實滅　諸佛之導師　爲息說涅槃
既知是息已　引入於佛慧

BD00892號　妙法蓮華經卷三　　（20–20）

善現若菩薩摩訶薩行般若波羅蜜多時不
思惟分別五眼不思惟分別六神通不思惟
分別五眼相不思惟分別六神通相不思惟
分別五眼性不思惟分別六神通性何以故
五眼六神通不可思議故善現齊此應知是
菩薩摩訶薩已久脩六波羅蜜多已久種善
根已供養多佛已事多善友善現若菩薩摩
訶薩行般若波羅蜜多時不思惟分別佛十
力不思惟分別四无所畏四无礙解大慈大
悲大喜大捨十八佛不共法不思惟分別佛
十力相不思惟分別四无所畏乃至十八佛
不共法相不思惟分別佛十力性不思惟分
別四无所畏乃至十八佛不共法性何以故
佛十力乃至十八佛不共法不可思議故善
現齊此應知是菩薩摩訶薩已久脩六波羅
蜜多已久種善根已供養多佛已事多善友
善現若菩薩摩訶薩行般若波羅蜜多時不
思惟分別无忘失法不思惟分別恒住捨性
不思惟分別无忘失法相不思惟分別恒住
捨性相不思惟分別无忘失法性不思惟分
別恒住捨性性何以故无忘失法恒住捨性

BD00893號　大般若波羅蜜多經卷三〇一　　（7–1）

善現若菩薩摩訶薩行般若波羅蜜多時不
思惟分別无忘失法不思惟分別恒住捨性
不思惟分別无忘失法相不思惟分別恒住
捨性相不思惟分別无忘失法性不思惟分
別恒住捨性性何以故无忘失法恒住捨性
不可思議故善現齊此應知是菩薩摩訶薩
已久脩六波羅蜜多已久種善根已供養多
佛已事多善友善現若菩薩摩訶薩行般若
波羅蜜多時不思惟分別一切智不思惟分
別道相智一切相智不思惟分別一切智相
不思惟分別道相智一切相智相不思惟分
別一切智性不思惟分別道相智一切相智
性何以故一切智道相智一切相智不可思
議故善現齊此應知是菩薩摩訶薩已久脩
六波羅蜜多已久種善根已供養多佛已事
多善友善現若菩薩摩訶薩行般若波羅蜜
多時不思惟分別一切陁羅尼門不思惟分
別一切三摩地門不思惟分別一切陁羅尼
門相不思惟分別一切三摩地門相不思惟
分別一切陁羅尼門性不思惟分別一切三
摩地門性何以故一切陁羅尼門一切三摩
地門不可思議故善現齊此應知是菩薩摩
訶薩已久脩六波羅蜜多已久種善根已供
養多佛已事多善友
善現若菩薩摩訶薩行般若波羅蜜多時不
思惟分別預流果不思惟分別一来不還何

BD00893號　大般若波羅蜜多經卷三〇一　（7–2）

訶薩已久脩六波羅蜜多已久種善根已供
養多佛已事多善友
善現若菩薩摩訶薩行般若波羅蜜多時不
思惟分別預流果不思惟分別一来不還阿
羅漢果不思惟分別預流果相不思惟分別
一来不還阿羅漢果相不思惟分別預流果
性不思惟分別一来不還阿羅漢果性何以
故預流果一来不還阿羅漢果不可思議故
善現齊此應知是菩薩摩訶薩已久脩六波
羅蜜多已久種善根已供養多佛已事多善
友善現若菩薩摩訶薩行般若波羅蜜多時
不思惟分別獨覺菩提不思惟分別獨覺菩
提相不思惟分別獨覺菩提性何以故獨覺
菩提不可思議故善現齊此應知是菩薩摩
訶薩已久脩六波羅蜜多已久種善根已供
養多佛已事多善友善現若菩薩摩訶薩行
般若波羅蜜多時不思惟分別一切菩薩摩
訶薩行不思惟分別一切菩薩摩訶薩行相
不思惟分別一切菩薩摩訶薩行性何以故
一切菩薩摩訶薩行不可思議故善現齊此
應知是菩薩摩訶薩已久脩六波羅蜜多已
久種善根已供養多佛已事多善友善現若
菩薩摩訶薩行般若波羅蜜多時不思惟分
別諸佛无上正等菩提不思惟分別諸佛无
上正等菩提相不思惟分別諸佛无上正等
菩提性何以故諸佛无上正等菩提不可思
議故善現齊此應知是菩薩摩訶薩已久脩

BD00893號　大般若波羅蜜多經卷三〇一　（7–3）

上正等菩提相不思惟分別諸佛无上正等
菩提性何以故諸佛无上正等菩提不可思
議故善現齊此應知是菩薩摩訶薩已久脩
六波羅蜜多已久種善根已供養多佛已事
多善友
具壽善現白佛言世尊如是般若波羅蜜多
極爲甚深佛言如是善現色甚深故般若波
羅蜜多甚深受想行識甚深故般若波羅蜜
多甚深善現眼處甚深故般若波羅蜜多甚
深耳鼻舌身意處甚深故般若波羅蜜多甚
深善現色處甚深故般若波羅蜜多甚深聲
香味觸法處甚深故般若波羅蜜多甚深善
現眼界甚深故般若波羅蜜多甚深色界眼
識界及眼觸眼觸爲緣所生諸受甚深故般
若波羅蜜多甚深善現耳界甚深故般若波
羅蜜多甚深聲界耳識界及耳觸耳觸爲緣
所生諸受甚深故般若波羅蜜多甚深善現
鼻界甚深故般若波羅蜜多甚深香界鼻識
界及鼻觸鼻觸爲緣所生諸受甚深故般若
波羅蜜多甚深善現舌界甚深故般若波羅
蜜多甚深味界舌識界及舌觸舌觸爲緣所
生諸受甚深故般若波羅蜜多甚深善現身
界甚深故般若波羅蜜多甚深觸界身識界
及身觸身觸爲緣所生諸受甚深故般若波
羅蜜多甚深善現意界甚深故般若波羅蜜
多甚深法界意識界及意觸意觸爲緣所生
諸受甚深故般若波羅蜜多甚深善現地界

BD00893號　大般若波羅蜜多經卷三〇一　（7–4）

羅蜜多甚深善現意界甚深故般若波羅蜜
多甚深法界意識界及意觸意觸爲緣所生
諸受甚深故般若波羅蜜多甚深善現地界
甚深故般若波羅蜜多甚深水火風空識界
甚深故般若波羅蜜多甚深善現无明甚深
故般若波羅蜜多甚深行識名色六處觸受
愛取有生老死愁歎苦憂惱甚深故般若波
羅蜜多甚深
善現布施波羅蜜多甚深故般若波羅蜜多
甚深淨戒安忍精進靜慮波羅蜜多甚深故
般若波羅蜜多甚深善現內空甚深故般若
波羅蜜多甚深外空內外空空空大空勝義
空有爲空无爲空畢竟空无際空散空无變
異空本性空自相空共相空一切法空不可
得空无性空自性空无性自性空甚深故般
若波羅蜜多甚深善現真如甚深故般若波
羅蜜多甚深法界法性不虛妄性不變異性
平等性離生性法定法住實際虛空界不思
議界甚深故般若波羅蜜多甚深善現苦聖
諦甚深故般若波羅蜜多甚深集滅道聖諦
甚深故般若波羅蜜多甚深善現四靜慮甚
深故般若波羅蜜多甚深四无量四无色定
甚深故般若波羅蜜多甚深善現八解脫甚
深故般若波羅蜜多甚深八勝處九次第定
十遍處甚深故般若波羅蜜多甚深善現四
念住甚深故般若波羅蜜多甚深四正斷四

BD00893號　大般若波羅蜜多經卷三〇一　（7–5）

十遍處甚深故般若波羅蜜多甚深善現四
念住甚深故般若波羅蜜多甚深四正斷四
神足五根五力七等覺支八聖道支甚深故
般若波羅蜜多甚深善現空解脫門甚深故
般若波羅蜜多甚深无相无願解脫門甚深
故般若波羅蜜多甚深善現菩薩十地甚深
故般若波羅蜜多甚深
善現五眼甚深故般若波羅蜜多甚深六神
通甚深故般若波羅蜜多甚深善現佛十力
甚深故般若波羅蜜多甚深四无所畏四无
礙解大慈大悲大喜大捨十八佛不共法甚
深故般若波羅蜜多甚深善現无忘失法甚
深故般若波羅蜜多甚深恒住捨性甚深故
般若波羅蜜多甚深善現一切智甚深故般
若波羅蜜多甚深道相智一切相智甚深故
般若波羅蜜多甚深善現一切陁羅尼門甚
深故般若波羅蜜多甚深一切三摩地門甚
深故般若波羅蜜多甚深
善現預流果甚深故般若波羅蜜多甚深一
來不還阿羅漢果甚深故般若波羅蜜多甚
深善現獨覺菩提甚深故般若波羅蜜多甚
深善現一切菩薩摩訶薩行甚深故般若波
羅蜜多甚深善現諸佛无上正等菩提甚深
故般若波羅蜜多甚深是故般若波羅蜜多
名極甚深
具壽善現白佛言世尊如是般若波羅蜜多

BD00893號　大般若波羅蜜多經卷三〇一　（7–6）

深故般若波羅蜜多甚深善現无忘失法甚
深故般若波羅蜜多甚深恒住捨性甚深故
般若波羅蜜多甚深善現一切智甚深故般
若波羅蜜多甚深道相智一切相智甚深故
般若波羅蜜多甚深善現一切陁羅尼門甚
深故般若波羅蜜多甚深一切三摩地門甚
深故般若波羅蜜多甚深
善現預流果甚深故般若波羅蜜多甚深一
來不還阿羅漢果甚深故般若波羅蜜多甚
深善現獨覺菩提甚深故般若波羅蜜多甚
深善現一切菩薩摩訶薩行甚深故般若波
羅蜜多甚深善現諸佛无上正等菩提甚深
故般若波羅蜜多甚深是故般若波羅蜜多
名極甚深
具壽善現白佛言世尊如是般若波羅蜜多
是大寶聚佛言如是能與有情功德寶故善
現如是般若波羅蜜多大珍寶聚能與有情
十善業道四靜慮四无量四无色定五神通
寶善現如是般若波羅蜜多大珍寶聚能與

BD00893號　大般若波羅蜜多經卷三〇一　（7–7）

名号從彼命終還生人趣得正見精進善調
意樂便能捨家趣於非家如來法中受持學
處无有毀犯正見多聞解甚深義離增上慢
不謗正法不為魔伴漸次脩行諸菩薩行速得
圓滿
復次曼殊室利若諸有情慳貪嫉妬自讚毀
他當墮三惡趣中无量千歲受諸劇苦受劇
苦已從彼命終來生人間作牛馬駝驢恒被
鞭撻飢渴逼惱又常負重隨路而行或得為
人生居下賤作人奴婢受他驅役恒不自在若
昔人中曾聞世尊藥師瑠璃光如來名号由
此善因今復憶念至心歸依以佛神力衆苦
解脫諸根聰利智慧多聞恒求勝法常遇
善友永斷魔羂破无明鷇竭煩惱河解脫一
切生老病死憂悲苦惱
復次曼殊室利若諸有情好憙乖離更相鬪
訟惱亂自他以身語意造作增長種種惡業
展轉常為不饒益事互相謀害告召山林樹
塚等神殺諸衆生取其血肉祭祀藥叉羅刹
婆等書怨人名作其形像以惡呪術而呪詛

BD00894 號　藥師瑠璃光如來本願功德經　（5–1）

訟惱亂自他以身語意造作增長種種惡業
展轉常為不饒益事互相謀害告召山林樹
塚等神殺諸衆生取其血肉祭祀藥叉羅刹
婆等書怨人名作其形像以惡呪術而呪詛
之厭媚蠱道呪起屍鬼令斷彼命及壞其身
是諸有情若得聞此藥師瑠璃光如來名号
彼諸惡事悉不能害一切展轉皆起慈心利
益安樂无損惱意及嫌恨心各各歡悅於自
所受生於憙足不相侵淩互為饒益
復次曼殊室利若有四衆苾芻苾芻尼鄔波
索迦鄔波斯迦及餘淨信善男子善女人等
有能受持八分齋戒或經一年或復三月受
持學處以此善根願生西方極樂世界无量
壽佛所聽聞正法而未定者若聞世尊藥師
瑠璃光如來名号臨命終時有八菩薩乘神
通來示其道路即於彼界種種雜色衆寶華
中自然化生或有因此生於天上雖生天中而
本善根亦未窮盡不復更生諸餘惡趣天
上壽盡還生人間或為輪王統攝四洲威德
自在安立无量百千有情於十善道或生刹
帝利婆羅門居士大家多饒財寶倉庫盈溢
形相端嚴眷屬具足聰明智慧勇健威猛如
大力士若是女人得聞世尊藥師如來名号
至心受持於後不復更受女身
復次曼殊室利童子白佛言世尊我當誓於像
法轉時以種種方便令諸淨信善男子善女

BD00894 號　藥師瑠璃光如來本願功德經　（5–2）

至心受持於後不復更受女身
尒時曼殊室利童子白佛言世尊我當誓於像
法轉時以種種方便令諸淨信善男子善女
人等得聞世尊藥師瑠璃光如來名号乃至
睡中亦以佛名覺悟其耳世尊若於此經受
持讀誦或復為他演說開示若自書若教人
書恭敬尊重以種種華香塗香抹香燒香花
鬘瓔珞幡蓋伎樂而為供養以五色綵作囊
盛之掃灑淨處敷設高座而用安處尒時四
大天王與其眷屬及餘无量百千天衆皆詣
其所供養守護世尊若此經寶流行之處有
能受持以彼世尊藥師瑠璃光如來本願功德及
聞名号當知是處无復橫死亦復不為諸惡鬼
神奪其精氣設已奪者還得如故身心安樂
佛告曼殊室利如是如是如汝所說曼殊室利
若有淨信善男子善女人等欲供養彼世尊
藥師瑠璃光如來者應先造立彼佛形像敷清
淨座而安處之散種種花燒種種香以種種
幢幡莊嚴其處七日七夜受八分齋戒食清
淨食澡浴香潔著新淨衣應生无垢濁心无
怒害心於一切有情起利益安樂慈悲喜捨
平等之心鼓樂歌讚右遶佛像復應念彼
如來本願功德讀誦此經思惟其義演說
開示隨所樂願一切皆遂求長壽得長壽求
富饒得富饒求官位得官位求男女得男女
若復有人忽得惡夢見諸惡相或怪鳥來集

開示隨所樂願一切皆遂求長壽得長壽求
富饒得富饒求官位得官位求男女得男女
若復有人忽得惡夢見諸惡相或怪鳥來集
或於住處百怪出現此人若以衆妙資具恭
敬供養彼世尊藥師瑠璃光如來者惡夢惡相
諸不吉祥皆悉隱沒不能為患或有水火刀
毒懸嶮惡象師子虎狼熊羆毒蛇惡蠍蜈
蚣蚰蜒蚊虻等怖若能至心憶念彼佛恭敬
供養一切怖畏皆得解脫若他國侵擾盜賊
反亂憶念恭敬彼如來者亦皆解脫
復次曼殊室利若有淨信善男子善女人等
乃至盡形不事餘天唯當一心歸佛法僧受
持禁戒若五戒十戒菩薩四百戒苾芻二百
五十戒苾芻尼五百戒於所受中或有毀犯
怖墮惡趣若能專念彼佛名号恭敬供養者
必定不受三惡趣生或有女人臨當產時受
於極苦若能至心稱名禮讚恭敬供養彼如
來者衆苦皆除所生之子身分具足形色端正見者
歡喜利根聰明安隱少病无有非人奪其精氣
尒時世尊告阿難言如我稱揚彼佛世尊藥
師瑠璃光如來所有功德是諸佛甚深行
處難可解了汝為信不阿難白言大德世尊
我於如來所說契經不生疑惑所以者何一切
如來身語意業无不清淨世尊此日月輪
可令墮落妙高山王可使傾動諸佛所言无
有異也世尊有諸衆生信根不具聞說諸佛
甚深行處作是思惟云何但念藥師瑠璃光

於極苦若能至心稱名礼讚恭敬供養彼如
來者衆苦皆除所生之子身分具足形色端正見者
歡喜利根聰明安隱少病无有非人奪其精氣
尒時世尊告阿難言如我稱揚彼佛世尊藥
師瑠璃光如來所有功德是諸佛甚深行
處難可解了汝為信不阿難白言大德世尊
我於如來所說契經不生疑惑所以者何一切
如來身語意業无不清淨世尊此日月輪
可令墮落妙高山王可使傾動諸佛所言无
有異也世尊有諸衆生信根不具聞說諸佛
甚深行處作是思惟云何但念藥師瑠璃光
如來一佛名号便獲尒所功德勝利由此不
信及生誹謗彼於長夜失大利樂墮諸惡趣
流轉无窮佛告阿難是諸有情若聞世尊藥
師瑠璃光如來名号至心受持不生疑惑墮
惡趣者无有是處阿難此是諸佛甚深所行
難可信解汝今能受當知皆是如來威力阿
難一切聲聞獨覺及未登地諸菩薩等皆悉
不能如實信解唯除一生所繫菩薩阿難人
身難得於三寶中信敬尊重亦難可得得聞
世尊藥師瑠璃光如來名号復難於是阿難

BD00894號　藥師瑠璃光如來本願功德經　（5–5）

是法比丘尼若僧教汝捨離之者是比丘尼應三
是諫是比丘尼姊莫至某甲二比丘尼如是語汝等二比丘尼
莫相遠離當同心行汝等若相遠離不增長利若同心行者便
增長利比丘尼僧中亦更又若比丘尼若僧教汝相遠離者是
瞋增汝故汝姊捨是惡和合教化諸比丘尼如是諫時若是事堅
持不捨諸比丘尼應第二第三諫是事捨故善第二第三諫時是事
捨好若不捨乃至三得罪名僧伽婆尸沙
諸善女已說十七僧伽婆尸沙法九初得罪八乃至三諫
諸罪中比丘尼若犯一一事於二部僧中應半月行摩那
埵若於部二僧中半月行摩那埵已次到阿浮呵那當稱
二部僧意二部僧各廿眾中應出罪二部僧中若少一人除是比
丘尼罪是比丘尼不名為除罪二部僧可呵是法應今問諸
比丘尼善女是事中清淨不第二第三亦問是事中清淨不諸
善女是事中清淨嘿然故是事如是持
諸善女是卅尼薩耆波夜提法半月半月戒經中說
若比丘尼衣具足訖迦絺那衣已捨乃至十日應畜若過十日畜
尼薩耆波夜提　若比丘尼衣具足訖迦絺那衣時五
衣時中若離一一衣餘處宿尼薩耆波夜提　若比丘尼
衣具足訖迦絺那衣若得非時衣是比丘尼若欲須此
衣自手取應作衣若若得足者好若不足更有得處
者為補處故是比丘尼是衣乃至一月應畜過一月畜尼薩
耆波夜提　若比丘尼從非親理居士若居士婦乞衣得衣
[illegible]

BD00895號　大比丘尼戒經

（14–1）

衣竟已訖迦絺那衣若得非時衣是比丘尼若欲須此
衣自手取應作衣若得足者好若不足更有得處
若為補處故是比丘尼是衣乃至一月應畜過一月畜尼薩
耆波夜提　若比丘尼從非親理居士若居士婦乞衣得衣
者尼薩耆波夜提除因緣因緣者若比丘尼奪衣失衣燒
瀾衣是名因緣　若比丘尼奪衣瀾衣失衣燒衣從非親理
居士若居士婦乞衣若非親理居士居士婦自恣多与衣是比丘尼
於此衣中乃至內衣應受若過受尼薩耆波夜提
若比丘尼非親理居士若居士婦為辦衣賈念言
我如是等辦如是如是衣賈買如是如是衣与某甲比丘
尼是中是比丘尼先不自恣為好衣故少作因緣便
到非親理居士若居士婦所作如是言汝等善
哉如是衣賈買如如是是与我衣若得是衣尼薩
耆波夜提
若比丘尼非親理居士若居士婦為比丘尼各各辦衣念言我等
如是如是衣賈買如是如是衣与某甲比丘尼是中是比丘尼先
不自恣為好衣故少作因緣便到非親理居士若居士婦如如是是
言汝等善哉辦如是如是衣賈買合作一衣与我為好故若得是衣
尼薩耆波夜提　為比丘尼故若王若王臣若婆羅門若居士所遣使
送衣賈是使到是比丘尼所語是比丘尼言善女知不是衣賈若王若
王臣若婆羅門若居士所遣善女受是衣賈是比丘尼應語使如
是言汝使諸比丘尼不應受衣賈我若須衣時若得淨清衣自手受
食族作衣畜是使語是比丘尼言善女汝等有執事人常能為
諸比丘尼執事者不須衣比丘尼應示使執事人若守房人若優
婆塞語言是人等能為諸比丘尼執事使向是執事人所語執事人
言善哉執事如是如是衣賈買如如是是衣与某甲比丘尼是比丘尼
須衣時至當來汝便与衣是使若自勸喻若使人勸喻已還到比丘
尼所到已如是言善女所示執事人我勸喻作已善女須衣時至往取當与
善女衣比丘尼應到執事人所索衣應如是言我須衣我須衣第二第三
亦如是索若得衣者好若不得衣第四第五極至第六傍執事前

BD00895號　大比丘尼戒經　　（14–2）

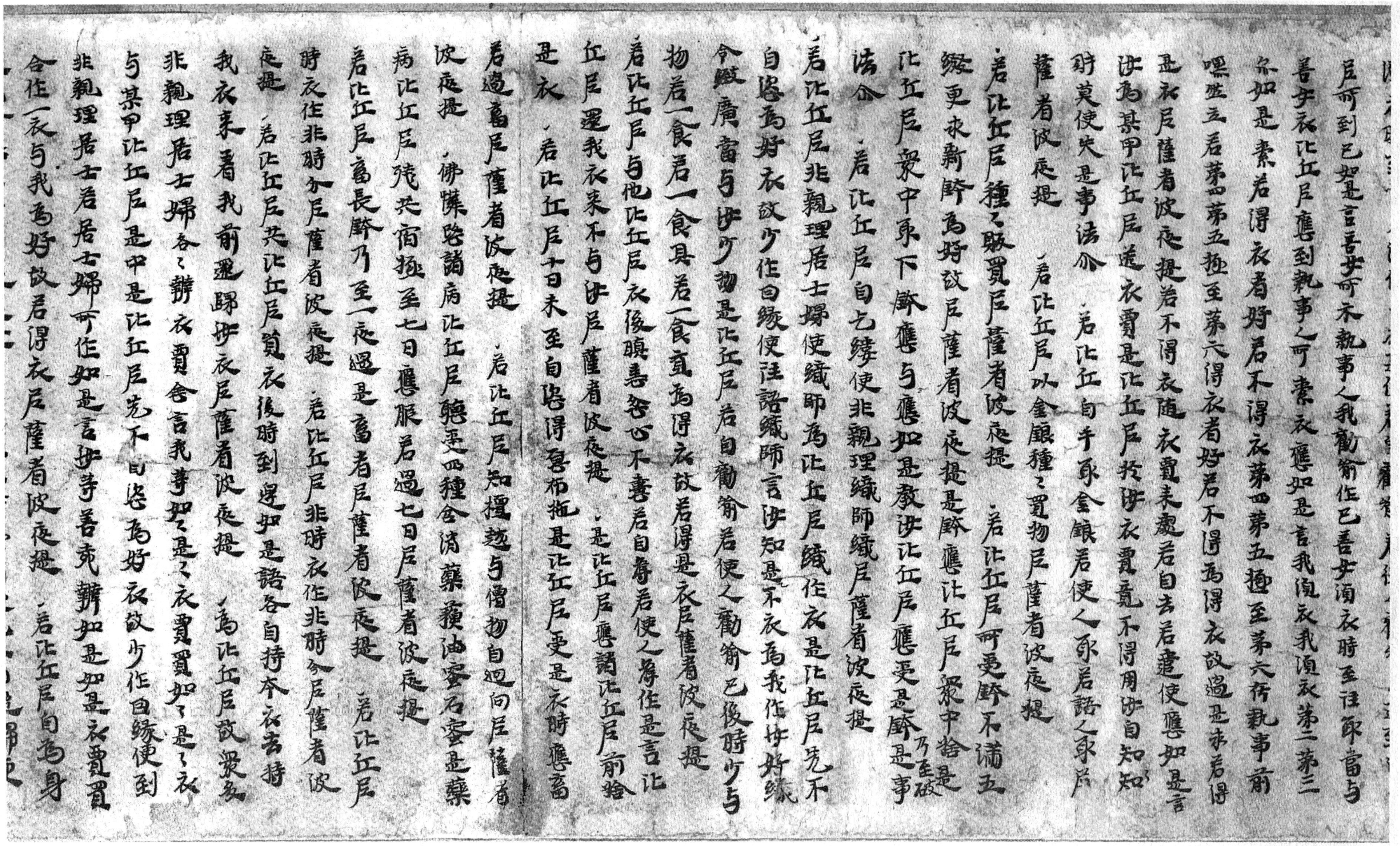
尼所到已如是言善女所求執事人我勸喻作已善女須衣時至往取當与
善女衣比丘尼應到執事人所索衣應如是言我須衣第二第三
亦如是索若得衣者好若不得衣第四第五極至第六往執事前
嘿然立若第四第五極至第六得衣者好若不得爲得衣故過是求若得
是衣尼薩耆波夜提若不得衣隨衣價來處若自去若遣使應如是言
汝爲某甲比丘尼送衣價是比丘尼於汝衣價竟不得用汝自知
時莫使失是事法介 ·若比丘尼自手取金銀若使人取若語人取者尼
薩耆波夜提 ·若比丘尼以金銀種種賣物尼薩耆波夜提
·若比丘尼種種販賣尼薩耆波夜提 ·若比丘尼所受鉢不滿五
綴更求新鉢爲好故尼薩耆波夜提是鉢應比丘尼衆中捨是
比丘尼衆中最下鉢應与應如是教汝比丘尼應受是鉢[乃至破]是事
法介 ·若比丘尼自乞縷使非親理織師織尼薩耆波夜提
·若比丘尼非親理居士婦使織師爲比丘尼織作衣是比丘尼先不
自恣爲好衣故少作因緣便往語織師言汝知不是衣爲我作汝好織
令緻廣當与汝少物是比丘尼若自勸喻若使人勸喻已後時少与
物若一食若一食具若一食直爲得衣故若得是衣尼薩耆波夜提
·若比丘尼与他比丘尼衣後瞋恚喜心不喜若自奪若使人奪作是言比
丘尼還我衣來不与汝尼薩耆波夜提 ·是比丘尼應諸比丘尼前捨
是衣 ·若比丘尼十日未至自恣得急施衣是比丘尼受是衣時應畜
若過畜尼薩耆波夜提 ·若比丘尼知檀越与僧物自迴向尼薩耆
波夜提 ·佛聽諸病比丘尼服四種含消藥酥油蜜石蜜是藥
病比丘尼殘宿極至七日應服若過七日尼薩耆波夜提
若比丘尼畜長鉢乃至一夜過是畜者尼薩耆波夜提 ·若比丘尼
時衣作非時分尼薩耆波夜提 ·若比丘尼非時衣作非時分尼薩耆波
夜提 ·若比丘尼共比丘尼貿衣後時到是如是語各自持本衣去持
我衣來著我前還歸汝衣尼薩耆波夜提 ·爲比丘尼故衆多
非親理居士婦各各辦衣價含言我等如是如是衣價買如是如是衣
与某甲比丘尼是中是比丘尼先不自恣爲好衣故少作因緣便到
非親理居士若居士婦所作如是言汝等善哉辦如是如是衣價買
合作一衣与我爲好故若得衣尼薩耆波夜提 ·若比丘尼自爲身

BD00895號　大比丘尼戒經　（14–3）

非親里居士婦各各辦衣賈言我等如是如是衣賈買如是如是衣
与某甲比丘尼是中是比丘尼先不自恣為好衣故少作因緣便到
非親理居士居士婦所作如是言汝等善哉辦如是如是衣賈買
合作一衣与我為好故若得衣尼薩耆波夜提　若比丘尼自為身
故乞金銀尼薩耆波夜提　若比丘尼可棄者受已不用還歸更
棄者尼薩耆波夜提　若比丘尼為此事乞物作已用者尼薩
耆波夜提　若比丘尼為僧故乞此物作異用尼薩耆波夜提
若比丘尼為多人事乞作餘事用尼薩耆波夜提　若比丘尼為多人
事乞作餘事用尼薩耆波夜提　若比丘尼故乞厚衣極至四羯利
沙直應乞若乞尼薩耆波夜提　若比丘尼欲乞薄衣極至二
羯利沙半應乞若過乞尼薩耆波夜提　善女我已說卅尼薩
耆波夜提法今問諸善女是中淨清不　第二第三亦問是中淨清不
諸善女是中淨清嘿然故是事如是持
諸善女是百七十八波夜提法半月半月戒經中說
若比丘尼故妄語波夜提　若比丘尼毀呰語波夜提
兩舌鬪比丘尼波夜提　若比丘尼知僧如法斷事還更發起波夜提
若比丘尼為男子說法過五六語波夜提除有智女人　若比丘尼以
闡㯗連陀偈句教未受具戒人者波夜提　若比丘尼未受具
戒人前自說得過人法若知若見我如是知如是見乃至實波
夜提　若比丘尼知餘比丘尼麁罪於未受具戒人前說波夜提
除僧羯磨若餘比丘尼知　若比丘尼先歡喜聽後如是說諸比丘
尼隨親厚迴僧物与波夜提　若比丘尼說戒時如是言何用說是
雜碎戒半月半月戒經中說諸比丘尼心生悔懷惱心熱憂愁
不樂生遮戒心作是輕呵戒者波夜提　十事竟　若比丘尼壞眾草木
波夜提　若比丘尼知比丘尼僧一心如法羯磨若輕呵者波夜提
若比丘尼不隨問答惱他波夜提　若比丘尼僧卧具若坐狀若卧
狀若被褥句執露地若自敷若使人敷是中若坐若卧去時不自
舉不教人舉波夜提　若比丘尼房舍中瞋恚不喜若自
牽出若使人牽出如是言汝出去滅去不應是中住是因緣故不已
波夜提　若比丘尼知他比丘尼先安住敷卧具竟後來強以卧具
若自敷若使人敷作是念若不樂者自當出去是因緣故不異波夜提

擧不教之擧波夜提 、若比丘比丘尼房舍中瞋恚忿心不喜若自
摙出若使人摙出如是言出去滅去不應是中住是因緣故不已
波夜提 、若比丘尼知他比丘尼先安住敷卧具若後來強以卧具
若自敷若使人敷作是念若不樂者自當出去是因緣故不異波夜提
若比丘尼重閣上若尖脚坐牀若卧牀用力若坐若卧波夜提
若比丘尼知水有虫若自澆草土若使人澆波夜提 、若比丘尼共
比丘獨屏覆處坐者波夜提 廿事竟 、若比丘尼施一食處无病比丘尼
應一食若過一食波夜提 、諸比丘尼到白衣家自恣多與餅若
若麨是比丘尼若須二三鉢應受若過是受波夜提 二三鉢受已出
外与餘比丘尼是事法爾 、若比丘尼別衆食波夜提除因緣
因緣者病時作衣時施衣時道行時船上行時大會時沙門施食時是名因
緣 、若比丘尼非時食波夜提 、若比丘尼殘宿食食波夜提
、若比丘尼不受食著口中波夜提除水及楊枝 、若比丘尼知水有虫受
用波夜提 、若比丘尼於食家中卧處坐波夜提 、若比丘尼於食
家中獨与一男子卧處坐波夜提 、若比丘尼軍發行往觀波夜提
除因緣 、若比丘尼有因緣到軍中極至二宿夜應軍中住若過宿者波
夜提 卅事竟 若比丘尼極至二宿軍中住觀軍發行主將幢麾軍陳
合戰波夜提 若比丘尼瞋他比丘尼善念不喜打波夜提
若比丘尼瞋他比丘尼善念不喜手博波夜提 、若比丘尼知
彼比丘尼殘麁罪覆藏極至一宿夜波夜提 若比丘尼語彼比丘尼
善女來至諸家使与汝多美飲食是比丘尼不與使与是比丘尼
食如是言善女汝去我与汝共坐共語不樂我獨坐獨語樂欲令惱故
作是念使是比丘尼乃至少許時得惱是因緣故不異波夜提
若比丘尼无病欲炙身故露地然火若草木牛屎糞掃若自燒若
使人燒波夜提 、若比丘尼如法僧事与欲竟後更呵波夜提
若比丘尼未受具戒人一一共房舍宿過二夜波夜提 若比丘尼作是
言我如是知佛法義行障道法不能障道是比丘尼諸比丘尼應
如是教汝比丘尼莫作是語我如是知佛法義行障道法不能障道
汝莫謗佛莫誣佛謗佛不善佛不作是語佛種種因緣說障道法
實能障道汝比丘尼捨是惡邪見是比丘尼諸比丘尼如是教時
…時不捨者比丘尼應第二第三教 第二第三教時能捨是事好若不捨

汝莫謗佛，莫誣佛，謗佛不善，佛不作是語。以種種因緣說障道法，
實能障道。汝比丘尼捨是惡邪見。第二第三教 是比丘尼諸比丘尼如是教時，
若受是事堅持不捨，諸比丘尼應第二第三教。時能捨是事好；若不捨，
波夜提。　若比丘尼知是人如是語不如法悔不捨是惡邪見，故償
若畜使共事一女房舍宿，夜波提。卅事竟　若沙彌尼作如是言：我
如是知佛法義，行諸欲不能障道。是沙彌尼諸比丘尼應如是教：汝
沙彌尼莫作是語，我如是知佛法義，行諸欲不能障道。汝莫謗佛，
誣佛，謗佛不善。是沙彌尼諸比丘尼如應教：汝沙彌尼捨是惡邪見。
是惡邪見是沙彌比丘尼諸比丘尼如是教時，若受是事堅持不捨，諸比丘
尼應第二第三教。時捨是事好；捨是故第二第三教 若不捨，是沙彌尼諸比丘尼應如是語：
汝今日沙彌尼不應言佛是我師，亦不應隨諸比丘尼後行。諸餘比丘
尼行諸餘沙彌尼得共比丘尼乃至一房再宿，汝亦無是事。若出去癡
人滅去，莫此中住。
若比丘尼知是償沙彌尼，若畜使，若共語，
若共一房舍宿，波夜提。　若比丘尼寶若名寶，若自取，若
使人取，若語使取是物，波夜提，除僧房舍內住處內。比丘尼若寶若
名寶，僧坊內住處內，如是生心：是誰有是主取去，是事法介。
若比丘尼得新衣，應三種壞色中一一壞色，若青若泥若木蘭。
若比丘尼三種壞色中不一一壞色，若青若泥若木蘭著新衣，
波夜提。　若比丘尼半月內浴，波夜提，除因緣。因緣者，熱時、春後殘
半月夏初月，是一月半名熱時；除病時、風時、雨時、作時、行路時，名是因緣。
若比丘尼故奪畜生命，波夜提。　若比丘尼故令他比丘尼悔，作是
念令他比丘尼乃至少許時得惱，是因緣故，不異，波夜提。　若比丘尼
指痛挃，波夜提。　若比丘尼水中戲，波夜提。　若比丘尼共男子一
房舍宿，波夜提。　若比丘尼自恐怖他比丘尼，若使人恐怖，乃至
戲咲，波夜提。卌事竟　若比丘尼取他比丘尼若缽若衣若戶鉤若筩若
草屣，如是一一生活具，若自藏，若使人藏，乃至戲咲，波夜提。
若比丘尼與他比丘比丘尼式叉摩尼沙彌沙彌尼衣，還取用，波夜提。
若比丘尼無根僧伽婆尸沙法謗他比丘尼，波夜提。　若比丘尼與
男子義共道行，乃至一聚落，波夜提。　若比丘尼與賊眾義共
道行，乃至一聚落，波夜提。　若比丘尼自手掘地，若使人掘，若指

BD00895 號　大比丘尼戒經　　（14–6）

若比丘尼无根僧伽婆尸沙法謗他比丘尼波夜提　若比丘尼与
男子義共道行乃至一聚落波夜提　若比丘尼与賊衆義共
道行乃至一聚落波夜提　若比丘尼自手掘地若使人掘若指
言掘是波夜提　若比丘尼受四月自恣請過是受者波夜提除常自
恣請數數自恣請獨自恣請　若比丘尼說戒時如是言今我未
學是戒先當問諸比丘尼誦脩多羅者誦毗尼者誦阿毗曇
者毗曇者欲得法利是戒中應學應問諸比丘尼誦脩多羅者比尼者阿何
應如是言諸大德是事云何是法何義是法應尒　若比丘尼
諸比丘尼聞說諍訟屏處嘿然立聽作是念諸比丘尼所說我
當憶持波夜提　若比丘尼僧斷事時嘿然起去波夜提事竟

若比丘尼輕他者波夜提　若比丘尼飲酒波夜提　若比丘
尼過日中入聚落不白善比丘尼波夜提除大因緣　若比丘尼請
食食前食後行至餘家波夜提　若比丘尼剎利王水澆頭夜未
曉未藏寶若門門閾過波夜提除大因緣　若比丘尼說戒
時時如是言我今始知是法入戒經中半月半月戒經中說諸比丘尼
實知是比丘尼乃至若二若三說戒經中坐何況多是比丘尼不以
不知故得脫隨可犯罪如法治應可令厭善女汝失无利汝不善
汝說戒時不敬說戒不作是念實又是事不肯重不着心中不
一心念不攝耳聽法從是事過波夜提　若比丘尼若骨若牙
若角作針筒者波夜提　若比丘尼作坐牀若坐若卧牀足應
高八指除入陛若過波夜提　若比丘尼以兜羅綿貯褥若使着
波夜提　若比丘尼佛衣等量作衣過作衣波夜提是中佛衣量
長九脩伽陁𢫫手廣六脩伽陁𢫫手是名佛衣量事竟　若比丘尼剃
隱處毛波夜提　若比丘尼以指著女根中過指二節波夜提除澆
若比丘尼噉生若熟蒜波夜提　若比丘尼以掌指女根中波夜
提　若比丘尼煮生為熟食波夜提　若比丘尼比丘食時
侍立供給波夜提　若比丘尼放大小便涕着辟水波夜提
若比丘尼涕大小便著淨草上得波夜提　若比丘尼獨与一比
丘尼於屏處若共語波夜提　若比丘尼露處若住若共語波夜
□□□比丘尼獨与一比丘於露地若住共語波夜提

侍立供給波夜提　若比丘尼在大小便處者屏處波夜提
若比丘尼棄大小便著淨草上得波夜提　若比丘尼獨與一比
丘尼於屏處若共語波夜提　若比丘尼獨與一比丘露處若住若共語波夜
提八十事竟　若比丘尼獨與一比丘於露地若住共語波夜提
若比丘尼獨與一白衣屏處若住若共語波夜提　若比丘尼闇
室中无燈燭與男子若立若坐波夜提　若比丘尼已種種作
男子著女根中波夜提　若比丘尼語彼比丘尼言善女來於
我舍住後嫌恨瞋恚不喜若自驅出若使人驅出作是言速去滅
去莫此中住是因緣故不異波夜提　若比丘尼共一臥林坐波夜提
若比丘尼共一敷臥波夜提　若二比丘尼共一覆臥波夜提
若比丘尼入白衣舍遣伴比丘尼令去屏處獨與一比丘尼共語立共竊
語波夜提九十事竟　若比丘尼入白衣舍遣伴比丘尼令去屏處獨與一白衣
共語竊語波夜提　若比丘尼鬪諍相言自打哭涕波夜提　若比丘尼
共諸比丘尼鬪諍相打相言以法以地獄呪咀者波夜提　若比丘尼不審
諦著物嫌恨波夜提　若比丘尼夏安居於夏內无因緣遊行餘處
波夜提　若比丘尼自恣已後不能乃至一宿遊行餘處他者波夜提
若比丘尼國內怖畏疑處遊行者波夜提　若比丘尼國外畏怖疑處遊
行者波夜提　若比丘尼故往觀綵畫舍波夜提　若比丘尼先安
住觸惱後來者波夜提百事竟　若比丘尼後來者觸惱先住者波夜提
若比丘尼共比丘尼住有苦惱不看視者波夜提　若比丘尼
見他比丘尼來不起迎者波夜提　若比丘尼不白比丘便坐者
波夜提　若比丘尼不語白白衣自敷臥具若使敷者波夜提者
若比丘尼不滿十二歲畜眷屬者波夜提　若比丘尼滿十二
歲不作畜眷屬羯磨若畜者波夜提　若比丘尼畜未滿十
二歲已嫁女為眷屬者波夜提　若比丘尼已嫁女之滿十二歲
不作畜眷屬羯磨畜者波夜提　若比丘尼畜眷屬不教
者波夜提　若比丘尼僧作止汝羯磨竟若畜眷屬者波夜提
若比丘尼弟子不滿十二歲學六法畜眷屬者波夜提　若比丘
尼弟子唯二歲學六法不作畜羯磨者波夜提　若比丘尼畜眷
屬已不以財法供給者波夜提　若比丘尼受具足戒已不二歲隨逐
和上尼波夜提　若比丘尼畜婬女為眷屬不即至餘處若

若比丘尼弟子不滿十二歲學六法畜眷屬者波夜提　若比丘
尼弟子淮二歲學六法不作畜羯磨者波夜提　若比丘尼畜眷
屬已不以財法供給者波夜提　若比丘尼更具足戒已不二歲随逐
和上尼波夜提　若比丘尼畜娙女為眷屬不即至餘處　若
五六由旬者波夜提　若比丘尼不滿十二歲童女畜為眷
屬者波夜提　若比丘尼滿廿歲童女不作畜眷屬羯磨而
畜者波夜提　若比丘尼哀愚憂愁女人作眷屬者波夜提
若比丘尼女人持男子自随畜為眷屬者波夜提　若比丘尼
畜惡性女人為眷屬者波夜提　若比丘尼滿廿歲童女
不二歲學六法畜為眷屬者波夜提　若比丘尼隨准滿廿
歲童女二歲學六法不作畜眷屬羯磨而畜者波夜提
若比丘尼語弟子言與我衣鉢戶鉤時藥夜分七日盡形受
藥當夜與波夜提　若比丘尼不調伏者畜為眷屬波夜提
若比丘尼語弟子言汝二歲學六法畜汝為眷屬者復不畜者波夜提
若比丘尼歲歲畜眷屬者波夜提　若比丘尼別住而畜眷屬者
波夜提　若比丘尼作敝衣應量作是中量長六搩迦陀縣手廣
二搩迦陀縣手半若過作波夜提　若比丘尼多畜衣波夜提一百卅事竟
若比丘尼作衣時拯久聽五夜若過者波夜提　若比丘尼自病休已
病衣浣與齊家服者波夜提　若比丘尼月病休已病浣淨已不逐
者波夜提　若比丘尼遮與衆衣者波夜提　若比丘尼慚不作五
衣而更迦絺那衣者波夜提　若比丘尼僧說迦絺那衣時聽不
若比丘尼僧斷事時不聽者波夜提
捨者波夜提　若比丘尼不捨而住房而遊行者波夜提百四事竟
若比丘尼誦種種呪術者波夜提　若比丘尼種種呪術者若教白衣
若保形水道者波夜提　若比丘尼助白衣家作者波夜提
若比丘尼坐白衣坐去時不還白衣者波夜提　若比丘尼不語白衣輒
坐其坐者波夜提　若比丘尼无病騎乘者波夜提　若比丘尼紡
績者波夜提　若比丘尼看指還者波夜提　若比丘尼持蓋百五事竟
入白舍者波夜提　若比丘尼不近比丘住夏安居居者波夜提
若比丘尼安居竟不於二部僧中以三事見聞疑求自恣波夜提
若比丘尼半月半月不詣比丘僧所求布薩教者波夜提
若比丘尼衆集受教時无病不來者聽波夜提　若比丘尼僧中比丘

入白舍者波夜提　若比丘尼不近比丘住處安居居者波夜提
若比丘尼安居竟不於二部僧中以三事見聞疑求自恣波夜提
若比丘尼半月半月不詣比丘僧所求布薩教者波夜提
若比丘尼聚衆更教時无病不來者聽波夜提　若比丘尼僧中比丘
住不白輙入門者波夜提　若比丘尼嫌心嗜嗑向比丘者波夜提
若比丘尼共比丘尼鬪諍相言惡口苦切語者波夜提　若比丘尼姤
惜白衣舍者波夜提　若比丘尼更種越請昝不食者波夜提
若比丘尼不聽問而問難循多羅毗尼阿毗曇者波夜提　若比丘尼
露地裸形浴者波夜提 百六十事竟　若比丘尼著白衣裳者波夜提
若比丘尼注觀叢疥歌儛伎樂者波夜提　若比丘尼若癰若創
若使男子若裹若解者波夜提　若比丘尼以郭舍共男子行步
視聽者波夜提　若比丘尼以末香澡香胡麻屑若澤塗身者波
夜提　若比丘尼如世間法著初生樹花者波夜提　若比丘尼於
比丘尼僧坊出門不語同上者波夜提　若比丘尼以諸果汁洽髮者
波夜提　若比丘尼使人以諸樹葉汁洽髮者波夜提　若比丘尼以
踊〻頭者波夜提 百七十七事竟　若比丘尼使之踊〻頭者波夜提　若比丘尼
以刷〻頭者波夜提　若比丘尼使之以刷〻頭者波夜提
若比丘尼生草菜上大小便者波夜提　若比丘尼故出精波夜提
除糞中　若比丘尼歐男子精者波夜提　若比丘尼於男子
洗浴水洗浴者波夜提　若比丘尼於門扇後猥住者波夜提
諸善女我已說百十七八波夜提法今問諸善女是中清淨不第二第
三亦問是中清淨不諸善女是中清淨嘿然故是事如是持
諸善女是八出罪法半月半月戒經中說
白衣舍又如是羹歐食乳酪蘇熟蘇油魚肉脯若比丘尼无病自
爲乞乳是比丘尼前出罪作是言諸善女我墮可呵法所不應作
是應出法今出罪是名初可出法　若比丘尼无病自爲乞酪生蘇
若比丘尼无病自爲乞酪生蘇熟蘇油魚肉脯應諸比丘尼前
出罪作是言諸善女我墮可呵法所不應作是應出法我今出是名第
八出法　諸善女我已說八出罪法今問諸善女是中清淨不
第二第三亦問是中清淨不諸善女是中清淨嘿然故是事如是持
諸善女是衆學法半月半月戒經中說

八出法　諸善女我已說八出罪法今問諸善女是中清淨不
第二第三亦問是中清淨不諸善女是中清淨嘿然故是事如是持
諸善女是衆學法半月半月戒經中說
不高著內衣應當學　不下著內衣應當學
不參差著內衣應當學　不如鍼頭著內衣應當學
不如多羅葉著內衣應當學　不如雋皁著內衣應當學
不如麨團著內衣應當學　不細攝著內衣應當學
不如面頁著內衣應當學　不生起著內衣應當學
不細生蹤著內衣應當學　不紆洿令大應當學
周齊著內衣應當學　不高被衣應當學
齊整被衣應當學　不參差被衣應當學
不下被衣應當學　好覆身入白衣舍應當學
好覆身白衣舍坐應當學　善好入白衣舍應當學
善好白衣舍坐應當學　不邪視入白衣舍應當學
不邪視白衣舍坐應當學　小聲入白衣舍應當學
小聲白衣舍坐應當學　不白大入白衣舍應當學
不白大白衣舍坐應當學　不蹲跪入白衣舍應當學
不蹲跪白衣舍坐應當學　不覆頭入白衣舍應當學
不覆頭白衣舍坐應當學　不傜頭入白衣舍應當學
不傜頭白衣舍坐應當學　不腰扠入白衣舍應當學
不扠腰白衣舍坐應當學　不現膊入白衣舍應當學
不現胸白衣舍坐應當學　不現胸脇入白衣舍應當學
不脇白衣舍坐應當學　不叉抄衣入白衣舍應當學
不叉抄衣白衣舍坐應當學　不左右叉抄衣入白衣舍應當學
不左右叉抄衣白衣舍坐應當學　不放衣挑入白衣舍應當學
不放衣挑白衣舍坐應當學　不挑髀入白衣舍應當學
不挑髀白衣舍坐應當學　不挑肩入白衣舍應當學
不搖肩白衣舍坐應當學　不搖頭入白衣舍應當學
不搖頭白衣舍坐應當學　不搖身入白衣舍應當學
不搖身白衣舍坐應當學　不搖手入白衣舍應當學
不搖手白衣舍坐應當學

不搭肩白衣舍坐應當學　　不搭頭入白衣舍應當學
不搭頭白衣舍坐應當學　　不搭身入白衣舍應當學
不搭身白衣舍坐應當學　　不攜手入白衣舍應當學
不攜手白衣舍坐應當學　　不攜行入白衣舍應當學
不攜行白衣舍坐應當學　　不累腳入白衣舍應當學
不累腳白衣舍坐應當學　　不掌扶頰白衣舍坐應當學
白衣喚故應當學　一心受食應當學　　一心受羹應當學
不溢鉢受飯應當學　羹飯等食應當學　　不飯覆羹食應
當學　不鉢中擇好食應當學　　不大團飯食應當學　圓
飯可口食應當學　不張口待食應當學　　不含飯語應當學
不嚙半食應當學　不齧食作聲食應當學　　不全吞食
應當學　不咶食應當學　　不吐舌食應當學
不嚊食ㄟ應當學　不舐手食應當學　　不指抆鉢食應
當學　不振手食應當學　　不污手
受飯器應當學　不棄飯食應當學　　不病不得為身索若飯若羹應當學
不應以飯覆羹更望得應當學　　不得嫌心看比坐鉢中應當學
次第食應當學　不應洗食鉢水棄白衣舍除白衣越應當學
騎乘人不應為說法除病應當學　　人在前比丘尼在後不應為
說法除病應當學　　人在道中比丘尼道外不應為說法除病
應當學　人在高坐比丘尼在下坐不應為說法除病應當學
人坐比丘尼立不應為說法除病應當學　　人覆頭不應
為說法除病應當學　　人攝勒不應為說法除病應當學
人扠腰不應為說法除病應當學
人現胸不應為說法除病應當學
人現脇不應為說法除病應當學
人叉抄衣不應為說法除病應當學
人左右叉抄衣不應為說法除病應當學
人放衣抛不應為說法除病應當學
人著木屐不應為說法除病應當學

BD00895號　大比丘尼戒經　　（14–12）

人左右反抄衣不應為說法除病應當學
人放衣抱不應為說法除病應當學
人著木屐不應為說法除病應當學
人捉杖不應為說法除病應當學
人著革屣不應為說法除病應當學
人捉蓋不應為說法除病應當學
人捉五尺刀不應為說法除病應當學
人捉小刀不應為說法除病應當學
人捉弓箭種種器刀不應為說法除病應當學
不應生草上大小便涕唾除病應當學
不應淨水中大小便涕唾除病應當學
樹高人不應上除大因緣應當學
諸善女已說眾學法今問諸善女是中清淨不第二第三亦
問是中清淨不諸善女是中清淨嘿然故是事如是持
諸善女是七滅諍法半月半月戒經中說
應與現前比尼人當與現前比尼　應與憶念比尼人當
與憶念比尼　應與不癡比尼人當與不癡比尼　應與自
言治人當與自言治　應與覓罪相人當與覓罪相　應與
多覓罪人當與多覓罪種種僧中諍事生如草覆地除滅應當學
諸善女已說七滅諍法今問諸善女是中淨清不第二第三亦問
是中清淨不諸善女是清中淨不是中淨清嘿然故是事如是持
諸善女已說戒序已說八波羅夷法已說十七僧伽婆尸沙法已說卅
尼薩耆波夜提法已說百七十八波夜提法已說八波羅提提舍尼
法已說眾學法已說七滅諍法是事入佛經中半月半月戒
經中說及餘隨道戒法是中諸善女一心歡喜无諍一學一道和合
如水乳合安樂行應當學
忍辱第一道　涅槃佛稱最　出家惱他人　不名為沙門
譬如明眼人　能避嶮惡道　世有聰明人　能遠離諸惡
不惱不說過　如戒所說行　飲食知節量　常樂在空閑
心淨樂精進　是名諸佛教　譬如蜂採花　不壞色與香
但取其味去　比丘出聚然　不破壞他事　不觀作不作

法已說眾學法已說七滅諍法是事入佛經中半月半月戒
經中說及餘隨道戒法是中諸善女一心歡喜无諍一學一道和合
如水乳合安樂行應當學
忍辱第一道　涅槃佛稱最　出家惱他人　不名為沙門
譬如明眼人　能避險惡道　世有聰明人　能遠離諸惡
不惱不說過　如戒所說行　飲食知節量　常樂在空閑
心淨樂精進　是名諸佛教　譬如蜂採花　不壞色與香
但取其味去　比丘出聚落　不破壞他事　不觀作不作
但自觀身行　諦視善不善　欲得好心　莫放逸
聖人之善法　當懃學　若又智慧　一心人
乃能无憂　憂愁患　一切惡无作　當具足善法
自淨其志意　是則諸佛教　護身為善哉　能護口亦善
護意為善哉　護一切亦善　是之護一切　便得離眾苦
比丘守口意　身不犯眾惡　是三業道淨　得聖所行道
若人撾罵不還報　於嫌恨人心不恨　於瞋人中心常淨　見人為惡
自不作　七佛為世尊　能救護世間　所說是戒經
我已廣說竟　諸佛及弟子　恭敬是經戒　恭敬戒經已
各各相恭敬　慚愧得具足　能得无為道　已說戒經竟
僧一心布薩

大比丘尼戒經一卷

一校竟

BD00895號　大比丘尼戒經　（14–14）

其
之類若卵生若胎生若濕
化生若有色若无色若有想若无想若
非有想若非无想我皆令入无餘涅槃而滅
度之如是滅度无量无數无邊衆生實无衆
生得滅度者何以故須菩提若菩薩有我相
人相衆生相壽者相即非菩薩
復次須菩提菩薩於法應无所住行於布施
所謂不住色布施不住聲香味觸法布施須
菩提菩薩應如是布施不住於相何以故若
菩薩不住相布施其福德不可思量須菩提
於意云何東方虛空可思量不不也世尊須
菩提南西北方四維上下虛空可思量不不
也世尊須菩提菩薩无住相布施福德亦復
如是不可思量須菩提菩薩但應如所教住
須菩提於意云何可以身相見如來不不也
世尊不可以身相得見如來何以故如來所
說身相即非身相佛告須菩提凡所有相皆
是虛妄若見諸相非相則見如來
須菩提白佛言世尊頗有衆生得聞如是言
說章句生實信不佛告須菩提莫作是說如

BD00896號A　金剛般若波羅蜜經　（14–1）

世尊不可以身相得見如來何以故如來所
說身相即非身相佛告須菩提凡所有相皆
是虛妄若見諸相非相則見如來
須菩提白佛言世尊頗有衆生得聞如是言
說章句生實信不佛告須菩提莫作是說如
來滅後後五百歲有持戒脩福者於此章句
能生信心以此為實當知是人不於一佛二
佛三四五佛而種善根已於无量千萬佛所
種諸善根聞是章句乃至一念生淨信者須
菩提如來悉知悉見是諸衆生得如是无量
福德何以故是諸衆生无復我相人相衆生
相壽者相无法相亦无非法相何以故是諸
衆生若心取相則為著我人衆生壽者若取
法相即著我人衆生壽者何以故若取非法
相即著我人衆生壽者是故不應取法不應
取非法以是義故如來常說汝等比丘知我
說法如筏喻者法尚應捨何況非法
須菩提於意云何如來得阿耨多羅三藐三
菩提耶如來有所說法耶須菩提言如我解
佛所說義无有定法名阿耨多羅三藐三菩
提亦无有定法如來可說何以故如來所說
法皆不可取不可說非法非非法所以者何
一切賢聖皆以无為法而有差別
須菩提於意云何若人滿三千大千世界七
寶以用布施是人所得福德寧為多不須菩
提言甚多世尊何以故是福德即非福德性

BD00896號A　金剛般若波羅蜜經　（14–2）

寶以用布施是人所得福德寧為多不須菩
提言甚多世尊何以故是福德即非福德性
是故如来說福德多若復有人於此經中受
持乃至四句偈等為他人說其福勝彼何以
故須菩提一切諸佛及諸佛阿耨多羅三藐
三菩提法皆從此經出須菩提所謂佛法者
即非佛法
須菩提於意云何須陁洹能作是念我得須
陁洹果不須菩提言不也世尊何以故須陁
洹名為入流而无所入不入色聲香味觸法
是名須陁洹須菩提於意云何斯陁含能作
是念我得斯陁含果不須菩提言不也世尊
何以故斯陁含名一往来而實无往来是名
斯陁含須菩提於意云何阿那含能作是念
我得阿那含果不須菩提言不也世尊何以
故阿那含名為不来而實无来是故名阿那
含須菩提於意云何阿羅漢能作是念我得
阿羅漢道不須菩提言不也世尊何以故實
无有法名阿羅漢世尊若阿羅漢作是念我
得阿羅漢道即為著我人衆生壽者世尊佛
說我得无諍三昧人中最為弟一是弟一離
欲阿羅漢我不作是念我是離欲阿羅漢世
尊我若作是念我得阿羅漢道世尊則不說
須菩提是樂阿蘭那行者以須菩提實无所
行而名須菩提是樂阿蘭那行

BD00896號A　金剛般若波羅蜜經　（14–3）

尊我若作是念我得阿羅漢道世尊則不說
須菩提是樂阿蘭那行者以須菩提實无所
行而名須菩提是樂阿蘭那行
佛告須菩提於意云何如来昔在然燈佛所
於法有所得不世尊如来在然燈佛所於法
實无所得須菩提於意云何菩薩莊嚴佛土
不不也世尊何以故莊嚴佛土者則非莊嚴
是名莊嚴是故須菩提諸菩薩摩訶薩應如
是生清淨心不應住色生心不應住聲香味
觸法生心應无所住而生其心須菩提譬如
有人身如須弥山王於意云何是身為大不
須菩提言甚大世尊何以故佛說非身是名
大身須菩提如恒河中所有沙數如是沙等
恒河於意云何是諸恒河沙寧為多不須菩
提言甚多世尊但諸恒河尚多无數何况其
沙須菩提我今實言告汝若有善男子善女
人以七寶滿尒所恒河沙數三千大千世界
以用布施得福多不須菩提言甚多世尊佛
告須菩提若善男子善女人於此經中乃至
受持四句偈等為他人說而此福德勝前福
德復次須菩提隨說是經乃至四句偈等當
知此處一切世間天人阿脩羅皆應供養如
佛塔廟何况有人盡能受持讀誦須菩提當
知是人成就最上第一希有之法若是經典
所在之處則為有佛若尊重弟子

BD00896號A　金剛般若波羅蜜經　（14–4）

知是人成就最上第一希有之法若是經典
所在之處則爲有佛若尊重弟子
尒時須菩提白佛言世尊當何名此經我等
云何奉持佛告須菩提是經名爲金剛般若
波羅蜜以是名字汝當奉持所以者何須菩
提佛說般若波羅蜜則非般若波羅蜜須菩
提於意云何如來有所說法不須菩提白佛
言世尊如來无所說須菩提於意云何三千
大千世界所有微塵是爲多不須菩提言甚
多世尊須菩提諸微塵如來說非微塵是名
微塵如來說世界非世界是名世界須菩提
於意云何可以三十二相見如來不不也世
尊不可以三十二相得見如來何以故如來
說三十二相卽是非相是名三十二相須菩
提若有善男子善女人以恒河沙等身命布
施若復有人於此經中乃至受持四句偈等
爲他人說其福甚多
尒時須菩提聞說是經深解義趣涕淚悲泣
而白佛言希有世尊佛說如是甚深經典我
從昔來所得慧眼未曾得聞如是之經世尊
若復有人得聞是經信心清淨則生實相當
知是人成就第一希有功德世尊是實相者
則是非相是故如來說名實相世尊我今得
聞如是經典信解受持不足爲難若當來世
後五百歲其有衆生得聞是經信解受持是

BD00896號A　金剛般若波羅蜜經　（14–5）

則是非相是故如來說名實相世尊我今得
聞如是經典信解受持不足爲難若當來世
後五百歲其有衆生得聞是經信解受持是
人則爲第一希有何以故此人无我相人相
衆生相壽者相所以者何我相卽是非相人
相衆生相壽者相卽是非相何以故離一切
諸相則名諸佛
佛告須菩提如是如是若復有人得聞是經
不驚不怖不畏當知是人甚爲希有何以故
須菩提如來說第一波羅蜜非第一波羅蜜
是名第一波羅蜜
須菩提忍辱波羅蜜如來說非忍辱波羅蜜
何以故須菩提如我昔爲歌利王割截身體
我於尒時无我相无人相无衆生相无壽者
相何以故我於往昔節節支解時若有我相
人相衆生相壽者相應生瞋恨須菩提又念
過去於五百世作忍辱仙人於尒所世无我
相无人相无衆生相无壽者相是故須菩提
菩薩應離一切相發阿耨多羅三藐三菩提
心不應住色生心不應住聲香味觸法生心
應生无所住心若心有住則爲非住是故佛
說菩薩心不應住色布施須菩提菩薩爲利
益一切衆生應如是布施如來說一切諸相
卽是非相又說一切衆生則非衆生須菩提
如來是真語者實語者如語者不誑語者不

BD00896號A　金剛般若波羅蜜經　（14–6）

益一切衆生應如是布施如來說一切諸相
即是非相又說一切衆生則非衆生須菩提
如來是真語者實語者如語者不誑語者不
異語者須菩提如來所得法此法无實无虛
須菩提若菩薩心住於法而行布施如人入
闇則无所見若菩薩心不住法而行布施如
人有目日光明照見種種色須菩提當來之
世若有善男子善女人能於此經受持讀誦
則爲如來以佛智慧悉知是人悉見是人皆
得成就无量无邊功德
須菩提若有善男子善女人初日分以恒河
沙等身布施中日分復以恒河沙等身布施
後日分亦以恒河沙等身布施如是无量百
千萬億劫以身布施若復有人聞此經典信
心不逆其福勝彼何况書寫受持讀誦爲人
解說須菩提以要言之是經有不可思議不
可稱量无邊功德如來爲發大乘者說爲發
最上乘者說若有人能受持讀誦廣爲人說
如來悉知是人悉見是人皆得成就不可量
不可稱无有邊不可思議功德如是人等則
爲荷擔如來阿耨多羅三藐三菩提何以故
須菩提若樂小法者著我見人見衆生見壽
者見則於此經不能聽受讀誦爲人解說須
菩提在在處處若有此經一切世間天人阿
脩羅所應供養當知此處則爲是塔皆應恭

BD00896號A　金剛般若波羅蜜經　（14–7）

者見則於此經不能聽受讀誦爲人解說須
菩提在在處處若有此經一切世間天人阿
脩羅所應供養當知此處則爲是塔皆應恭
敬作礼圍繞以諸華香而散其處
復次須菩提善男子善女人受持讀誦此經
若爲人輕賤是人先世罪業應墮惡道以今
世人輕賤故先世罪業則爲消滅當得阿耨
多羅三藐三菩提須菩提我念過去无量阿
僧祇劫於然燈佛前得值八百四千萬億那
由他諸佛悉皆供養承事无空過者若復有
人於後末世能受持讀誦此經所得功德於
我所供養諸佛功德百分不及一千萬億分
乃至筭數譬喻所不能及須菩提若善男子
善女人於後末世有受持讀誦此經所得功
德我若具說者或有人聞心則狂亂狐疑不
信須菩提當知是經義不可思議果報亦不
可思議
尒時須菩提白佛言世尊善男子善女人發
阿耨多羅三藐三菩提心云何應住云何降
伏其心佛告須菩提善男子善女人發阿耨
多羅三藐三菩提者當生如是心我應滅度
一切衆生滅度一切衆生已而无有一衆生
實滅度者何以故若菩薩有我相人相衆生
相壽者相則非菩薩所以者何須菩提實无
有法發阿耨多羅三藐三菩提者須菩提於

BD00896號A　金剛般若波羅蜜經　（14–8）

相壽者相則非菩薩所以者何須菩提實无
有法發阿耨多羅三藐三菩提者須菩提於
意云何如來於然燈佛所有法得阿耨多羅
三藐三菩提不不也世尊如我解佛所說義
佛於然燈佛所无有法得阿耨多羅三藐三
菩提佛言如是如是須菩提實无有法如來
得阿耨多羅三藐三菩提須菩提若有法如
來得阿耨多羅三藐三菩提者然燈佛則不
與我受記汝於來世當得作佛号釋迦牟尼
以實无有法得阿耨多羅三藐三菩提是故
然燈佛與我受記作是言汝於來世當得作
佛号釋迦牟尼何以故如來者即諸法如義
若有人言如來得阿耨多羅三藐三菩提須
菩提實无有法佛得阿耨多羅三藐三菩提
須菩提如來所得阿耨多羅三藐三菩提於
是中无實无虛是故如來說一切法皆是佛
法須菩提所言一切法者即非一切法是故
名一切法須菩提譬如人身長大須菩提言
世尊如來說人身長大則為非大身是名大
身須菩提菩薩亦如是若作是言我當滅度
无量衆生則不名菩薩何以故須菩提實无
有法名為菩薩是故佛說一切法无我无人
无衆生无壽者須菩提若菩薩作是言我當
荘嚴佛土是不名菩薩何以故如來說荘嚴
佛土者即非荘嚴是名荘嚴須菩提若菩薩

BD00896號A　金剛般若波羅蜜經　（14–9）

荘嚴佛土是不名菩薩何以故如來說荘嚴
佛土者即非荘嚴是名荘嚴須菩提若菩薩
通達无我法者如來說名真是菩薩
須菩提於意云何如來有肉眼不如是世尊
如來有肉眼須菩提於意云何如來有天眼
不如是世尊如來有天眼須菩提於意云何
如來有慧眼不如是世尊如來有慧眼須菩
提於意云何如來有法眼不如是世尊如來
有法眼須菩提於意云何如來有佛眼不如
是世尊如來有佛眼須菩提於意云何恒河
中所有沙佛說是沙不如是世尊如來說是
沙須菩提於意云何如一恒河中所有沙有
如是等恒河是諸恒河所有沙數佛世界如
是寧為多不甚多世尊佛告須菩提尒所國
土中所有衆生若干種心如來悉知何以故
如來說諸心皆為非心是名為心所以者何
須菩提過去心不可得現在心不可得未來
心不可得須菩提於意云何若有人滿三千
大千世界七寶以用布施是人以是因緣得
福多不如是世尊此人以是因緣得福甚多
須菩提若福德有實如來不說得福德多以
福德无故如來說得福德多
須菩提於意云何佛可以具足色身見不不也
世尊如來不應以具足色身見何以故如來說
具足色身即非具足色身是名具足色身須

BD00896號A　金剛般若波羅蜜經　（14–10）

須菩提於意云何佛可以具足色身見不不世
世尊如來不應以具足色身見何以故如來說
具足色身即非具足色身是名具足色身須
菩提於意云何如來可以具足諸相見不不
世世尊如來不應以具足諸相見何以故如
來說諸相具足即非具足是名諸相具足須
菩提汝勿謂如來作是念我當有所說法莫
作是念何以故若人言如來有所說法即為
謗佛不能解我所說故須菩提說法者无法
可說是名說法須菩提白佛言世尊佛得阿
耨多羅三藐三菩提為无所得耶如是如是
須菩提我於阿耨多羅三藐三菩提乃至无
有少法可得是名阿耨多羅三藐三菩提復
次須菩提是法平等无有高下是名阿耨多
羅三藐三菩提以无我无人无衆生无壽者
脩一切善法則得阿耨多羅三藐三菩提須
菩提所言善法者如來說非善法是名善法
須菩提若三千大千世界中所有諸須弥山
王如是等七寶聚有人持用布施若人以此
般若波羅蜜經乃至四句偈等受持讀誦為
他人說於前福德百分不及一百千萬億分
乃至筭數譬喻所不能及
須菩提於意云何汝等勿謂如來作是念我
當度衆生須菩提莫作是念何以故實无有
衆生如來度者若有衆生如來度者如來則
有我人衆生壽者須菩提如來說有我者則

當度衆生須菩提莫作是念何以故實无有
衆生如來度者若有衆生如來度者如來則
有我人衆生壽者須菩提如來說有我者則
非有我而凡夫之人以為有我須菩提凡夫
者如來說則非凡夫須菩提於意云何可以
三十二相觀如來不須菩提言如是如是以
三十二相觀如來佛言須菩提若以三十二
相觀如來者轉輪聖王則是如來須菩提白
佛言世尊如我解佛所說義不應以三十二
相觀如來尒時世尊而說偈言
若以色見我　以音聲求我　是人行邪道　不能見如來
須菩提汝若作是念如來不以具足相故得
阿耨多羅三藐三菩提須菩提莫作是念如
來不以具足相故得阿耨多羅三藐三菩提
須菩提汝若作是念發阿耨多羅三藐三菩
提者說諸法斷滅相莫作是念何以故發阿
耨多羅三藐三菩提者於法不說斷滅相須
菩提若菩薩以滿恒河沙等世界七寶布施
若復有人知一切法无我得成於忍此菩薩
勝前菩薩所得功德須菩提以諸菩薩不受
福德故須菩提白佛言世尊云何菩薩不受
福德須菩提菩薩所作福德不應貪著是故
說不受福德須菩提若有人言如來若來若
去若坐若卧是人不解我所說義何以故如
來者无所從來亦无所去故名如來

說不受福德須菩提若有人言如來若來若
去若坐若卧是人不解我所說義何以故如
來者无所從來亦无所去故名如來
須菩提若善男子善女人以三千大千世界
碎為微塵於意云何是微塵衆寧為多不甚
多世尊何以故若是微塵衆實有者佛則不
說是微塵衆所以者何佛說微塵衆則非微
塵衆是名微塵衆世尊如來所說三千大千
世界則非世界是名世界何以故若世界實
有者則是一合相如來說一合相則非一合
相是名一合相須菩提一合相者則是不可
說但凡夫之人貪著其事須菩提若人言佛
說我見人見衆生見壽者見須菩提於意云
何是人解我所說義不世尊是人不解如來
所說義何以故世尊說我見人見衆生見壽
者見即非我見人見衆生見壽者見是名我
見人見衆生見壽者見須菩提發阿耨多羅
三藐三菩提心者於一切法應如是知如是
見如是信解不生法相須菩提所言法相者
如來說即非法相是名法相須菩提若有人
以滿无量阿僧祇世界七寶持用布施若有
善男子善女人發菩薩心者持於此經乃至
四句偈等受持讀誦為人演說其福勝彼云
何為人演說不取於相如如不動何以故
一切有為法　如夢幻泡影　如露亦如電　應作如是觀

BD00896 號 A　金剛般若波羅蜜經　（14–13）

說我
何是人解我所說義不世尊是人不解如來
所說義何以故世尊說我見人見衆生見壽
者見即非我見人見衆生見壽者見是名我
見人見衆生見壽者見須菩提發阿耨多羅
三藐三菩提心者於一切法應如是知如是
見如是信解不生法相須菩提所言法相者
如來說即非法相是名法相須菩提若有人
以滿无量阿僧祇世界七寶持用布施若有
善男子善女人發菩薩心者持於此經乃至
四句偈等受持讀誦為人演說其福勝彼云
何為人演說不取於相如如不動何以故
一切有為法　如夢幻泡影　如露亦如電　應作如是觀
佛說是經已長老須菩提及諸比丘比丘尼
優婆塞優婆夷一切世間天人阿脩羅聞佛
所說皆大歡喜信受奉行

金剛般若波羅蜜經

BD00896 號 A　金剛般若波羅蜜經　（14–14）

BD00896 號 B 背　般若波羅蜜多心經護首　　（1–1）

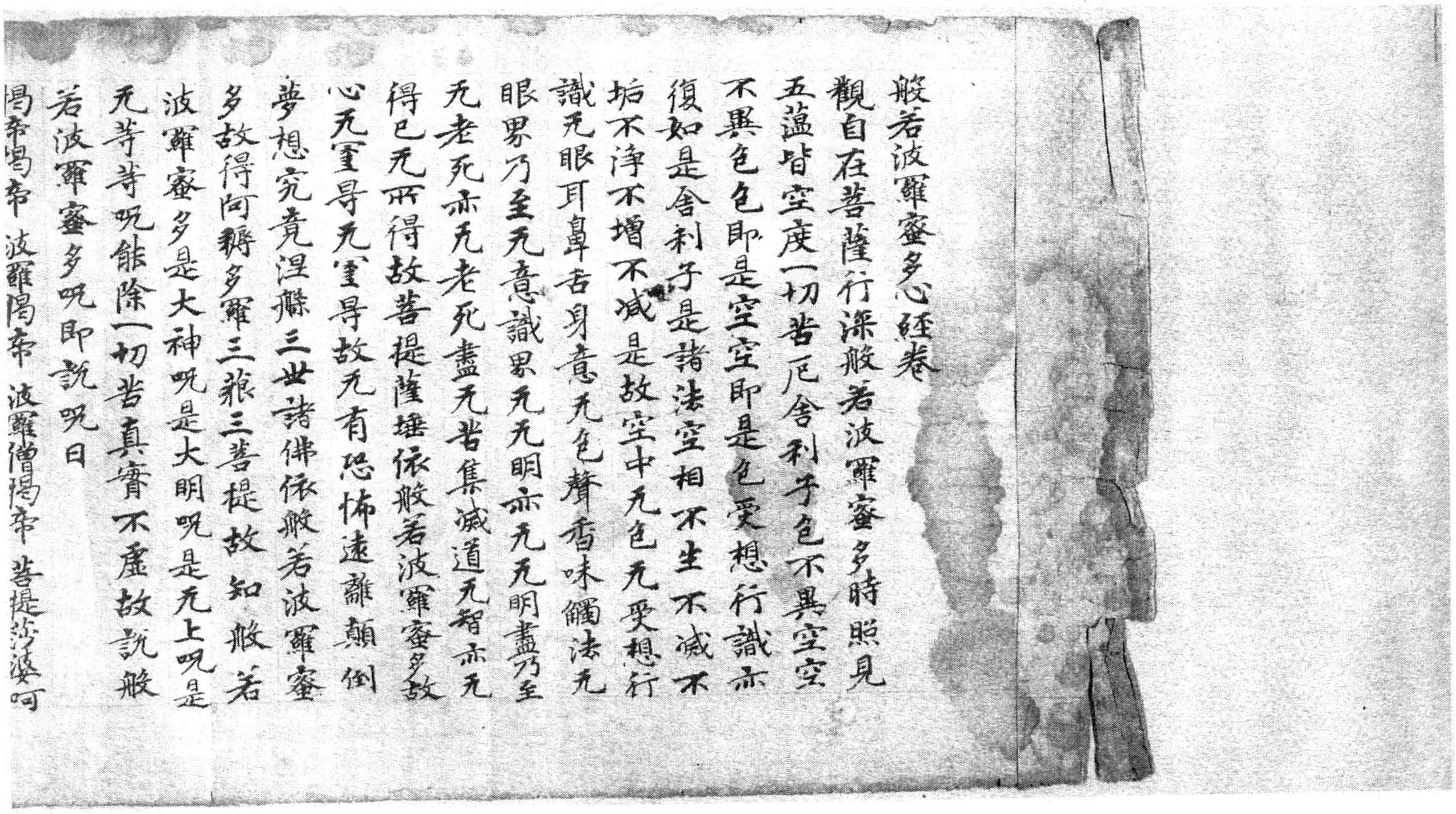
般若波羅蜜多心經卷
觀自在菩薩行深般若波羅蜜多時照見
五蘊皆空度一切苦厄舍利子色不異空空
不異色色即是空空即是色受想行識亦
復如是舍利子是諸法空相不生不滅不
垢不淨不增不減是故空中无色无受想行
識无眼耳鼻舌身意无色聲香味觸法无
眼界乃至无意識界无无明亦无无明盡乃至
无老死亦无老死盡无苦集滅道无智亦无
得已无所得故菩提薩埵依般若波羅蜜多故
心无罣㝵无罣㝵故无有恐怖遠離顛倒
夢想究竟涅槃三世諸佛依般若波羅蜜
多故得阿耨多羅三藐三菩提故知般若
波羅蜜多是大神呪是大明呪是无上呪是
无等等呪能除一切苦真實不虛故說般
若波羅蜜多呪即說呪曰
揭帝揭帝　波羅揭帝　波羅僧揭帝　菩提莎婆呵

BD00896 號 B　般若波羅蜜多心經　　（2–1）

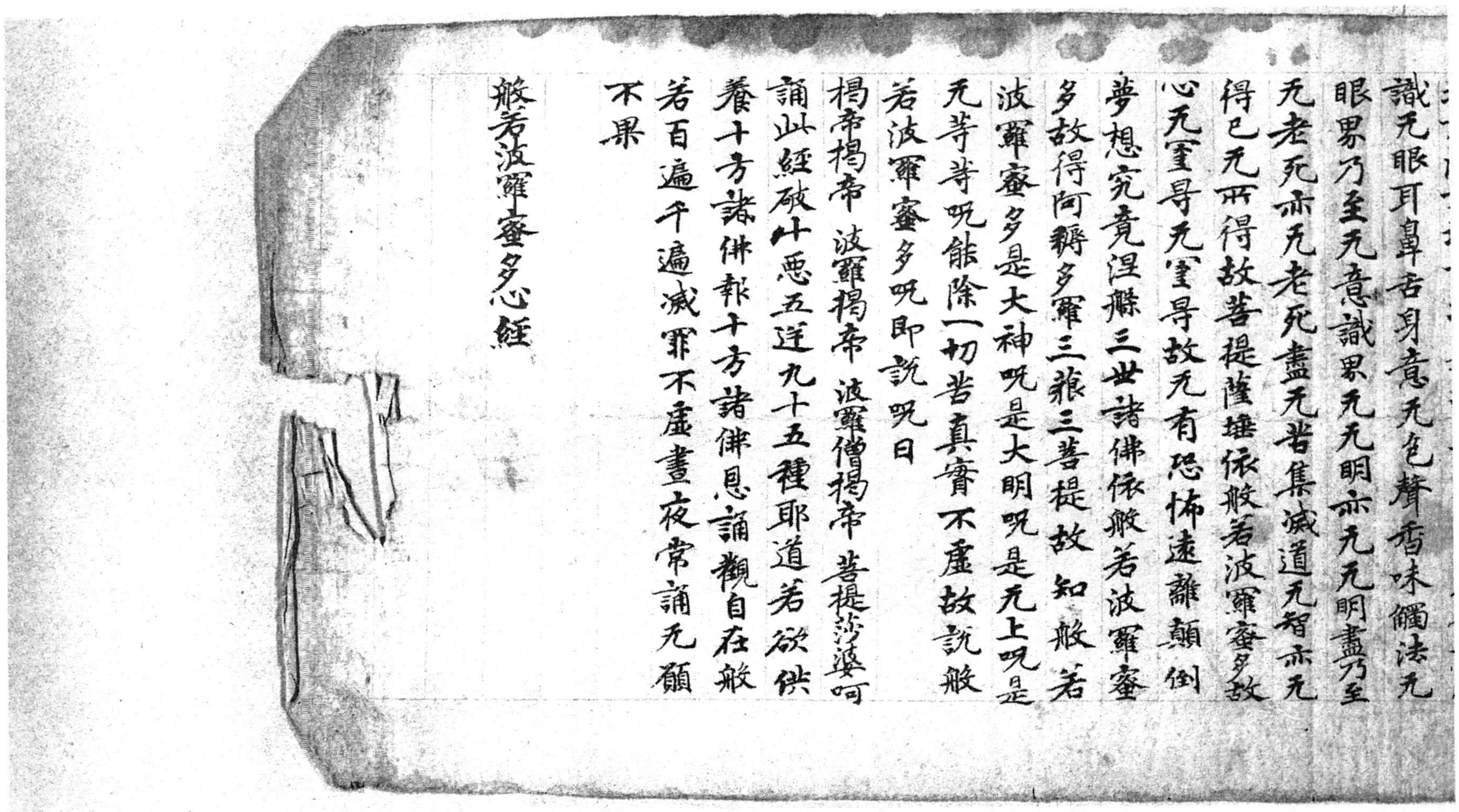

識无眼耳鼻舌身意无色聲香味觸法无
眼界乃至无意識界无无明亦无无明盡乃至
无老死亦无老死盡无苦集滅道无智亦无
得已无所得故菩提薩埵依般若波羅蜜多故
心无罣礙无罣礙故无有恐怖遠離顛倒
夢想究竟涅槃三世諸佛依般若波羅蜜
多故得阿耨多羅三藐三菩提故知般若
波羅蜜多是大神呪是大明呪是无上呪是
无等等呪能除一切苦真實不虛故說般
若波羅蜜多呪即說呪曰
揭帝揭帝 波羅揭帝 波羅僧揭帝 菩提莎婆訶
誦此經破十惡五逆九十五種耶道若欲供
養十方諸佛報十方諸佛恩誦觀自在般
若百遍千遍滅罪不虛晝夜常誦无願
不果
般若波羅蜜多心經

BD00896 號 B　般若波羅蜜多心經　（2–2）

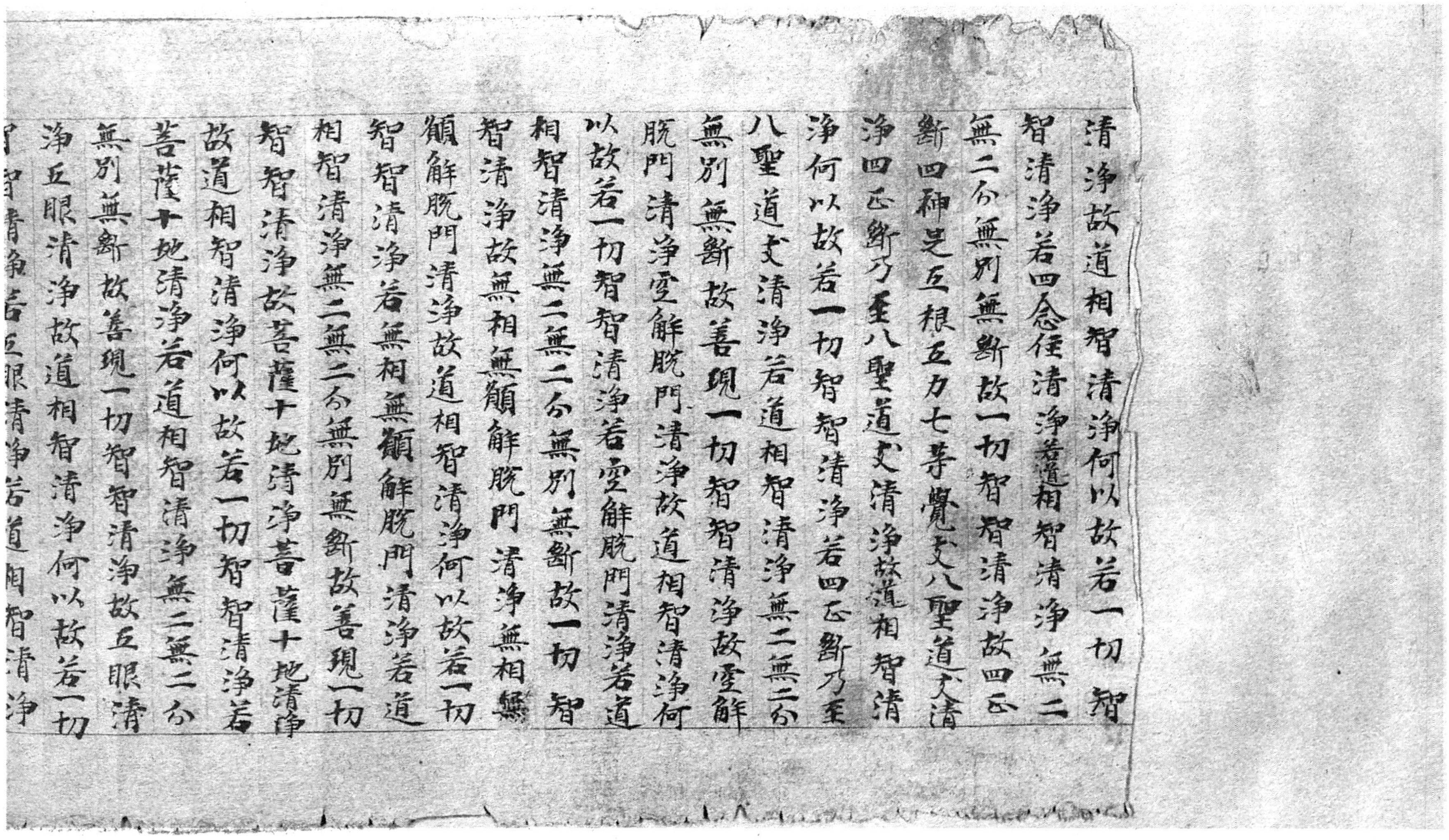

清淨故道相智清淨何以故若一切智
智清淨若四念住清淨若道相智清淨無二
無二分無別無斷故一切智智清淨故四正
斷四神足五根五力七等覺支八聖道支清
淨四正斷乃至八聖道支清淨故道相智清
淨何以故若一切智智清淨若四正斷乃至
八聖道支清淨若道相智清淨無二無二分
無別無斷故善現一切智智清淨故空解
脫門清淨空解脫門清淨故道相智清淨何
以故若一切智智清淨若空解脫門清淨若道
相智清淨無二無二分無別無斷故一切智
智清淨故無相無願解脫門清淨無相無
願解脫門清淨故道相智清淨何以故若一切
智智清淨若無相無願解脫門清淨若道
相智清淨無二無二分無別無斷故善現一切
智智清淨故菩薩十地清淨菩薩十地清淨
故道相智清淨何以故若一切智智清淨若
菩薩十地清淨若道相智清淨無二無二分
無別無斷故善現一切智智清淨故五眼清
淨五眼清淨故道相智清淨何以故若一切
智智清淨若五眼清淨若道相智清淨

BD00897 號　大般若波羅蜜多經卷二八〇　（14–1）

故道相智清淨何以故若一切智智清淨若
菩薩十地清淨若道相智清淨無二無二分
無別無斷故善現一切智智清淨故五眼清
淨五眼清淨故道相智清淨何以故若一切
智智清淨若五眼清淨若道相智清淨
無二無二分無別無斷故一切智智清淨故六神
通清淨六神通清淨故道相智清淨何以
故若一切智智清淨若六神通清淨若道
相智清淨無二無二分無別無斷故善現一
切智智清淨故佛十力清淨佛十力清淨故
道相智清淨何以故若一切智智清淨若佛
十力清淨若道相智清淨無二無二分無別
無斷故一切智智清淨故四無所畏四無礙
解大慈大悲大喜大捨十八佛不共法清
淨四無所畏乃至十八佛不共法清淨故道相
智清淨何以故若一切智智清淨若四無所
畏乃至十八佛不共法清淨若道相智清淨
無二無二分無別無斷故善現一切智智清
淨故無忘失法清淨無忘失法清淨故道相
智清淨何以故若一切智智清淨若無忘失
法清淨若道相智清淨無二無二分無別无
斷故一切智智清淨故恒住捨性清淨恒住
捨性清淨故道相智清淨何以故若一切智
智清淨若恒住捨性清淨若道相智清淨無二
無二分無別無斷故善現一切智智清淨
故一切智清淨一切智清淨故道相智清淨

智清淨若恒住捨性清淨若道相智清淨無二
無二分無別無斷故善現一切智智清淨
故一切智清淨一切智清淨故道相智清淨
何以故若一切智智清淨若一切智清淨若
道相智清淨無二無二分無別無斷故一切
智智清淨故一切相智清淨一切相智清淨
故道相智清淨何以故若一切智智清淨若
一切相智清淨若道相智清淨無二無二分
無別無斷故善現一切智智清淨故一切陁
羅尼門清淨一切陁羅尼門清淨故道相智
清淨何以故若一切智智清淨若一切陁羅
尼門清淨若道相智清淨無二無二分無別
無斷故一切智智清淨故一切三摩地門清
淨一切三摩地門清淨故道相智清淨何以故
若一切智智清淨若一切三摩地門清淨若
道相智清淨無二無二分無別無斷故
善現一切智智清淨故預流果清淨預流果
清淨故道相智清淨何以故若一切智智清
淨若預流果清淨若道相智清淨無二無二
分無別無斷故一切智智清淨故一來不還
阿羅漢果清淨一來不還阿羅漢果清淨故
道相智清淨何以故若一切智智清淨若一來
不還阿羅漢果清淨若道相智清淨無二無
二分無別無斷故善現一切智智清淨故獨
覺菩提清淨獨覺菩提清淨故道相智清淨
何以故若一切智智清淨若獨覺菩提清淨

二分無別無斷故善現一切智智清淨故獨
覺菩提清淨獨覺菩提清淨故道相智清淨
何以故若一切智智清淨若獨覺菩提清淨
若道相智清淨無二無二分無別無斷故善
現一切智智清淨故一切菩薩摩訶薩行清
淨一切菩薩摩訶薩行清淨故道相智清
淨何以故若一切智智清淨若一切菩薩摩
訶薩行清淨若道相智清淨無二無二分無
別無斷故善現一切智智清淨故諸佛無上
正等菩提清淨諸佛無上正等菩提清淨
故道相智清淨何以故若一切智智清淨若諸
佛無上正等菩提清淨若道相智清淨無二
無二分無別無斷故
復次善現一切智智清淨故色清淨色清
淨故一切相智清淨何以故若一切智智清
淨若色清淨若一切相智清淨無二無二分無
別無斷故一切智智清淨故受想行識清淨
受想行識清淨故一切相智清淨何以故若
一切智智清淨若受想行識清淨若一切相智
清淨無二無二分無別無斷故善現一切智
智清淨故眼處清淨眼處清淨故一切相智
清淨何以故若一切智智清淨若眼處清淨
若一切相智清淨無二無二分無別無斷故
一切智智清淨故耳鼻舌身意處清淨耳
鼻舌身意處清淨故一切相智清淨何以故
若一切智智清淨若耳鼻舌身意處清淨

一切智智清淨故耳鼻舌身意處清淨耳
鼻舌身意處清淨故一切相智清淨何以故
若一切智智清淨若耳鼻舌身意處清淨
若一切相智清淨無二無二分無別無斷故
善現一切智智清淨故色處清淨色處清淨
故一切相智清淨何以故若一切智智清淨若
若色處清淨若一切相智清淨無二無二分
無別無斷故一切智智清淨故聲香味觸法
處清淨聲香味觸法處清淨故一切相智清
淨何以故若一切智智清淨若聲香味觸法處
清淨若一切相智清淨無二無二分無別無斷
故善現一切智智清淨故眼界清淨眼界清
清淨故一切相智清淨何以故若一切智智
清淨若眼界清淨若一切相智清淨無二無二
分無別無斷故一切智智清淨故色界眼識
界及眼觸眼觸為緣所生諸受清淨色界乃
至眼觸為緣所生諸受清淨故一切相智
清淨何以故若一切智智清淨若色界乃至眼
觸為緣所生諸受清淨若一切相智清淨無
二無二分無別無斷故故善現一切智智清
淨故耳界清淨耳界清淨故一切相智清淨何
以故若一切智智清淨若耳界清淨若一切相
智清淨無二無二分無別無斷故一切智智
清淨故聲界耳識界及耳觸耳觸為緣所生
諸受清淨聲界乃至耳觸為緣所生諸受
清淨故一切相智清淨何以故若一切智智

清淨故聲界耳識界及耳觸耳觸為緣所生
諸受清淨聲界乃至耳觸為緣所生諸受
清淨故一切相智清淨何以故若一切智智
清淨若聲界乃至耳觸為緣所生諸受清
淨若一切相智清淨無二無二分無別無斷故
善現一切智智清淨故鼻界清淨鼻界清淨
故一切相智清淨何以故若一切智智清淨若
鼻界清淨若一切相智清淨無二無二分無
別無斷故一切智智清淨故香界鼻識界及
鼻觸鼻觸為緣所生諸受清淨香界乃至
鼻觸為緣所生諸受清淨故一切相智清淨何
以故若一切智智清淨若香界乃至鼻觸為
緣所生諸受清淨若一切相智清淨無二無
二分無別無斷故善現一切智智清淨故舌
界清淨舌界清淨故一切相智清淨何以故若
一切智智清淨若舌界清淨若一切相智清
淨無二無二分無別無斷故一切智智清
淨故味界舌識界及舌觸舌觸為緣所生諸
受清淨味界乃至舌觸為緣所生諸受清
淨故一切相智清淨何以故若一切智智清淨
若味界乃至舌觸為緣所生諸受清淨若一
切相智清淨無二無二分無別無斷故善現
一切智智清淨故身界清淨身界清淨故一
切相智清淨何以故若一切智智清淨若身
界清淨若一切相智清淨無二無二分無別
無斷故一切智智清淨故觸界身識界及身

切相智清淨何以故若一切智智清淨若身
界清淨若一切相智清淨無二無二分無別
無斷故一切智智清淨故觸界身識界及身
觸身觸為緣所生諸受清淨觸界乃至身觸
為緣所生諸受清淨故一切相智清淨何以
故若一切智智清淨若觸界乃至身觸為緣
所生諸受清淨若一切相智清淨無二無二
分無別無斷故善現一切智智清淨故意
界清淨意界清淨故一切相智清淨何以故若
一切智智清淨若意界清淨若一切相智清
淨無二無二分無別無斷故一切智智清淨
故法界意識界及意觸意觸為緣所生諸
受清淨法界乃至意觸為緣所生諸受清淨
故一切相智清淨何以故若一切智智清淨若
法界乃至意觸為緣所生諸受清淨若一切
相智清淨無二無二分無別無斷故善現一
切智智清淨故地界清淨地界清淨故一切
相智清淨何以故若一切智智清淨若地界
清淨若一切相智清淨無二無二分無別無
斷故一切智智清淨故水火風空識界清淨
水火風空識界清淨故一切相智清淨何以
故若一切智智清淨若水火風空識界清淨
若一切相智清淨無二無二分無別無斷故
善現一切智智清淨故無明清淨無明清淨
故一切相智清淨何以故若一切智智清淨
若無明清淨若一切相智清淨無二無二分

善現一切智智清淨故無明清淨無明清淨
故一切相智清淨何以故若一切智智清淨
若無明清淨若一切相智清淨無二無二分
無別無斷故一切智智清淨故行識名色六
處觸受愛取有生老死愁歎苦憂惱清淨
行乃至老死愁歎苦憂惱清淨故一切相智清
淨何以故若一切智智清淨若行乃至老死
愁歎苦憂惱清淨若一切相智清淨無二無
二分無別無斷故

善現一切智智清淨故布施波羅蜜多清淨
布施波羅蜜多清淨故一切相智清淨何以
故若一切智智清淨若布施波羅蜜多清淨
若一切相智清淨無二無二分無別無斷故
一切智智清淨故淨戒安忍精進靜慮般若波
羅蜜多清淨淨戒乃至般若波羅蜜多清淨
故一切相智清淨何以故若一切智智清淨
若淨戒乃至般若波羅蜜多清淨若一切
相智清淨無二無二分無別無斷故善現一
切智智清淨故內空清淨內空清淨故一切
相智清淨何以故若一切智智清淨若內空
清淨若一切相智清淨無二無二分無別無
斷故一切智智清淨故外空內外空空空大
空勝義空有為空無為空畢竟空無際空
散空無變異空本性空自相空共相空一切法
空不可得空无性空自性空無性自性空清淨
外空乃至无性自性空清淨故一切相智清淨

BD00897 號　大般若波羅蜜多經卷二八〇　　（14–8）

空勝義空有為空無為空畢竟空無際空
散空無變異空本性空自相空共相空一切法
空不可得空无性空自性空無性自性空清淨
外空乃至无性自性空清淨故一切相智清淨
何以故若一切智智清淨若外空乃至無
性自性空清淨若一切相智清淨無二無二分
無別無斷故善現一切智智清淨故真如清
淨真如清淨故一切相智清淨何以故若一
切智智清淨若真如清淨若一切相智清淨
無二無二分無別無斷故一切智智清淨故
法界法性不虛妄性不變異性平等性離生
性法定法住實際虛空界不思議界清淨法
界乃至不思議界清淨故一切相智清淨何
以故若一切智智清淨若法界乃至不思議
界清淨若一切相智清淨无二无二分无別
无斷故善現一切智智清淨故苦聖諦清淨
苦聖諦清淨故一切相智清淨何以故若一
切智智清淨若苦聖諦清淨若一切相智
清淨無二無二分無別無斷故一切智智清
淨故集滅道聖諦清淨集滅道聖諦清淨故
一切相智清淨何以故若一切智智清淨若
集滅道聖諦清淨若一切相智清淨無二無
二分無別無斷故

善現一切智智清淨故四靜慮清淨四靜慮
清淨故一切相智清淨何以故若一切智智
清淨若四靜慮清淨若一切相智清淨無二

BD00897 號　大般若波羅蜜多經卷二八〇　　（14–9）

善現一切智智清淨故四靜慮清淨四靜慮
清淨故一切相智清淨何以故若一切智智
清淨若四靜慮清淨若一切相智清淨無二
無二分無別無斷故一切智智清淨故四無
量四無色定清淨四無量四無色定清淨故
一切相智清淨何以故若一切智智清淨若
四無量四無色定清淨若一切相智清淨無
二無二分無別無斷故善現一切智智清淨
故八解脫清淨八解脫清淨故一切相智清
淨何以故若一切智智清淨若八解脫清淨
若一切相智清淨無二無二分無別無斷故
一切智智清淨故八勝處九次第定十遍處
清淨八勝處九次第定十遍處清淨故一切
相智清淨何以故若一切智智清淨若八勝
處九次第定十遍處清淨若一切相智清淨
無二無二分無別無斷故善現一切智智清
淨故四念住清淨四念住清淨故一切相智
清淨何以故若一切智智清淨若四念住清淨
若一切相智清淨無二無二分無別無斷故
一切智智清淨故四正斷四神足五根五力
七等覺支八聖道支清淨四正斷乃至八聖
道支清淨故一切相智清淨何以故若一切
智智清淨若四正斷乃至八聖道支清淨若
一切相智清淨無二無二分無別無斷故善
現一切智智清淨故空解脫門清淨空解脫
門清淨故一切相智清淨何以故若一切智

現一切智智清淨故空解脫門清淨空解脫
門清淨故一切相智清淨何以故若一切智
智清淨若空解脫門清淨若一切相智清淨
無二無二分無別無斷故一切智智清淨故
無相無願解脫門清淨無相無願解脫門清
淨故一切相智清淨何以故若一切智智清
淨若無相無願解脫門清淨若一切相智清
淨無二無二分無別無斷故善現一切智智
清淨故菩薩十地清淨菩薩十地清淨故一
切相智清淨何以故若一切智智清淨若菩
薩十地清淨若一切相智清淨無二無二分
無別無斷故
善現一切智智清淨故五眼清淨五眼清淨
故一切相智清淨何以故若一切智智清淨
若五眼清淨若一切相智清淨無二無二分
無別無斷故一切智智清淨故六神通清淨
六神通清淨故一切相智清淨何以故若一
切智智清淨若六神通清淨若一切相智清
淨無二無二分無別無斷故善現一切　智
智清淨故佛十力清淨佛十力清淨故一切相
智清淨何以故若一切智智清淨若佛十力
清淨若一切相智清淨無二無二分無別無
斷故一切智智清淨故四無所畏四無礙解
大慈大悲大喜大捨十八佛不共法清淨四
無所畏乃至十八佛不共法清淨故一切相
智清淨何以故若一切智智清淨若四無所

大慈大悲大喜大捨十八佛不共法清淨四
無所畏乃至十八佛不共法清淨故一切相
智清淨何以故若一切智智清淨若四無所
畏乃至十八佛不共法清淨若一切相智清
淨無二無二分無別無斷故善現一切智智
清淨故無忘失法清淨無忘失法清淨故一
切相智清淨何以故若一切智智清淨若無
忘失法清淨若一切相智清淨無二無二分
無別無斷故一切智智清淨故恒住捨性清
淨恒住捨性清淨故一切相智清淨何以故若
一切智智清淨若恒住捨性清淨若一切相
智清淨無二無二分無別無斷故善現一切
智智清淨故一切智清淨一切智清淨故一
切相智清淨何以故若一切智智清淨若一
切智清淨若一切相智清淨無二無二分無
別無斷故一切智智清淨故道相智清淨
道相智清淨故一切相智清淨何以故若一切
智智清淨若道相智清淨若一切相智清淨
無二無二分無別無斷故善現一切智智清
淨故一切陁羅尼門清淨一切陁羅尼門清
淨故一切相智清淨何以故若一切智智清
淨若一切陁羅尼門清淨若一切相智清淨
無二無二分無別無斷故一切智智清淨故
一切三摩地門清淨一切三摩地門清淨故
一切相智清淨何以故若一切智智清淨若
一切三摩地門清淨若一切相智清淨無二

無二無二分無別無斷故一切智智清淨故
一切三摩地門清淨一切三摩地門清淨故
一切相智清淨何以故若一切智智清淨若
一切三摩地門清淨若一切相智清淨無二
無二分無別無斷故
善現一切智智清淨故預流果清淨預流
果清淨故一切相智清淨何以故若一切智智
清淨若預流果清淨若一切相智清淨無二
無二分無別無斷故一切智智清淨故一來
不還阿羅漢果清淨一來不還阿羅漢果
清淨故一切相智清淨何以故若一切智智清
淨若一來不還阿羅漢果清淨若一切相智
清淨無二無二分無別無斷故善現一切智
智清淨故獨覺菩提清淨獨覺菩提清
淨故一切相智清淨何以故若一切智智清淨若
獨覺菩提清淨若一切相智清淨無二無二
分無別無斷故善現一切智智清淨故一切
菩薩摩訶薩行清淨一切菩薩摩訶薩行
清淨故一切相智清淨何以故若一切智智清
淨若一切菩薩摩訶薩行清淨若一切相智
清淨無二無二分無別無斷故善現一切智
智清淨故諸佛無上正等菩提清淨諸
佛無上正等菩提清淨故一切相智清淨何以
故若一切智智清淨若諸佛無上正等菩
提清淨若一切相智清淨無二無二分無別無
斷故

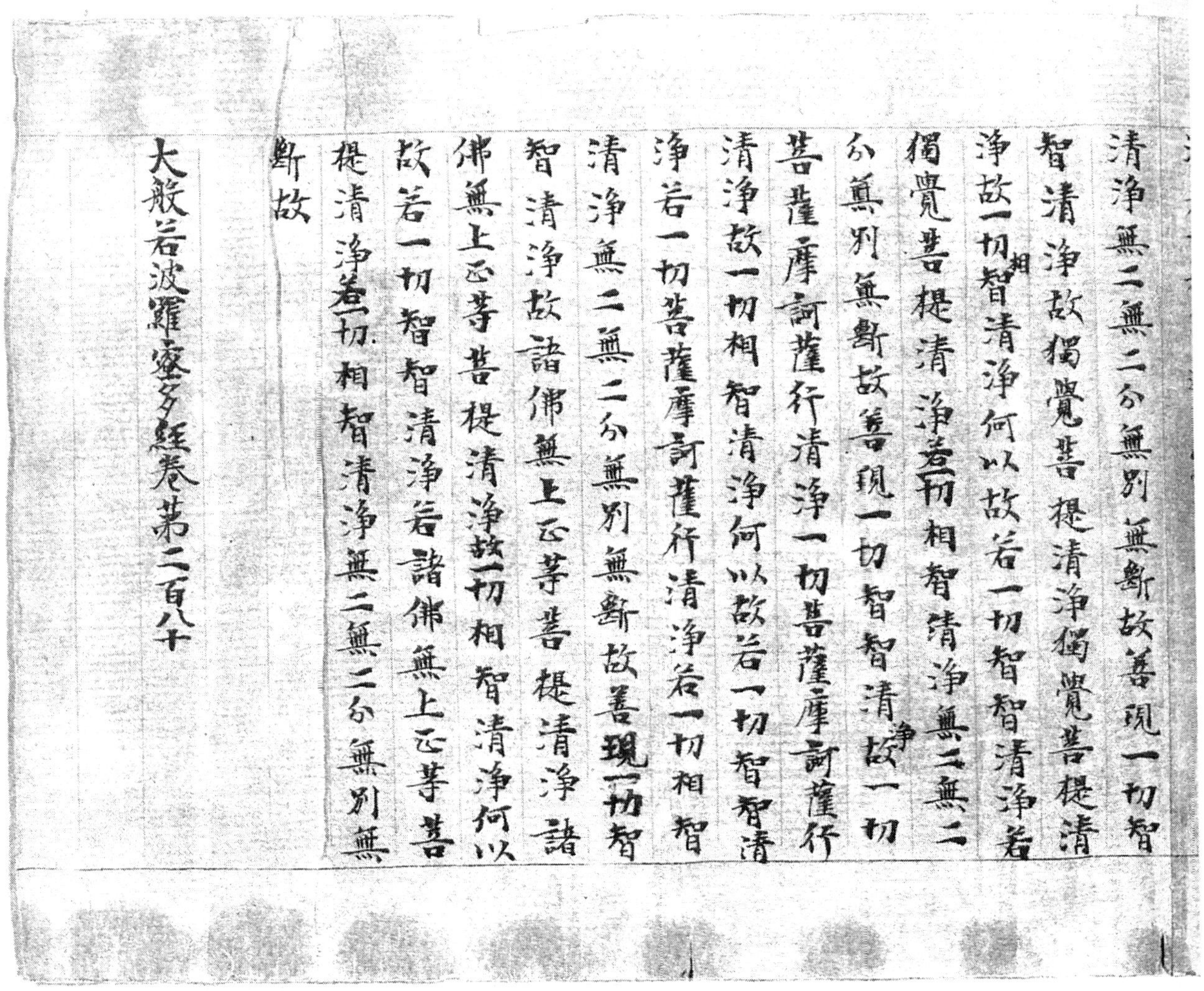
清淨無二無二分無別無斷故善現一切智
智清淨故獨覺菩提清淨獨覺菩提清
淨故一切相智清淨何以故若一切智智清淨若
獨覺菩提清淨若一切相智清淨無二無二
分無別無斷故善現一切智智清淨故一切
菩薩摩訶薩行清淨一切菩薩摩訶薩行
清淨故一切相智清淨何以故若一切智智清
淨若一切菩薩摩訶薩行清淨若一切相智
清淨無二無二分無別無斷故善現一切智
智清淨故諸佛無上正等菩提清淨諸
佛無上正等菩提清淨故一切相智清淨何以
故若一切智智清淨若諸佛無上正等菩
提清淨若一切相智清淨無二無二分無別無
斷故

大般若波羅蜜多經卷第二百八十

BD00897 號　大般若波羅蜜多經卷二八〇　　（14–14）

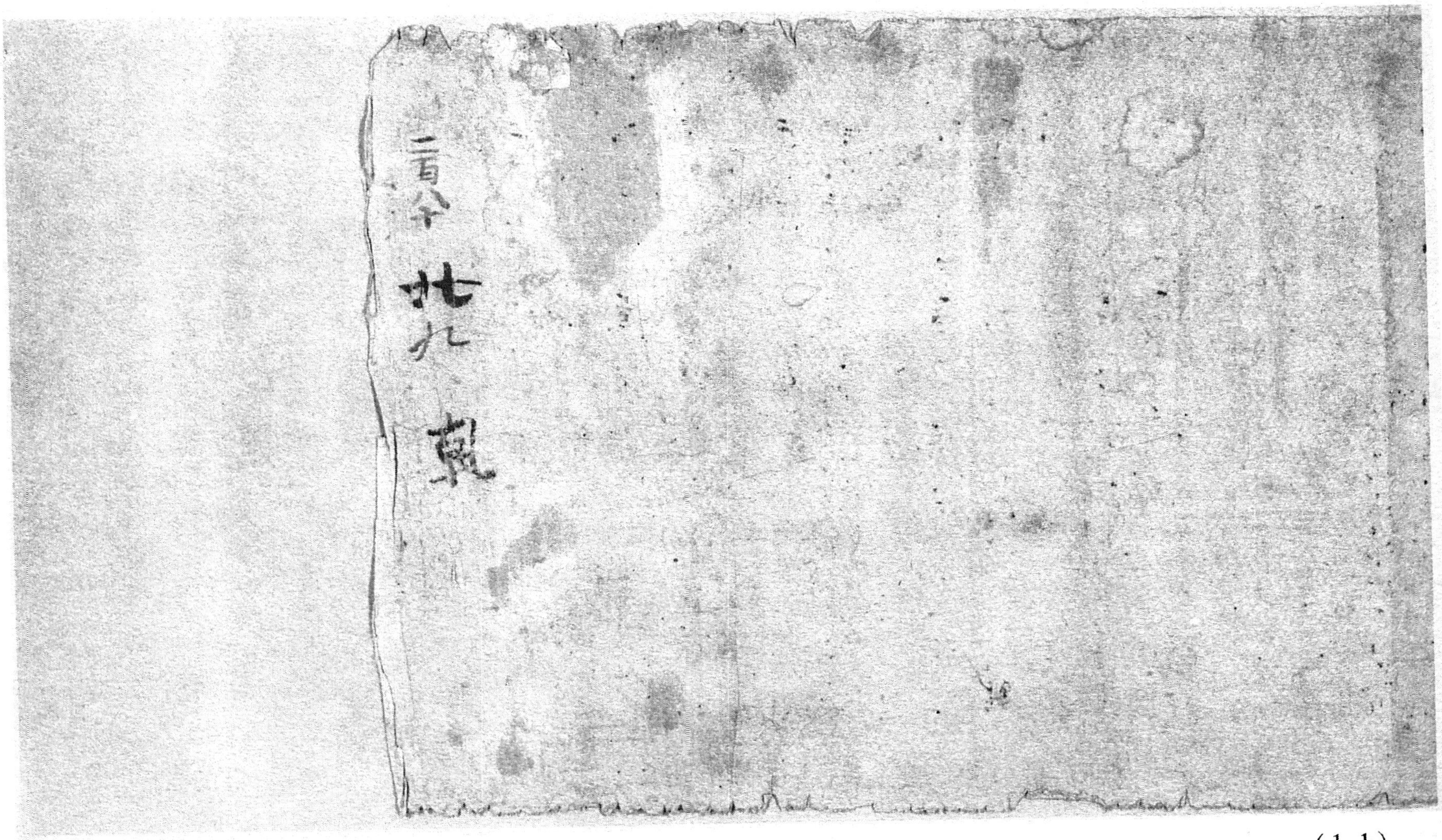
二百八十 廿九

BD00897 號背　勘記　　（1–1）

訁无……不出拔
乃至知者見者相中……无色色相中
无受想行識受想行識相中拔出衆生十二
入十八界乃至一切有漏法亦如是須菩提
亦有諸无漏法所謂四念處四正勤四如意
足五根五力七覺分八聖道分如是等法雖
无漏亦不如第一義相第一義相者无作无
為无生无相无說是名第一義亦名性空
亦名諸佛道是中不得衆生乃至不得知者
見者不得色受想行識乃至不得八十隨形
好何以故菩薩摩訶薩非為道法故求阿耨
多羅三藐三菩提心為諸法實相性空故求
阿耨多羅三藐三菩提是性空前際亦是性
空後際亦是性空中際亦是性空常性空无
不性空時菩薩摩訶薩行是性空般若波羅
蜜為衆生著衆生相欲拔出故求道種智求
道種智時遍行一切道若聲聞道若辟支佛
道若菩薩道是菩薩具足一切道拔出衆生
於耶想者淨佛國土已隨其壽命得阿耨多

BD00898號　摩訶般若波羅蜜經（四十卷本）卷三七　（17–1）

不性空時菩薩摩訶薩行是性空般若波羅
蜜為衆生著衆生相欲拔出故求道種智求
道種智時遍行一切道若聲聞道若辟支佛
道若菩薩道是菩薩具足一切道拔出衆生
於耶想者淨佛國土已隨其壽命得阿耨多
羅三藐三菩提須菩提過去十方諸佛道性
空未來現在十方諸佛道亦性空離性空世
間无道无道果要從親近諸佛聞是諸法性
空行是法不失薩婆若須菩提白佛言世尊
甚希有諸菩薩摩訶薩行是性空法亦不
壞性空相所謂色與性空異受想行識與性
空異乃至阿耨多羅三藐三菩提與性空異
須菩提色即是性空性空即是色乃至阿
耨多羅三藐三菩提阿耨多羅三藐三菩提
即是性空性空即是阿耨多羅三藐三菩
提佛告須菩提若色與性空異若受想行識
與性空異乃至阿耨多羅三藐三菩提與性
空異菩薩摩訶薩不能得一切種智須菩提
今色不異性空乃至阿耨多羅三藐三菩提
不異性空以是故菩薩摩訶薩知一切法性
空發意求阿耨多羅三藐三菩提何以故是
中无有法若實若常但凡夫著色受想行識
凡夫取色相取受想行識相有我心著內外物
故受後身色受想行識是故不得脫生老病
死愁憂苦惱往來六道以是事故菩薩摩訶
薩行性空波羅蜜不壞色等諸法相若空若

BD00898號　摩訶般若波羅蜜經（四十卷本）卷三七　（17–2）

故受後身色受想行識是故不得脫生老病
死愁憂苦惱往來六道以是事故菩薩摩訶
薩行性空波羅蜜不壞色等諸法相若空若
不空不壞受想行識若空若不空乃至不壞
阿耨多羅三藐三菩提相若空若不空何以
故色性空相不壞色所謂是色是空辟如虛
空不壞虛空內虛空不壞外虛空外虛空不
壞內虛空如是須菩提色不壞色空相色
空相不壞色何以故是二法无有性能有所
壞所謂是空是非空乃至阿耨多羅三藐三
菩提亦如是須菩提白佛言世尊若一切法
空无分別云何菩薩摩訶薩從初發意已來
作是願我當得阿耨多羅三藐三菩提世尊
若一切法分別云何菩薩發心言我當得阿
耨多羅三藐三菩提世尊若分別諸法不能
得阿耨多羅三藐三菩提佛告須菩提如
是如是若菩薩摩訶薩行二相者无阿耨多
羅三藐三菩提若分別作二分者无阿耨多
羅三藐三菩提若不二不分別諸法則是阿
耨多羅三藐三菩提菩提是不二相不壞相
須菩提是菩提不色中行不受想行識中
行乃至菩提亦不菩提中行何以故色即是
菩提菩提即是色不二不分別乃至十八不
共法亦如是是菩提非取故行非捨故行須
菩提白佛言世尊若菩薩摩訶薩菩提非取
故行非捨故行菩薩摩訶薩菩提何處行

BD00898號　摩訶般若波羅蜜經（四十卷本）卷三七　（17–3）

共法亦如是是菩提非取故行非捨故行須
菩提白佛言世尊若菩薩摩訶薩菩提非取
故行非捨故行菩薩摩訶薩菩提何處行
佛告須菩提於汝意云何如佛所化人在何
處行若取中行若捨中行須菩提言世尊非
取中行非捨中行佛言菩薩摩訶薩菩提亦
如是非取中行非捨中行須菩提於汝意云
何阿羅漢夢中菩提何處行若取中行若捨
中行不不也世尊非取中行非捨中行世尊
阿羅漢畢竟不眠云何夢中菩提若取中行
若捨中行須菩提菩薩摩訶薩阿耨多羅三
藐三菩提亦如是非取中行非捨中行所謂色
中行乃至一切種智中行世尊將无菩薩摩
訶薩不行十地不行六波羅蜜不行卅七助
道法不行十四空不行諸禪定解脫三昧不
行佛十力乃至八十隨形好住五神通淨佛
國土成就衆生得阿耨多羅三藐三菩提佛
告須菩提如是如是如汝所言今菩薩雖菩
提无處行若不具足十地六波羅蜜四禪四
无量心四无色定四念處乃至八聖道分空
无相无作解脫佛十力乃至八十隨形好常
捨法不錯謬法不具足是諸法終不得阿耨
多羅三藐三菩提是菩薩摩訶薩住色相中
住受想行識相中乃至住阿耨多羅三藐三
菩提相中能具足十地乃至得阿耨多羅三

BD00898號　摩訶般若波羅蜜經（四十卷本）卷三七　（17–4）

多羅三藐三菩提是菩薩摩訶薩住色相中
住受想行識相中乃至住阿耨多羅三藐三
菩提相中能具足十地乃至得阿耨多羅三
藐三菩提是相常解滅无有法能增能減能
生能滅能垢能淨能得道能得果世諦法故
菩薩摩訶薩得阿耨多羅三藐三菩提非第
一實義何以故第一義中无有色乃至无
阿耨多羅三藐三菩提亦无行阿耨多羅
三藐三菩提者是一切法皆以世諦故說非以
第一義須菩提菩薩摩訶薩從初發意已来
行阿耨多羅三藐三菩提菩提亦不增衆生
亦不減菩薩亦无增減須菩提於意云何若
人初得道時住无閒三昧得无漏根成就若
須陁洹果若斯陁含果若阿那含果阿羅漢
果汝尒時有所得若夢若心若道若道果不
須菩提言世尊不得也佛告須菩提云何當
知得阿羅漢道者世尊世諦故說名阿羅漢
道佛言如是如是佛語須菩提世諦故說名
菩薩說名色受想行識乃至一切種智是菩
提中无法可得若增若減以諸法性空故諸
法性空尚不可得何况得初地心乃至十地心
六波羅蜜卅七助道法空三昧无相无作三
昧乃至一切佛法當有所得无有是處如是
須菩提菩薩摩訶薩行阿耨多羅三藐三
菩提得阿耨多羅三藐三菩提利益衆生
摩訶般若波羅蜜經照明品第八十

BD00898號　摩訶般若波羅蜜經（四十卷本）卷三七　（17–5）

時乃至一切佛法當有所得无有是處如是
須菩提菩薩摩訶薩行阿耨多羅三藐三
菩提得阿耨多羅三藐三菩提利益衆生
摩訶般若波羅蜜經照明品第八十
須菩提白佛言世尊若菩薩摩訶薩行六波
羅蜜十八空卅七助道法佛十力四无所畏
四无礙智十八不共法不具足菩薩道不能
得阿耨多羅三藐三菩提世尊菩薩摩訶薩
當云何具足菩薩道得阿耨多羅三藐三菩
提佛告須菩提若菩薩摩訶薩行般若波羅
蜜時以方便力故行檀波羅蜜不得施不得施
者不得受者亦不遠離是法行檀波羅蜜是
則照明菩薩道如是須菩提菩薩以方便力
故具足菩薩道具足已能得阿耨多羅三藐
三菩提持戒忍辱精進禪定智慧乃至十八
不共法亦如是舍利弗白佛言世尊云何菩薩摩
訶薩習般若波羅蜜佛告舍利弗若菩薩摩
訶薩行般若波羅蜜以方便力故不壞色不
隨色何以故是色性无故不壞不隨乃至識
亦如是舍利弗菩薩摩訶薩行般若波羅蜜
以方便力故檀波羅蜜不壞不隨何以故檀波
羅蜜性无故乃至十八不共法亦如是舍利
弗白佛言世尊若諸法无自性可壞可隨者
云何菩薩摩訶薩能習般若波羅蜜諸菩薩
摩訶薩所學處何以故菩薩摩訶薩不學般
若波羅蜜不能得阿耨多羅三藐三菩提佛

BD00898號　摩訶般若波羅蜜經（四十卷本）卷三七　（17–6）

云何菩薩摩訶薩能習般若波羅蜜諸菩薩
摩訶薩所學處何以故菩薩摩訶薩不學般
若波羅蜜不能得阿耨多羅三藐三菩提佛
告舍利弗如汝所言菩薩不學般若波羅蜜
不能得阿耨多羅三藐三菩提不離方便力
故可得舍利弗若菩薩摩訶薩行般若波羅
蜜若有一法性可得應當取若不得何所取
所謂此是般若波羅蜜是禪波羅蜜是毗梨
耶波羅蜜是羼提波羅蜜尸羅波羅蜜檀波
羅蜜是色受想行識乃至是阿耨多羅三藐
三菩提舍利弗是般若波羅蜜不可取相乃
至一切諸佛法不可取相舍利弗是名不取
般若波羅蜜乃至佛法是菩薩摩訶薩所應
學菩薩摩訶薩於是中學時學相亦不可得
何況般若波羅蜜佛法菩薩法辟支佛法聲
聞法凡夫人法何以故舍利弗諸法无一法
有性如是无性諸法何等是凡夫人須陁洹
斯陁含阿那含阿羅漢辟支佛菩薩佛若无
是諸賢聖云何有法以是法故分別說是凡
夫人須陁洹斯陁含阿那含阿羅漢辟支佛
菩薩佛舍利弗白佛言世尊若諸法无性无
實无根本云何知是凡夫人乃至是佛佛告
舍利弗凡夫人所著處色有性有實不不也
世尊但以顛倒心故受想行識乃至十八不
共法亦如是舍利弗菩薩摩訶薩行般若波

BD00898號　摩訶般若波羅蜜經（四十卷本）卷三七　（17-7）

實无根本云何知是凡夫人乃至是佛佛告
舍利弗凡夫人所著處色有性有實不不也
世尊但以顛倒心故受想行識乃至十八不
共法亦如是舍利弗菩薩摩訶薩行般若波
羅蜜時以方便力故見諸法无性无根本故
能發阿耨多羅三藐三菩提心舍利弗白佛
言云何菩薩摩訶薩行般若波羅蜜時以方
便力故見諸法无性无根本故發阿耨多羅
三藐三菩提心佛告舍利弗菩薩摩訶薩行
般若波羅蜜時不見諸法根本住中退没生
懈怠心舍利弗諸法根本實无我无所有性
常空但顛倒愚癡故眾生著陰入界是菩薩
摩訶薩見諸法无所有性常空自相空時行
般若波羅蜜自立如幻師為眾生說法慳者
為說布施法破戒者為說持戒法瞋者為說
忍辱懈怠者為說精進亂者為說禪定法愚
癡者為說智慧法令眾生住布施乃至智慧
然後為說聖法能出世用是法故得須陁洹
果乃至阿羅漢果辟支佛道乃至阿耨多羅
三藐三菩提舍利弗白佛言世尊是菩薩摩
訶薩得是眾生无所有教令布施持戒乃至
智慧然後為說聖法能出世以是法故得須
陁洹果乃至阿耨多羅三藐三菩提佛告舍
利弗菩薩摩訶薩行般若波羅蜜時无有所
得過罪何以故舍利弗是菩薩摩訶薩行般
若波羅蜜時不得眾生但空法相續故名為

BD00898號　摩訶般若波羅蜜經（四十卷本）卷三七　（17-8）

利弗菩薩摩訶薩行般若波羅蜜時无有所
得過罪何以故舍利弗是菩薩摩訶薩行般
若波羅蜜時不得衆生但空法相續故名爲
衆生舍利弗菩薩摩訶薩住二諦中爲衆生
説法世諦第一義諦舍利弗二諦中衆生雖
不可得菩薩摩訶薩行般若波羅蜜以方便
力故爲衆生説法衆生聞是法今世吾我尚
不可得何况當得阿耨多羅三藐三菩提及
所用法如是舍利弗菩薩摩訶薩行般若波
羅蜜時以方便力故爲衆生説法舍利弗白
佛言世尊是菩薩摩訶薩摩訶薩心曠大无
有法可得若一相若異相若别相而能如是
大莊嚴用是莊嚴故不生欲界不生色界不
生无色界不見有爲性不見无爲性而於三
界中度脱衆生亦不得衆生何以故衆生不
縛不解衆生不縛不解故无垢无淨无垢无
淨故无分别六道无分别六道故无業无煩
惱无業无煩惱故亦不應有果報以是果報
故生三界中佛告舍利弗如是如是如汝所
言若衆生先有後无諸佛菩薩則有過罪諸
法六道生死亦如是若先无後有諸佛菩薩
則有過罪舍利弗今有佛无佛諸法相常住
不異是法相中尚无我无衆生无壽命乃至
无知者无見者何况當有色受想行識若无
是法云何當有六道往來拔出衆生處舍利
弗是諸法性常空以是故諸菩薩摩訶薩從

BD00898號　摩訶般若波羅蜜經（四十卷本）卷三七　（17-9）

无知者无見者何况當有色受想行識若无
是法云何當有六道往來拔出衆生處舍利
弗是諸法性常空以是故諸菩薩摩訶薩從
過去佛聞是法相發阿耨多羅三藐三菩提
意是中无有法我當得亦无有衆生定著處
法可出但以衆生顛倒故著以是故菩薩摩
訶薩發大莊嚴常不退向阿耨多羅三藐三菩
提是菩薩不疑我當不得阿耨多羅三藐三
菩提我必當得阿耨多羅三藐三菩提得阿
耨多羅三藐三菩提已用實法利益衆生令
出顛倒舍利弗譬如幻師幻作百千万億人
與種種飲食令飽滿歡喜唱言我得大福我
得大福於汝意云何是中有人食飲飽滿不
不也世尊佛言如是舍利弗菩薩摩訶薩從
初發意已來行六波羅蜜四禪四无量心四
无色定四念處乃至八聖道分十四空三解
脱門八解脱九次第定佛十力乃至十八不
共法具足菩薩道成就衆生淨佛國土无衆
生法可度須菩提白佛言世尊何等是菩薩
摩訶薩道菩薩行是道能成就衆生淨佛國
土佛告須菩提菩薩摩訶薩從初發意已來
行檀波羅蜜行尸羅羼提毗梨耶禪那般若
波羅蜜乃至行十八不共法成就衆生淨佛
國土須菩提白佛言世尊云何菩薩摩訶薩
行檀波羅蜜成就衆生佛告須菩提有菩薩

BD00898號　摩訶般若波羅蜜經（四十卷本）卷三七　（17-10）

波羅蜜乃至行十八不共法成就衆生淨佛
國土須菩提白佛言世尊云何菩薩摩訶薩
行檀波羅蜜成就衆生佛告須菩提有菩薩
摩訶薩行檀波羅蜜時自布施亦教衆生布
施作是言諸善男子汝等莫著布施汝著布
施故當更受身受身故多受衆苦諸善男子
諸法相中无所施无施者无受者是三法性
皆空是性空法不可取不可取相是性空如
是須菩提菩薩摩訶薩行檀波羅蜜時布施
衆生是中不得布施不得施者不得受者何
以故无所得波羅蜜是名為檀波羅蜜是菩
薩不得是三法故能教衆生令得須陁洹果
乃至令得阿羅漢果辟支佛道阿耨多羅三
藐三菩提如是須菩提菩薩摩訶薩行檀波
羅蜜時成就衆生是菩薩自行布施亦教他
人行布施讚歎布施法歡喜讚歎行布施者
是菩薩如是布施已生刹利大姓婆羅門大
姓居士大家若作小王若轉輪聖王是時以
四事攝取衆生何等四布施愛語利行同事
是四事攝衆生已衆生漸漸住於戒四禪四
无量心四无色定四念處八聖道分空无相
无作三昧得入正位中得須陁洹果乃至得
阿羅漢果若得辟支佛道若教令得阿耨多
羅三藐三菩提作是言諸善男子汝等當發
阿耨多羅三藐三菩提心發阿耨多羅三藐
三菩提心已阿耨多羅三藐三菩提

羅三藐三菩提作是言諸善男子汝等當發
阿耨多羅三藐三菩提心發阿耨多羅三藐
三菩提心已阿耨多羅三藐三菩提易得可
何以故无有定法衆生所著處但顛倒故衆
生著是故汝等自離生死亦當教他離生死
汝等若發心能自利益亦當得利益他人須
菩提菩薩摩訶薩應如是行檀波羅蜜是行
檀波羅蜜因緣故從初發意已来終不墮惡
道常作轉輪聖王何以故隨其所種得大果
報是菩薩作轉輪聖王時見有乞者作是念
我不為餘事故受轉輪聖王果但為利益一
切衆生故是時作是言此是汝物汝自取之
莫有所難我无所惜我為衆生故受生死憐
愍汝等故具足大悲行是大悲饒益衆生亦
不得實定衆生相空但有假名故可說是衆
生是名字亦空如嚮聲實不可說相須菩提
菩薩摩訶薩應如是行檀波羅蜜於衆生中
无所惜乃至不惜自身肌肉何況外物以是
法故能出衆生生死何等是法所謂檀波羅
蜜尸羅波羅蜜羼提波羅蜜毗梨耶波羅蜜
禪波羅蜜般若波羅蜜乃至十八不共法令
衆生從生死中得脫復次須菩提菩薩摩訶
薩住檀波羅蜜中布施已作是言諸善男子
汝等来持戒我當供給汝等令无乏短衣食
卧具乃至資生所須盡當給汝汝等之少故

薩住檀波羅蜜中布施已作是言諸善男子
汝等来持戒我當供給汝等令无乏短衣食
卧具乃至資生所須盡當給汝汝等之少故
破戒我當給汝所須令无所乏若飲食乃至
七寶汝等住是戒律儀中漸漸當得盡苦或
於三乘而得度脫若聲聞乘辟支佛乘佛乘
復次須菩提菩薩摩訶薩住檀波羅蜜中若
見衆生瞋惱作是言諸善男子汝等以何因
緣故瞋惱我當與汝所須汝等所欲從我取
之悉當給汝令无所乏若飲食衣服乃至資
生所須是菩薩住檀波羅蜜中教衆生忍辱
作是言一切法中无有堅實汝等所瞋是因
緣空无堅實皆從虛妄憶想生无有根本汝
瞋恚壞心惡口罵詈刀杖相加以至害命汝
等莫以是虛妄法起瞋故墮地獄畜生餓鬼
中及餘惡道受无量苦汝等莫以是虛妄无
實諸法故而作罪業以是罪業故尚不得人
身何况得生佛世諸人佛世難值人身難得
汝等莫失好時若失好時則不可捄是菩薩
摩訶薩如是教化衆生自行忍辱亦教他人
令行忍辱讚歎忍辱法歡喜讚歎行忍辱者
是菩薩令衆生住忍辱中漸以三乘得盡衆
苦如是須菩提菩薩摩訶薩住檀波羅蜜令
衆生住忍辱須菩提云何菩薩摩訶薩住檀
波羅蜜令衆生精進須菩提菩薩見衆生懈
怠如是言汝等何以懈怠衆生言因緣少故

衆生住忍辱須菩提云何菩薩摩訶薩住檀
波羅蜜令衆生精進須菩提菩薩見衆生懈
怠如是言汝等何以懈怠衆生言因緣少故
是菩薩行檀波羅蜜時語諸人言我當令汝
因緣具足若布施若持戒若忍辱如是等因
緣令汝具足是衆生得菩薩利益因緣故身
精進口精進心精進身精進口精進心精進
故一切善法具足脩聖无漏法脩聖无漏法
故當得須陁洹果乃至阿羅漢果辟支佛道
若得阿耨多羅三藐三菩提如是須菩提菩
薩摩訶薩行檀波羅蜜時住精進波羅蜜攝
取衆生須菩提云何菩薩摩訶薩行檀波羅
蜜時教化衆生令脩禪波羅蜜佛告須菩提
菩薩見衆生亂心作是言汝等可脩禪定衆
生言我等因緣不具足故菩薩言我當與汝
等作因緣以是因緣故令汝心不隨覺觀心
不馳散衆生以是因緣故斷覺觀入初禪二
禪三禪四禪行慈悲喜捨心衆生以是禪无
量心因緣故能脩四念處乃至八聖道分脩
卅七助道法時漸入三乘而得涅槃終不失
道如是須菩提菩薩摩訶薩行檀波羅蜜時
以禪波羅蜜攝取衆生令行禪波羅蜜須菩
提云何菩薩摩訶薩行檀波羅蜜以般若波
羅蜜攝取衆生須菩提菩薩見衆生愚癡无
有智慧作是言汝等何以故不脩智慧衆生
言因緣未具故菩薩住檀波羅蜜中作是言

羅蜜攝取衆生須菩提菩薩見衆生愚癡无
有智慧作是言汝等何以故不脩智慧衆生
言因緣未具故菩薩住檀波羅蜜中作是言
汝等所須得智慧具從我取之所謂布施持
戒忍辱精進入禪定是因緣具足已汝等如
是思惟思惟般若波羅蜜時有法可得不着
我若衆生若壽命乃至知者見者可得不着
色受想行識若欲界色界无色界若六波羅
蜜若卅七助道法若須陁洹果若斯陁含阿
那含阿羅漢果辟支佛道若阿耨多羅三藐
三菩提可得不是衆生如是思惟時於般若
波羅蜜中无有法可得可著處若不著諸法
是時不見諸法有生有滅有垢有淨不分別
是地獄是畜生是餓鬼是阿脩羅是天是
人是持戒是破戒是須陁洹是斯陁含是阿
那含是阿羅漢是辟支佛是佛如是須菩提
菩薩摩訶薩行檀波羅蜜時以般若波羅蜜
攝取衆生須菩提云何菩薩摩訶薩住檀
波羅蜜中以尸羅波羅蜜羼提波羅蜜
毗梨耶波羅蜜禪波羅蜜般若波羅蜜乃至
卅七助道法攝取衆生須菩提菩薩摩訶薩
行檀波羅蜜中以供養具利益衆生以是利
益因緣故衆生能脩四念處四正勤四如意
足五根五力七覺分八聖道分衆生行是卅
七助道法於生死中得解脫如是須菩提菩

BD00898 號　摩訶般若波羅蜜經（四十卷本）卷三七　（17–15）

益因緣故衆生能脩四念處四正勤四如意
足五根五力七覺分八聖道分衆生行是卅
七助道法於生死中得解脫如是須菩提菩
薩摩訶薩以无漏聖法攝取衆生復次須菩
提菩薩摩訶薩教化衆生時如是言諸善
男子汝等從我取所須物若飲食衣服卧具
香華乃至七寶等種種資生所須汝當以是
攝取衆生汝等長夜利益安樂莫作是念是
物非我所有我長夜為衆生故集此諸物汝
等當取是物如已物无異教化衆生令行布
施持戒忍辱精進禪定智慧乃至令得卅七助
道法佛十力乃至十八不共法亦令得无漏
法所謂須陁洹乃至阿羅漢果辟支佛道阿
耨多羅三藐三菩提如是須菩提菩薩摩訶
薩行檀波羅蜜時應如是教化衆生令得
離三惡道及一切生死往來苦復次須菩提
菩薩摩訶薩住尸波羅蜜教化衆生作是言
衆生汝等何因緣故破戒我當與汝作具足
因緣若布施乃至智慧及種種資生所須是
菩薩住尸羅波羅蜜利益衆生令行十善遠
離十不善道是衆生持諸戒不破戒不缺戒
不濁戒不雜戒不取戒漸以三乘而得盡苦
尸羅波羅蜜為首如檀波羅蜜說餘四波羅
蜜亦如是

BD00898 號　摩訶般若波羅蜜經（四十卷本）卷三七　（17–16）

道法佛十力乃至十八不共法亦令得无漏
法所謂須陁洹乃至阿羅漢果辟支佛道阿
耨多羅三藐三菩提如是須菩提菩薩摩訶
薩行檀波羅蜜時應如是教化衆生令得
離三惡道及一切生死往來苦復次須菩提
菩薩摩訶薩住尸波羅蜜教化衆生作是言
衆生汝等何因緣故破戒我當與汝作具足
因緣若布施乃至智慧及種種資生所須是
菩薩住尸羅波羅蜜利益衆生令行十善遠
離十不善道是衆生持諸戒不破戒不缺戒
不濁戒不雜戒不取戒漸以三乘而得盡苦
尸羅波羅蜜為首如檀波羅蜜說餘四波羅
蜜亦如是
摩訶般若波羅蜜經卷第卅七

BD00898號　摩訶般若波羅蜜經（四十卷本）卷三七　（17–17）

記品第八
佛聞是智慧方便
耨多羅三藐三菩
聞諸佛有大自在神通
羅即從坐起到於佛前頭
仰尊顏目不暫捨而作是念
隨順世間若干種性以方便
處處貪著我等於佛功
知我等深心本願介時佛
那彌多羅尼子不我常
亦常歎其種種功德
精勤於四衆示教利喜具足解
釋佛之正法而大饒益同自捨如來無能
盡其言論之辯汝等勿謂富樓那但能護持助
宣我法亦於過去九十億諸佛所護持助宣佛之正
法於彼說法人中亦最第一又於諸佛所說空法明
了通達得四无㝵智常能審諦清淨說法无有
疑惑具足菩薩神通之力隨其壽命常脩梵行
彼佛世人咸皆謂之實是聲聞而富樓那以斯
方便饒益无量百千衆生又化无量阿僧祇人令

BD00899號　妙法蓮華經卷四　（24–1）

宣我法亦於過去九十億諸佛所護持助宣佛之正
法於彼說法人中亦最第一又於諸佛所說空法明
了通達得四无㝵智常能審諦清淨說法无有
疑惑具足菩薩神通之力隨其壽命常修梵行
彼佛世人咸皆謂之實是聲聞而富樓那以斯
方便饒益无量百千衆生又化无量阿僧祇人令
立阿耨多羅三藐三菩提爲淨佛土故常作佛事
教化衆生諸比丘富樓那亦於七佛說法人中而得
第一今於我所說法人中亦爲第一於賢劫中當來
諸佛說法人中亦復第一而皆護持助宣佛法亦
於未來護持助宣无量无邊諸佛之法教化饒益
无量衆生令立阿耨多羅三藐三菩提爲淨佛
土故常勤精進教化衆生漸漸具足菩薩之道
過无量阿僧祇劫當於此土得阿耨多羅三藐
三菩提号曰法明如來應供正遍知明行足善逝世
間解无上士調御丈夫天人師佛世尊其佛以恒
河沙等三千大千世界爲一佛土七寶爲地地平
如掌无有山陵谿澗溝壑七寶臺觀充滿其中諸
天宮殿近處虛空人天交接兩得相見无諸惡
道亦无女人一切衆生皆以化生无有婬欲得
大神通身出光明飛行自在志念堅固精進智慧
普皆金色三十二相而自莊嚴其國衆生常以二
食一者法喜食二者禪悅食有无量千万億那由他
阿僧祇諸菩薩衆得大神通四无㝵智善能教
化衆生之類其聲聞衆筭數挍計所不能知
皆得具足六通三明及八解脫其佛國土有如是
等无量功德莊嚴成就劫名寶明國名善淨其
佛壽命无量阿僧祇劫法住甚久佛滅度後起七
寶塔遍滿其國尒時世尊欲重宣此義而說偈言
諸比丘諦聽　佛子所行道　善學方便故　不可得思議
知衆樂小法　而畏於大智　是故諸菩薩　作聲聞緣覺

寶塔遍滿其國尒時世尊欲重宣此義而說偈言
諸比丘諦聽　佛子所行道　善學方便故　不可得思議
知衆樂小法　而畏於大智　是故諸菩薩　作聲聞緣覺
以无數方便　化諸衆生類　自說是聲聞　去佛道甚遠
度脫无量衆　皆悉得成就　雖小欲懈怠　漸當令作佛
内秘菩薩行　外現是聲聞　少欲猒生死　實自淨佛土
示衆有三毒　又現邪見相　我弟子如是　方便度衆生
若我具足說　種種現化事　衆生聞是者　心則懷疑惑
今此富樓那　於昔千億佛　勤修所行道　宣護諸佛法
爲求无上慧　而於諸佛所　現居弟子上　多聞有智慧
所說无所畏　能令衆歡喜　未曾有疲惓　而以助佛事
已度大神通　具四无㝵智　知衆根利鈍　常說清淨法
演暢如是義　教諸千億衆　令住大乘法　而自淨佛土
未來亦供養　无量无數佛　護助宣正法　亦自淨佛土
常以諸方便　說法无所畏　度不可計衆　成就一切智
供養諸如來　護持法寶藏　其後得成佛　号名曰法明
其國名善淨　七寶所合成　劫名爲寶明　菩薩衆甚多
其數无量億　皆度大神通　威德力具足　充滿其國土
聲聞亦无數　三明八解脫　得四无㝵智　以是等爲僧
其國諸衆生　婬欲皆已斷　純一變化生　具相莊嚴身
法喜禪悅食　更无餘食想　无有諸女人　亦无諸惡道
富樓那比丘　功德悉成滿　當得斯淨土　賢聖衆甚多
如是无量事　我今但略說
尒時千二百阿羅漢心自在者作是念我等歡喜得
未曾有若世尊各見授記如餘大弟子者不
亦快乎佛知此等心之所念告摩訶迦葉是千二百
阿羅漢我今當現前次第與授阿耨多羅三
藐三菩提記於此衆中我大弟子憍陳如比丘當
供養六万二千億佛然後得成爲佛号曰普明
如來應供正遍知明行足善逝世間解无上士
調御丈夫天人師佛世尊其五百阿羅漢優樓頻
[illegible]

供養六万二千億佛然後得成為佛号曰普明
如来應供正遍知明行足善逝世間解无上士
調御丈夫天人師佛世尊其五百阿羅漢優樓頻
螺迦葉伽耶迦葉那提迦葉迦留陁夷優陁夷
阿㝹樓馱離婆多劫賓那薄拘羅周陁莎
伽陁等皆當得阿耨多羅三藐三菩提盡同一
号名曰普明尒時世尊欲重宣此義而說偈言
憍陳如比丘　當見无量佛　過阿僧祇劫　乃成等正覺
常放大光明　具足諸神通　名聞遍十方　一切之所敬
常說无上道　故号為普明　其國土清淨　菩薩皆勇猛
咸昇妙樓閣　遊諸十方國　以无上供具　奉獻於諸佛
作是供養已　心懷大歡喜　須臾還本國　有如是神力
佛壽六万劫　正法住倍壽　像法復倍是　法滅天人憂
其五百比丘　次第當作佛　同号為普明　轉次而授記
我滅度之後　某甲當作佛　其所化世間　亦如我今日
國土之嚴淨　及諸神通力　菩薩聲聞衆　正法及像法
壽命及多少　皆如上所說　迦葉汝已知　五百自在者
餘諸聲聞衆　亦當復如是　其不在此會　汝當為宣說
尒時五百阿羅漢於佛前得受記已歡喜踊躍即
於佛前頭面礼足悔過自責世尊我等常作是念
自謂已得究竟滅度今乃知之如无智者所以者何
我等應得如来智慧而便自已小智為足世尊為
譬如有人至親友家醉酒而卧是時親友官事當
行以无價寶珠繫其衣裏與之而去其人醉卧都不
覺知起已遊行到於他國為衣食故勤力求索
甚大艱難若少有所得便以為足於後親友
會遇見之而作是言咄哉丈夫何為衣食乃至
如是我昔欲令汝得安樂五欲自恣於某年日月
以无價寶珠繫汝衣裏今故現在而汝不知
勤苦憂惱以求自活甚為癡也汝今可以此寶
貿易所須常可如意无所乏短佛亦如是為菩薩時教

如是我昔欲令汝得安樂五欲自恣於某年日月
以无價寶珠繫汝衣裏今故現在而汝不知
勤苦憂惱以求自活甚為癡也汝今可以此寶
貿易所須常可如意无所乏短佛亦如是為菩薩時教
化我等令發一切智心而尋廢忘不知不覺既
得阿羅漢道自謂滅度資生艱難得少為足一切智
願猶在不失今者世尊覺悟我等作如是言諸
比丘汝等所得非究竟滅我久令汝等種佛善根
以方便故示涅槃相而汝謂為實得滅度世尊我
今乃知實是菩薩得授阿耨多羅三藐三菩提
記以是因緣甚大歡喜得未曾有尒時阿若憍
陳如等欲重宣此義而說偈言
我等聞无上　安隱授記聲　歡喜未曾有　礼无量智佛
今於世尊前　自悔諸過咎　於无量佛寶　得少涅槃分
如无智愚人　便自以為足　譬如貧窮人　往至親友家
其家甚大富　具設諸餚饍　以无價寶珠　繫著內衣裏
嘿與而捨去　時卧不覺知　是人既已起　遊行詣他國
求衣食自濟　資生甚艱難　得少便為足　更不願好者
不覺內衣裏　有无價寶珠　與珠之親友　後見此貧人
苦切責之已　示以所繫珠　貧人見此珠　其心大歡喜
富有諸財物　五欲而自恣　我等亦如是　世尊於長夜
常愍見教化　令種无上願　我等无智故　不覺亦不知
得少涅槃分　自足不求餘　今佛覺悟我　言非實滅度
得佛无上慧　尒乃為真滅　我今從佛聞　授記莊嚴事
及轉次受決　身心遍歡喜
妙法蓮華經授學无學人記品第九
尒時阿難羅睺羅而作是念我等每自思
惟設得受記不亦快乎即從坐起到於佛前
頭面礼足俱白佛言世尊我等於此亦應有
分唯有如来我等所歸又我等為一切天人阿
脩羅所見知識阿難常為侍者護持法藏羅

頭面礼足俱白佛言世尊我等於此亦應有
分唯有如來我等所歸又我等爲一切天人向
脩羅所見知識向難常爲侍者護持法藏羅
睺羅是佛之子若佛見受向耨多羅三藐三
菩提記者我願既滿衆望亦足尒時學无
學聲聞弟子二千人皆從坐起偏袒右肩到
於佛前一心合掌瞻仰世尊如向難羅睺羅所願
住立一面尒時佛告向難汝於來世當得作
佛号曰山海慧自在通王如來應供正遍知
明行足善逝世間解无上士調御丈夫天人師佛
世尊當供養六十二億諸佛護持法藏然後得
向耨多羅三藐三菩提教化二十千億恒河沙
諸菩薩等令成向耨多羅三藐三菩提國名
常立勝幡其土清淨琉璃爲地劫名妙音遍滿
其佛壽命无量千万億向僧祇劫若人於千万億
无量向僧祇劫中筭數校計不能得知正法住世
倍於壽命像法住世復倍正法向難是山海慧自
在通王佛爲十方无量千万億恒河沙等諸佛如來所
共讚歎稱其功德尒時世尊欲重宣此義而說偈言
我今僧中說　向難持法者　當供養諸佛　然後成正覺
号曰山海慧　自在通王佛　其國土清淨　名常立勝幡
教化諸菩薩　其數如恒沙　佛有大威德　名聞滿十方
壽命无有量　以愍衆生故　正法倍壽命　像法復倍是
如恒河沙等　无數諸衆生　於此佛法中　種佛道因緣
尒時會中新發意菩薩八千人咸作是念我等
尚不聞諸大菩薩得如是記有何因緣而諸聲聞
得如是決尒時世尊知諸菩薩心之所念而告
之曰諸善男子我與向難等於空王佛所同
時發向耨多羅三藐三菩提向難常樂多
聞我常勤精進是故我已得成向耨多羅三

之日諸善男子我與向難等於空王佛所同
時發向耨多羅三藐三菩提向難常樂多
聞我常勤精進是故我已得成向耨多羅三
藐三菩提而向難護持我法亦護將來諸佛
法藏教化成就諸菩薩衆其本願如是故獲
斯記向難面於佛前自聞受記及國土莊嚴
所願具足心大歡喜得未曾有即時憶念過去
无量千万億諸佛法藏通達无礙如今所聞亦
識本願尒時向難而說偈言
世尊甚希有　令我念過去　无量諸佛法　如今日所聞
我今无復疑　安住於佛道　方便爲侍者　護持諸佛法
尒時佛告羅睺羅汝於來世當得作佛号蹈七寶
華如來應供正遍知明行足善逝世間解无上士
調御丈夫天人師佛世尊當供養十世界微塵
等數諸佛如來常爲諸佛而作長子猶如今也
是蹈七寶華佛國土莊嚴壽命劫數所化弟子
正法像法亦如山海慧自在通王如來无異亦爲此
佛而作長子過是已後當得向耨多羅三藐
三菩提尒時世尊欲重宣此義而說偈言
我爲太子時　羅睺爲長子　我今成佛道　受法爲法子
於未來世中　見无量億佛　皆爲其長子　一心求佛道
羅睺羅密行　唯我能知之　現爲我長子　以示諸衆生
无量億千万　功德不可數　安住於佛法　以求无上道
尒時世尊見學无學二千人其意柔軟寂然
清淨一心觀佛佛告向難汝見是學无學二千人
不唯然已見向難是諸人等當供養五十世界
微塵等數諸佛如來恭敬尊重護持法藏末
後同時於十方國各得成佛皆同一号名曰寶相
如來應供正遍知明行足善逝世間解无上士調御
丈夫天人師佛世尊壽命一劫國土莊嚴聲聞菩
薩正法像法皆悉同等尒時世尊欲重宣此

微塵等數諸佛如來恭敬尊重護持法藏末
後同時於十方國各得成佛皆同一号名曰寶相
如來應供正遍知明行足善逝世間解无上士調御
丈夫天人師佛世尊壽命一劫國土莊嚴聲聞菩
薩正法像法皆悉同等尒時世尊欲重宣此
義而說偈言
是二千聲聞　今於我前住　悉皆與授記　未來當成佛
所供養諸佛　如上說塵數　護持其法藏　後當成正覺
各於十方國　悉同一名号　俱時坐道場　以證无上慧
皆名為寶相　國土及弟子　正法與像法　悉等无有異
咸以諸神通　度十方衆生　名聞普周遍　漸入於涅槃
尒時學无學二千人聞佛授記歡喜踊躍而說偈言
世尊慧燈明　我聞受記音　心歡喜充滿　如甘露見灌

妙法蓮華經法師品第十

尒時世尊因藥王菩薩告八万大士藥王汝見
是大衆中无量諸天龍王夜叉乾闥婆阿脩羅迦
樓羅緊那羅摩睺羅伽人與非人及比丘比丘
尼優婆塞優婆夷求聲聞者求辟支佛者求佛道者如
是等類咸於佛前聞妙法華經一偈一句一
念隨喜者我皆與授記當得阿耨多羅三藐
三菩提佛告藥王又如來滅度之後若有人聞妙
法華經乃至一偈一句一念隨喜者我亦與授阿耨多
羅三藐三菩提記若復有人受持讀誦解說書寫
妙法華經乃至一偈於此經卷敬視如佛種種供養
華香瓔珞末香塗香燒香繒蓋幢幡衣服伎
樂合掌恭敬藥王當知是諸人等已曾供養十
万億佛於諸佛所成就大願愍衆生生此人間藥
王若有人問何等衆生於未來世當得作佛應
示是諸人等於未來世必得作佛何以故若善男
子善女人於法華經乃至一句受持讀誦解說書
寫種種供養經卷華香瓔珞末香塗香燒香

万億佛於諸佛所成就大願愍衆生生此人間藥
王若有人問何等衆生於未來世當得作佛應
示是諸人等於未來世必得作佛何以故若善男
子善女人於法華經乃至一句受持讀誦解說書
寫種種供養經卷華香瓔珞末香塗香燒香
繒蓋幢幡衣服伎樂合掌恭敬是人一切世間
所應瞻奉應以如來供養而供養之當知此
人是大菩薩成就阿耨多羅三藐三菩提哀愍
衆生願生此間廣演分別妙法華經何況盡能
受持種種供養者藥王當知是人自捨清淨
業報於我滅度後愍衆生故生於惡世廣演
此經若是善男子善女人我滅度後能竊為一
人說法華經乃至一句當知是人則如來使如來
所遣行如來事何況於大衆中廣為人說藥王
若有惡人以不善心於一劫中現於佛前常毀
罵佛其罪尚輕若人以一惡言毀訾在家出家
讀誦法華經者其罪甚重藥王其有讀誦法
華經者當知是人以佛莊嚴而自莊嚴則為如
來肩所荷擔其所至方應隨向礼一心合掌恭
敬尊重讚歎華香瓔珞末香塗香繒蓋幢幡
衣服餚饍作諸伎樂人中上供而供養之應持
天寶而以散之天上寶聚應以奉獻所以者何
是人歡喜說法須臾聞之即得究竟阿耨多
羅三藐三菩提故尒時世尊欲重宣此義
而說偈言
若欲住佛道　成就自然智　常當勤供養　受持法華者
其有欲疾得　一切種智慧　當受持是經　并供養持者
若有能受持　妙法華經者　當知佛所使　愍念諸衆生
諸有能受持　妙法華經者　捨於清淨土　愍衆故生此
當知如是人　自在所欲生　能於此惡世　廣說无上法
應以天華香　及天寶衣服　天上妙寶聚　供養說法者

若有能受持 妙法華經者 當知佛所使 愍念諸衆生
諸有能受持 妙法華經者 捨於清淨土 愍衆故生此
當知如是人 自在所欲生 能於此惡世 廣說無上法
應以天華香 及天寶衣服 天上妙寶聚 供養說法者
吾滅後惡世 能持此經者 當合掌禮敬 如供養世尊
上饌衆甘美 及種種衣服 供養是佛子 冀得須臾聞
若能於後世 受持是經者 我遣在人中 行於如來事
若於一劫中 常懷不善心 作色而罵佛 獲無量重罪
其有讀誦持 是法華經者 須臾加惡言 其罪復過彼
有人求佛道 而於一劫中 合掌在我前 以無數偈讚
由是讚佛故 得無量功德 歎美持經者 其福復過彼
於八十億劫 以最妙色聲 及以香味觸 供養持經者
如是供養已 若得須臾聞 則應自欣慶 我今獲大利
藥王今告汝 我所說諸經 而於此經中 法華最第一
爾時佛復告藥王菩薩摩訶薩我所說經典無
量千萬億已說今說當說而於其中此法華經最
為難信難解藥王此經是諸佛祕要之藏不可
分布妄授與人諸佛世尊之所守護從昔已
來未曾顯說而此經者如來現在猶多怨嫉況
滅度後藥王當知如來滅後其能書持讀誦供
養為他人說者如來則為以衣覆之又為他方
現在諸佛之所護念是人有大信力及志願力
諸善根力當知是人與如來共宿則為如來手
摩其頭藥王在在處處若說若讀若誦若
解說若書寫若經卷所住處皆應起七寶
塔極令高廣嚴飾不須復安舍利所以者何
此中已有如來全身此塔應以一切華香瓔珞
繒蓋幢幡伎樂歌頌供養恭敬尊重讚歎
若有人得見此塔禮拜供養當知是等皆近
阿耨多羅三藐三菩提藥王多有人在家
出家行菩薩道……

BD00899號 妙法蓮華經卷四 （24–10）

繒蓋幢幡伎樂歌頌供養……
若有人得見此塔禮拜供養當知是等皆近
阿耨多羅三藐三菩提藥王多有人在家
出家行菩薩道若不能得見聞讀誦書持
供養是法華經者當知是人未善行菩薩道
若有得聞是經典者乃能善行菩薩之道其
有衆生求佛道者若見若聞是法華經聞
已信解受持者當知是人得近阿耨多羅
三藐三菩提藥王譬如有人渴乏須水於彼高
原穿鑿求之猶見乾土知水尚遠施功不已轉
見濕土遂漸至泥其心決定知水必近菩薩亦
復如是若未聞未解未能修習是法華經當知
是人去阿耨多羅三藐三菩提尚遠若得聞解
思惟修習必知得近阿耨多羅三藐三菩提所
以者何一切菩薩阿耨多羅三藐三菩提皆
屬此經此經開方便門示真實相是法華經藏
深固幽遠無人能到今佛教化成就菩薩而
為開示藥王若有菩薩聞是法華經驚疑怖
畏當知是為新發意菩薩若聲聞人聞
是經驚疑怖畏當知是為增上慢者藥王若
有善男子善女人如來滅後欲為四衆說是法
華經者云何應說是善男子善女人入如來室著如
來衣坐如來座爾乃應為四衆廣說斯經如來
室者一切衆生中大慈悲心是如來衣者柔和忍
辱心是如來坐者一切法空是安住是中然後以不
懈怠心為諸菩薩及四衆廣說是法華經藥王
我於餘國遣化人為其集聽法衆亦遣化比丘比
丘尼優婆塞優婆夷聽其說法是諸化人聞
法信受隨順不逆若說法者在空閑處我時廣遣天
龍鬼神乾闥婆阿修羅等聽其說法我雖在
異國時時令說法者得見我身若於此經……

BD00899號 妙法蓮華經卷四 （24–11）

法信受隨順不逆若說法者在空閑處我時廣遣天
龍鬼神乾闥婆阿脩羅等聽其說法我雖在
異國時時令說法者得見我身若於此經忘失
句逗我還為說令得具足尒時世尊欲重宣此義
而說偈言

欲捨諸懈怠　應當聽此經　是經難得聞　信受者亦難
如人渴須水　穿鑿於高原　猶見乾燥土　知去水尚遠
漸見濕土泥　決定知近水　藥王汝當知　如是諸人等
不聞法華經　去佛智甚遠　若聞是深經　決了聲聞法
是諸經之王　聞已諦思惟　當知此人等　近於佛智慧
若人說此經　應入如來室　著於如來衣　而坐如來坐
處眾无所畏　廣為分別說　大慈悲為室　柔和忍辱衣
諸法空為坐　處此為說法　若說此經時　有人惡口罵
加刀杖瓦石　念佛故應忍　我千万億土　現淨堅固身
於无量億劫　為眾生說法　若我滅度後　能說此經者
我遣化四眾　比丘比丘尼　及清信士女　供養於法師
引導諸眾生　集之令聽法　若人欲加惡　刀杖及瓦石
則遣變化人　為之作衛護　若說法之人　獨在空閑處
寂寞无人聲　讀誦此經典　我尒時為現　清淨光明身
若忘失章句　為說令通利　若人具是德　或為四眾說
空處讀誦經　皆得見我身　若人在空閑　我遣天龍王
夜叉鬼神等　為作聽法眾　是人樂說法　分別无罣礙
諸佛護念故　能令大眾喜　若親近法師　速得菩薩道
隨順是師學　得見恒沙佛

妙法蓮華經見寶塔品第十一

尒時佛前有七寶塔高五百由旬縱廣二
百五十由旬從地踊出住在空中種種寶物而
莊挍之五千欄楯龕室千万无數幢幡以為嚴飾
垂寶瓔珞寶鈴万億而懸其上四面皆出多
摩羅跋栴檀之香充遍世界其諸幡蓋以金銀瑠

BD00899號　妙法蓮華經卷四　（24–12）

莊挍之五千欄楯龕室千万无數幢幡以為嚴飾
垂寶瓔珞寶鈴万億而懸其上四面皆出多
摩羅跋栴檀之香充遍世界其諸幡蓋以金銀瑠
璃車𤦲馬瑙真珠玫瑰七寶合成高至四天王宮三
三十三天雨天曼陁羅華供養寶塔餘諸天龍
夜叉乾闥婆阿脩羅迦樓羅緊那羅摩睺羅
伽人非人等千万億眾以一切華香瓔珞幡蓋伎
樂供養寶塔恭敬尊重讚歎尒時寶塔中出
大音聲歎言善哉善哉釋迦牟尼世尊能以平
等大慧教菩薩法佛所護念妙法華經為大眾
說如是如是釋迦牟尼世尊如所說者皆是真
實尒時四眾見大寶塔住在空中又聞塔中所
出音聲皆得法喜怪未曾有從座而起恭敬合
掌却住一面尒時有菩薩摩訶薩名大樂說
知一切世間天人阿脩羅等心之所疑而白佛言
世尊以何因緣有此寶塔從地踊出又於其中
發是音聲尒時佛告大樂說菩薩此寶塔中
有如來全身乃往過去東方无量千万億阿僧
祇世界國名寶淨彼中有佛号曰多寶其佛
本行菩薩道時作大誓願若我成佛滅度之後
於十方國土有說法華經處我之塔廟為聽是經
故踊現其前為作證明讚言善哉彼佛成道已
臨滅度時於天人大眾中告諸比丘我滅度後
欲供養我全身者應起一大塔其佛以神通願力
十方世界在在處處若有說法華經者彼之寶
塔皆踊出其前全身在於塔中讚言善哉善
哉大樂說今多寶如來塔聞說法華經故從地
踊出讚言善哉善哉是時大樂說菩薩以如
來神力故白佛言世尊我等願欲見此佛身佛
告大樂說菩薩摩訶薩是多寶佛有深重願
若我寶塔為聽法華經故出於諸佛前時其

BD00899號　妙法蓮華經卷四　（24–13）

來神力故白佛言世尊我等願欲見此佛身佛
告大樂說菩薩摩訶薩是多寶佛有深重願
若我寶塔為聽法華經故出於諸佛前其時其
有欲以我身示四衆者彼佛分身諸佛在於十方
世界說法盡還集一處然後我身乃出現耳大
樂說我分身諸佛在於十方世界說法者今應當
集大樂說白佛言世尊我等亦願欲見世尊
分身諸佛礼拜供養尒時佛放白毫一光即
見東方五百万億那由他恒河沙等國土諸佛
彼諸國土皆以頗梨為地寶樹寶衣以為莊嚴
无數千万億菩薩充滿其中遍張寶幔寶網
羅上彼國諸佛以大妙音而說諸法及見无量
千万億菩薩遍滿諸國為衆說法南西北方
四維上下白毫相光所照之處亦復如是尒時
十方諸佛各告衆菩薩言善男子我今應往
娑婆世界釋迦牟尼佛所并供養多寶如來
寶塔時娑婆世界即變清淨瑠璃為地寶樹
行列黃金為繩以界八道无諸聚落村營城邑
大海江河林藪燒大寶香曼陀羅華遍布其
地以寶網幔羅覆其上懸諸寶鈴唯留此會
衆移諸天人置於他土是時諸佛各將一大菩薩
以為侍者至娑婆世界各到寶樹下一一寶樹高
五百由旬枝葉華菓次第莊嚴諸寶樹下皆有
師子之坐高五由旬亦以大寶而校飾之尒時諸佛各
於此坐結跏趺坐如是展轉遍滿三千大千世界而
於釋迦牟尼佛一方所分之身猶故未盡時釋迦
牟尼佛欲容受所分身諸佛故八方各更變二百
万億那由他國皆令清淨无有地獄餓鬼畜生及
向脩羅又移諸天置於他土所化之國亦以瑠
璃為地寶樹莊嚴樹高五百由旬枝葉華菓

BD00899號　妙法蓮華經卷四　(24-14)

万億那由他國皆令清淨无有地獄餓鬼畜生及
向脩羅又移諸天置於他土所化之國亦以瑠
璃為地寶樹莊嚴樹高五百由旬枝葉華菓
次第莊嚴樹下皆有寶師子坐高五由旬種種
諸寶以為莊校亦无大海江河及目真隣陀山摩
訶目真隣陀山鐵圍山大鐵圍山須彌山等諸山王通
為一佛國土寶地平正寶交露幔遍覆其上
懸諸幡蓋燒大寶香諸天寶華遍布其地
釋迦牟尼佛為諸佛當來坐故復於八方各更
變二百万億那由他國皆令清淨无有地獄餓鬼
畜生及阿脩羅又移諸天置於他土所化之
國亦以瑠璃為地寶樹莊嚴樹高五百由
旬枝葉華菓次第莊嚴樹下皆有寶師
子座高五由旬亦以大寶而校飾之亦无大海江
河及目真隣陀山摩訶目真隣陀山鐵圍山大
鐵圍山須彌山等諸山王通為一佛國土寶地
平正寶交露幔遍覆其上懸諸幡蓋燒大寶
香諸天寶華遍布其地尒時東方釋迦牟尼佛
所分之身百千万億那由他恒河沙等國土中諸
佛各各說法來集於此如是次第十方諸佛皆悉
來集坐於八方尒時一一方四百万億那由他國土
諸佛如來遍滿其中是時諸佛各在寶樹下坐
師子坐皆遣侍者問訊釋迦牟尼佛各賷寶華
滿掬而告之言善男子汝往詣耆闍崛山釋迦
牟尼佛所如我辭曰少病少惱氣力安樂及菩薩
聲聞衆悉安隱不以此寶華散佛供養而作是
言彼某甲佛與欲開此寶塔諸佛遣使亦復如是
尒時釋迦牟尼佛見所分身佛悉已來集各各
坐於師子之座皆聞諸佛與欲同開寶塔即從座
起住虛空中一切四衆起立合掌一心觀佛於是釋迦
牟尼佛以右指開七寶塔戶出大音聲如却關鑰

BD00899號　妙法蓮華經卷四　(24-15)

尒時釋迦牟尼佛見所分身佛悉已來集各各
坐於師子之座皆聞諸佛與欲同開寶塔即從座
起住虛空中一切四衆起立合掌一心觀佛於是釋迦
牟尼佛以右指開七寶塔戶出大音聲如却關鑰
開大城門即時一切衆會皆見多寶如來於寶
塔中坐師子座全身不散如入禪定又聞其言善
哉善哉釋迦牟尼佛快說是法華經我為聽是
經故而來至此尒時四衆等見過去无量千万
億劫滅度佛說如是言歎未曾有以天寶華聚
散多寶佛及釋迦牟尼佛上尒時多寶佛於寶
塔中分半坐與釋迦牟尼佛而作是言釋迦牟尼
佛可就此坐即時釋迦牟尼佛入其塔中坐其半
坐結跏趺坐尒時大衆見二如來在七寶塔中坐
師子座上結跏趺坐各作是念佛坐高遠唯願如
來以神通力令我等輩俱處虛空即時釋迦
牟尼佛以神通力接諸大衆皆在虛空以大音聲
普告四衆誰能於此娑婆國土廣說妙法華
經今正是時如來不久當入涅槃佛欲以此妙
法華經付囑有在尒時世尊欲重宣此義
而說偈言

聖主世尊　雖久滅度　在寶塔中　尚為法來
諸人云何　不勤為法　此佛滅度　无央數劫
處處聽法　以難遇故　彼佛本願　我滅度後
在在所往　常為聽法　又我分身　无量諸佛
如恒沙等　來欲聽法　及見滅度　多寶如來
各捨妙土　及弟子衆　天人龍神　諸供養事
令法久住　故來至此　為坐諸佛　以神通力
移无量衆　令國清淨　諸佛各各　詣寶樹下
如清淨池　蓮華莊嚴　其寶樹下　諸師子坐
佛坐其上　光明嚴飾　如夜闇中　燃大炬火
身出妙香　遍十方國　衆生蒙熏　喜不自勝

[illegible]
如清淨池　蓮華莊嚴　其寶樹下　諸師子坐
佛坐其上　光明嚴飾　如夜闇中　燃大炬火
身出妙香　遍十方國　衆生蒙熏　喜不自勝
譬如大風　吹小樹枝　以是方便　令法久住
告諸大衆　我滅度後　誰能護持　讀誦斯經
今於佛前　自說誓言　其多寶佛　雖久滅度
以大誓願　而師子吼　多寶如來　及與我身
所集化佛　當知此意　諸佛子等　誰能護法
當發大願　令得久住　其有能護　此經法者
則為供養　我及多寶　此多寶佛　處於寶塔
常遊十方　為是經故　亦復供養　諸來化佛
莊嚴光飾　諸世界者　若說此經　則為見我
多寶如來　及諸化佛　諸善男子　各諦思惟
此為難事　宜發大願　諸餘經典　數如恒沙
雖說此等　未足為難　若接須彌　擲置他方
无數佛土　亦未為難　若以足指　動大千界
遠擲他國　亦未為難　若立有頂　為衆演說
无量餘經　亦未為難　若佛滅後　於惡世中
能說此經　是則為難　假使有人　手把虛空
而以遊行　亦未為難　於我滅後　若自書持
若使人書　是則為難　若以大地　置足甲上
昇於梵天　亦未為難　佛滅度後　於惡世中
暫讀此經　是則為難　假使劫燒　擔負乾草
入中不燒　亦未為難　我滅度後　若持此經
為一人說　是則為難　若持八万　四千法藏
十二部經　為人演說　令諸聽者　得六神通
雖能如是　亦未為難　於我滅後　聽受此經
問其義趣　是則為難　若人說法　令千万億
无量无數　恒沙衆生　得阿羅漢　具六神通
雖有是益　亦未為難　於我滅後　若能奉持
如斯經典　是則為難　我為佛道　於无量土

无量无數　恒沙衆生　得阿羅漢　具六神通
雖有是益　亦未為難　於我滅後　若能奉持
如斯經典　是則為難　我為佛道　於无量土
從始至今　廣說諸經　而於其中　此經第一
若有能持　則持佛身　諸善男子　於我滅後
誰能護持　讀誦斯經　今於佛前　自說誓言
此經難持　若暫持者　我則歡喜　諸佛亦然
如是之人　諸佛所歎　是則勇猛　是則精進
是名持戒　行頭陀者　則為疾得　无上佛道
能於來世　讀持此經　是真佛子　住淳善地
佛滅度後　能解其義　是諸天人　世間之眼
於恐畏世　能須臾說　一切天人　皆應供養

妙法蓮華經提婆達多品第十二

尒時佛告諸菩薩及天人四衆吾於過去无量劫
中求法華經无有懈惓於多劫中常作國王
發願求於无上菩提心不退轉為欲滿足六波
羅蜜勤行布施心无悋惜象馬七珍國城妻子
奴婢僕從頭目髓腦身肉手足不惜軀命時世
人民壽命无量為於法故捐捨國位委政太子
擊鼓宣令四方求法誰能為我說大乘者吾當終
身供給走使時有仙人來白王言我有大乘名妙
法華經若不違我當為宣說王聞仙言歡喜踊
躍即隨仙人供給所須採菓汲水拾薪設食乃至
以身而為床坐身心无惓于時奉事經於千歲為
於法故精勤給侍令无所乏尒時世尊欲重宣此義
而說偈言
我念過去劫　為求大法故　雖作世國王　不貪五欲樂
椎鍾告四方　誰有大法者　若為我解說　身當為奴僕
時有阿私仙　來白於大王　我有微妙法　世間所希有
若能修行者　吾當為汝說　時王聞仙言　心生大喜悅

BD00899號　妙法蓮華經卷四　（24–18）

我念過去劫　為求大法故　雖作世國王　不貪五欲樂
椎鍾告四方　誰有大法者　若為我解說　身當為奴僕
時有阿私仙　來白於大王　我有微妙法　世間所希有
若能修行者　吾當為汝說　時王聞仙言　心生大喜悅
即便隨仙人　供給於所須　採薪及菓蓏　隨時恭敬與
情存妙法故　身心无懈惓　普為諸衆生　勤求於大法
亦不為己身　及以五欲樂　故為大國王　勤求獲此法
遂致得成佛　今故為汝說
佛告諸比丘尒時王者則我身是時仙人者今提婆達
多是由提婆達多善知識故令我具足六波羅蜜慈
悲喜捨三十二相八十種好紫磨金色十力四无所畏四
攝法十八不共神通道力成等正覺廣度衆生
皆因提婆達多善知識故告諸四衆提婆達多
却後過无量劫當得成佛号曰天王如來
應供正遍知明行足善逝世間解无上士調御丈夫
天人師佛世尊世界名天道時天王佛住世二十中劫
廣為衆生說於妙法恒河沙衆生得阿羅漢无量
衆生發緣覺心恒河沙衆生發无上道心得无生
法忍至不退轉時天王佛般涅槃後正法住世二十
中劫全身舍利起七寶塔高六十由旬縱廣四十
由旬諸天人民悉以雜華末香燒香塗香衣服瓔
珞幢幡寶蓋伎樂歌頌禮拜供養七寶妙塔无
量衆生得阿羅漢无量衆生悟辟支佛不可思議衆
生發菩提心至不退轉佛告諸比丘未來世中若有
善男子善女人得聞妙法蓮華經提婆達多品
淨心信敬不生疑惑者不墮地獄餓鬼畜生生十
方佛前所生之處常聞此經若生人天中受勝妙
樂若在佛前蓮華化生於是下方多寶世尊
所從菩薩名曰智積白多寶佛當還本土釋迦
牟尼佛告智積曰善男子且待須臾此有菩薩名
文殊師利可與相見論說妙法可還本土尒時文

BD00899號　妙法蓮華經卷四　（24–19）

學若在佛前蓮華化生於是下方多寶世尊
所從菩薩名曰智積白多寶佛當還本土釋迦
牟尼佛告智積曰善男子且待須臾此有菩薩名
文殊師利可與相見論說妙法可還本土尒時文
殊師利坐千葉蓮華大如車輪俱來菩薩亦坐寶
蓮華從於大海娑竭羅龍宮自然踊出住虛空中詣靈
鷲山從蓮華下至於佛所頭面敬礼二世尊足修敬
已畢往智積所共相慰問却坐一面智積菩薩問
文殊師利仁往龍宮所化衆生其數幾何文殊師
利言其數无量不可稱計非口所宣非心所測且
待須臾自當有證所言未竟无數菩薩坐寶
蓮華從地踊出詣靈鷲山住在虛空此諸菩薩
皆是文殊師利之所化度具菩薩行皆共論說六
波羅蜜本聲聞人在虛空中說聲聞行今皆修行
大乘空義文殊師利謂智積曰於海教化其事如
是尒時智積菩薩以偈讚曰
大智德勇健　化度无量衆　今此諸大會　及我皆已見
演暢實相義　開闡一乘法　廣度諸衆生　令速成菩提
文殊師利言我於海中唯常宣說妙法華經智積
問文殊師利言此經甚深微妙諸經中寶世所希
有頗有衆生勤加精進脩行此經速得佛不文殊
師利言有娑竭羅龍王女年始八歲智慧利根善
知衆生諸根行業得陀羅尼諸佛所說甚深秘藏
悉能受持深入禪定了達諸法於刹那頃發菩提
心得不退轉辯才无㝵慈念衆生猶如赤子功德
具足心念口演微妙廣大慈悲仁讓志意和雅能至
菩提智積菩薩言我見釋迦如來於无量劫難行苦
行積功累德求菩提道未曾止息觀三千大千世界乃
至无有如芥子許非是菩薩捨身命處爲衆生
故然後乃得成菩提道不信此女於須臾頃便成正
覺言論未訖時龍王女忽現於前面礼足却住一

BD00899號　妙法蓮華經卷四　（24–20）

行積功累德求菩提道未曾止息觀三千大千世界乃
至无有如芥子許非是菩薩捨身命處爲衆生
故然後乃得成菩提道不信此女於須臾頃便成正
覺言論未訖時龍王女忽現於前面礼足却住一
面以偈讚曰
深達罪福相　遍照於十方　微妙淨法身　具相三十二
以八十種好　用莊嚴法身　天人所戴仰　龍神咸恭敬
一切衆生類　无不宗奉者　又聞成菩提　唯佛當證知
我闡大乘教　度脫苦衆生
時舍利弗語龍女言汝謂不久得无上道是事難信
所以者何女身垢穢非是法器云何能得无上菩提佛
道玄曠經无量劫勤苦積行具脩諸度然後乃成又
女人身猶有五障一者不得作梵天王二者帝釋三者
魔王四者轉輪聖王五者佛身云何女身速得成佛
尒時龍女有一寶珠價直三千大千世界持以上佛佛
即受之龍女謂智積菩薩尊者舍利弗言我獻寶
珠世尊納受是事疾不答言甚疾女言以汝神力觀
我成佛復速於此當時衆會皆見龍女忽然之間變
成男子具菩薩行即往南方无垢世界坐寶蓮華成
等正覺三十二相八十種好普爲十方一切衆生演說
妙法尒時娑婆世界菩薩聲聞天龍八部人與非人
皆遙見彼龍女成佛普爲時會人天說法心大歡
喜悉遙敬礼无量衆生聞法解悟得不退轉无量衆
生得受道記无垢世界六反震動娑婆世界三千
衆生住不退地三千衆生發菩提心而得受記智積
菩薩及舍利弗一切衆會默然信受
妙法蓮華經勸持品第十三
尒時藥王菩薩摩訶薩及大樂說菩薩摩訶薩
與二万菩薩眷屬俱皆於佛前作是誓言唯願
世尊不以爲慮我等於佛滅後當奉持讀誦說
此經典後惡世衆生善根轉少多增上慢貪利供

BD00899號　妙法蓮華經卷四　（24–21）

[illegible]
與二万菩薩眷屬俱皆於佛前作是誓言唯願
世尊不以為慮我等於佛滅後當奉持讀誦說
此經典後惡世衆生善根轉少多增上慢貪利供
養增不善根遠離解脫雖難可教化我等當起
大忍力讀誦此經持說書寫種種供養不惜身命
尒時衆中五百阿羅漢得受記者白佛言世尊我
等亦自誓願於異國土廣說此經復有學无學八
千人得受記者從座而起合掌向佛作是誓言世
尊我等亦當於他國土廣說此經所以者何是娑
婆國中人多弊惡懷增上慢功德淺薄瞋濁諂
曲心不實故尒時佛姨母摩訶波闍波提比丘尼與
學无學比丘尼六千人俱從座而起一心合掌瞻仰
尊顏目不暫捨於是世尊告憍曇弥何故憂色
而視如來汝心將无謂我不說汝名授阿耨多
羅三藐三菩提記耶憍曇弥我先揔說一切聲聞
皆已受記今汝欲知記者將來之世當於六万八千
億諸佛法中為大法師及六千學无學比丘尼俱為
法師汝如是漸漸具菩薩道當得作佛号一切衆生
喜見如來應供正遍知明行足善逝世間解无上士
調御丈夫天人師佛世尊是一切衆生喜見佛及
六千菩薩轉次受記得阿耨多羅三藐三菩提
尒時羅睺羅母耶輸陁羅比丘尼作是念世尊於
受記中獨不說我名佛告耶輸陁羅汝於來世
百万億諸佛法中脩菩薩行為大法師漸具佛道於
善國中當得作佛号具足千万光相如來應供正遍
知明行足善逝世間解无上士調御丈夫天人師佛
世尊佛壽无量阿僧祇劫尒時摩訶波闍波提比
丘尼及耶輸陁羅比丘尼并其眷屬皆大歡喜得
未曾有即於佛前而說偈言
世尊道師　安隱天人　我等聞記　心安具足
諸比丘尼說是偈已白佛言世尊我等亦能於他

受記中獨不說我名佛告耶輸陁羅汝於來世
百万億諸佛法中脩菩薩行為大法師漸具佛道於
善國中當得作佛号具足千万光相如來應供正遍
知明行足善逝世間解无上士調御丈夫天人師佛
世尊佛壽无量阿僧祇劫尒時摩訶波闍波提比
丘尼及耶輸陁羅比丘尼并其眷屬皆大歡喜得
未曾有即於佛前而說偈言
世尊道師　安隱天人　我等聞記　心安具足
諸比丘尼說是偈已白佛言世尊我等亦能於他
方國土廣宣流布因旋往返十方世界能令衆生書
寫此經受持讀誦解說其義如法脩行正憶念皆是
佛之威力唯願世尊在於他方遙見守護即時諸
菩薩俱同發聲而說偈言
唯願不為慮　於佛滅度後　恐怖惡世中　我等當廣說
有諸无智人　惡口罵詈等　及加刀杖者　我等皆當忍
惡世中比丘　邪智心諂曲　未得謂為得　我慢心充滿
或有阿練若　納衣在空閑　自謂行真道　輕賤人間者
貪著利養故　與白衣說法　為世所恭敬　如六通羅漢
是人懷惡心　常念世俗事　假名阿練若　好出我等過
而作如是言　此諸比丘衆　為貪利養故　說外道論義
自作此經典　誑惑世間人　為求名聞故　分別說是經
常在大衆中　欲毀我等故　向國王大臣　婆羅門居士
及餘比丘衆　誹謗說我惡　謂是邪見人　說外道論議
我等敬佛故　悉忍是諸惡　為斯所輕言　汝等皆是佛
如此輕慢言　皆當忍受之　濁劫惡世中　多有諸恐怖
惡鬼入其身　罵詈毀辱我　我等敬信佛　當著忍辱鎧
為說是經故　忍此諸難事　我不愛身命　但惜无上道
我等於來世　護持佛所囑　世尊自當知　濁世惡比丘
不知佛方便　隨宜所說法　惡口而顰蹙　數數見擯出
遠離於塔寺　如是等衆惡　念佛告勅故　皆當忍是事
諸聚落城邑　其有求法者　我皆到其所　說佛所囑法

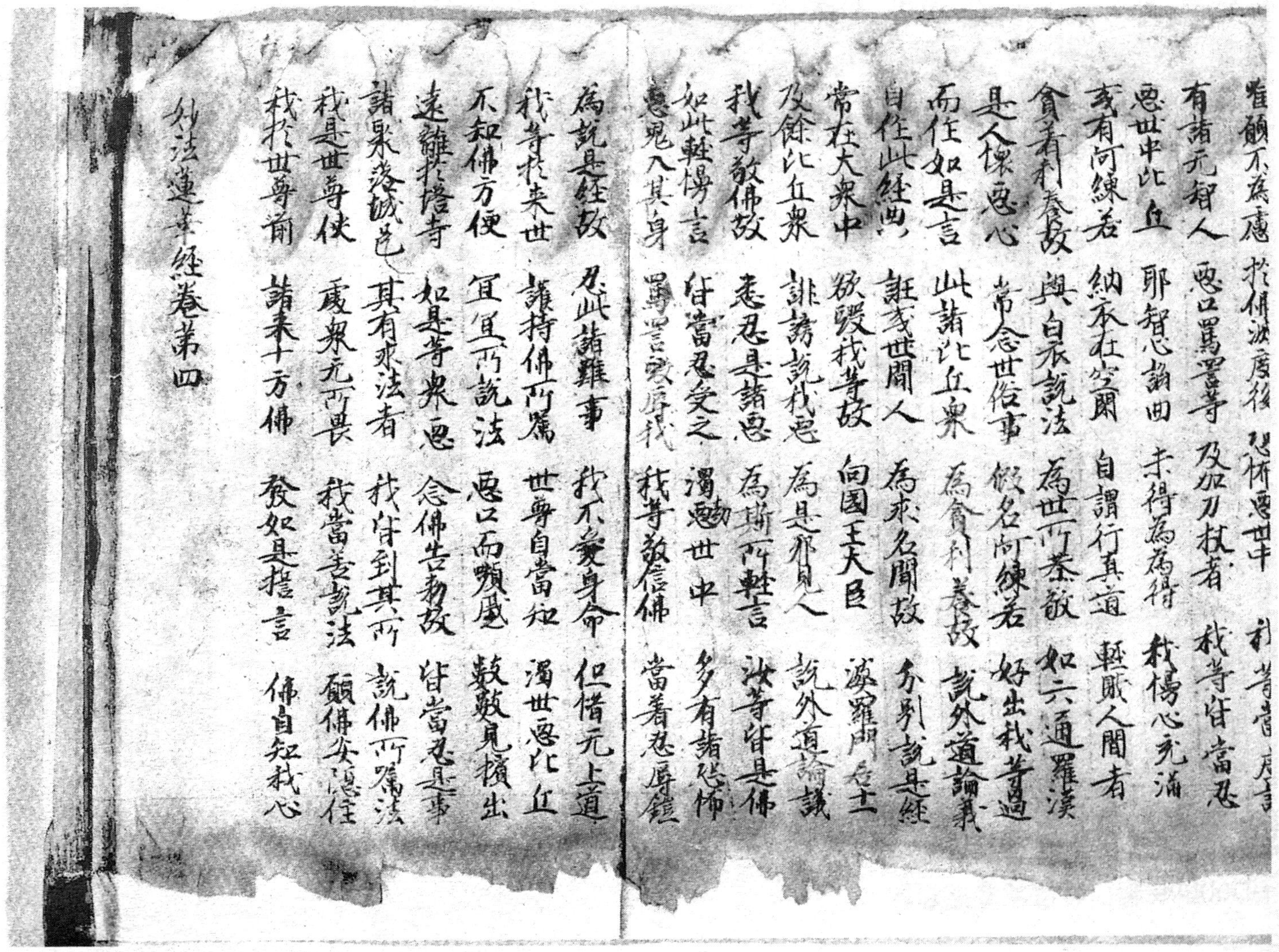
唯願不為慮 於佛滅度後 恐怖惡世中 我等當廣說
有諸无智人 惡口罵詈等 及加刀杖者 我等皆當忍
惡世中比丘 邪智心諂曲 未得謂為得 我慢心充滿
或有阿練若 納衣在空閑 自謂行真道 輕賤人間者
貪著利養故 與白衣說法 為世所恭敬 如六通羅漢
是人懷惡心 常念世俗事 假名阿練若 好出我等過
而作如是言 此諸比丘衆 為貪利養故 說外道論議
自作此經典 誑惑世間人 為求名聞故 分別說是經
常在大衆中 欲毀我等故 向國王大臣 婆羅門居士
及餘比丘衆 誹謗說我惡 謂是邪見人 說外道論議
我等敬佛故 悉忍是諸惡 為斯所輕言 汝等皆是佛
如此輕慢言 皆當忍受之 濁劫惡世中 多有諸恐怖
惡鬼入其身 罵詈毀辱我 我等敬信佛 當著忍辱鎧
為說是經故 忍此諸難事 我不愛身命 但惜无上道
我等於來世 護持佛所囑 世尊自當知 濁世惡比丘
不知佛方便 隨宜所說法 惡口而顰蹙 數數見擯出
遠離於塔寺 如是等衆惡 念佛告勅故 皆當忍是事
諸聚落城邑 其有求法者 我皆到其所 說佛所囑法
我是世尊使 處衆无所畏 我當善說法 願佛安隱住
我於世尊前 諸來十方佛 發如是誓言 佛自知我心
妙法蓮華經卷第四

BD00899號　妙法蓮華經卷四　（24–24）

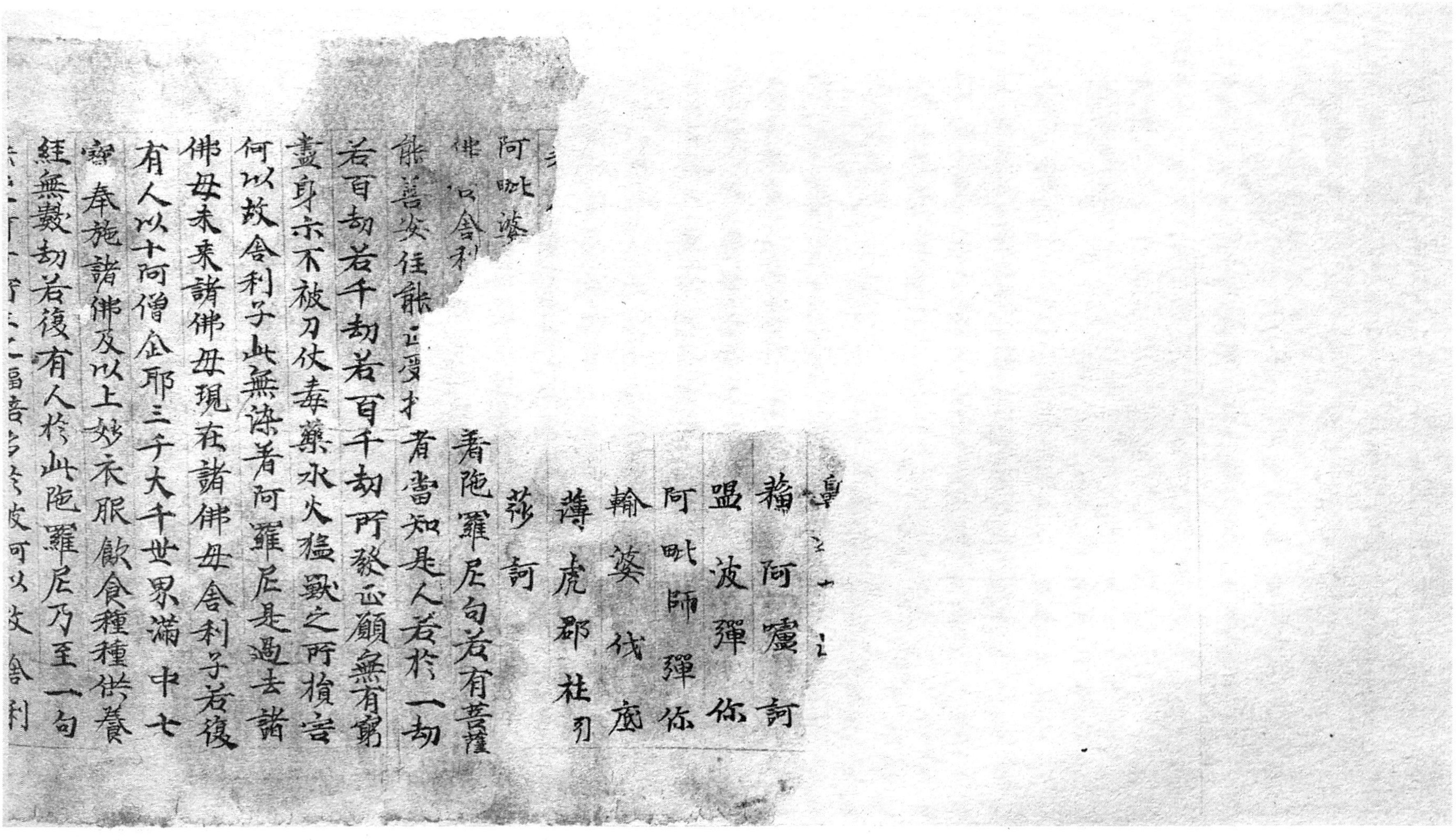
阿盧訶
嗢波彈你
阿毗師彈你
輸婆伐底
薄虎郡社
阿毗婆……莎訶
佛……舍利……著陀羅尼句若有菩薩
能善安住能正受持者當知是人若於一劫
若百劫若千劫若百千劫所發正願無有窮
盡身亦不被刀仗毒藥水火猛獸之所損害
何以故舍利子此無染著陀羅尼是過去諸
佛母未來諸佛母現在諸佛母舍利子若復
有人以十阿僧企耶三千大千世界滿中七
寶奉施諸佛及以上妙衣服飲食種種供養
經無數劫若復有人於此陀羅尼乃至一句

BD00900號　金光明最勝王經卷七　（17–1）

何以故舍利子此無諸[illegible]
佛母未來諸佛母現在諸佛母舍利子若復
有人以十阿僧企耶三千大千世界滿中七
寳奉施諸佛及以上妙衣服飲食種種供養
經無數劫若復有人於此陁羅尼乃至一句
能受持者所生之福倍多於彼何以故舍利
子此無染著陁羅尼甚深法門是諸佛母故
時具壽舍利子及諸大衆聞是法已皆大歡
喜咸願受持
金光明最勝王經如意寶珠品第十四
尒時世尊於大衆中告阿難陁曰汝等當知
有陁羅尼名如意寶珠遠離一切災厄亦能
遮止諸惡雷電過去如來應正等覺所共宣
說我於今時於此經中亦為汝等大衆宣說
能於人天為大利益哀愍世間擁護一切令
得安樂時諸大衆及阿難陁聞佛語已各各
至誠瞻仰世尊聽受神呪佛言汝等諦聽於
此東方有光明電王名阿揭多南方有光明
電王名設羝嚕西方有光明電王名主多光
北方有光明電王名蘇多末尼若有善男子
善女人得聞如是電王名字及知方處者此
人即便遠離一切怖畏之事及諸災横悉皆
消殄若於住處書此四方電王名者於所住
處無雷電怖亦無災厄及諸障惱非時枉死
悉皆遠離尒時世尊即說呪曰
怛　姪　他　你須你須　你　須
尼　民　達哩　室哩盧迦盧羯你

怛　姪　他　你須你須　你　須
尼　民　達哩　室哩盧迦盧羯你
室哩輸懌波你　曷咯　叉曷咯叉
我某甲及此住處一切恐怖所有苦惱雷電
霹靂乃至枉死悉皆遠離莎訶
尒時觀自在菩薩摩訶薩在大衆中即從座
起偏袒右肩合掌恭敬白佛言世尊我今亦
於佛前略說如意寶珠神呪於諸人天為大
利益哀愍世間擁護一切令得安樂有大威
力所求如願即說呪曰
怛姪他　喝　帝　毗喝帝你喝帝
鉢喇室　體　雞　鉢喇底丁耶奢室曬
式提目拉　毗末麗　鉢喇婆莎活聽　曬
安荼入聲曬般荼曬　稅平聲　帝
般荼囉婆死你　喝囇羯荼引　曬
劫　畢　麗　氷揭囉惡　綺
達地目　企　曷咯叉曷咯　叉
我某甲及此住處一切恐怖所有苦惱乃至
枉死悉皆遠離願我莫見罪惡之事　常蒙
聖觀自在菩薩大悲威光之所護念莎訶
尒時執金剛秘密主菩薩從座起合掌恭
敬白佛言世尊我今亦說陁羅尼呪名曰無
勝於諸人天為大利益哀愍世間擁護一切
有大威力所求如願即說呪曰
怛姪他毋你毋你　母尼曬末底末底
蘇末底莫訶末底　呵呵呵磨婆　以
[illegible]

有大威力所求如願即說呪曰
怛姪他毋你毋你　毋尼黶末底末底
鞞末底莫訶末底　呵呵呵磨婆以
那悉底帝刃波跛　䟦析揮波你
惡甜火含姪嘌荼上　莎訶
世尊我此神呪名曰無勝擁護若有男女一
心受持書寫讀誦憶念不忘我於晝夜常護
是人於一切恐怖乃至枉死悉皆遠離
尒時索訶世界主梵天王即從座起合掌恭
敬白佛言世尊我亦有陁羅尼微妙法門於
諸人天為大利益哀愍世間擁護一切有大
威力求如願即說呪曰
怛　姪　他　醯里弭里地里莎訶
䟦囉甜　魔市黶　䟦囉甜末泥
䟦囉甜磨揭鞞　補澀跛僧悉怛黶莎訶
世尊我此神呪名曰梵治悉能擁護持是呪
者令離憂惱及諸罪業乃至枉死悉皆遠離
尒時帝釋天主即從座起合掌恭敬白佛言
世尊我亦有陁羅尼名䟦析羅扇你是大明
呪能除一切恐怖厄難乃至枉死悉皆遠離
拔苦與樂利益人天即說呪曰
怛姪他毗你婆喇你　畔拕磨　彈　謎
磨臟你揆你瞿哩　健陁哩㰇荼　哩
摩登耆上卜羯死　薩羅䟦喇鞞去
呬娜末㑄吞麼㗋多喇你　莫呼剌你建喇你計
斫羯囉婆枳　捨伐哩奢伐哩莎訶

BD00900號　金光明最勝王經卷七　（17–4）

呬娜末㑄吞麼㗋多喇你　莫呼剌你建喇你計
斫羯囉婆枳　捨伐哩奢伐哩莎訶
尒時多聞天王持國天王增長天王廣目天
王俱從座起合掌恭敬白佛言世尊我今亦
有神呪名施一切衆生無畏於諸苦惱當為
擁護令得安樂增益壽命無諸患苦乃至枉
死悉皆遠離即說呪曰
怛姪他補澀閉　鞞補澀閉
度麼鉢喇呵黶　阿離耶鉢喇設悉帝
扇帝涅目帝　忙揭例窣覩帝
悉哆鼻　帝　莎訶
尒時復有諸大龍王所謂末那斯龍王電光
龍王無熱池龍王電舌龍王妙光龍王俱從
座起合掌恭敬白佛言世尊我亦有如意寶
珠陁羅尼能遮惡電除諸恐怖能於人天為
大利益哀愍世間擁護一切有大威力所求
如願乃至枉死悉皆遠離一切毒藥皆令止
息一切造作蠱道呪術不吉祥事悉令除滅
我今以此神呪奉獻世尊唯願哀愍慈悲納
受當令我等離此龍趣永捨慳貪何以故由
此慳貪於生死中受諸苦惱我等願斷慳貪
種子即說呪曰
怛姪他阿折黶　阿末黶阿蜜嘌帝
惡叉囊阿幣囊　奔尼鉢喇耶法帝
薩婆波跛　鉢喇苫摩尼囊莎訶
阿　離　囊　般豆蘇波尼囊莎訶

BD00900號　金光明最勝王經卷七　（17–5）

惡叉襄阿嚕囊　奔尼鉢喇耶法帝
薩婆波跛　鉢喇苫摩尼囊莎訶
阿難囊　般豆蘇波尼囊莎訶
世尊若有善男子善女人口中說此陁羅尼
明呪或書經卷受持讀誦恭敬供養者終無
雷電霹靂及諸恐怖苦惱憂患乃至枉死悉
皆遠離所有毒藥蠱魅厭禱害人虎狼師
子毒蛇之類乃至蚊虻悉不為害
尒時世尊普告大眾善哉善哉此等神呪皆
有大力能隨眾生心所求事悉令圓滿為大
利益除不至心汝等勿疑時諸大眾聞佛語
已歡喜信受

金光明最勝王經大辯才天女品第十五

尒時大辯才天女於大眾中即從座起頂礼
佛足白佛言世尊若有法師說是金光明最
勝王經者我當益其智慧具足莊嚴言說之
辯若彼法師於此經中文字句義所有忘失
皆令憶持能善開悟復與陁羅尼總持無礙
又此金光明最勝王經為彼有情已於百千
佛所種諸善根常受持者於贍部洲廣行流
布不速隱沒復令無量有情聞是經典皆得
不可思議捷利辯才無盡大慧善解眾論及
諸伎術能出生死速趣無上正等菩提於現
世中增益壽命資身之具悉令圓滿世尊我
當為彼持經法師及餘有情於此經典樂聽
聞者說其呪藥洗浴之法彼人所有惡星災
變與初生時星屬相違疫病之苦鬬諍戰陣

BD00900 號　金光明最勝王經卷七　（17–6）

當為彼持經法師及餘有情於此經典樂聽
聞者說其呪藥洗浴之法彼人所有惡星災
變與初生時星屬相違疫病之苦鬬諍戰陣
惡夢鬼神蠱毒厭魅呪術起屍如是諸惡為
障難者悉令除滅諸有智者應作如是洗浴
之法當取香藥三十二味所謂
昌蒲（跋者）　牛黃（瞿盧折娜）　苜蓿香（塞畢力迦）
麝香（莫訶婆伽）　雄黃（末捺眵羅）　合昏樹（尸利灑）
白及（因達囉喝悉哆）　芎藭（闍莫迦）　苟杞根（苫弭）
松脂（室利薛瑟得迦）　桂皮（咄者）　香附子（目窣哆）
沉香（惡揭嚕）　栴檀（栴檀娜）　零淩香（多揭羅）
丁子（索瞿者）　鬱金（茶矩麼）　婆律膏（揭羅娑）
葦香（捺剌柂）　竹黃（鵄路戰娜）　細豆蔻（蘇泣迷羅）
甘松（苫弭哆）　藿香（鉢怛羅）　茅根香（嗢尸羅）
叱脂（薩洛計）　艾納（世黎也）　安息香（窶具攞）
芥子（薩利殺跛）　馬芹（葉婆儞）　龍花鬚（那伽雞薩羅）
白膠（薩折羅娑）　青木（矩瑟侘）　皆等分
以布灑星日一處擣篩取其香末當以此
呪呪一百八遍呪曰
怛姪他蘇訖栗帝　訖栗帝訖栗計
劫摩怛里　繕怒羯囒滯
郝羯喇滯　因達囉闍利膩
鑠羯囒滯　鉢設姪㘑
阿伐底羯納　計娜矩覩矩覩
脚迦鼻㘑　劫鼻㘑劫鼻㘑
劫毗羅末底（丁里）　尸羅末底

BD00900 號　金光明最勝王經卷七　（17–7）

阿代底羯納　計娜矩覩矩覩
脚迦鼻羅　劫鼻羅劫鼻羅
劫毗羅末底丁里　尸羅末底
荊底度羅末底里　波代雉畔稚囉
室囉室囉　薩底恚體羯莎訶
若藥如法洗浴時　應作壇場方八肘
可於寂靜安隱處　念所求事不離心
應塗牛糞作其壇　於上普散諸花彩
當以淨潔金銀器　咸滿美味并乳蜜
於彼壇場四門所　四人守護法如常
令四童子好嚴身　各於一角持瓶水
於此常燒安息香　五音之樂聲不絕
幡蓋莊嚴懸繒綵　安在壇場之四邊
復於場內置明鏡　利刀兼箭各四枚
於壇中心埋大盆　應以漏版安其上
用前香林以和湯　亦復安在於壇內
既作如斯布置已　然後誦呪結其壇
結界呪日
怛姪他頞喇計　娜也泥去　呬羅
弭羅柢羅　企企羅莎訶
如是結界已　方入於壇內　呪水三七遍　散灑於四方
次可呪香湯　滿一百八遍　四邊安幔障　然後洗浴身
呪水呪湯呪曰
怛姪他一　索揭智貞勵反下同二　毗揭智三　毗揭荼伐
底四　莎訶五
若洗浴訖其洗浴湯及壇場中供養飲食棄

BD00900號　金光明最勝王經卷七　（17–8）

怛姪他一　索揭智貞勵反下同二　毗揭智三　毗揭荼伐
底四　莎訶五
若洗浴訖其洗浴湯及壇場中供養飲食棄
河池內餘皆收攝如是浴已方著淨衣既出
壇場入淨室內呪師教其發弘誓願永斷衆
惡常修諸善於諸有情興大悲心以是因緣
當獲無量隨心福報復說頌曰
若有病苦諸衆生　種種方藥治不差
若依如是洗浴法　并復讀誦斯經典
常於日夜念不散　專想慇懃生信心
所有患苦盡消除　解脫貧窮足財寶
四方星辰及日月　威神擁護得延年
吉祥安隱福德增　災變厄難皆除遣
次誦護身呪三七遍呪曰
怛姪他　三謎　毗三謎　莎訶
索揭滯　毗揭滯　莎訶
毗揭荼亭耶反伐底　莎訶
娑揭羅　三步多也　莎訶
塞建陀　摩多也　莎訶
尼攞建佗也　莎訶
阿鉢囉市哆　毗梨耶也　莎訶
呬摩槃哆　三步多也　莎訶
阿你蜜攞　薄怛囉也　莎訶
南謨薄伽伐都　跋囉甜摩寫莎訶
南謨薩囉酸蘇活反底　莫訶提鼻裔莎訶
悉甸覩漫此云成就我某甲　曼怛囉鉢陀莎訶
怛剌覩紕姪哆　跋羅甜摩奴末覩莎訶

BD00900號　金光明最勝王經卷七　（17–9）

阿伐[illegible]　[illegible]
南謨薄伽伐都　跋囉甜摩寫莎訶
南謨薩囉酸藐活底　莫訶提鼻囊莎訶
悉甸覩溮山去成就我某甲　溮怛囉鉢陁莎訶
怛喇覩紇姪哆　跋囉甜摩祭黍覩莎訶
尒時大辯才天女說洗浴法壇場呪已前礼
佛足白佛言世尊若有苾芻苾芻尼鄔波索
迦鄔波斯迦受持讀誦書寫流布是妙經王
如說行者若在城邑聚落曠野山林僧尼住
處我為是人將諸眷屬作天伎樂來詣其所
而為擁護除諸病苦流星變怪疫病鬪諍王
法所拘惡夢惡神為障礙者蠱道厭術悉皆
除殄饒益是等持經之人苾芻等衆及諸聽
者皆令速渡生死大海不退菩提
尒時世尊聞是說已讚辯才天女言善哉善
哉天女汝能安樂利益無量無邊有情說此
神呪及以香水壇場法式果報難思汝當擁
護最勝經王勿令隱沒常得流通尒時大辯
才天女礼佛足已還復本座
尒時法師授記憍陳如婆羅門承佛威力於
大衆前讚請辯才天女曰
聰明勇進辯才天　人天供養悉應受
名聞世間遍充滿　能與一切衆生願
依高山頂勝住處　葺茅為室在中居
恒結耎草以為衣　在處常翹於一足
諸天大衆皆來集　咸同一心申讚請
唯願智慧辯才天　以妙言詞施一切

恒結耎草以為衣　在處常翹於一足
諸天大衆皆來集　咸同一心申讚請
唯願智慧辯才天　以妙言詞施一切
尒時辯才天女即便受請為說呪曰
怛姪他慕攞只囉　阿代帝貞勵阿代哆代底
馨遇鵌名具鵌　名具羅代底
鶩具末喇只三末底　毗三末底惡近入喇
莫近喇怛囉只　怛羅者代底
質哩室里蜜里　末難地曇去
末　喇　只　八囉弩畢喇囊
盧迦逝瑟𨁈世羽反　盧迦失囉瑟恥
盧迦畢喇囊　悉䭾䟦喇帝
毗麼目企輕利反　輸只析喇
阿鉢刹底羯帝　阿鉢喇底喝哆勃地
南毋只南毋只　莫訶提鼻
鉢喇底近入刹窖尖恨拏上　南摩塞迦囉
我某甲勃地　達哩奢呬
勃地阿鉢喇底喝哆　婆上䟦覩
市婆謎毗輸姪覩　舍悉怛囉輸路迦
溮怛囉畢得迦　迦婢耶地數
怛　姪　他　莫訶鉢喇婆鼻
呬里蜜里呬里蜜里　毗折喇覩謎勃地
我某甲勃地輸提　薄伽代點提毗𨁈
薩羅酸藐活點丁羽焰　羯囉魯家滯雞由囉
雞由囉末底　呬里蜜里呬里蜜里
阿婆訶耶須　莫訶提鼻
勃陁薩帝娜　達摩薩帝娜

薩羅酸 羯囉
鞞由囉末底 呬里蜜里呬里蜜里
阿婆訶耶須 莫訶提鼻
勃陁薩帝娜 達摩薩帝娜
僧伽薩帝娜 因達囉薩帝娜
跋婁拏薩帝娜 囊盧雞薩婆地娜
羝釤薩帝娜 薩底伐者泒娜
阿婆訶耶須 莫訶提鼻
呬里蜜里呬里蜜里 毗折喇覩
我某甲勃地 南謨薄伽伐底
莫訶提鼻薩囉酸底 悉句覩
曷怛囉鉢陁弥 莎訶
尒時辯才天女說是呪已告婆羅門言善哉
大士能為衆生求妙辯才及諸珎寶神通智
慧廣利一切速證菩提如是應知受持法式
即說頌曰
先可誦此陁羅尼 令使純熟無謬失
歸敬三寶諸天衆 請求加護願隨心
敬礼諸佛及法寶 菩薩獨覺聲聞衆
次礼梵王并帝釋 及護世者四天王
一切常修梵行人 悉可至誠慇重敬
可於寂靜蘭若處 大聲誦前呪讚法
應在佛像天龍前 隨其所有修供養
於彼一切衆生類 發起慈悲哀愍心
世尊妙相紫金身 繫想正念心無亂
世尊讚念說教法 隨彼根機令習定
於其句義善思惟 復依空性而修習
應在世尊形像前 一心正念而安坐

BD00900 號　金光明最勝王經卷七　（17–12）

世尊妙相紫金身 繫想正念心無亂
世尊讚念說教法 隨彼根機令習定
於其句義善思惟 復依空性而修習
應在世尊形像前 一心正念而安坐
即得妙智三摩地 并獲最勝陁羅尼
如來金口演說法 妙響調伏諸人天
舌相隨緣現希有 廣長能覆三千界
如是諸佛妙音聲 至誠憶念心無畏
諸佛皆由發弘願 得此舌相不思議
宣說諸法皆非有 譬如虛空無所著
諸佛音聲及舌相 繫念思量願圓滿
若見供養辯才天 或見弟子隨師教
授此秘法令修學 尊重隨心皆得成
若人欲得最上智 應當一心持此法
增長福智諸功德 必定成就勿生疑
若求財者得多財 求名稱者獲名稱
求出離者得解脫 必定成就勿生疑
無量無邊諸功德 隨其內心之所願
若能如是依行者 必得成就勿生疑
當於淨處著淨衣 應作壇場隨大小
以四淨缾盛美味 香花供養可隨時
懸諸繒綵并幡蓋 塗香抹香遍嚴飾
供養佛及辯才天 求見天身皆遂願
應三七日誦前呪 可對大辯天神前
若其不見此天神 應更用心經九日
於後夜中猶不見 更求清淨勝妙處

BD00900 號　金光明最勝王經卷七　（17–13）

應三七日誦前呪　可對大辯天神前
若其不見此天神　應更用心經九日
於後夜中猶不見　更求清淨勝妙處
如法應畫辯才天　供養誦持心無捨
晝夜不生於懈怠　自利利他無窮盡
所獲果報施群生　於所求願皆成就
若不遂意經三月　六月九月或一年
慇勤求請心不移　天眼他心皆悉得
尒時憍陳如婆羅門聞是說已歡喜踊躍歎
未曾有告諸大衆作如是言汝等人天一切
大衆如是當智皆一心聽我今更欲依世諦
法讚彼勝妙辯才天女即說頌曰
敬礼天女那羅延　於世界中得自在
我今讚歎彼尊者　皆如往昔仙人說
吉祥成就心安隱　聰明慚愧有名聞
為母能生於世間　勇猛常行大精進
於軍陣處戰恒勝　長養調伏心慈忍
現為閻羅之長姊　常著青色野蠶衣
好醜容儀皆具有　明目能令見者怖
無量勝行超世間　歸信之人咸攝受
或在山巖深險處　或居坎窟及河邊
或在大樹諸叢林　天女多依此中住
假使山林野人輩　亦常供養於天女
以孔雀羽作幢旗　於一切時常護世
師子虎狼恒圍繞　牛羊雞等亦相依
振大鈴鐸出音聲　頻陁山衆皆聞響

BD00900號　金光明最勝王經卷七　（17–14）

以孔雀羽作幢旗　於一切時常護世
師子虎狼恒圍繞　牛羊雞等亦相依
振大鈴鐸出音聲　頻陁山衆皆聞響
或執三戟頭圓髻　左右恒持日月旗
黑月九日十一日　於此時中常供養
或現婆藪大天妹　見有鬪戰心常慜
觀察一切有情中　天女最勝無過者
權現牧牛歡喜女　與天戰時常得勝
能久安住於世間　亦為和忍及暴惡
大婆羅門四明法　幻化呪等悉皆通
於天仙中得自在　能為種子及大地
諸天女等集會時　如大海潮必來應
於諸龍神藥叉衆　咸為上首能調伏
於諸女中最梵行　出言猶如世間王
於王住處如蓮花　若在河津喻橋梯
面貌猶如盛滿月　具足多聞作依處
辯才勝出若高峯　念者皆與為洲渚
阿蘇羅等諸天衆　咸共稱讚其功德
乃至千眼帝釋主　以慇重心而觀察
衆生若有希求事　悉能令彼速得成
亦令聰辯具聞持　於大地中為第一
於此十方世界中　如大燈明常普照
乃至神鬼諸禽獸　咸皆遂彼所求心
於諸女中若山峯　同昔仙人久住世
如少女天常離欲　實語猶如大世王
普見世間差別類　乃至欲界諸天宮
唯有天女獨稱尊　不見有情能勝者

BD00900號　金光明最勝王經卷七　（17–15）

於諸女中若山峯　所言仙人□住世
如少女天常離欲　實語猶如大世王
普見世間差別類　乃至欲界諸天宮
唯有天女獨稱尊　不見有情能勝者
若於戰陣恐怖處　或見墮在火坑中
河津險難賊盜時　悉能令彼除怖畏
或被王法所枷縛　或為怨讎行殺害
若能專任心不移　決定解脫諸憂苦
於善惡人皆擁護　慈悲愍念常現前
是故我以至誠心　稽首歸依大天女
尒時婆羅門復以呪讚讚天女曰
敬礼敬礼世間尊　於諸母中最為勝
三種世間咸供養　面貌容儀人樂觀
種種妙德以嚴身　目如脩廣青蓮葉
福智光明名稱滿　譬如無價末尼珠
我今讚歎最勝者　悉能成辯所求心
真實功德妙吉祥　譬如蓮花極清淨
身色端嚴皆樂見　衆相希有不思議
能放無垢智光明　於諸念中為最勝
猶如師子獸中上　常以八臂自莊嚴
各持弓箭刀矟斧　長杵鐵輪并羅索
端正樂觀如滿月　言詞無滯出和音
若有衆生心願求　善士隨念令圓滿
帝釋諸天咸供養　皆共稱讚可歸依
衆德能生不思議　一切時中起恭敬
莎訶（此上呪讚是呪亦是讚　若持呪時不須誦之）
若欲祈請辯才天　依此呪讚言詞句

BD00900 號　金光明最勝王經卷七　（17–16）

猶如□□□□□
各持弓箭刀矟斧　長杵鐵輪并羅索
端正樂觀如滿月　言詞無滯出和音
若有衆生心願求　善士隨念令圓滿
帝釋諸天咸供養　皆共稱讚可歸依
衆德能生不思議　一切時中起恭敬
莎訶（此上呪讚是呪亦是讚　若持呪時不須誦之）
若欲祈請辯才天　依此呪讚言詞句
晨朝清淨至誠誦　於所求事悉隨心
尒時佛告婆羅門善哉善哉汝能如是利益
衆生施與安樂讚彼天女請求加護獲福無邊
此品呪法有略有廣或開或合前後不同
梵本既多但依一譯後勘者知之

金光明最勝王經卷第七

頞（多可）澀（色立）□（麦庚）蔑（力徽）□（彖俞）謎（迷計）攞（羅可）□（侵入）蠶（作含）
七（瞋失）吐　杞（敟巳）

BD00900 號　金光明最勝王經卷七　（17–17）

BD00900 號背　殘護首　（1–1）

經讀誦宣說或復為他分別開解若自書若令人書若取
經卷五色淨綵以盛裹之灑掃淨處以安置之持種種
華種種香塗香華鬘寶幢幡蓋而用供養尒時四
大天王與其眷屬并餘百千俱知那由他諸天皆詣其
所若此經卷流行之處若復有人誦持此經以得聞彼
世尊藥師琉璃光如來名号及本昔所發殊勝大願故當
知是處无復橫死亦復不為諸鬼所持奪其魂鬼設已
奪者還復如故佛言如是如是曼殊室利如汝所說曼
殊室利信心善男子善女人若欲供養彼如來者此人應
作如來形像七日七夜受八分齋食清淨食於清淨處
散種種華燒種種香以種種繒綵種種幢幡莊嚴其
處澡浴清潔著新淨衣應生无垢濁心无怒害心於一切
衆生起利益心慈悲喜捨平等之心鼓樂歌讚右繞佛
像應念彼如來本昔大願并解釋此經如所思念如所
願求一切所欲皆得圓滿求長壽得長壽求福報得福
報求自在得自在求男女得男女或復有人忽得惡夢

BD00901 號　藥師如來本願經　（7–1）

衆生起利益心慈悲喜捨平等之心鼓樂歌讃右繞佛
像應念彼如來本昔大願并解釋此經如所思念如所
願求一切所欲皆得圓滿求長壽得長壽求福報得福
報求自在得自在求男女得男女或復有人忽得惡夢
或見諸惡相或烏來集於其住所百怪出現此人若能以
種種衆具供養恭敬彼藥師瑠璃光如來者一切惡夢
惡相不吉祥事皆悉隱沒或有水怖火怖刀怖毒怖懸
嶮之怖惡象師子虎狼熊羆毒虵惡蝎蜈蚣蚰蜒如是等
怖憶念供養彼如來一切怖畏皆得解脫若他國侵擾
賊盜反乱如是等怖亦應念彼如來恭敬尊重
復次曼殊室利若有信心善男子善女人乃至盡形
受持歸依不事餘天或持五戒或持十戒或持菩薩一
百四戒或復出家受持比丘二百五十戒若比丘尼受持
五百戒於隨所受中毀犯禁戒或畏墮惡道若能供養
彼世尊藥師瑠璃光如來者決定不受三惡道報或有
女人臨當產時受於極苦若能稱名供養彼世尊藥
師瑠璃光如來者速得解脫所生之子身分具足形色
端正見者歡喜利根聡明安隱少病无有非人奪其魂
魄尒時世尊告慧命阿難言阿難如我稱揚彼世尊藥
師瑠璃光如來所有功德汝信受耶汝於如是諸佛如
來甚深境界多生疑惑時慧命阿難白佛言大德世

魄尒時世尊告慧命阿難言阿難如我稱揚彼世尊藥
師瑠璃光如來所有功德汝信受耶汝於如是諸佛如
來甚深境界多生疑惑時慧命阿難白佛言大德世
尊我於如來所說法中无復疑惑何以故一切如來身
口意行无不清淨世尊此日月有如是大神通有如是
大威力可令墮落須弥山王可得移動諸佛所言无有
差異大德世尊或有衆生信根不具聞如來佛境界
已作是思惟云何但念彼如來名獲尒許功德心不信
受生於誹謗此等長夜无義饒益當墮惡趣佛言阿
難若彼如來所有名号入其耳中此人墮惡道者无
有是處阿難諸佛境界誠為難信汝今信受應
知皆是如來威力非一切聲聞辟支佛地所能信受
唯除一生補處菩薩摩訶薩阿難人身難得於三
寶中信敬尊重亦難可得聞彼如來名号倍難
於此阿難彼世尊藥師瑠璃光如來无量菩薩行
无量諸巧方便无量廣大願我欲一劫若過一劫說彼
如來菩薩行願乃至窮劫彼世尊藥師瑠璃光如
來本昔所行及殊勝大願亦不究盡
尒時衆中有菩薩摩訶薩名曰救脫即從座起
偏露一髆右膝著地向婆伽婆合掌曲躬白言大德
世尊於未來世當有衆生身嬰重病長患羸瘦不

尒時衆中有菩薩摩訶薩名曰救脫即從座起
偏露一膊右膝著地向婆伽婆合掌曲躬白言大德
世尊於未來世當有衆生身嬰重病長患羸瘦不
食飢渴唯脣乾燥死相現前目无所見父母親眷朋
友知識啼泣圍繞其人屍形卧在本處閻摩使人引
其神識置於閻摩法王之前此人背後有同生神隨
其所作若罪若福一切皆書盡持授與閻摩法王時
閻摩法王推問其人筭計所作隨善隨惡而處分之
若能為此病人歸依彼世尊藥師瑠璃光如來如法
供養即得還復此人神識得迴還時如從夢覺皆自
憶知或經七日或廿一日或三十五日或四十九日神
識還已具憶所有善惡業報由自證故乃至失命
不造惡業是故信心善男子善女人應當供養藥
師如來
尒時慧命阿難問救脫菩薩言善男子應云何
供養彼世尊藥師瑠璃光如來也救脫菩薩言大
德阿難若有患人欲脫重病當為此人七日七夜
受八分齋當以飲食及種種衆具隨力所辦供養
比丘僧晝夜六時礼拜供養彼世尊藥師瑠璃光如
來四十九遍讀誦此經然四十九燈應造七軀彼如來
像一一像前各置七燈一一燈量大如車輪或復乃

來四十九遍讀誦此經然四十九燈應造七軀彼如來
像一一像前各置七燈一一燈量大如車輪或復乃
至四十九日光明不絕當造五色綵幡長四十九尺
復次大德阿難灌頂刹利王等若災難起時所謂人
民疾疫難他方侵逼難自界反逆難星宿變怪難
日月薄蝕難非時風雨難過時不雨難尒時此灌頂刹
利王當於一切衆生起慈愍心赦諸繫閉依前所說
供養法式供養彼世尊藥師瑠璃光如來時灌頂刹
利王用此善根由彼世尊藥師瑠璃光如來本昔勝
願故其王境界即得安隱風雨以時禾稼成就國土
豊熟一切國界所有衆生无病安樂多生歡喜於
其國界亦无夜叉羅刹毗舍闍等惡鬼神擾乱衆
生所有惡相皆即不現彼灌頂刹利王壽命色力
无病自在並得增益
尒時慧命阿難問救脫菩薩言善男子云何已盡
之命而可更延救脫菩薩言阿難汝豈不聞如來所
說九横死耶是故教以呪藥方便或有衆生得病
非重然无醫藥及看病人或復醫人療治失所非
時而死是為初横第二横者王法所殺第三横者遊
獵放逸婬酔无度為諸非人奪其魂魄第四横者為

[illegible]
時而死是為初橫第二橫者王法所殺第三橫者遊
獵放逸婬醉无度為諸非人害其魂魄第四橫者為
火所燒第五橫者為水所溺第六橫者入師子虎
豹諸惡獸中第七橫者飢渴所困不得飲食因此致
死第八橫者厭禱毒藥起屍鬼等之所損害第九
橫者投巖取死是名如來略說大橫有此九種其餘
復有无量諸橫
尒時衆中有十二夜叉大將俱在會坐所謂
宮毗羅大將　跋折羅大將　迷佉羅大將　安捺羅大將
安涅羅大將　摩涅羅大將　因陁羅大將　波異羅大將
摩呼羅大將　真達羅大將　招度羅大將　鼻羯羅大將
此等十二夜叉大將一一各有七千夜叉以為眷屬皆
同一聲白世尊言我等今者蒙佛威力得聞世尊
藥師琉璃光如來名号已不復更有惡道之怖我
今相與皆同一心乃至壽盡歸依佛歸依法歸依僧
皆當荷負一切衆生為作義利饒益安樂隨於何等
村城聚落阿蘭拏處若流布此經若復持彼世
尊藥師琉璃光如來名号親近供養者我等眷
屬衛護是人皆使解脫一切苦難諸有所求悉令
滿足尒時世尊讚諸夜叉大將言善哉善哉大夜

BD00901號　藥師如來本願經　（7–6）

村城聚落阿蘭拏處若流布此經若復持彼世
尊藥師琉璃光如來名号親近供養者我等眷
屬衛護是人皆使解脫一切苦難諸有所求悉令
滿足尒時世尊讚諸夜叉大將言善哉善哉大夜
叉汝等若念彼世尊藥師琉璃光如來恩德者
當念饒益一切衆生
尒時慧命阿難白佛言世尊此經何名云何奉持
佛言阿難此法門者名為藥師琉璃光如來本昔
所發殊勝大願當如是持名為十二夜叉大將自誓
當如是持名為淨一切業鄣當如是持時婆伽婆
說是語已諸菩薩摩訶薩諸大聲聞國王大臣
婆羅門居士及一切大衆阿脩羅揵達婆等聞佛
所說歡喜奉行
新翻藥師經一卷

BD00901號　藥師如來本願經　（7–7）

惟帳美女恣情飲食可口文綉服飾衆使自
娛坐呼乏至意心所欲為樂胡能奉持五戒
十善行十法本褰四息四等入八賢聖跡空
无相願死得泥洹是謂寧樂長者聞婬欲垢
漸薄五百美女結解發无上正真道意尒時
水復有豪族長者七万人來欲礼世尊前來
長者使人閉門言內有宮人美女外人聞此
有上妙婦女欲來視我婦美女耳我何為狩
美女來用示衆〻共視我美女大城宮欸佛
化任竟不能閉門外長者衆通問得聽便前
至佛所坐中長者語諸美女皆伏地勿為人
所視諸妙首婦女盡伏地七万長者礼佛畢
訖即詣坐次而坐於佛告先來長者御莫慳
貪逮惑女色以心庚他人心以意庚他人意
謂心等意同乃復不尒卿自謂美女好无比
吾覩從頭至足盡醜无一好辟如革囊內滿
不淨身體骨幹皮塗五流皮覆以辭污露在
內外强以文飾剝人目耳樂家縛獄貪世不
斷是種苦本色婬闔贊禁正他人善心死受
重殃長者白佛言婦女情貪為他男子所覩
更相婬污遂種罪根故禁之耳佛言正使人
万劫中熟視美女

BD00902 號　淨度三昧經卷下　（13–1）

不淨身體骨幹皮塗五流皮覆以辭污露在
內外强以文飾剝人目耳樂家縛獄貪世不
斷是種苦本色婬闔贊禁正他人善心死受
重殃長者白佛言婦女情貪為他男子所覩
更相婬污遂種罪根故禁之耳佛言正使人
万劫中熟視美女能使美女肩好損滅不正
使男女俱相悦色對共相視身不相到能有
損益不耶愛色增獄苦離色无憂愚奏為雨
當子為扣撅含為牢獄財為繫閉是四為地
獄種无着乃解離愛則近道近愛則增苦本
婬樂自縛縛如蠶作絲黠者能解婬縛不婬
除衆苦心念放逸行見婬以為淨恩愛意
熾盛從是造獄牢覺意滅婬大常念欲不淨
從是出獄牢能斷老死恩愛欲自覆盡自恣
可情意自縛詣獄門如象入狗口為老死所
思一日過去人命稍盡辟如牽牛向屠牛一
舉脚稍近死地可哀无救人之如是寸陰以
過人命足滅人生則有死對種健則有病對
丁疾則有老對四怨共居苦皆從欲愛生一
由愚痴二由貪婬三由瞋恚除此三者四怨
則滅无復生老病死痛長得解脱无憂患長
者意解即得道迹前受五戒為清信士受結
以解獄苦以滅死外梵天長者告諸美女吾
已得道意已離汝從汝所宜吾不拘汝五百
美女皆得道迹發无上正真道意求作沙門
聖衆比丘僧皆不聽此人大好若為沙門罪
人不少長者聞五百美女發意立甚歡喜長
跪叉手白佛言願垂大慈聽為沙門五百美
女人解身瓔珞珠寶散佛及菩薩天弟子上
化成寶蓋具一寶蓋下有一化佛〻皆言聽

BD00902 號　淨度三昧經卷下　（13–2）

耶[illegible]人大婦若為沙門罪
人不少長者聞五百夫女發意之甚歡喜長
跪叉手白佛言願盡大慈聽為沙門五百夫
女人解身瓔珞珠寶散佛及菩薩天弟子上
化成寶蓋其一寶蓋下有一化佛ゝゝ皆言聽
為沙門於是五百女人頭髮自墮袈裟便
著身以成沙門其女歡喜化成男子得皆阿
惟越致五百沙門繞佛七匝頭面礼佛足下
并大弟子衆菩悉以訖歡喜和顏悦色叉手
長跪白佛言請問四事所疑若見聽者乃敢
發問佛告五百沙門自恣所問佛當為汝解
釋所疑五百新沙門俱同一念白佛言我等
蒙佛重恩今得過度出於死地還見四事人
及鳥獸身神一等受形不同獸者甲戴角鳥
角任喙我等何緣去女為男願釋所疑佛告
五百沙門諦聽內著心中獸所以著甲戴角
皆由宿命種行致之前世為人時好著木跂
入寺舍講堂及沙門房死後入地獄燒地熱
如赤鐵足到地皆焦燒盡痛不可言積數千
万劫罪之未盡故使不死復入鐵刃獄足行
其上地生鐵刃利如剃頭刀人走其上斬足
折骨足積若干億万劫罪竟從地獄中來出
復作獸甲獸戴角者喜著步搖華樹巾角持
頭諂顧人死後入大鷲獄鷲之人兩肩上喙
如鐵嘴啄人頭發骨食腦積不可計劫乃復
得出為戴角出鳥所以著角喙者平生為人
時喜口強辞貢傳舌鬭兩舌死入鐵鉀獄ゝ
鬼燒鐵鉀正赤以落其舌復燒鐵鉤正赤鉤
有三刃利如芒獄鬼以鉤ゝ斷其舌復以剃

BD00902 號　淨度三昧經卷下　（13-3）

鬼燒鐵鉀正赤以落其舌復燒鐵鉤正赤鉤
有三刃利如芒獄鬼以鉤ゝ斷其舌復以利
刃挑其舌細切如縷舌適還生復以犁耕之
復以燒鐵杵判其咽中罪過未盡故不死積
不可計劫罪竟得出為鳥以角為喙若說君
主師父其罪未殃闇五不請
佛言所以於佛前去女為男女者惟昔定光
佛之時國中有一梵志字弥蘭博學多智國
中儒學者皆師仰之梵志弥蘭常將五百弟子
以為左右常脩梵行時遠講會菩薩過之一
ゝ解釋經中要事令五百人各得開解終日竟
夜門徒皆脫菩薩捨之而去後日同時俱見
之定光佛ゝ授菩薩決五百梵志之發无上正
真道意尒時受剪菩薩者我釋迦文身是尒
時弥蘭者今長者優多羅身是也尒時五百
弟子者今汝五百沙門是作脩梵行慈慧不
除故受女形宿師相遭結解乃成男子汝等
五百人却後十六中劫當得作佛号寶首如
來至真等正覺明行成為善逝世間解无上
士道法御天人師号佛世尊共同一字國名
妙樂人民熾盛但有菩薩衆无小道證佛住
世十六中劫像法亦十六中劫其時國中豐
孰快樂難量佛說是時卅万比丘得不退轉
四十億菩薩得阿惟顏九十億天人皆得无
所徒生法忍八千清信士求作沙門佛即聽
為沙門十万九士七万九女前受五戒六十
億清信女皆得柔順忍廿万比丘皆發无上
正真道意二百万天人亦發无上正真道意
恐長者白佛言我身連是千痛万奏已過

BD00902 號　淨度三昧經卷下　（13-4）

為沙門十万九千七万九女前受五戒六十
億清信女皆得柔順忍廿万比丘皆發无上
正真道意二百万天人亦發无上正真道意
恐畏長者白佛言我身更是十痛万麥已過
今欲逮離之何等為五不請罪何等為十不
救罪何等為不不竟罪願佛加恩解說
佛告恐畏長者受持勿妄迅五不請罪者愚
意向佛破塔壞佛像盜三尊物鬪亂比丘僧
謗入師父罪為臣不忠為子不孝弟子不謹
順師為弟子除殃滅罪教去惡就善恩倍於
親百有餘分既弟子不入深經律癡濁眼觀
其水動記師過若師有費事弟子悔過師為
咒願其過得除師无費事弟子得罪師唯以
佛故慈心康救弟子攘因以教不得敍三尊
㧊尊度人无量而誣謗之父母生之膝下推燥
擁為濕慈愛神祇西化為犢乳哺養育至其
長大教詔師氏礼義成之其恩重天地而反
背恩不孝父母君主為印授之王能令人尊
貴能使人貧賤能煞人活人而反不忠天下
有三大難事何謂三大一者佛法眾師二者
父母三者君主准得敎其善不可說其惡罪
成不可救恐畏長者白佛言若主父母師友
有過我欲諫之云何佛言大善欲諫者自可
諫君及父母耳唯佘當詳審其事乃可諫師
友有可諫者不可諫者已知得道者不論未
得道者有二輩一者喜行未不畏禁戒數見
犯法者亦當詳審ゝ諦乃可度憂禍諫三過
不必當自引不直悔過而退不得轉為他人
說二者守戒畏罪兢ゝ念道出入妙少不數
[illegible]

犯法者亦當詳審ゝ諦乃可度憂禍諫三過
不必當自引不直悔過而退不得轉為他人
說二者守戒畏罪兢ゝ念道出入妙少不數
犯禁知是內无過猷唯時有過失戒欲誡人
戒知人有過不得道說故深求佛意歐和拘
舍羅度人是輩不可諫但當自勸我遭弟子
中諱有不如法者願尊師當為我曹多罪戾
之人康除罪辜師曰弟子盡未即具香大師
問弟子衡戒淨不戒淨者燒香礼佛言戒淨
懺悔而退戒不淨者首過如事說師當教悔
過ゝ乃除滅不資万劫罪不除是為五不請
罪十不救罪者一者貪无厭足二者婬无厭
之三者瞋恚難諫曉四者愚癡所為无道難
与共語ゝ之正事反引耶事為喻不信正法
五者嫉惡他人六者增嫉他人七者主求人
短不自見過八者禁固人使不得聞經行道
布施為福九者不信罪福十者習惡不止是
為十不救罪五无竟罪者一者煞生心口念
煞受罪无竟二者貪利劫盜心貪意念受罪
无竟三者婬妖无厭受罪无竟四者兩舌惡
口妄言綺語傳吉相鬪受罪无竟五者嗜酒
貪味悖亂无礼受罪无竟是為五无竟罪也
恐畏長者白佛言人處世間甚為危嶮度世
大難我甚憂怖唯有行作沙門閉房自守不
豫水事惟不得道之鬼苦地我今年過衰死
累重情中惡ゝ生相乘復劇住家眾罪日懣
云何自度佛告恐畏長者汝乃能自憂度世
道能滅我憂何甚快汝今遇大福得遭值佛
世尚復可耳乃復得聞淨度三昧其福功德
无以為喻十方須彌山取ゝ斛滿量可知行

云何自度佛告恐畏長者汝乃能自度度世
道能滅我憂何甚快汝今過大福得遭值佛
世尚復可耳乃復得聞淨度三昧其福功德
无以爲喻十方須弥山段〻斛稱量可知行
雨渧數十方各十方恒沙佛剎海水可量知
斛升斗合數其聞是尊三昧歡喜奉行如法
者其福尊无比是皆非凡夫人行如中事不
失毛久者尊過十方天上世間德无能與等
者如莫憂行者得度隨不能出家作沙門爲
家之可循道堅持五戒行九齋使如齋法齋
日詣塔禮受齋懺悔六始論講道化求度世
道自可得度何憂之不度耶
恐畏長者白佛言我所居處去王舍國五百
里遠田既无塔寺之无沙門佛行度人不一
處住我食從卅餘人我年衰老或復小弱不
能遠道者既到塔寺行齋一日妨廢五日所
得既少所損甚多日月久長於生死意久則癈
廢墮落續入惡道當云何佛告恐畏長者人
身難得度身急事人來生時不手將妻子來
也死去之不可將去我且非我何況妻子財
且自憂身〻未度那何度他人自不能泅莫
負他人入水而死水中自未能得度意念
妻子結并不度求道身中急事男女各自當
盡心敬意不疑懃苦乃可免難自從自得不
不與他人計日數難者彼聚落賢者少不能
起塔居沙門者當棄積聚之奪馳就賢者之
衆既見可度何況民人任誠者八歲男十歲
女可行千里各自有腳欲度身不當自起
難恐畏長者白佛言已辭居衆无佛弟子但

BD00902號　淨度三昧經卷下　（13–7）

起塔居沙門者當棄積聚之奪馳就賢者之
衆既見可度何況民人任誠者八歲男十歲
女可行千里各自有腳欲度身不當自起
難恐畏長者白佛言已辭居衆无佛弟子但
有俗人我當從來移近善友塔寺我自得其
福阿難白佛言是尊三昧度人乃尒衆生之
類有識之屬莫不得度者尊〻〻諸經中尊
衆行之首立道之元百福之王尊妙乃尒名
爲何經云何奉行佛告阿難是經名斷諸苦
本一名總持諸法門三昧又名淨度三昧度
諸天人民鬼神龍阿須輪下及三塗莫不度
脫淨諸情淨三界故名淨度過去諸佛皆奉
行是淨度三昧自致得佛現在諸佛從是三
昧自致得佛當來諸佛亦當學是三昧從中
得佛當奉行阿難供養是三昧復當過於六
度阿難是經從生死大難中拔度衆生恩重
不可量阿難當念報恩阿難諷誦說是經處
魔皆愁毒剋如一人一朝亡失妻子父母財
產寶物身復在牢獄號哭愁毒如是魔恒伺
便欲斷是法當堅持之勿爲魔得便阿難我
滅度後當廣爲一切諸天人民布露演說令
得度脫如我今阿難我周遍說法一人不度終
終不捨去阿難我般泥洹後末世時人少有
奉行經誡者猗法伎累難名故有奉法者皆
言此狂人耳一日不從百日不食云何不從
亦使沙門万〻未有能樂誡究竟者
阿難白佛言人道難得已復爲人復得聞佛
經誡何故不精進佛告阿難有四輩弟子无
本心故不精進何謂四一者家居貪苦來受
佛誡無望富樂二者疾病來作佛弟子趣求

BD00902號　淨度三昧經卷下　（13–8）

阿難白佛言人道難得已復爲人復得聞佛
經誡何故不精進佛告阿難有四輩弟子无
夲心故不精進何謂四一者家居貧苦來受
佛誡與望富樂二者疾病來作佛弟子趣求
時利三者強敓人四者聞作佛弟子後脫地
獄可得生天謂直一受誡後得所願不如行
之妄曲是四輩人急疾不曉求後世濟种難
苦唯求目前事具人既不精進乍前乍郤反
爲魔得便所向不偶謂吁受戒反得其殃不
知自行違所致用无夲心故復有四輩人能
精進一者長三惡道二者從人道中來三者
從天上來四者從他方佛國來便能精進沙
門之有四輩无夲心不承至法一者厭世間
苦來作沙門二者避官候來作沙門三者不
能得衣食來作沙門四者避病來作沙門无
夲心故不能精進之不能免三苦復有四種
人作沙門大精進一者念生老病死痛二者
宿世沙門中來三者天上來四者他方佛國
來乃能精進我泥洹後千歲欲末若有沙門
若淸信士中有守戒者精進如律行者此非
凡人或是文殊師利或維摩詰或慧法大士或
颰陁和或弥勒亦現沙門欲建立慇懃之人
淸信士女中有能慇懃奉戒死〻不敢犯者
之他方上士或罪謫來生閻浮提或因緣來
生閻浮利之非凡夫
阿難白佛言弟子於閻浮利五燒五泰燃之
世衆惡之中奉行淨度三昧一日一夜其福
何所爲喻佛告阿難若有菩薩起七寶塔滿
閻浮利作七寶講堂一〻堂上施設金銀水
精琉璃車璖馬瑙珊瑚真珠作牀坐憁綖生

BD00902號　淨度三昧經卷下　（13–9）

何所爲喻佛告阿難若有菩薩起七寶塔滿
閻浮利作七寶講堂一〻堂上施設金銀水
精流離車璖馬瑙珊瑚真珠作牀坐總綖生
見遍諸牀塔上繒綵華蓋燒好雜香供養百
劫其福寧多不阿難言甚〻多〻天中天佛
言不如活一人福倍多阿難不可爲比活滿
四天下人不如自守一日福倍復倍相去甚
遠不可爲辟喻人能於是五燒毒燃之中淸
淨自守奉戒如法一日其福隆盛轉身得度
不久阿難白佛言若弟子中有精進如法者
後自得度可不須師佛告阿難弟子精進唯
己免難非師不度師爲重任如人生无父母
難名又无所寄屬云何名字之耶阿難白佛
言如佛言者末世時弟子皆共更相放效不
奉律行已爲處蓋尚不能自何能度弟子
佛告阿難人欲求度世道者當求明師辟如
欲度海當隱視舩爲可任用不之能到波圻
不舩師爲本舩師爲新來舩无怪師本故師
便可度无憂舩又不牢師復新来如是者不
可強度當視師戒行完不堪任我師不我行
可師意不我中師弟子不師有律行不師
法難易我能堪任奉事不我爲能持師戒不
若視中師者當奉敬如事神當護師意師爲
我曹故懃苦我曹之不當於師有所愛惜當
如師娛所喜不喜語不得觸師諱傷師〻意
〻嫌恨後成大罪愼〻之〻是爲求法
阿難白佛言末世人常不用正化律行者少
國中无持戒者爲可必不作佛弟子不也人
身難得一介當更劫數云何佛告阿難經法
所到之處時〻生〻有持律沙門比丘菩薩

BD00902號　淨度三昧經卷下　（13–10）

國中无持戒者為可以不作佛弟子不也人
身難得一佘當更刼數云何佛告阿難經法
所到之處時〻誌〻有持律沙門出經佛種
不絶城中凡有若干億万菩薩弟子若干億
万清信士女十方諸佛一日一夜各三時放
道眼霞視諸天人民幾許精進幾許不精進
幾許為佀幾許為道幾許為惡幾許為善佛
盡知從五戒上至具戒入律行者十方佛皆
稱譽受作弟子不入律行者十方佛亦自不
受是為棄人耳是故四部弟子當念精進晝
夜各三時礼拜首過陁不能日〻三時礼拜
莫失棄日懃備誦講淨度三昧信樂受持衆
垢漸少心明意解稍近泥洹若人布施方億
刼不如一日諷誦是三昧其德出彼福上施
万億刼心无解捲想不如讀是經一竟恩素
解慧其德云傳荨是經累汝阿難是經度人
无量阿難是經中有大尊天神與是經俱佘
時四天王大自與官屬俱白佛言是經所在
之處我自擁護持經之人弟二切利天帝釋
與諸官屬俱白佛言若後有善男子善女人
執持經弓者我自護是善男子善女人臨天
皃章天不驕樂天化應聲天梵天大梵天梵
輔天上至不入慧天等皆白佛言若善男子
善女人信樂執持是經弓者我自護是善男
子善女人諸天結願已各作礼而還佛告阿
難是經弓所至之處當令有五清淨一者杅
閣令清淨二者掃灑令清淨三者香大供養
令清淨四者讀是經當用心潄寺巾五者衮

BD00902號　淨度三昧經卷下　（13-11）

與諸官屬俱白佛言若後有善男子善女人
執持經弓者我自護是善男子善女人臨天
皃章天不驕樂天化應聲天梵天大梵天梵
輔天上至不入慧天等皆白佛言若善男子
善女人信樂執持是經弓者我自護是善男
子善女人諸天結願已各作礼而還佛告阿
難是經弓所至之處當令有五清淨一者杅
閣令清淨二者掃灑令清淨三者香大供養
令清淨四者讀是經當用心潄手巾五者衮
戒清淨无食勉桼是為清淨初聞是經者心
意不堅魔嬈亂欲斷是經時若男子善女人
持具種不好語来聞善男子善女人耳者不
當受當逆可之御欲亂我意耳受者魔以溕
入為魔得便知是善男子善女人不久得聞
法聞之不能究竟以為魔得便以失善師意
師與弟子以有獄殘豐師棄法行事沙門敬
得清淨无劳垢者一時一㨗則无塵劳久則
生垢敬意以盡慯意以生而不得福信人不
知清信士女法清信士女不知沙弥法沙弥不
知沙門法展轉不相知行事不能承用法教
者但種罪根俱墮惡道不如早解後可无對
佛說經竟諸天阿須輪鬼神龍王地獄官
屬國王臣民四輩弟子不可計菩薩衆莫
不歡喜作礼而去

淨度三昧經卷下

BD00902號　淨度三昧經卷下　（13-12）

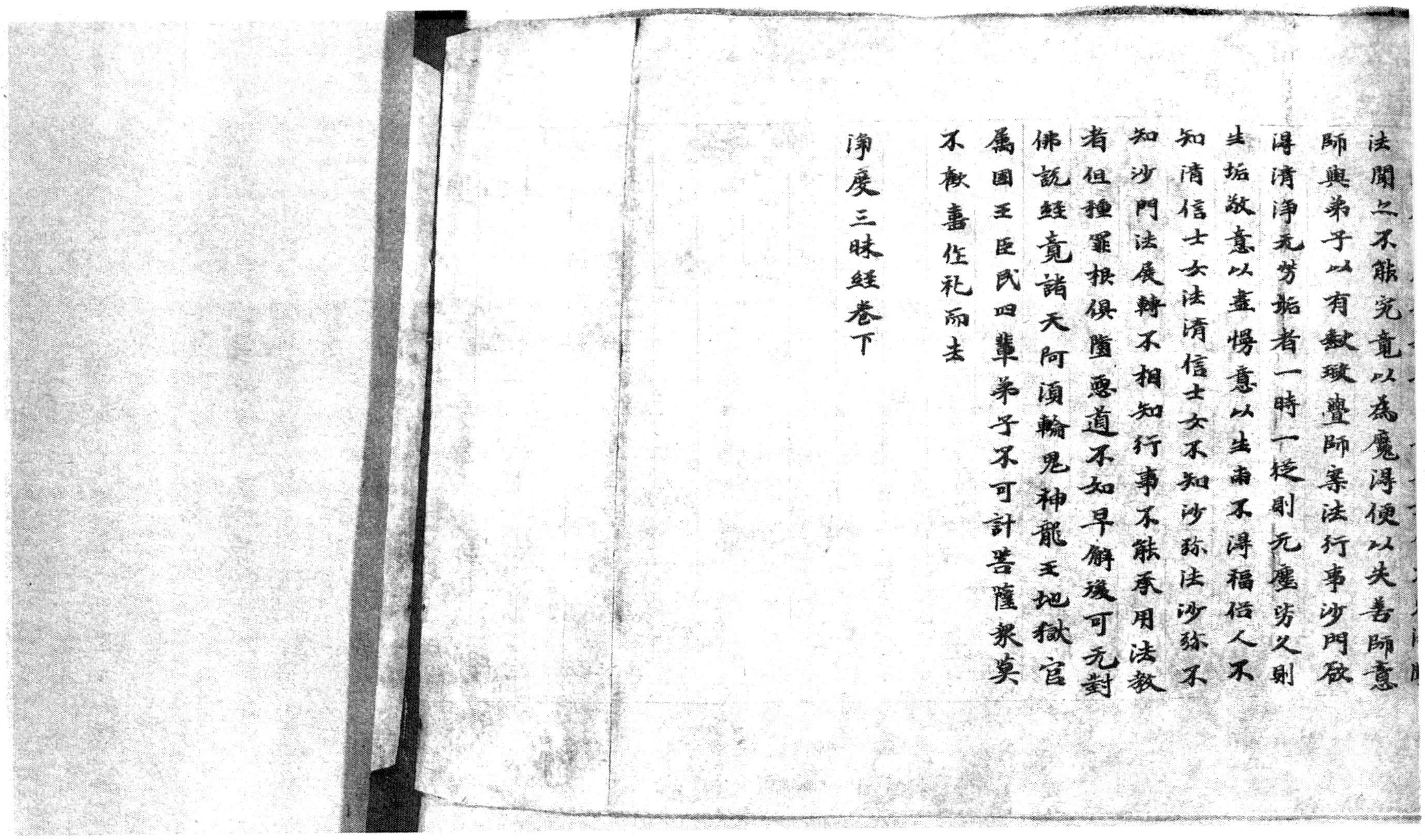

法聞之不能究竟以爲魔得便以失善師意
師與弟子以有歎釁師棄法行事沙門欲
得清淨无労垢者一時一徙則无塵労久則
生垢欲意以盡慢意以生甫不得福信人不
知清信士女法清信士女不知沙弥法沙弥不
知沙門法展轉不相知行事不能承用法教
者但種罪根俱墮惡道不如早解儀可无對
佛説經竟諸天阿須輪鬼神龍王地獄官
属國王臣民四輩弟子不可計菩薩衆莫
不歡喜作礼而去

淨度三昧經卷下

BD00902 號　淨度三昧經卷下　（13–13）

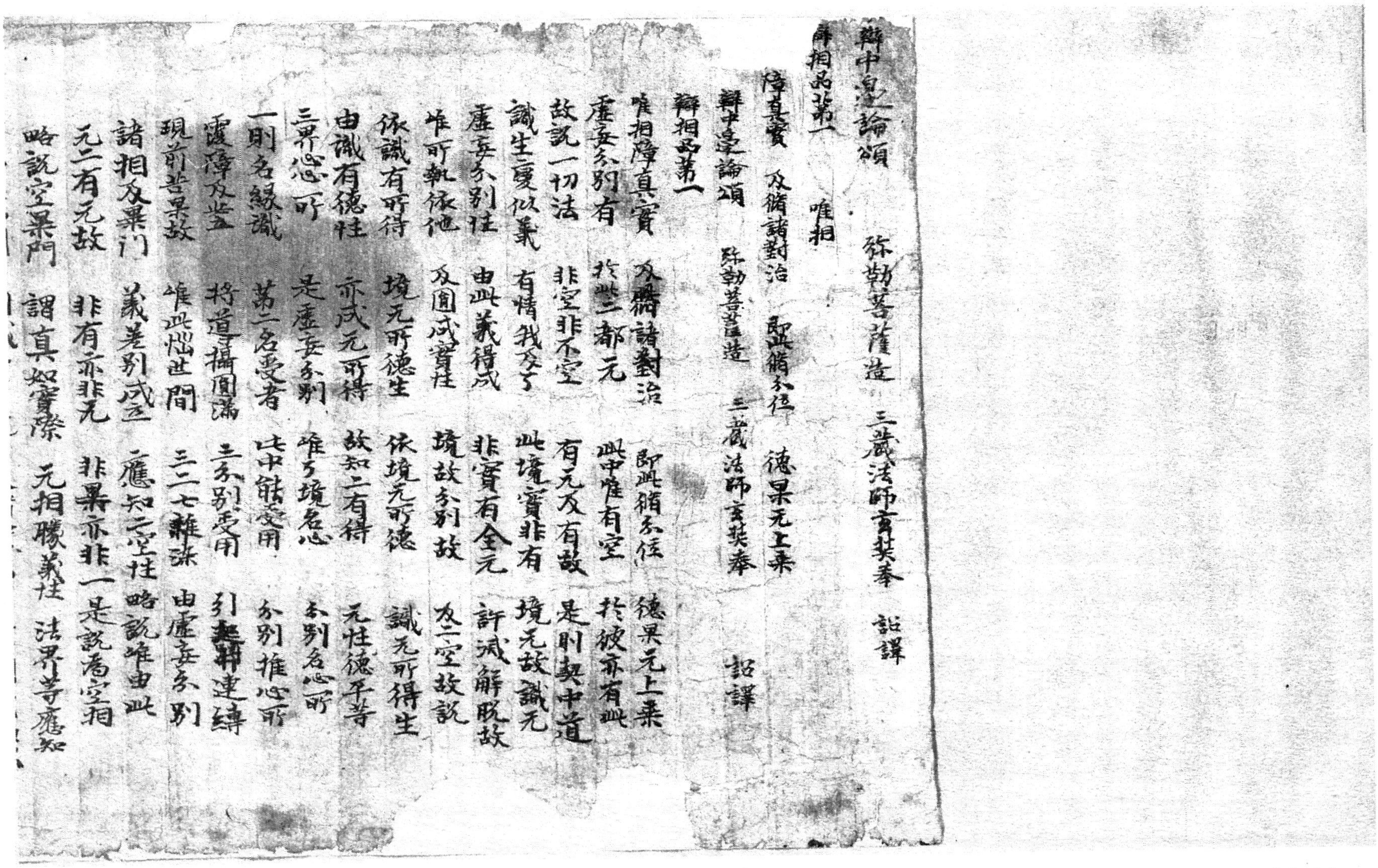

辯中邊論頌　弥勒菩薩造　三藏法師玄奘奉　詔譯
辯相品第一　唯相
障真實　及脩諸對治　即此脩分位　德果无上乘
辯中邊論頌　弥勒菩薩造　三藏法師玄奘奉　詔譯
辯相品第一
唯相障真實　及脩諸對治　即此脩分位　德果无上乘
虛妄分別有　於此二都无　此中唯有空　於彼亦有此
故說一切法　非空非不空　有无及有故　是則契中道
識生變似義　有情我及了　此境實非有　境无故識无
虛妄分別性　由此義得成　非實有全无　許滅解脫故
唯所執依他　及圓成實性　境故分別故　及二空故說
依識有所得　境无所得生　依境无所得　識无所得生
由識有得性　亦成无所得　故知二有得　无性得平等
三界心心所　是虛妄分別　唯了境名心　亦別名心所
一則名緣識　第二名受者　此中能受用　分別推心所
覆障及安立　將導攝圓滿　三分別受用　引起并連縛
現前苦果故　唯此惱世間　三二七雜染　由虛妄分別
諸相及異門　義差別成立　應知二空性　略說唯由此
无二有无故　非有亦非无　非異亦非一　是說爲空相
略說空異門　謂真如實際　无相勝義性　法界等應知

BD00903 號　辯中邊論頌（兌廢稿）　（6–1）

一則名緣識　第二名受者　此中能受用　分別推心所
覆障及安立　將導攝圓滿　三分別受用　引起并連縛
現前苦果故　唯此惱世間　三二七雜染　由虛妄分別
諸相及異門　義差別成立　應知二空性　略說唯由此
无二有无故　非有亦非无　非異亦非一　是說為空相
略說空異門　謂真如實際　无相勝義性　法界等應知
由无變无倒　相滅聖智境　及諸聖法因　異門義如次
此雜染清淨　由有垢无垢　如水界金空　淨故許為淨
能食及所食　此依身所住　能見此如理　所求二淨空
為常益有情　為不捨生死　為善无窮盡　故觀此為空
為種姓清淨　為得諸相好　為淨諸佛法　故菩薩觀空
補特伽羅法　實性俱非有　此无性有性　故別立二空
此若无雜染　一切應自脫　此若无清淨　功用應无果
非染非不染　非淨非不淨　心性本淨故　由客塵所染

辯障品第二

具分及一分　增盛與平等　於生死取捨　說障二種姓
九種煩惱相　謂愛等九結　初二障厭捨　餘七障真見
謂能障身見　彼事滅道寶　利養恭敬等　遠離遍知故
无加行非處　不如理不生　不起正思惟　資糧未圓滿
闕種姓善友　心極疲厭性　及闕於正行　鄙惡者同居
倒麁重三餘　般若未成熟　及本性麁重　懈怠放逸性
著有著資財　及心性下劣　不信无勝解　如言而思義
輕法重名利　於有情无悲　匱聞及少聞　不修治妙定
善菩提攝受　有慧无亂障　迴向不怖慳　自在名善等
如是善等十　各有前三障　於覺分度地　有別障應知
於事不善巧　懈怠定減二　不植羸劣性　見麁重過失
障富貴善趣　不捨諸有情　於失德減增　令趣入解脫
障施等諸善　无盡亦无間　所作善決定　受用法成熟

BD00903號　辯中邊論頌（兌廢稿）　（6–2）

如是善等十　各有前三障　於覺分度地　有別障應知
於事不善巧　懈怠定減二　不植羸劣性　見麁重過失
障富貴善趣　不捨諸有情　於失德減增　令趣入解脫
障施等諸善　无盡亦无間　所作善決定　受用法成熟
遍行與最勝　勝流及无攝　相續无差別　无雜染清淨
種種法无別　及不增不減　并无分別等　四自在依義
於斯十法界　有不染无明　障十地功德　故說為十障
已斷諸煩惱　及諸所知障　許此二盡故　一切障解脫

辯真實品第三

真實唯有十　謂根本與相　无顛倒因果　及麁細真實
極成淨所行　攝受并差別　十善巧真實　皆為除我見
許於三自性　唯一常非有　一有而不真　一有无真實
於法數取趣　及所取能取　有非有性中　增益損減見
知此故不轉　是名真實相　无性與生滅　垢淨三无常
所取及事相　和合苦三種　空亦有三種　謂无異自性
无相及異相　自相三无我　如次四三種　依根本真實
苦三相已說　集亦有三種　謂習氣等起　及相未離繫
自性二不生　垢寂二三滅　遍知及永斷　證得三道諦
應知世俗諦　差別有三種　謂假行顯了　如次依本三
勝義諦亦三　謂義得正行　依本一无變　无倒二圓實
世極成依一　理極成依三　淨所行有二　依圓成實一
名遍計所執　相分別依他　真如及正智　圓成實所攝
流轉與安立　邪行依初二　實相唯識淨　正行依後一
於蘊等我見　執一因受者　作者自在轉　增上義及常
雜染清淨依　觀縛解者性　此所執分別　法性義在彼
非一及總略　分段義名蘊　能所取彼取　種子義名界
能受所了境　用門義名處　緣起義於因　果用无增減
非愛愛淨俱　勝生及得行　增上時屬主　是處非處義

BD00903號　辯中邊論頌（兌廢稿）　（6–3）

於蘊[illegible]執一因受者 作者自在轉 增上義[illegible]
雜染清淨依 觀縛解者住 此所執分別 法性義在彼
非及總略 分段義名蘊 能所取受用 種子義名界
能受所了境 用門義名處 緣起義在因 果用无增減
於非愛愛淨 俱生及勝主 得行不自在 是處非處義
根於取續 用二淨增上 因果已未用 是世義應知
受及受資糧 彼所因諸行 二寂滅對治 是諦義應知
由功德過失 及无分別知 依他自出離 是乘義應知
有為无為義 謂若假若因 若相若寂靜 若彼所觀義

辯脩對治品第四

以麁重愛因 我事无迷故 為入四聖諦 脩念住應知
已遍知障治 一切種差別 為遠離脩集 對脩四正斷
依住堪能性 為一切事成 滅除五過失 勤脩八斷行
懈怠妄聖言 及惛沈掉舉 不作行作行 是五過應知
為斷除四失 脩欲勤信安 即所依能依 及所因能果
為除餘四失 脩念智思捨 記言覺沈掉 伏行滅等流
已種順解脫 復脩五增上 謂欲行不忘 不散亂擇法
即損障名力 因果立次第 順決擇二二 在五根五力
覺支略有五 謂所依自性 出離并利益 及三无染支
由因緣所依 自性義差別 故釋安定捨 說為无染支
分別及誨示 令他信有三 對治障亦三 故道支成八
表見戒遠離 令他信深受 對治本隨惑 及自在障故
有倒順无倒 无倒有倒隨 无倒无倒隨 是脩治差別
菩薩所脩習 由所緣作意 證得殊勝故 與二乘差別

辯脩分位品第五

所說脩對治 分位有十八 謂因入行果 作无作殊勝
上无雜上行 入出離記說 灌頂及證得 勝利成所作
應知法界中 略有三位分 不淨淨不淨 清淨隨所應
依前諸位中 所有差別 隨所應建立 諸補特伽羅

辯得果品第六

應知法界中 略有三位分 不淨淨不淨 清淨隨所應
依前諸位中 所有差別 隨所應建立 諸補特伽羅

辯得果品第六

器說為果報 力是彼增上 愛樂增長淨 如次即五果
復略說餘果 後後初數習 究竟順障滅 離勝上无上

辯无上乘品第七

總由三无上 說為无上乘 謂正行所緣 及脩證无乘
正行有六種 謂最勝作意 隨法離二邊 差別无差別
最勝有十二 謂大廣長時 依處及无盡 无間无難性
自在攝發起 得等流究竟 由斯說十度 名波羅蜜多
十波羅蜜多 謂施戒安忍 精進定般若 方便願力知 饒益不害受
菩薩以二慧 恒思惟大乘 如所施設法 名作意正行 此增長善界
入義及事成 此助伴應知 即十種法行 謂書寫供養 施他聽披讀
行法十行者 獲福聚无量 勝故无盡故 由攝他不隨 法行二種
謂諸不散亂 无顛倒轉變 諸菩薩應知 出定於境流
味沉掉慢心 我執心下劣 諸智者應知 智見於文義 作意及不動
有味淨客 无怖高无倒 知俱由相應 串習或翻此 有義及非是
是於文无倒 似二性顯現 如現實非有 是於義无倒 於作意无倒
如彼言熏習 言作意彼依 現似二因故 於不動无倒
謂知義非有 非无如幻等 有无不動故 於自相无倒
知一切唯名 離一切分別 於勝義自相 以離真界法 无別有法
故通達此者 於共相无倒 知顛倒作意 未滅及已滅 於法界雜染
清淨无顛倒 知法界本性 清淨如虛空 故染淨非主 客於客无倒
有情法无故 染淨性俱无 知此无怖高 是於二无倒 異性與一性
外道及聲聞 增益損減邊 有情法各二 所治及能治
常住與斷滅 所取能取邊 染淨二三種 分別二邊性
應知復有七 謂有非有邊 所能寂怖畏 所能取正邪
有用并无用 不起及時時 是分別二邊 差別无差別
應知於十地

攝由三无上　謂應无上乘　謂正行所緣　及脩證无乘
正行有六種　謂最勝作意　隨法離二邊　差別无差別
最勝有十二　謂大廣長時　依處及无盡　无間无難住
自在攝發起　得等流究竟　由斯說十度　名波羅蜜多
十波羅蜜多　謂施戒安忍　精進定般若　方便願力智　饒益樂受
菩薩以三慧　恒思惟大乘　如所施設法　名作意正行　此增長善界
令義及事成　此助伴應知　即十種法行　謂書寫供養　施他聽披讀
行法行者獲　福聚无量　勝故无盡故　由攝他不隨　修行二種
謂諸不散亂　无顛倒轉變　諸菩薩應知　出定於境流
味沉掉慢示　我執心下劣　諸知者應知　智見於文義　作意及不動
相染淨客　无怖高无倒　知俱由相應　串習或翻此　有義及非是
是於文无倒　似二性顯現　如現實非有　是於義无倒　於作意无倒
如彼言熏習　言作意彼依　現似二因故　於不動无倒
謂知義非有　非无如幻等　有无不動故　於自相无倒
知一切唯名　離一切分別　於勝義自相　此離真界法　无別有法
故通達此者　於共相无倒　知顛倒作意　未滅及已滅　於法界雜染
清淨无顛倒　知法界本性　清淨如虛空　故染淨非主　客於客无倒
有情法无故　染淨性俱无　知此无怖高　是於二无倒　異性與一性
外道及聲聞　增益損減邊　有情法各二　所治及能治
常住與斷滅　所取能取邊　染淨二三種　分別二邊性
應知復有七　謂有非有邊　所能寂怖畏　所能取正邪
有用并无用　不起及時等　是分別二邊　差別无差別
應知於十地

BD00903號　辯中邊論頌（兌廢稿）　（6–6）

吽剎嚧儀耶　缽囉婆悉多耶　怛他薩都　烏悉泥沙　悉哆多
缽怛辣　吽咙隴　望婆耶葛囉　吽咙隴　悉乳般耶　葛囉吽咙隴　波囉尾
甚訶耶葛囉　吽咙隴　摩訶尾乜　三慱又耶葛囉吽咙隴
乜　三慱又耶葛囉　吽咙隴　薩嚩怒悉乜　悉乳　耶葛囉吽咙
隴　薩嚩藥叉　邏叉婆　薩囉可　尾耶葛囉吽咙隴　樓都羅
尸底　薩囉可　婆訶婆囉　尾耶婆耶葛囉　吽咙隴　阿瑟
薩　缽囉婆羅耶　葛囉吽咙隴　阿瑟宅
宅尾寅薩底　諾叉怛囉　尾耶婆耶葛囉吽咙隴　洛叉洛之　麼麼
薄伽梵底　阿悉底　耶喇迦不囉波　悉奉普吒　尾閻悉多　悉哆多
尸底　摩訶薩囉訶　尾耶婆耶葛囉吽咙隴
缽怛仐　佐囉　佐囉　耶可耶可　耶囉　耶囉　尾耶囉　尾耶囉　真耶
真耶　頻耶　頻耶　吽吽叭叭　臨臨叭　呼呼叭　阿多迦叭　阿
囉底可陁耶叭　嚩囉不囉難耶叭　阿素囉尾廷囉諾耶諾囉耶叭
薩嚩泥撲麟叭　薩嚩佛諾怕叭　薩嚩阿素令怕叭　薩嚩摩睺羅
薩嚩伽貴令怕叭　薩嚩乾闥婆怕叭　薩嚩業耶令怕叭　薩嚩泼怛令怕叭
叭　薩嚩藥叉怕叭　薩嚩洛叉剎星怕叭　薩嚩鉢令衣怕叭　薩嚩徽
薩嚩星怕叭　薩嚩辛泥怕叭　薩嚩活麼泥怕叭　薩嚩布單泥
怕叭　薩嚩葛多布單泥怕叭　薩嚩悉于泥怕叭　薩嚩錯斑星怕
叭　薩嚩溫摩泥怕叭　薩嚩撲芳怕叭　薩嚩阿波尸麼令怕叭　薩嚩呼
悉多陁囉梯怕叭　薩嚩怒瘡連　叔希怕叭　薩嚩怒嚧鉢令　嘶曰怕
叭　薩嚩楼令怕叭　薩嚩毗剎嘍哥潘耶　劍光耶　部闌耶尾吒
耶　神令素哥　怒嚕素哥　怒嚕目廣多雖怕叭　薩嚩地利夕地雖怕
叭　薩嚩溫摩底怕叭　薩嚩悉囉麼泥怕叭　薩嚩尾乜耶令怕叭
吒耶　劍囉　麼怒劍囉　薩嚩而他　婆地雖　鈕尾吒令怕叭

BD00904號　金剛蓮華大摧碎真言　（1–1）

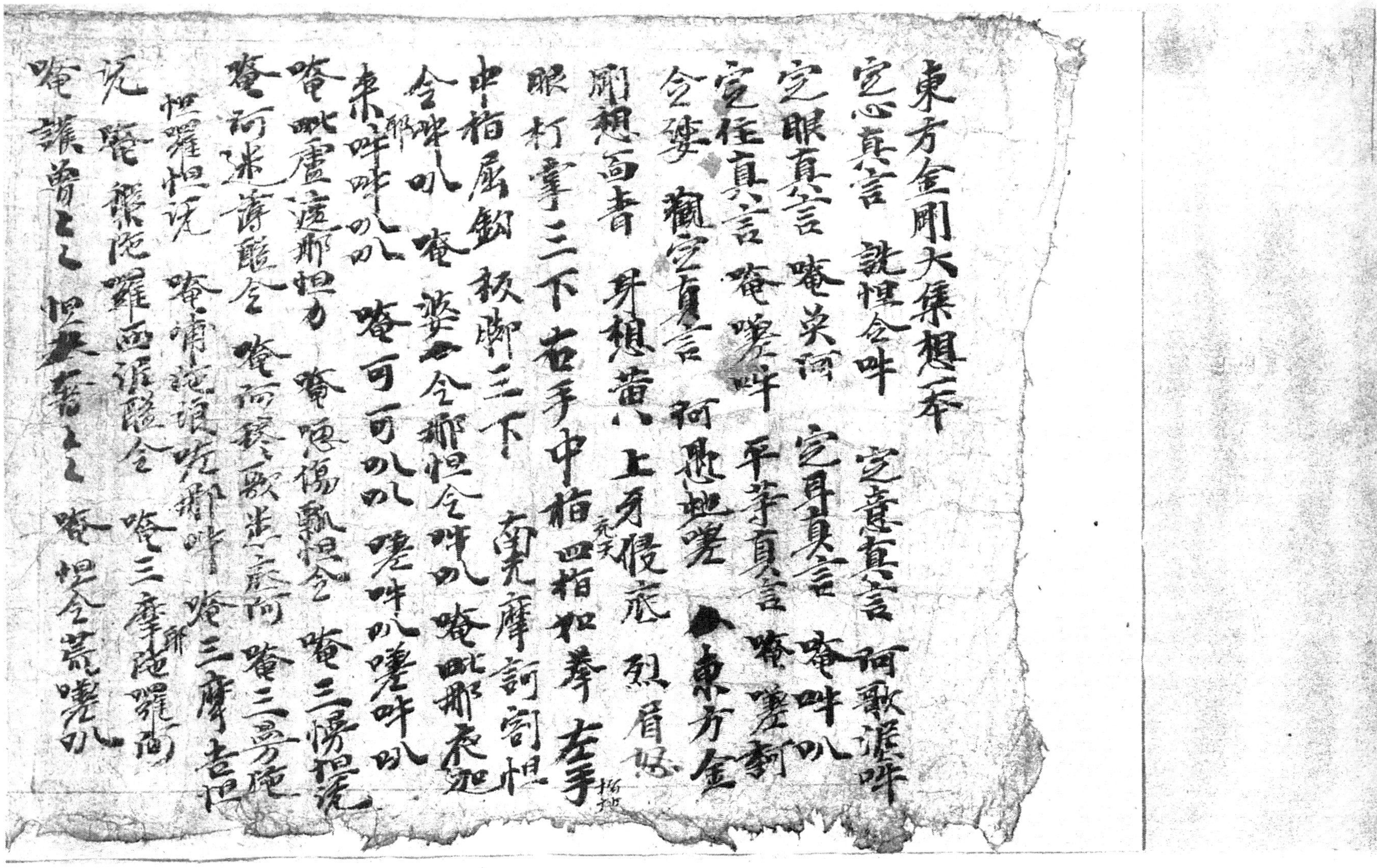

BD00905 號　東方金剛大集想　　（2–1）

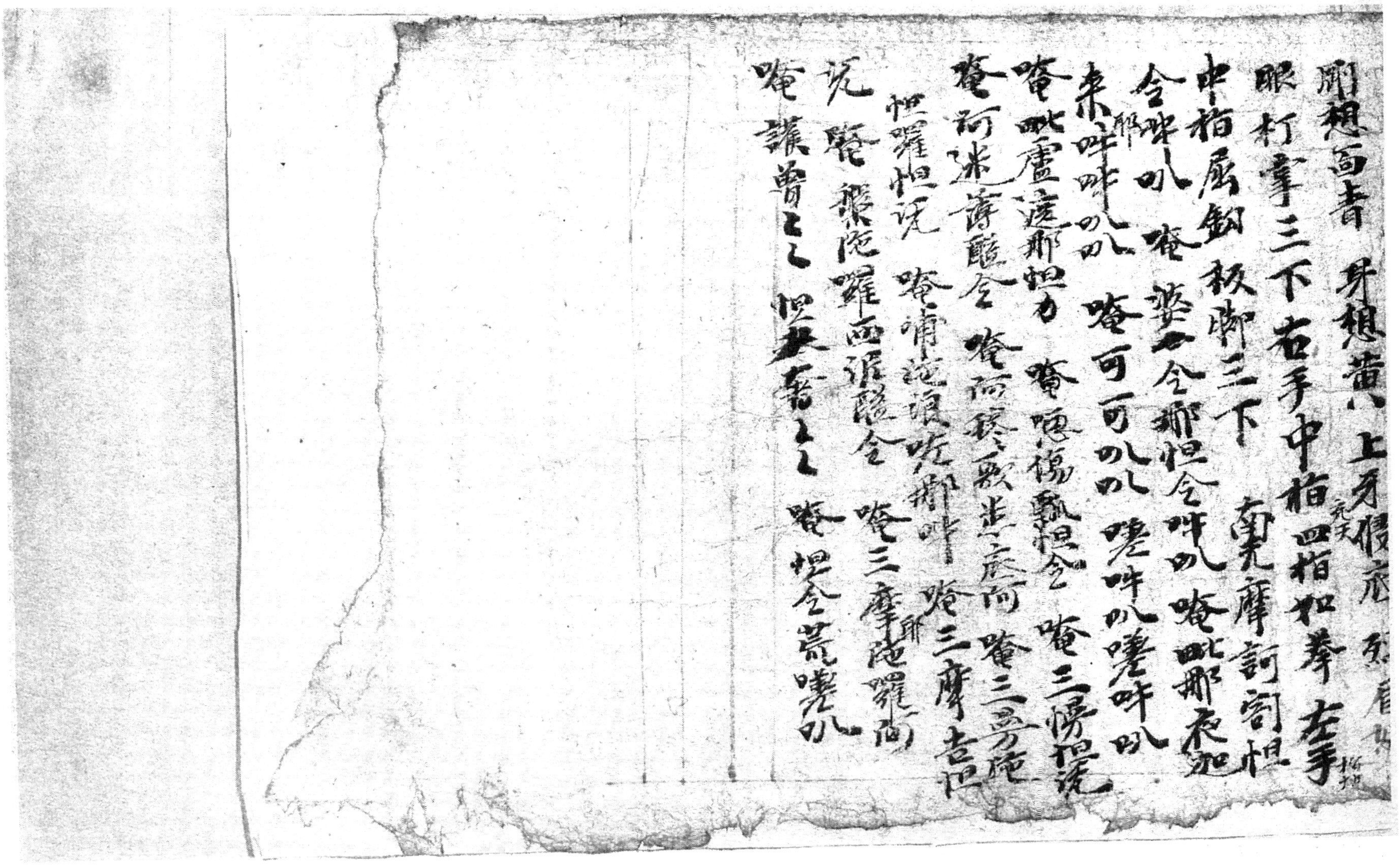

BD00905 號　東方金剛大集想　　（2–2）

邊種種

善男子二地菩薩是相先現三千

地平如掌无量无邊種種妙色〻

莊

嚴之具菩薩悉見善男子三地菩薩是相先

現自身勇健甲仗莊嚴一切怨賊皆能摧

伏菩薩悉見善男子四地菩薩是相先現四方

風輪種種妙花悉皆散灑充布　菩薩悉見

善男子五地菩薩是相先現有妙寶女衆寶

瓔珞周遍嚴身首冠名花以為其飾菩薩悉

見善男子六地菩薩是相先現七寶花池有

四階道金砂遍布清淨无穢八功德水皆悉

盈滿嗢鉢羅花拘頭花分陁利花隨處莊嚴於

花池所遊戲快樂清涼无比菩薩悉見善男

子七地菩薩是相先現於菩薩前有諸衆

生應墮地獄以菩薩力便得不墮无有損傷

亦无恐怖菩薩悉見善男子八地菩薩是

相先現於身兩邊有師子王以為衛護一切

衆獸悉皆怖畏菩薩悉見善男子九地菩

薩是相先現轉輪聖王无量億衆圍遶供養頂

上白蓋无量衆寶之所莊嚴菩薩悉見善

男子十地菩薩是相先現如來之身金色晃

耀无量淨光悉皆圓滿有无量億梵王圍遶

BD00906號　金光明最勝王經卷四　（2–1）

盈滿嗢鉢羅花拘頭花分陁利花隨處莊嚴於

花池所遊戲快樂清涼无比菩薩悉見善男

子七地菩薩是相先現於菩薩前有諸衆

生應墮地獄以菩薩力便得不墮无有損傷

亦无恐怖菩薩悉見善男子八地菩薩是

相先現於身兩邊有師子王以為衛護一切

衆獸悉皆怖畏菩薩悉見善男子九地菩

薩是相先現轉輪聖王无量億衆圍遶供養頂

上白蓋无量衆寶之所莊嚴菩薩悉見善

男子十地菩薩是相先現如來之身金色晃

耀无量淨光悉皆圓滿有无量億梵王圍遶

恭敬供養轉於无上微妙法輪菩薩悉見善

男子云何初地名為歡喜謂初證得出世之

心昔所未得而今始得於大事用如其所

願悉皆成就生極喜樂是故最初名為歡喜

諸微細垢犯戒過失皆得清淨是故二地名

為无垢无量智慧三昧光明不可傾動无能

摧伏聞持陁羅尼以為根本是故三地名為

明地以智慧火燒諸煩惱增長光明修行覺

故四地名為焰地修行方便勝智自在

五地名

BD00906號　金光明最勝王經卷四　（2–2）

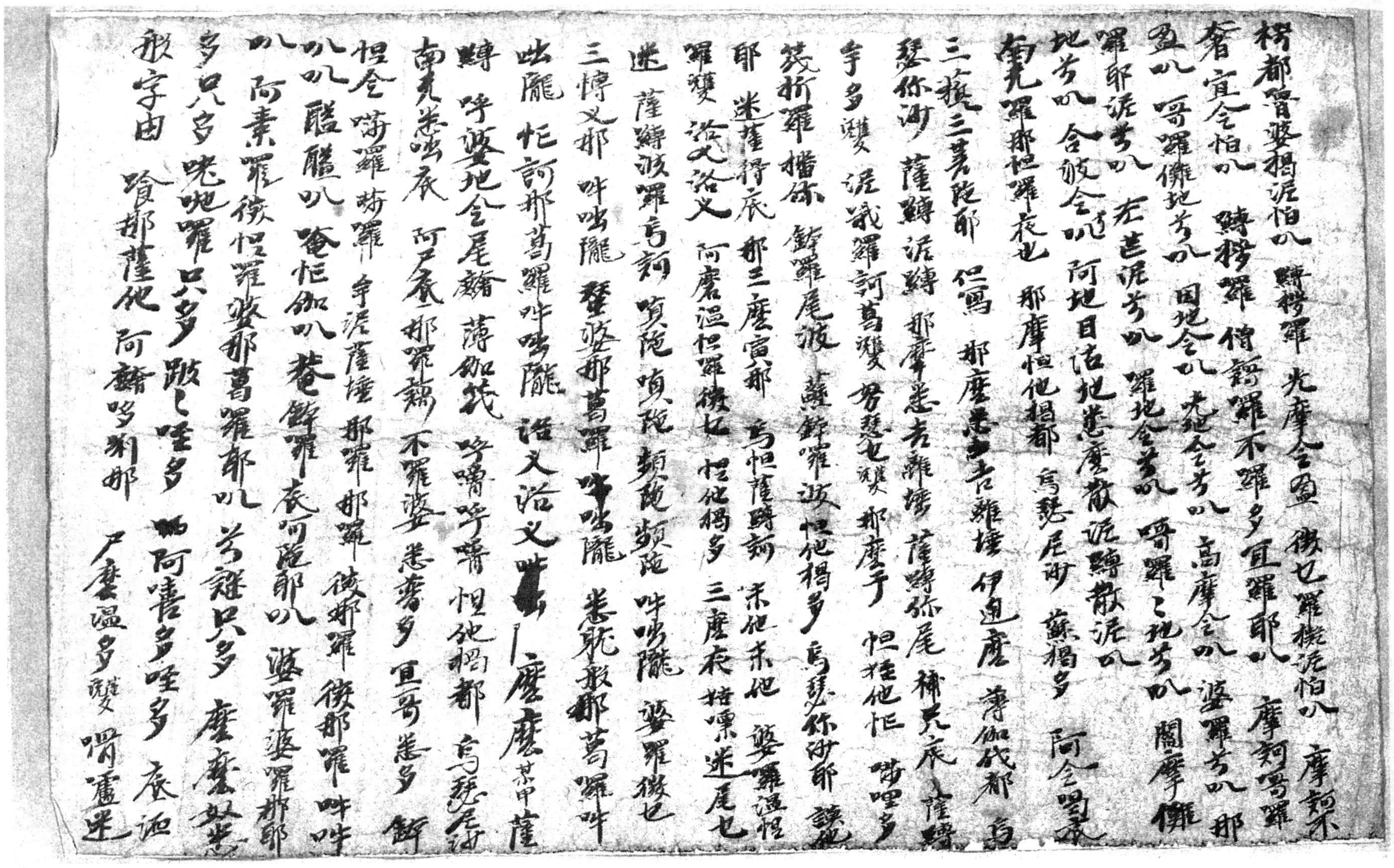

BD00907號　金剛蓮華大摧碎真言　（1–1）

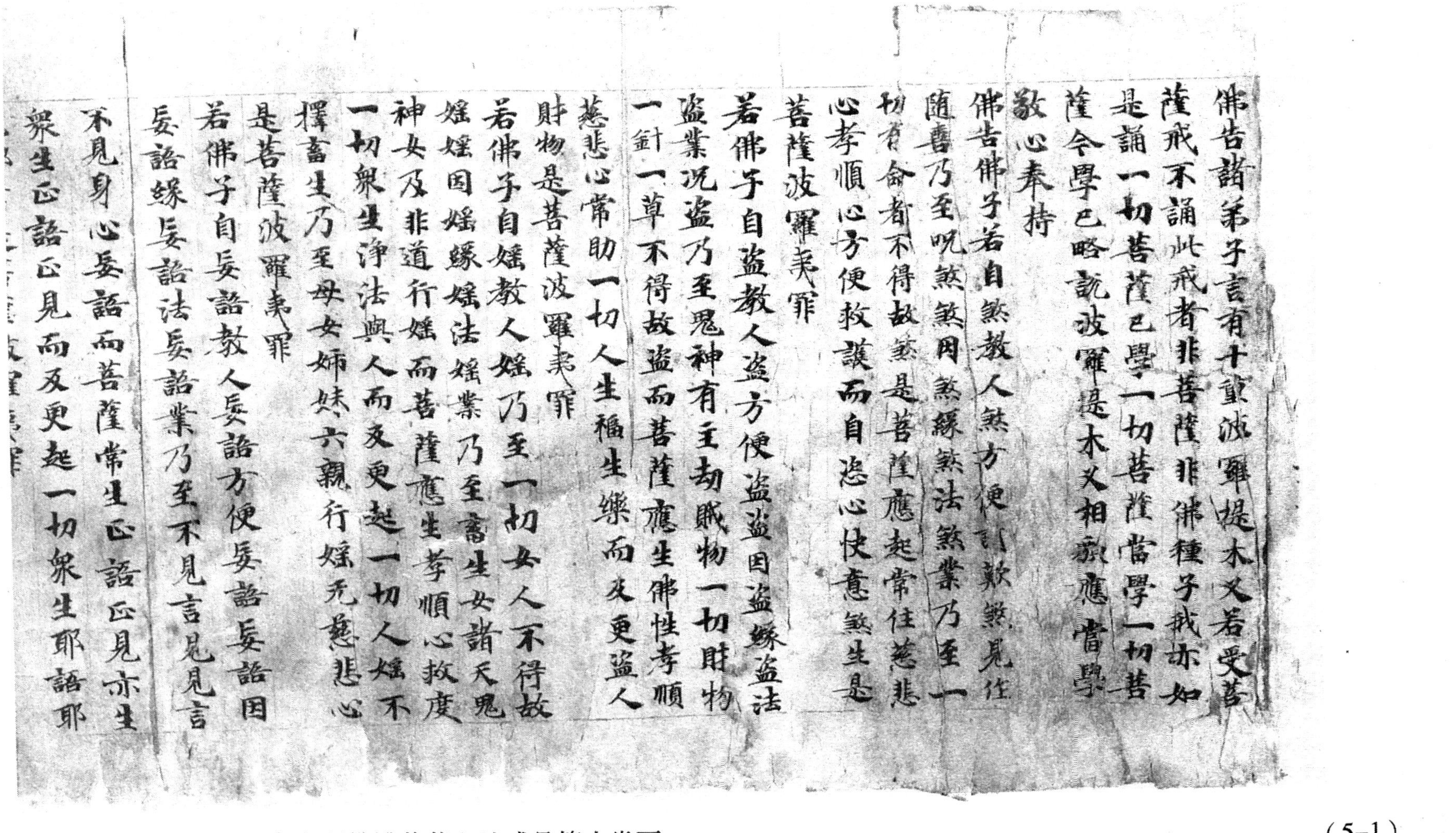

佛告諸弟子言有十重波羅提木叉若受菩
薩戒不誦此戒者非菩薩非佛種子我亦如
是誦一切菩薩已學一切菩薩當學一切菩
薩今學已略說波羅提木叉相貌應當學
敬心奉持
佛告佛子若自煞教人煞方便讚煞見作
隨喜乃至呪煞煞因煞緣煞法煞業乃至一
切有命者不得故煞是菩薩應起常住慈悲
心孝順心方便救護而自恣心快意煞生是
菩薩波羅夷罪
若佛子自盜教人盜方便盜盜因盜緣盜法
盜業呪盜乃至鬼神有主劫賊物一切財物
一針一草不得故盜而菩薩應生佛性孝順
慈悲心常助一切人生福生樂而反更盜人
財物是菩薩波羅夷罪
若佛子自婬教人婬乃至一切女人不得故
婬婬因婬緣婬法婬業乃至畜生女諸天鬼
神女及非道行婬而菩薩應生孝順心救度
一切衆生淨法與人而反更起一切人婬不
擇畜生乃至母女姊妹六親行婬无慈悲心
是菩薩波羅夷罪
若佛子自妄語教人妄語方便妄語妄語因
妄語緣妄語法妄語業乃至不見言見見言
不見身心妄語而菩薩常生正語正見亦生
衆生正語正見而反更起一切衆生耶語耶
[illegible]

BD00908號　梵網經盧舍那佛說菩薩心地戒品第十卷下　（5–1）

[illegible]
妄語緣妄語法妄語業乃至不見言見見言
不見身心妄語而菩薩常生正語正見亦生
衆生正語正見而反更起一切衆生邪語邪
見邪業是菩薩波羅夷罪
若佛子自酤酒教人酤酒酤酒因酤酒緣酤
酒法酤酒業一切酒不得酤是酒起罪因緣
而菩薩應生一切衆生明達之慧而反更生
衆生顛倒之心是菩薩波羅夷罪
若佛子自說出家在家菩薩比丘比丘尼罪
過教人說罪過罪過因罪過緣罪過[illegible]
過業而菩薩聞外道惡人及二乘[illegible]
法中非法非律常生悲心教化
生大乘善信而菩薩反更自說佛[illegible]
者是菩薩波羅夷罪
若佛子自讚毀他亦教人自讚毀他
毀他緣毀他法毀他業而菩薩應代一切衆
生受加毀辱惡事自向己好事與他人若自
揚己德隱他人好事令他人受毀者是菩薩
波羅夷罪
若佛子自慳教人慳慳因慳緣慳法慳業而
菩薩見一切貧窮人來乞者隨前人所須一
切給與而菩薩以惡心瞋心乃至不施一錢一
針一草有求法者而不爲說一句一偈一微
塵許法而反更罵辱是菩薩波羅夷罪
若佛子自瞋教人瞋瞋因瞋緣瞋法瞋業而
菩薩應生一切衆生中善根无諍之事常生
悲心而反更於一切衆生中乃至於非衆生

BD00908號　梵網經盧舍那佛說菩薩心地戒品第十卷下　（5–2）

塵許法而反更罵辱是菩薩波羅夷罪
若佛子自瞋教人瞋瞋因瞋緣瞋法瞋業而
菩薩應生一切衆生中善根无諍之事常生
悲心而反更於一切衆生中乃至於非衆生
中以惡口罵辱加以手打及以刀杖意猶不
息前人求悔善言懺謝猶瞋不解者是菩薩
波羅夷罪
若佛子自謗三寶教人謗三寶謗因謗緣謗
法謗業而菩薩見外道及以惡人一言謗佛
音聲如三百鉾刺心況口自謗不生信心孝
順心而反更助惡人邪見人謗者是菩薩波羅
夷罪
善學諸人者是菩薩十波羅提木叉應當於
中不應一一犯如微塵許何況具足犯十戒
若有犯者不得現身發菩薩心亦失國王位
轉輪王位亦失比丘比丘尼位失十發趣十
長養十金剛十地佛性常住妙果一切皆失
墮三惡道中二劫三劫不聞父母三寶名字
以是不應一一犯汝等一切諸菩薩今學當
學已學如是十戒應當學敬心奉持八万威
儀品中當廣明
佛告諸菩薩言已說十波羅提木叉竟四十八
輕今當說若佛子欲受國王位時受轉輪王
位時百官受位時應先受菩薩戒一切鬼神
救護王身百官之身諸佛歡喜既得戒已
生孝順心恭敬心見上座和上阿闍梨大同
學同見同行者應起承迎禮拜問訊而菩薩
反生憍心慢心癡心不起承迎禮拜一一不如

BD00908號　梵網經盧舍那佛說菩薩心地戒品第十卷下　（5–3）

敎誡王身百官之身諸佛歡喜既得戒已
生孝順心恭敬心見上座和上阿闍梨大同
學同見同行者應起承迎礼拜問訊而菩薩
反生憍心慢心癡心不起承迎礼拜一一不如
法供養以自賣身國城男女七寶百物而供
給之若不尒者犯輕垢罪
若佛子故飲酒而生酒過失无量若自身手
過酒器與人飲酒者五百世无手何況自飲
不得教一切人飲及一切衆生飲酒況自飲
酒若故自飲教人飲者犯輕垢罪
若佛子故食肉一切肉不得食斷大慈悲性
種子一切衆生見而捨去是故一切菩薩不
得食一切衆生肉食肉得无量罪若故食者
犯輕垢罪
若佛子不得食五辛大蒜革葱慈葱蘭葱興
渠是五種一切食中不得食若故食者犯
輕垢罪
若佛子見一切衆生犯八戒五戒十戒毀禁
七逆八難一切犯戒罪應教懺悔而菩薩不
教懺悔共住同僧利養而共布薩一衆住說
戒而不舉其罪教悔過犯輕垢罪
若佛子見大乘法師大乘同學同見同行者
來入僧房舍宅城邑若百里千里來者即起
迎來送去礼拜供養日日三時供養日食三兩
[illegible]味飲食牀座醫藥供事法師一切所湏
[illegible]之常請法師三時說法日日三時礼
拜不[illegible]嗔心患惱之心為法滅身請法若不
尒者犯輕垢罪

BD00908號　梵網經盧舍那佛說菩薩心地戒品第十卷下　（5–4）

[illegible]味飲食牀座醫藥供事法師一切所湏
[illegible]之常請法師三時說法日日三時礼
拜不[illegible]嗔心患惱之心為法滅身請法若不
尒者犯輕垢罪
若佛子一切處有講法毗尼經律大宅舍中
有講法處是新學菩薩應持經律卷至法師
所諮受聽問若山林樹下僧地房中一切說法
處悉至聽受若不至彼聽受者犯輕垢罪
若佛子心背大乘常住經律言非佛說而受
[illegible]乘聲聞外道惡見一切禁戒邪見經律
[illegible]罪
[illegible]見一切疾病人常供養如佛无異八
福田中看病福田第一福田若父母師僧弟
子病諸根不具百種病苦皆養令差而菩薩
[illegible]嗔恨心不至僧房中城邑曠野山林道
路中見病不救濟者犯輕垢罪
若佛子不得畜一切刀杖弓箭鉾斧鬪戰
之具及惡網羅煞生之器一切不得畜而菩
薩乃至煞父母尚不加報況煞一切衆生若
故畜刀杖犯輕垢罪如是十戒應當學敬心
奉持下六品中當廣開
佛言佛子為利養惡心故通國使命軍陣合
會興師相伐煞无量衆生而菩薩不得入軍
中往來況故作國賊若故作者犯輕垢罪
若佛子故販賣良人奴婢六畜市易官

BD00908號　梵網經盧舍那佛說菩薩心地戒品第十卷下　（5–5）

BD00908 號背　藏文　　（1–1）

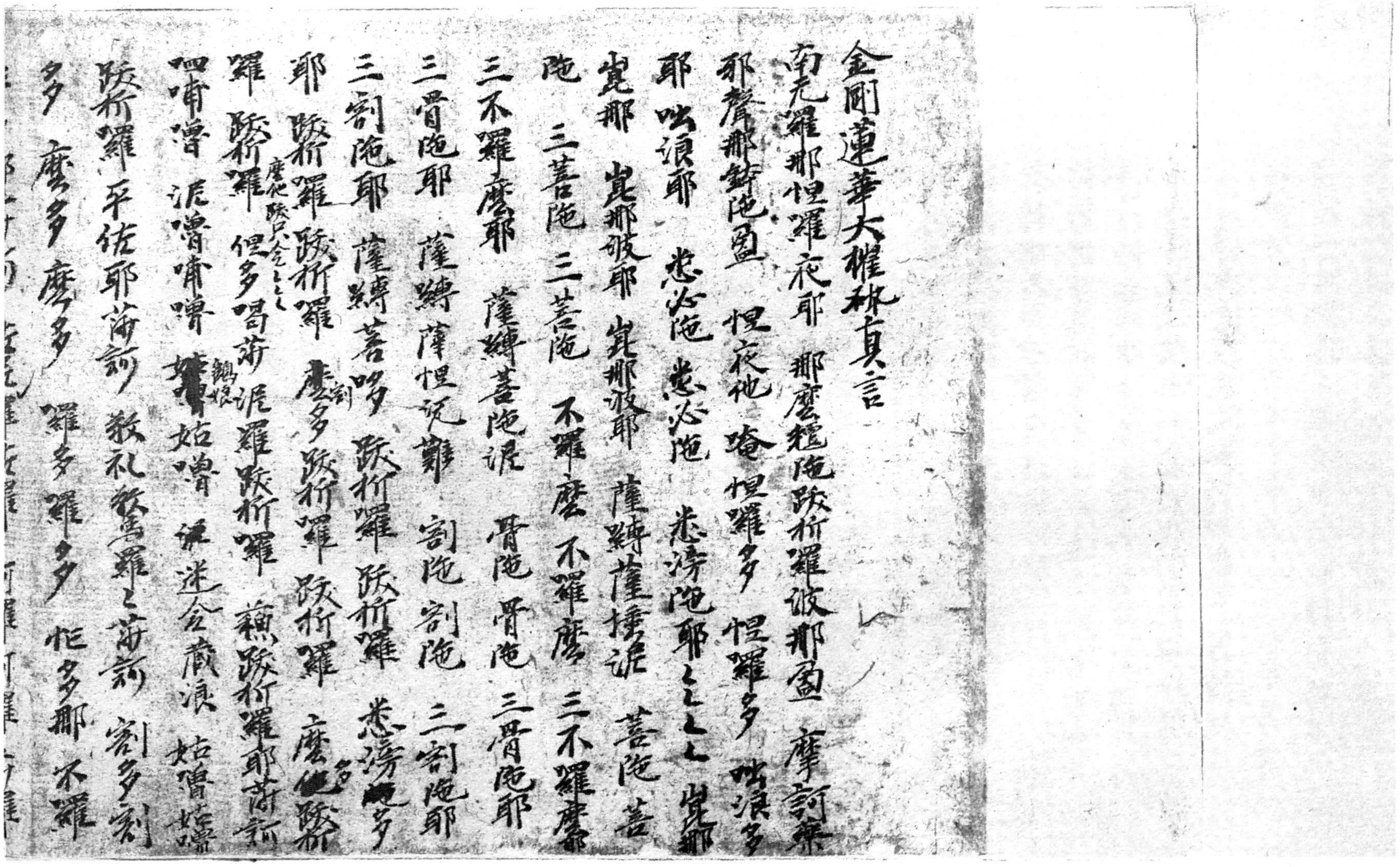

金剛蓮華大摧碎真言

BD00909 號　金剛蓮華大摧碎真言　　（2–1）

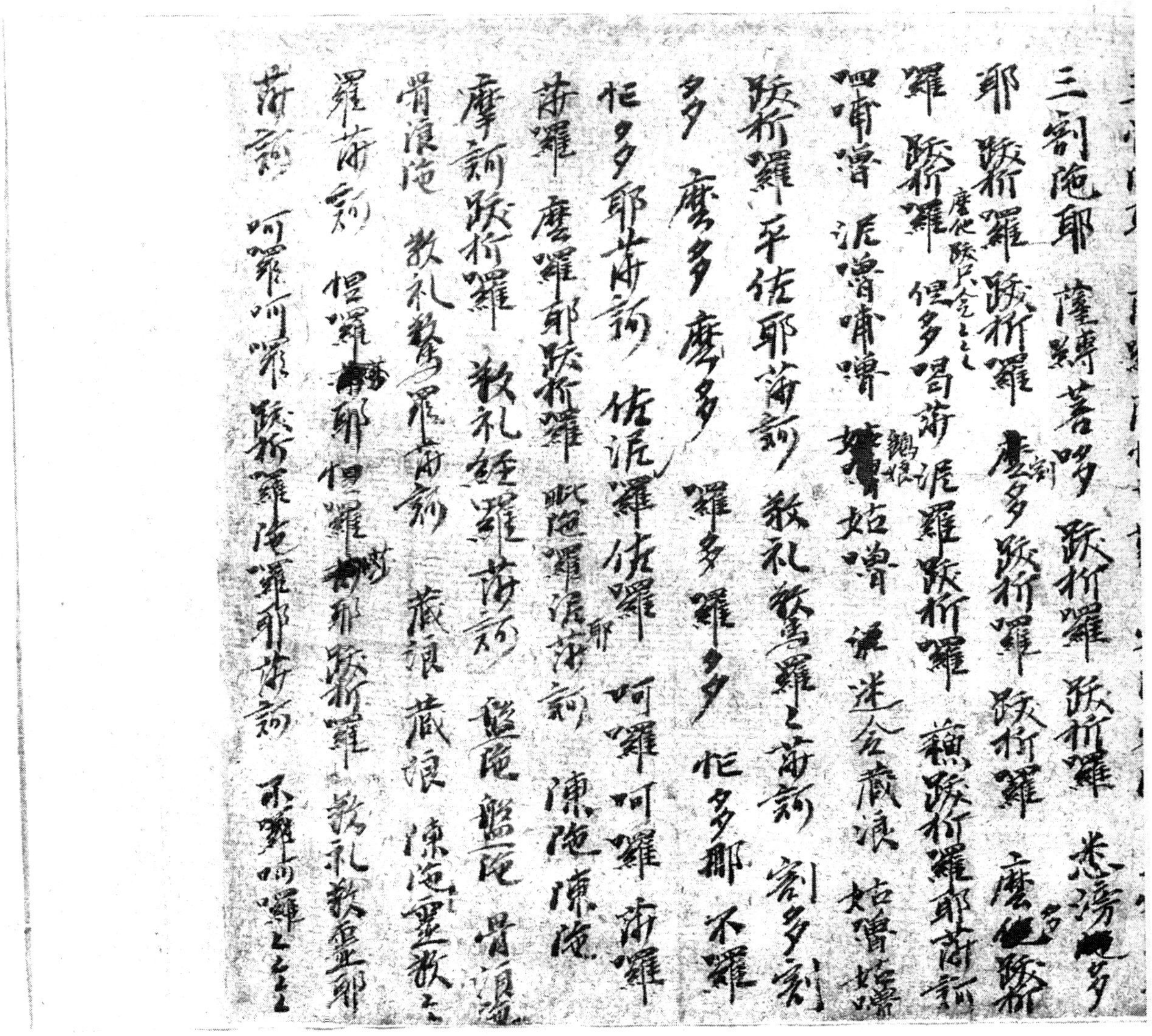

BD00909 號　金剛蓮華大摧碎真言　　（2–2）

BD00909 號背　勘記　　（1–1）

佛莊嚴
時五百長者子皆
人發阿耨多羅三藐三菩提心
於是世界還復如故求聲聞乘三万二千天
及人知有為法皆悉無常遠塵離垢得法
眼淨八千比丘不受諸法漏盡意解

方便品第二

尒時毗耶離大城中有長者名維摩詰已曾
供養无量諸佛深殖善本得無生忍辯才無
㝵遊戲神通逮諸摠持獲無所畏降魔勞
怨入深法門善於智度通達方便大願成就
明了衆生心之所趣又能分別諸根利鈍久於
佛道心已純淑決定大乘諸有所作能善思
量住佛威儀心大如海諸佛咨嗟弟子釋梵
世主所敬欲度人故以善方便居毗耶離資
財無量攝諸貧民奉戒清淨攝諸毀禁以忍
調行攝諸恚怒以大精進攝諸懈怠一心禪寂
攝諸亂意以決定慧攝諸無智雖為白衣

BD00910號　維摩詰所說經卷上　（21–1）

量住佛威儀心大如海諸佛咨嗟弟子釋梵
世主所敬欲度人故以善方便居毗耶離資
財無量攝諸貧民奉戒清淨攝諸毀禁以忍
調行攝諸恚怒以大精進攝諸懈怠一心禪寂
攝諸亂意以決定慧攝諸無智雖為白衣
奉持沙門清淨律行雖處居家不著三界示
有妻子常脩梵行現有眷屬常樂遠離雖
服寶飾而以相好嚴身雖復飲食而以禪悅為
味若至博弈戲處輙以度人受諸異道不毀
正信雖明世典常樂佛法一切見敬為供養
中最執持正法攝諸長幼一切治生諧偶雖
獲俗利不以喜悅遊諸四衢饒益衆生入治
政法救護一切入講論處導以大乘入諸學
堂誘開童蒙入諸婬舍示欲之過入諸酒肆
能立其志若在長者長者中尊為說勝法若
在居士居士中尊斷其貪著若在剎利剎利
中尊教以忍辱若在婆羅門婆羅門中尊
除其我慢若在大臣大臣中尊教以正法若在
王子王子中尊示以忠孝若在內官內官中
尊化政宮女若在庶民庶民中尊令興福力
若在梵天梵天中尊誨以勝慧若在帝釋
帝釋中尊示現無常若在護世護世中尊護
諸衆生長者維摩詰以如是等無量方便饒
益衆生其以方便現身有疾以其疾故國王大
臣長者居士婆羅門等及諸王子并餘官屬
無數人皆往問疾其往者維摩詰因身以
廣為說法諸仁者是身無常無強無力

BD00910號　維摩詰所說經卷上　（21–2）

諸衆生長者維摩詰以如是等無量方便饒
益衆生其以方便現身有疾以其疾故國王大
臣長者居士婆羅門等及諸王子并餘官屬
無數人皆往問疾其往者維摩詰因身以
疾廣為說法諸仁者是身無常無強無力
無堅速朽之法不可信也為苦為惱衆病所
集諸仁者如此身明智者所不怙是身如聚
沫不可撮摩是身如泡不得久立是身如炎
從渴愛生是身如芭蕉中無有堅是身如幻從
顛倒起是身如夢為虛妄見是身如影從
業緣現是身如響屬諸因緣是身如浮雲須
臾變滅是身如電念念不住是身無主為如
地是身無我為如火是身無壽為如風是身無
人為如水是身不實四大為家是身為空離我
我所是身無知如草木瓦礫是身無作風
力所轉是身不淨穢惡充滿是身為虛偽雖
假以澡浴衣食必歸磨滅是身為災百一病
惱是身如丘井為老所逼是身無定為要當
死是身如毒蛇如怨賊如空聚陰界諸入所
共合成諸仁者此可患厭當樂佛身所以者
何佛身者即法身也從無量功德智慧生
從戒定慧解脫解脫知見生從慈悲喜捨生從
布施持戒忍辱柔和懃行精進禪定解脫
三昧多聞智慧諸波羅蜜生從方便生從六通
生從三明生從卅七道品生從止觀生從十
力四無所畏十八不共法生從斷一切不善法

從戒定慧解脫解脫知見生從慈悲喜捨生從
布施持戒忍辱柔和懃行精進禪定解脫
三昧多聞智慧諸波羅蜜生從方便生從六通
生從三明生從卅七道品生從止觀生從十
力四無所畏十八不共法生從斷一切不善法
集一切善法生從真實生從不放逸生從如
是無量清淨法生如來身諸仁者欲得佛
身斷一切衆生病者當發阿耨多羅三藐三
菩提心如是長者維摩詰為諸問疾者如
應說法令無數千人皆發阿耨多羅三藐三
菩提心

弟子品第三

爾時長者維摩詰自念寢疾于牀世尊大慈
寧不垂愍佛知其意即告舍利弗汝行詣維
摩詰問疾舍利弗白佛言世尊我不堪任詣
彼問疾所以者何憶念我昔曾於林中宴坐
樹下時維摩詰來謂我言唯舍利弗不必是
坐為宴坐也夫宴坐者不於三界現身意是
為宴坐不起滅定而現諸威儀是為宴坐不
捨道法而現凡夫事是為宴坐心不住內亦不
在外是為宴坐於諸見不動而修行三十七品
是為宴坐不斷煩惱而入涅槃是為宴坐若
能如是坐者佛所印可時我世尊聞是語已默然
而止不能加報故我不任詣彼問疾
佛告大目揵連汝行詣維摩詰問疾目連白佛
言世尊我不堪任詣彼問疾所以者何憶念

而心不能加報故我不任詣彼問疾
佛告大目揵連汝行詣維摩詰問疾目連白佛
言世尊我不堪任詣彼問疾所以者何憶念
我昔入毗耶離大城於里巷中為諸居士說
法時維摩詰來謂我言唯大目連為白衣居
士說法不當如仁者所說夫說法者當如法說
法無衆生離衆生垢故法無有我離我垢故
法無壽命離生死故法無有人前後際斷故
法常寂然滅諸相故法離於相無所緣故法
無名字言語斷故法無有說離覺觀故法無
形相如虛空故法無戲論畢竟空故法無我
所離我所故法無分別離諸識故法無有比
無相待故法不屬因不在緣故法同法性入諸
法故法隨於如無所隨故法住實際諸邊不
動故法無動搖不依六塵故法無去來常不
住故法順空隨無相應無作法離好醜法無
增損法無生滅法無所歸法過眼耳鼻舌身
心法無高下法常住不動法離一切觀行唯
大目連法相如是豈可說乎夫說法者無說
無示其聽法者無聞無得譬如幻士為幻人
說法當建是意而為說法當了衆生根有
利鈍善於知見無所罣碍以大悲心讚于大
乘念報佛恩不斷三寶然後說法維摩詰
說是法時八百居士發阿耨多羅三藐三菩
提心我無此辯是故不任詣彼問疾
佛告大迦葉汝行詣維摩詰問疾迦葉白佛言

BD00910號　維摩詰所說經卷上　（21–5）

說是法時八百居士發阿耨多羅三藐三菩
提心我無此辯是故不任詣彼問疾
佛告大迦葉汝行詣維摩詰問疾迦葉白佛言
世尊我不堪任詣彼問疾所以者何憶念我
昔於貧里而行乞食時維摩詰來謂我言
唯大迦葉有慈悲心而不能普捨豪富從貧
乞迦葉住平等法應次行乞食為不食故應行
乞食為壞和合相故應取揣食為不受故應
受彼食以空聚想入於聚落所見色與盲等
所聞聲與響等所嗅香與風等所食味不分
別受諸觸如智證知諸法如幻相無自性無他
性本自不然今則無滅迦葉若能不捨八邪入
八解脫以邪相入正法以一食施一切供養諸佛
及衆賢聖然後可食如是食者非有煩惱非
離煩惱非入定意非起定意非住世間非住
涅槃其有施者無大福無小福不為益不為
損是為正入佛道不依聲聞迦葉若如是食
為不空食人之施也時我世尊聞說是語得
未曾有即於一切菩薩深起敬心復作是念
斯有家名辯才智慧乃能如是其誰不發阿
耨多羅三藐三菩提心我從是來不復勸人
以聲聞辟支佛行是故我不任詣彼問疾
佛告須菩提汝行詣維摩詰問疾須菩提
白佛言世尊我不堪任詣彼問疾所以者何
憶念我昔入其舍從乞食時維摩詰取我鉢

BD00910號　維摩詰所說經卷上　（21–6）

白佛言世尊我不堪任詣彼問疾所以者何
憶念我昔入其舍從乞食時維摩詰取我鉢
盛滿飯謂我言唯須菩提若能於食等者
諸法亦等諸法等者於食亦等如是行乞乃
可取食若須菩提不斷婬怒癡亦不與俱不
壞於身而隨一相不滅癡愛起於明脫以五
逆相而得解脫亦不解不縛不見四諦非不見
諦非得果非不得果非凡夫非離凡夫法非聖人
非不聖人雖成就一切法而離諸法相乃可食
若須菩提不見佛不聞法彼外道六師富樓
那迦葉末迦梨拘賒梨子刪闍夜毗羅胝子
阿耆多翅舍欽婆羅迦羅鳩馱迦旃延尼揵
陀若提子等是汝之師因其出家彼師所墮
汝亦隨墮乃可取食若須菩提入諸邪見不到
彼岸住於八難不得無難同於煩惱離清淨
法汝得無諍三昧一切衆生亦得是定其施
汝者不名福田供養汝者墮三惡道為與衆
魔共一手作諸勞侶汝與衆魔及諸塵勞等
無有異於一切衆生而有怨心謗諸佛毀於
法不入衆數終不得滅度汝若如是乃可取
食時我世尊聞說此語茫然不識是何言不知
以何荅便置鉢欲出其舍維摩詰言唯須菩提
取鉢勿懼於意云何如來所作化人若以是事
詰寧有懼不我言不也維摩詰言一切諸法如

詰寧有懼不我言不也維摩詰言一切諸法如
幻化相汝今不應有所懼也所以者何一切
言說不離是相至於智者不著文字故無所
懼何以故文字性離無有文字是則解脫解
脫相者則諸法也維摩詰說是法時二百天子
得法眼淨故我不任詣彼問疾
佛告富樓那彌多羅尼子汝行詣維摩詰問
疾富樓那白佛言世尊我不堪任詣彼問疾
所以者何憶念我昔於大林中在一樹下為諸新
學比丘說法時維摩詰來謂我言唯富
樓那先當入定觀此人心然後說法無以穢食
置於寶器當知是比丘心之所念無以琉璃
同彼水精汝不能知衆生根原無得發起以小
乘法彼自無瘡勿傷之也欲行大道莫示小
徑無以大海內於牛跡無以日光等彼螢火富
樓那此比丘久發大乘心中忘此意
汝何以小乘法而教導之我觀小乘智慧微淺
猶如盲人不能分別一切衆生之根利鈍時
維摩詰即入三昧令此比丘自識宿命曾於五
百佛所殖衆德本迴向阿耨多羅三藐三菩提
即時豁然還得本心於是諸比丘稽首礼
維摩詰足時維摩詰因為說法於阿耨多羅
三藐三菩提不復退轉我念聲聞不觀人根
不應說法是故不任詣彼問疾

維摩詰是時維摩詰因為說法於阿耨多羅
三藐三菩提不復退轉我念聲聞不觀人根
不應說法是故不任詣彼問疾
佛告摩訶迦旃延汝行詣維摩詰問疾迦旃延
白佛言世尊我不堪任詣彼問疾所以者何憶
念昔者佛為諸比丘略說法要我即於後敷演
其義謂無常義苦義空義無我義寂滅義
時維摩詰來謂我言唯迦旃延無以生滅心
行說實相法迦旃延諸法畢竟不生不滅是無
常義五受陰通達空無所起是苦義諸法
究竟無所有是空義於我無我而不二是無我
義法本不然今則無滅是寂滅義說是法時
彼諸比丘心得解脫故我不任詣彼問疾
佛告阿那律汝行詣維摩詰問疾阿那律白
佛言世尊我不堪任詣彼問疾所以者何憶念
我昔於一處經行時有梵王名曰嚴淨與万梵
俱放淨光明來詣我所稽首作禮問我言幾
何阿那律天眼所見我即答言仁者吾見
此釋迦牟尼佛土三千大千世界如觀掌中菴
摩勒菓時維摩詰來謂我言唯阿那律天眼
所見為作相耶無作相耶假使作相則與外道
五通等若無作相即是無為不應有見世尊我
時默然彼諸梵聞其言得未曾有即為作禮
而問曰世孰有真天眼者維摩詰言有佛世
尊得真天眼常在三昧悉見諸佛國不以二相

時默然彼諸梵聞其言得未曾有即為作禮
而問曰世孰有真天眼者維摩詰言有佛世
尊得真天眼常在三昧悉見諸佛國不以二相
於是嚴淨梵王及其眷屬五百梵天皆發阿
耨多羅三藐三菩提心禮維摩詰足已忽然
不現故我不任詣彼問疾
佛告優波離汝行詣維摩詰問疾優波離白
佛言世尊我不堪任詣彼問疾所以者何憶念
昔者有二比丘犯律行以為恥不敢問佛來
問我言唯優波離我等犯律誠以為恥不敢
問佛願解疑悔得免斯咎我即為其如法解
說時維摩詰來謂我言唯優波離無重增此
二比丘罪當直除滅勿擾其心所以者何彼
罪性不在內不在外不在中間如佛所說心垢
故衆生垢心淨故衆生淨心亦不在內不在外
不在中間如其心然罪垢亦然諸法亦然不出
於如如優波離以心相得解脫時寧有垢不
我言不也維摩詰言一切衆生心相無垢亦復
如是唯優波離妄想是垢無妄想是淨顛倒
是垢無顛倒是淨取我是垢不取我是淨優
波離一切法生滅不住如幻如電諸法不相待
乃至一念不住諸法皆妄見如夢如炎如水
中月如鏡中像以妄想生其知此者是名奉律
其知此者是名善解於是二比丘言上智哉
是優波離所不及持律之上而不能說我

乃至一念不住諸法皆妄見如夢如焰如水
中月如鏡中像以妄相生其知此者是名奉律
其知此者是名善解於是二比丘言上智哉
是優波離所不及持律之上而不能說我荅
言自捨如來未有聲聞及菩薩能制其樂
說之辯其智慧明達為若此也時二比丘疑悔
即除發阿耨多羅三藐三菩提心作是願言
令一切衆生皆得是辯故我不任詣彼問疾
佛告羅睺羅汝行詣維摩詰問疾羅睺羅白
佛言世尊我不堪任詣彼問疾所以者何憶
念昔時毗耶離諸長者子來詣我所稽首作禮
問我言唯羅睺羅汝佛之子捨轉輪王位出家
為道其出家者有何等利我即如法為說出
家功德之利時維摩詰來謂我言唯羅睺羅
不應說出家功德之利所以者何無利無功
德是為出家有為法者可說有利有功德夫
出家者為無為法無為法中無利無功德羅
睺羅夫出家者無彼無此亦無中間離六十二見
處於涅槃智者所受聖所行處降伏衆魔
度五道淨五眼得五力立五根不惱於彼離
衆雜惡摧諸外道超越假名出淤泥無繫著
無我所無所受無擾亂內懷喜護彼意隨禪
定離衆過若能如是是真出家於是維摩
詰語諸長者子汝等於正法中宜共出家所
以者何佛世難值諸長者子言居士我聞佛言
父母不聽不得出家維摩詰言然汝等便發

詰語諸長者子汝等於正法中宜共出家所
以者何佛世難值諸長者子言居士我聞佛言
父母不聽不得出家維摩詰言然汝等便發
阿耨多羅三藐三菩提心是即出家是即具
足尒時諸長者子皆發阿耨多羅三藐三
菩提心故我不任詣彼問疾
佛告阿難汝行詣維摩詰問疾阿難白佛言世
尊我不堪任詣彼問疾所以者何憶憶念昔
時世尊身小有疾當用牛乳我即持鉢詣大
婆羅門家門下立時維摩詰來謂我言唯阿
難何為晨朝持鉢住此我言居士世尊身小有
疾當用牛乳故來至此維摩詰言止止阿難莫
作是語如來身者金剛之體諸惡已斷衆善
普會當有何疾當有何惱默往阿難勿謗
如來莫使異人聞此麤言無令大威德諸天及
他方淨土諸來菩薩得聞斯語阿難轉輪聖
王以少福故尚得無病豈況如來無量福會
普勝者哉行矣阿難勿使我等受斯恥也外
道梵志若聞此語當作是念何名為師自疾
不能救而能救諸疾人可密速去勿使人聞當
知阿難諸如來身即是法身非思欲身佛為
世尊過於三界佛身無漏諸漏已盡佛身無
為不墮諸數如此之身當有何疾時我世尊實
懷慙愧得無近佛而謬聽耶即聞空中聲
曰阿難如居士言但為佛出五濁惡世現行

懷慙愧得無近佛而謬聽耶即聞空中聲
日阿難如居士言但為佛出五濁惡世現行
斯法度脫衆生行矣阿難取乳勿慙世尊
維摩詰智慧辯才為若此也是故不任詣彼
問疾如是五百大弟子各各向佛說其本緣稱
述維摩詰所言皆曰不任詣彼問疾

菩薩品第四

於是佛告彌勒菩薩汝行詣維摩詰問疾彌
勒白佛言世尊我不堪任詣彼問疾所以者
何憶念我昔為兜率天王及其眷屬說不退
轉地之行時維摩詰來謂我言彌勒世尊授
仁者記一生當得阿耨多羅三藐三菩提為
用何生得受記乎過去耶未來耶現在耶若
過去生過去生已滅若未來生未來生未至
若現在生現在生無住如佛所說比丘汝今
即時亦生亦老亦滅若以無生得受記者無
生即是正位於正位中亦无受記亦無得阿
耨多羅三藐三菩提云何彌勒受一生記乎為
從如生得受記耶為從如滅得受記耶若以
如生得受記者如無有生若以如滅得受記
者如無有滅一切衆生皆如也一切法亦如也
衆賢聖亦如也至於彌勒亦如也若彌勒得
受記者一切衆生亦應受記所以者何夫如者
不二不異若彌勒得阿耨多羅三藐三菩提
者一切衆生皆亦應得所以者何一切衆生

衆賢聖亦如也至於彌勒亦如也若彌勒得
受記者一切衆生亦應受記所以者何夫如者
不二不異若彌勒得阿耨多羅三藐三菩提
者一切衆生皆亦應得所以者何一切衆生
即菩提相若彌勒滅度者一切衆生亦當滅
度所以者何諸佛知一切衆生畢竟寂滅即
涅槃相不復更滅是故彌勒無以此法誘諸天
子實無發阿耨多羅三藐三菩提心者亦
無退者彌勒當令此諸天子捨於分別菩
提之見所以者何菩提者不可以身得不可
以心得寂滅是菩提滅諸相故不觀是菩
提離諸緣故不行是菩提無憶念故斷是
菩提捨諸見故離是菩提離諸妄想故鄣是
菩提鄣諸願故不入是菩提無貪著故順
是菩提順於如故住是菩提住法性故至是
菩提至實際故不二是菩提離意法故等是
菩提等虛空故無為是菩提无生住滅故智
是菩提了衆生心行故不會是菩提諸入不
會故不合是菩提離煩惱習故無處是菩提
無形色故假名是菩提名字空故如化是菩提
無取捨故無亂是菩提常自靜故善寂是菩
提性清淨故無取是菩提離攀緣故無異
是菩提諸法等故無比是菩提无可喻故微
妙是菩提諸法難知故世尊維摩詰說是法
時二百天子得無生法忍故我不任詣彼問疾
佛告光嚴童子汝行詣維摩詰問疾光嚴白

時二百天子得無生法忍故我不任詣彼問疾
佛告光嚴童子汝行詣維摩詰問疾光嚴白
佛言世尊我不堪任詣彼問疾所以者何憶念
我昔出毗耶離大城時維摩詰方入城我即
為作礼而問言居士從何所來答我言吾從道場
來我問道場者何所是答曰直心是道場
無虛假故發行是道場能辦事故深心是道
場增益功德故菩提心是道場無錯謬故布
施是道場不望報故持戒是道場得願
具故忍辱是道場於諸衆生心無㝵故精進
是道場不懈退故禪定是道場心調柔故智慧
是道場現見諸法故慈是道場等衆生故
悲是道場忍疲苦故喜是道場悅樂法故捨
是道場憎愛斷故神通是道場成就六通故
解脫是道場能背捨故方便是道場教化
衆生故四攝是道場攝衆生故多聞是道
場如聞行故伏心是道場正觀諸法故三十七
品是道場捨有為法故諦是道場不誑世間
故緣起是道場無明乃至老死皆無盡故諸
煩惱是道場知如實故衆生是道場知無我
故一切法是道場知諸法空故降魔是道場
不傾動故三界是道場無所趣故師子吼是
道場無所畏故力無畏不共法是道場無諸
過故三明是道場無餘㝵故一念知一切法是
道場成就一切智故如是善男子菩薩若

BD00910 號　維摩詰所說經卷上　（21–15）

過故三明是道場無餘㝵故一念知一切法是
道場成就一切智故如是善男子菩薩若
應諸波羅蜜教化衆生諸有所作舉足下
足當知皆從道場來住於佛法矣說是法
時五百天人皆發阿耨多羅三藐三菩提心
故我不任詣彼問疾
佛告持世菩薩汝行詣維摩詰問疾持世白
佛言世尊我不堪任詣彼問疾所以者何憶
念我昔住於靜室時魔波旬從万二千天女
狀如帝釋鼓樂絃歌來詣我所與其眷屬
稽首我足合掌恭敬於一面立我意謂是
帝釋而語之言善來憍尸迦雖福應有不當
自恣當觀五欲無常以求善本於身命財而
修堅法即語我言正士受是万二千天女可備
掃灑我言憍尸迦無以此非法之物要我沙
門釋子此非我宜所言未訖時維摩詰來謂
我言非帝釋也是為魔來嬈固汝耳即語
魔言是諸女等可以與我如我應受魔即驚
懼念維摩詰將無惱我欲隱形去而不能隱盡
其神力亦不得去即聞空中聲曰波旬以女與
之乃可得去魔以畏故俛仰而與尒時維摩詰
語諸女言魔以汝等與我今汝皆當發阿耨多
羅三藐三菩提心即隨所應而為說法令發
道意復言汝等已發道意有法樂可以自
娛不應復樂五欲樂也天女即問何謂法

BD00910 號　維摩詰所說經卷上　（21–16）

語諸女言魔以汝等與我今汝皆當發阿耨多
羅三藐三菩提心即隨所應而為說法令發
道意復言汝等已發道意有法樂可以自
娛不應復樂五欲樂也天女即問何謂法
樂答言樂常信佛樂欲聽法樂供養眾樂
離五欲樂觀五陰如怨賊樂觀四大如毒蛇樂
觀內入如空聚樂隨護道意樂饒益眾生
樂敬養師樂廣行施樂堅持戒樂忍辱
柔和樂懃集善根樂禪定不亂樂離垢明
慧樂廣菩提心樂降伏眾魔樂斷諸煩惱
樂淨佛國土樂成就相好故脩諸功德樂嚴
道場樂聞深法不畏樂三脫門不樂非時樂近同
學樂於非同學中心無恚导樂將護惡知識
樂近善知識樂心喜清淨樂脩无量道品之法
是為菩薩法樂於是波旬告諸女言我欲
汝俱還天宮諸女言以我等與此居士有法
樂我等甚樂不復樂五欲樂也魔言居士
可捨此女一切所有施於彼者是為菩薩維
摩詰言我以捨矣汝便將去令一切眾生得
法願具足於是諸女問維摩詰我等云何止
於魔宮維摩詰言諸姊有法門名無盡燈汝
等當學無盡燈者譬如一燈燃百千燈冥者
皆明明終不盡如是諸姊夫一菩薩開道百
千眾生令發阿耨多羅三藐三菩提心於
其道意亦不滅盡隨所說法而自增益一切

BD00910號　維摩詰所說經卷上　（21–17）

皆明明終不盡如是諸姊夫一菩薩開道百
千眾生令發阿耨多羅三藐三菩提心於
其道意亦不滅盡隨所說法而自增益一切
善法是名無盡燈也汝等雖住魔宮以是無
盡燈令無數天子天女皆發阿耨多羅三藐三
菩提心者為報佛恩亦大饒益一切眾生
尒時天女頭面礼維摩詰足隨魔還宮忽然不
現世尊維摩詰有如是自在神力智慧辯才故
我不任詣彼問疾
佛告長者子善德汝行詣維摩詰問疾善德白
佛言世尊我不堪任詣彼問疾所以者何憶念
我昔自於父舍設大會供養一切沙門婆羅門及
諸外道貧窮下賤孤獨乞人期滿七日時
維摩詰來入會中謂我言長者子夫大施會
不當如汝所設當為法施之會何用是財施
會為我言居士何謂法施之會法施會者無
前無後一時供養一切眾生是名法施之會
曰何謂也謂以菩提起於慈心以救眾生起
大悲心以持正法起於喜心以攝智慧行於
捨心以攝慳貪起檀波羅蜜以化犯戒起
尸波羅蜜以無我法起羼提波羅蜜以離
身心相起毗梨耶波羅蜜菩提相起禪波羅
蜜以一切智起般若波羅蜜教化眾生而
起於空不捨有為法而起無相示現受生
而起無作護持正法起方便力以度眾生起

BD00910號　維摩詰所說經卷上　（21–18）

蜜以一切智起般若波羅蜜教化衆生而
起於空不捨有為法而起無相示現受生
而起無作護持正法起方便力以度衆生起
四攝法以敬事一切起除慢法於身命財起
三堅法於六念中起思念法於六和敬起質
直心正行善法起於淨命心淨歡喜起近
賢聖不憎惡人起調伏心以出家法起於深
心以如說行起於多聞以無諍法起空閑處趣
向佛慧起於宴坐解衆生縛起脩行地以具
相好及淨佛土起福德業知一切衆生心念
如應說法起於智業知一切法不取不捨入
一相門起於慧業斷一切煩惱一切鄣导一
切不善法起一切善業以得一切智慧一切
善法起於一切助佛道法如是善男子是為
法施之會若菩薩住是法施　會者為大施
主亦為一切世間福田世尊維摩詰說是法時
婆羅門衆中二百人皆發阿耨多羅三藐三
菩提心我時心得清淨歎未曾有稽首礼維
摩詰足即解瓔珞價直百千以上之不肯取
我言居士願必納受隨意所與維摩詰乃受
瓔珞分作二分持一分施此會中一最下乞人
持一分奉彼難勝如來一切衆會皆見光
明國土難勝如來又見珠瓔在彼佛上變
成四柱寶臺四面嚴飾不相鄣蔽時維摩詰
現神通變已作是言若施主等心施一最下乞
人猶如如來福田之相無所分別等于大悲

BD00910號　維摩詰所說經卷上　（21-19）

善法起於一切助佛道法如是善男子是為
法施之會若菩薩住是法施　會者為大施
主亦為一切世間福田世尊維摩詰說是法時
婆羅門衆中二百人皆發阿耨多羅三藐三
菩提心我時心得清淨歎未曾有稽首礼維
摩詰足即解瓔珞價直百千以上之不肯取
我言居士願必納受隨意所與維摩詰乃受
瓔珞分作二分持一分施此會中一最下乞人
持一分奉彼難勝如來一切衆會皆見光
明國土難勝如來又見珠瓔在彼佛上變
成四柱寶臺四面嚴飾不相鄣蔽時維摩詰
現神通變已作是言若施主等心施一最下乞
人猶如如來福田之相無所分別等于大悲
不求果報是則名曰具足法施城中一最下乞
人見是神力聞其所說即發阿耨多羅三藐
三菩提心故我不任詣彼問疾如是諸菩
薩各各向佛說其本緣稱述維摩詰所
言皆曰不任詣彼問疾

維摩詰經卷第一

BD00910號　維摩詰所說經卷上　（21-20）

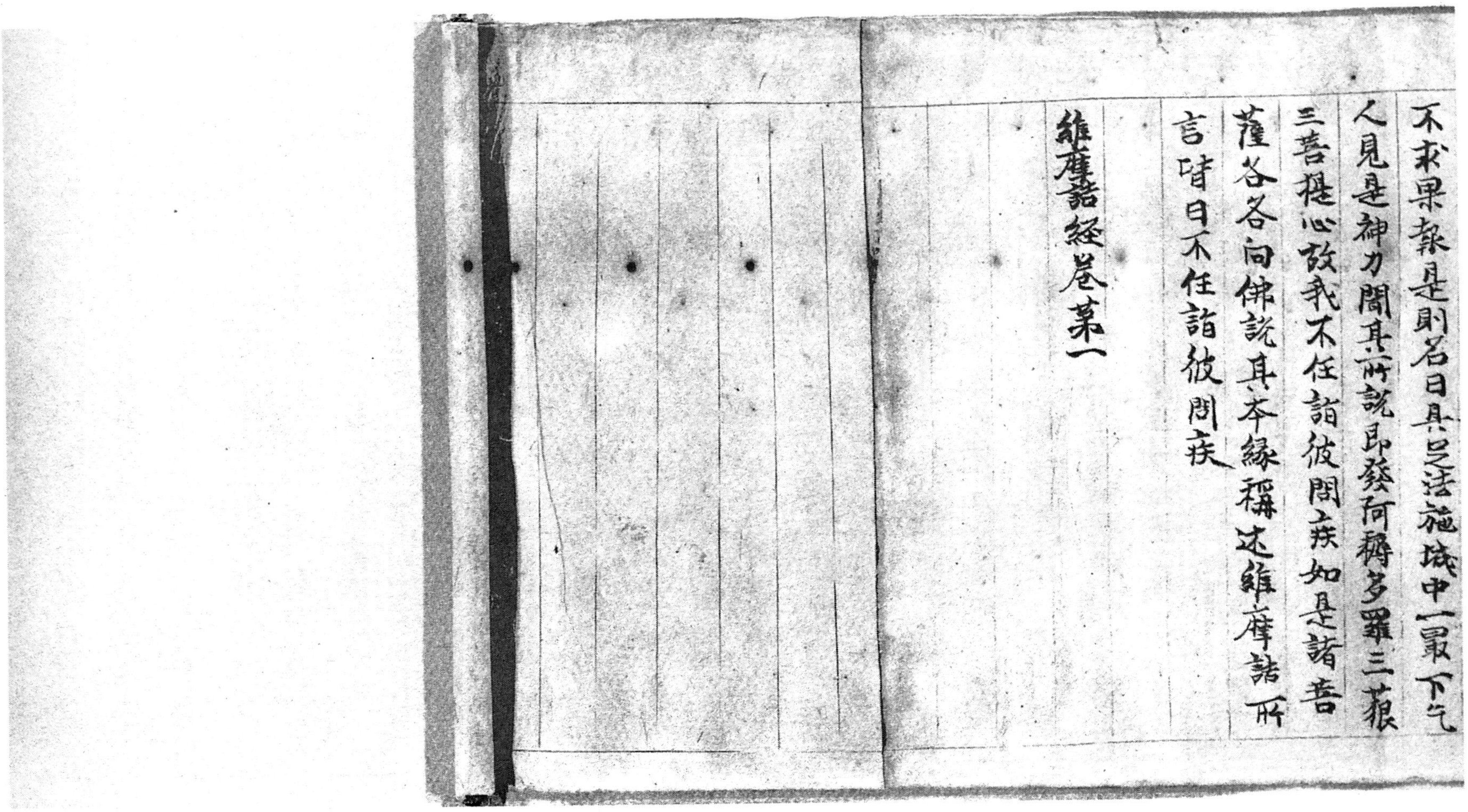

不求果報是則名曰具足法施城中一最下乞
人見是神力聞其所說即發阿耨多羅三藐
三菩提心故我不任詣彼問疾如是諸菩
薩各各向佛說其本緣稱述維摩詰所
言皆曰不任詣彼問疾

維摩詰經卷第一

BD00910 號　維摩詰所說經卷上　　（21–21）

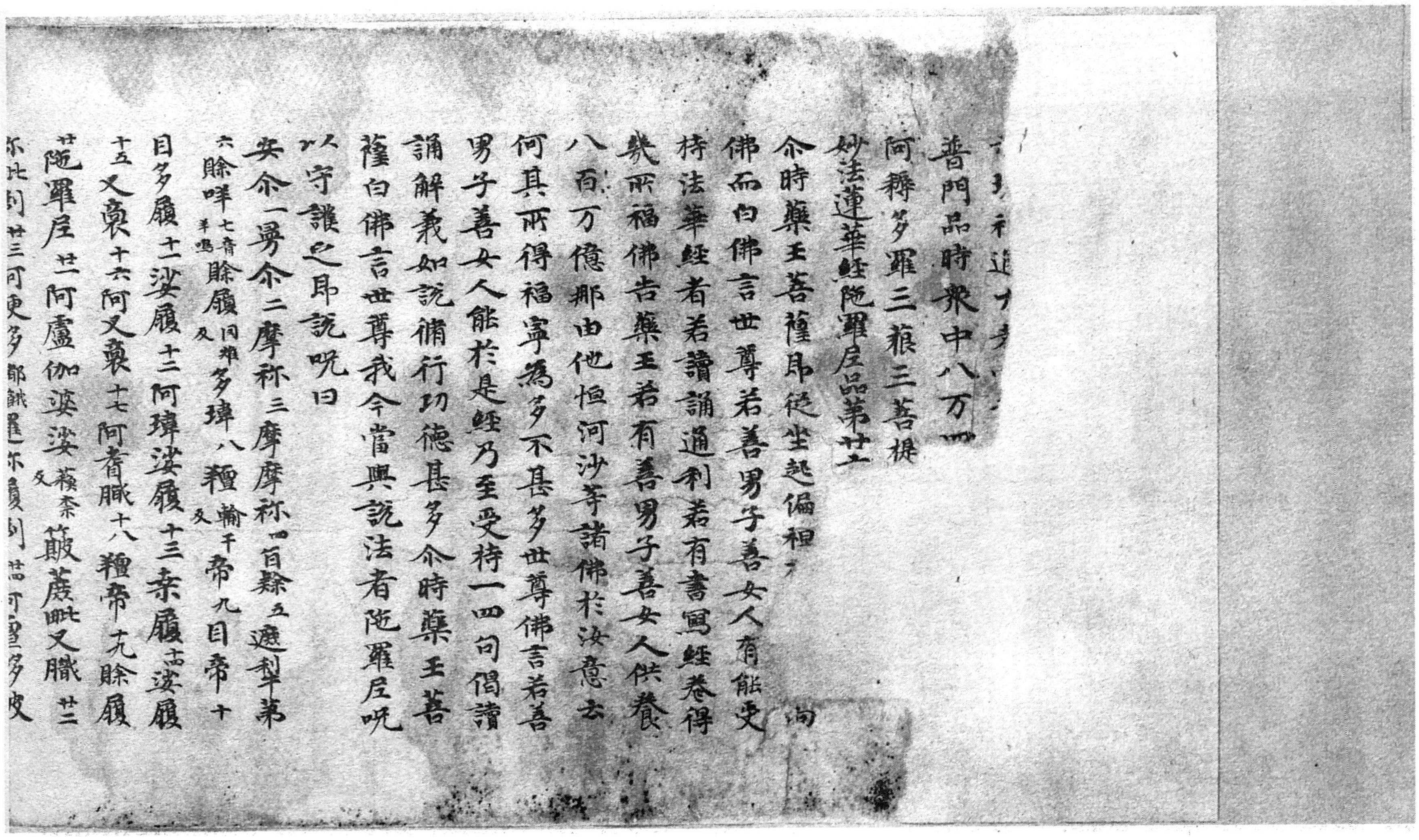

普門品時眾中八万四
阿耨多羅三藐三菩提
妙法蓮華經陀羅尼品第廿六
尒時藥王菩薩即從坐起偏袒右　向
佛而白佛言世尊若善男子善女人有能受
持法華經者若讀誦通利若有書寫經卷得
幾所福佛告藥王若有善男子善女人供養
八百万億那由他恒河沙等諸佛於汝意云
何其所得福寧為多不甚多世尊佛言若善
男子善女人能於是經乃至受持一四句偈讀
誦解義如說脩行功德甚多尒時藥王菩
薩白佛言世尊我今當與說法者陀羅尼呪
以守護之即說呪曰
安尒一曼尒二摩祢三摩摩祢四旨隸五遮梨第
六賒咩七羊鳴反賒履因雉反多瑋八羶輸千反帝九目帝十
目多履十一娑履十二阿瑋娑履十三桑履十四娑履
十五叉裔十六阿叉裔十七阿耆膩十八羶帝十九賒履
廿陀羅尼廿一阿盧伽婆娑蘇奈反簸蔗毗叉膩廿二
祢毗剃廿三阿便哆邏祢履剃廿四阿亶哆波

BD00911 號　妙法蓮華經（八卷本）卷八　　（14–1）

六賒咩七音羊鳴反賒履同神反多瑋八種補千反帝九目帝十
目多履十一娑履十二阿瑋娑履十三桒履十四娑履
十五叉裒十六阿叉裒十七阿耆膩十八種帝十九賒履
廿隨羅尼廿一阿盧伽婆娑蔟奈反蔽蔟毗叉膩廿二
祢毗剃廿三阿便哆都皺反邏祢履剃廿四阿亶哆波
賒輸地廿五漚究賒廿六牟究賒廿七阿羅賒廿八波羅
賒廿九首迦差卅音初机反阿三摩三履卅一佛馱毗吉利
袠帝卅二達摩波利差精離反帝卅三僧伽涅瞿沙
祢卅四婆舍婆舍輸地卅五曼哆邏卅六曼哆邏叉夜
多卅七郵樓哆卅八郵樓哆憍舍略卅九音盧蔟反惡叉邏卌
惡叉冶多冶卌一阿婆盧卌二阿摩若音荏蔟反那多
夜卌三
世尊是陁羅尼神呪六十二億恒河沙等諸佛
所說若有侵毀此法師者則為侵毀是諸佛
已時釋迦牟尼佛讚藥王菩薩言善哉善哉
藥王汝愍念擁護此法師故說是陁羅尼於
諸衆生多所饒益
尒時勇施菩薩白佛言世尊我亦為擁護讀
誦受持法華經者說陁羅尼若此法師得是
陁羅尼若夜叉若羅剎若富單那若吉蔗若
鳩槃荼若餓鬼等伺求其短无能得便即於
佛前而說呪曰
痤誓蚕反賒一摩訶痤賒二郁枳三目枳四阿賒五
阿羅婆第六涅賒第七涅賒多婆第八伊緻豬履反音
柅九韋緻柅十旨緻柅十一涅賒墀柅十二涅賒墀
婆底十三

BD00911號　妙法蓮華經（八卷本）卷八　（14–2）

柅九韋緻柅十旨緻柅十一涅賒墀柅十二涅賒墀
婆底十三
世尊是陁羅尼神呪恒河沙等諸佛所說亦
皆隨喜若有侵毀此法師者則為侵毀是諸
佛已
尒時毗沙門天王護世者白佛言世尊我亦
為愍念衆生擁護此法師故說是陁羅尼即
說呪曰
阿梨一那梨二菟那梨三阿那盧四那履五拘
那履六
世尊以是神呪擁護法師我亦自當擁護持
是經者令百由旬內无諸衰患
尒時持國天王在此會中與千万億那由他
乹闥婆衆恭敬圍繞前詣佛所合掌白佛言
世尊我亦以陁羅尼神呪擁護持法華經者
即說呪曰
阿伽祢一伽祢二瞿利三乹陁利四旃陁利五摩
蹬耆六常求利七浮樓莎柅八頞底九
世尊是陁羅尼神呪卌二億諸佛所說若有
侵毀此法師者則為侵毀是諸佛已
尒時有十羅剎女等一名藍婆二名毗藍婆三
名曲齒四名華齒五名黑齒六名多髮七名
无猒足八名持瓔珞九名睾諦十名奪一切
衆生精氣是十羅剎女與鬼子母并其子及
眷屬俱詣佛所同聲白佛言世尊我亦欲擁
護讀誦受持法華經者除其衰患若有伺求

BD00911號　妙法蓮華經（八卷本）卷八　（14–3）

名曲齒四名華齒五名黑齒六名多髮七名
无猒足八名持瓔珞九名睪諦十名奪一切
衆生精氣是十羅剎女與鬼子母并其子及
眷屬俱詣佛所同聲白佛言世尊我亦欲擁
護讀誦受持法華經者除其衰患若有伺求
法師短者令不得便即於佛前而說呪曰
伊提履一伊提泯二伊提履三阿提履四伊提履
五泥履六泥履七泥履八泥履九泥履十樓醯十
一樓醯十二樓醯十三樓醯十四多醯十五多醯十六
多醯十七兜醯十八㝹醯十九
寧上我頭上莫惱於法師若夜叉若羅剎若
餓鬼若富單那若吉蔗若毗陁羅若揵馱若
烏摩勒伽若阿跋摩羅若夜叉吉蔗若人吉
蔗若熱病若一日若二日若三日若四日若至
七日若常熱病若男形若女形若童男形
若童女形乃至夢中亦復莫惱即於佛前
而說偈言
若不順我呪　惱乱說法者　頭破作七分　如阿梨樹枝
如煞父母罪　亦如押油殃　斗秤欺誑人　調達破僧罪
犯此法師者　當獲如是殃
諸羅剎女說此偈已白佛言世尊我等亦當
身自擁護受持讀誦脩行是經者令得安隱
離諸衰患消衆毒藥佛告諸羅剎女善哉善
哉汝等但能擁護受持法華名者福不可量
何況擁護具足受持供養經卷華香瓔珞末
香塗香燒香幡蓋伎樂然種種燈蘇燈油燈

哉汝等但能擁護受持法華名者福不可量
何況擁護具足受持供養經卷華香瓔珞末
香塗香燒香幡蓋伎樂然種種燈蘇燈油燈
諸香油燈蘇摩那華油燈瞻蔔華油燈婆師
迦華油燈優鉢羅華油燈如是等百千種供
養者睪諦汝等及眷屬應當擁護如是法師
說此陁羅尼品時六万八千人得无生法忍
妙法蓮華經妙莊嚴王本事品第廿七
尒時佛告諸大衆乃往古世過无量无邊不
可思議阿僧祇劫有佛名雲雷音宿王華智
多陁阿伽度阿羅呵三藐三佛陁國名光明
莊嚴劫名喜見彼佛法中有王名妙莊嚴其
王夫人名曰淨德有二子一名淨藏二名淨
眼是二子有大神力福德智慧久脩菩薩所
行之道所謂檀波羅蜜尸羅波羅蜜羼提
波羅蜜毗梨耶波羅蜜禪波羅蜜般若波羅
蜜方便波羅蜜慈悲喜捨乃至卅七品助道法
皆悉明了通達又得菩薩淨三昧日星宿三昧
淨光三昧淨色三昧淨照明三昧長莊嚴三
昧大威德藏三昧於此三昧亦悉通達尒時
彼佛欲引導妙莊嚴王及愍念衆生故說是
法華經時淨藏淨眼二子到其母所合十指爪
掌白言願母往詣雲雷音宿王華智佛所我
等亦當侍從親覲供養礼拜所以者何此佛
於一切天人衆中說法華經宜應聽受母告
子言汝父信受外道深著婆羅門法汝等應

等亦當侍從親覲供養禮拜所以者何
於一切天人衆中說法華經宜應聽受母告
子言汝父信受外道深着婆羅門法汝等應
往白父與共俱去淨藏淨眼合十指爪掌白
母我等是法王子而生此耶見家母告子言
汝等當憂念汝父為現神變若得見者心
必清淨或聽我等往至佛所於是二子念其
父故踊在虛空高七多羅樹現種種神變於
虛空中行住坐卧身上出水身下出火身下
出水身上出火或現大身滿虛空中而復現
小小復現大於空中滅忽然在地入地如水
履水如地現如是等種種神變令其父王心
淨信解時父見子神力如是心大歡喜得未
曾有合掌向子言汝等師為是誰誰之弟子
二子白言大王彼雲雷音宿王華智佛今在
七寶菩提樹下法坐上坐於一切世間天人
衆中廣說法華經是我等師我是弟子父語
子言我今亦欲見汝等師可共俱往於是二
子從空中下到其母所合掌白母父王今已
信解堪任發阿耨多羅三藐三菩提心我等
為父已作佛事願母見聽於彼佛所出家脩
道尒時二子欲重宣其意以偈白母

願母放我等　出家作沙門　諸佛甚難值　我等隨佛學
如優曇波羅　值佛復難是　脫諸難亦難　願聽我出家

母即告言聽汝出家所以者何佛難值故於
是二子白父母言善哉父母願時往詣雲雷
音宿王華智佛所親覲供養所以者何佛難

母即告言聽汝出家所以者何佛難值故於
是二子白父母言善哉父母願時往詣雲雷
音宿王華智佛所親覲供養所以者何佛難
得值如優曇波羅華又如一眼之龜值浮木
孔而我等宿福深厚生值佛法是故父母當
聽我等令得出家所以者何諸佛難值時亦
難遇彼時妙莊嚴王後宫八万四千人皆悉
堪任受持是法華經淨眼菩薩於法華三昧
久已通達淨藏菩薩已於无量百千万億劫
通達離諸惡趣三昧欲令一切衆生離諸惡
趣故其王夫人得諸佛集三昧能知諸佛秘
密之藏二子如是以方便力善化其父令心
信解好樂佛法於是妙莊嚴王與群臣眷屬
俱淨德夫人與後宫婇女眷屬俱其王二子
與四万二千人俱一時共詣佛所到已頭面
礼足繞佛三匝却住一面尒時彼佛為王說
法示教利喜王大歡悅尒時妙莊嚴王及其
夫人解頸真珠瓔珞價直百千以散佛上於
虛空中化成四柱寶臺臺中有大寶牀敷百
千万天衣其上有佛結加趺坐放大光明尒
時妙莊嚴王作是念佛身希有端嚴殊特成
就第一微妙之色時雲雷音宿王華智佛告
四衆言汝等見是妙莊嚴王於我前合掌立
不此王於我法中作比丘精懃脩習助佛道
法當得作佛号娑羅樹王國名大光劫名大
高王其娑羅樹王佛有无量菩薩衆及无量
聲聞其國平正功德如是其王即時以國付

[illegible]
髙王其娑羅樹王佛有无量菩薩衆及无量
聲聞其國平正功德如是其王即時以國付
弟與夫人二子并諸眷屬於佛法中出家脩
道王出家已於八万四千歲常懃精進脩行
妙法華經過是以後得一切淨功德莊嚴三
昧即昇虛空高七多羅樹而白佛言世尊此
我二子已作佛事以神通變化轉我耶心令
得安住於佛法中得見世尊此二子者是我
善知識為欲發起宿世善根饒益我故来生
我家尒時雲雷音宿王華智佛告妙莊嚴王
言如是如是如汝所言若善男子善女人種
善根故世世得善知識其善知識能作佛事
示教利喜令入阿耨多羅三藐三菩提大王
當知善知識者是大因緣所謂化導令得見
佛發阿耨多羅三藐三菩提心大王汝見此
二子不此二子已曾供養六十五百千万億
那由他恒河沙諸佛親覲恭敬於諸佛所受
持法華經愍念耶見衆生令住正見妙莊嚴王
即從虛空中下而白佛言世尊如来甚希有
以功德智慧故頂上肉髻光明顯照其眼長
廣而紺青色眉間毫相白如珂月齒白齊密
常有光明脣色赤好如頻婆菓尒時妙莊嚴
王讚歎佛如是等无量百千万億功德已於
如来前一心合掌復白佛言世尊未曾有也
如来之法具足成就不可思議微妙功德教
戒所行安隱快善我從今日不復自隨心行

BD00911 號　妙法蓮華經（八卷本）卷八　（14-8）

如来前一心合掌復白佛言世尊未曾有也
如来之法具足成就不可思議微妙功德教
戒所行安隱快善我從今日不復自隨心行
不生耶見憍慢瞋恚諸惡之心說是語已礼
佛而出佛告大衆於意云何妙莊嚴王豈異
人乎今華德菩薩是其淨德夫人今佛前光
照莊嚴相菩薩是哀愍妙莊嚴王及諸眷
屬故於彼中生其二子者今藥王菩薩藥
上菩薩是是藥王藥上菩薩成就如此諸大
功德已於无量百千万億諸佛所殖衆德本
成就不可思議諸善功德若有人識是二菩
薩名字者一切世間諸天人民亦應礼拜佛說
是妙莊嚴王本事品時八万四千人遠塵離垢
於諸法中得法眼淨
妙法蓮華經普賢菩薩勸發品第廿八
尒時普賢菩薩以自在神通威德名聞與大
菩薩无量无邊不可稱數從東方来所經
諸國普皆震動雨寶蓮華作无量百千万億
種種伎樂又與无數諸天龍夜叉乾闥婆阿
脩羅迦樓羅緊那羅摩睺羅伽人非人等大
衆圍繞各現威德神通之力到娑婆世界
耆闍崛山中頭面礼釋迦牟佛右繞七匝白
佛言世尊我於寶威德上王佛國遙聞此娑
婆世界說法華經與无量无邊百千万億諸
菩薩衆共来聽受唯願世尊當為說之若
善男子善女人於如来滅後云何能得是法
華經佛告普賢菩薩若有善男子善女人

BD00911 號　妙法蓮華經（八卷本）卷八　（14-9）

菩薩衆共來聽受唯願世尊當為說之若
善男子善女人於如來滅後云何能得是法
華經佛告普賢菩薩若有善男子善女人
成就四法於如來滅後當得是法華經一者
為諸佛護念二者殖諸德本三者入正定聚
四者發救一切衆生之心善男子善女人如是
成就四法於如來滅後必得是經尒時普賢菩
薩白佛言世尊於後五百歲濁惡世中其有
受持是經典者我當守護除其衰患令得
安隱使无伺求得其便者若魔若魔子若魔
女若魔民若為魔所著者若夜叉若羅剎若
鳩槃茶若毗舍闍若吉蔗若富單那若韋陁
羅等諸惱人者皆不得便是人若行若立讀
誦此經我尒時乘六牙白象王與大菩薩衆
俱詣其所而自現身供養守護安慰其心
亦為供養法華經故是人若坐思惟此經尒
時我復乘白象王現其人前其人若於法華
經有所忘失一句一偈我當教之與共讀誦
還令通利尒時受持讀誦法蓮經者得見我
身甚大歡喜轉復精進以見我故即得三昧
及陁羅尼名為旋陁羅尼百千万億旋陁羅
尼法音方便陁羅尼得如是等陁羅尼世尊
若後世後五百歲濁惡世中比丘比丘尼優
婆塞優婆夷求索者受持者讀誦者書寫者
欲脩習是法華經於三七日中應一心精進
滿三七日已我當乘六牙白象與无量菩薩
而自圍繞以一切衆生所憙見身現其人前

欲脩習是法華經於三七日中應一心精進
滿三七日已我當乘六牙白象與无量菩薩
而自圍繞以一切衆生所憙見身現其人前
而為說法示教利喜亦復與其陁羅尼呪
得是陁羅尼故无有非人能破壞者亦不為
女人之所惑亂我身亦自常護是人唯願世
尊聽我說此陁羅尼即於佛前而說呪曰
阿檀地一音途賣反檀陁婆地二檀陁婆帝三檀陁鳩舍
隸四檀陁脩陁隸五脩陁隸六脩陁羅婆底七
佛馱波羶祢八薩婆陁羅尼阿婆多尼九薩婆
婆沙阿婆多尼十脩阿婆多尼十一僧伽婆履
叉尼十二僧伽涅伽陁尼十三阿僧祇十四僧伽波伽
地十五帝隸阿惰僧伽兜略反盧遮阿羅帝波羅
帝十六薩婆僧伽三摩地伽蘭地十七婆達摩
脩波利剎帝十八薩婆薩埵樓馱憍舍略阿㝹
伽地十九辛阿毗吉利地帝廿
世尊若有菩薩得聞是陁羅尼者當知普
賢神通之力若法華經行閻浮提有受持
者應作此念皆是普賢威神之力若有受持
讀誦正憶念解其義趣如說脩行當知是人
行普賢行於无量无邊諸佛所深種善根
為諸如來手摩其頭若但書冩是人命終當
生忉利天上是時八万四千天女作衆伎樂而
迎之其人即著七寶冠於采女中娛樂快樂
何況受持讀誦正憶念解其義趣如說脩行
若有人受持讀誦解其義趣是人命終為千
佛授手令不恐怖不墮惡趣即往兜率天上

何况受持讀誦正憶念解其義趣如說修行
若有人受持讀誦解其義趣是人命終為千
佛授手令不恐怖不墮惡趣即往兜率天上
彌勒菩薩所彌勒菩薩有卅二相大菩薩衆
所共圍繞有百千万億天女眷屬而於中生
有如是等功德利益是故智者應當一心自
書若使人書受持讀誦正憶念如說脩行世
尊我今以神通力故守護是經於如來滅後
閻浮提内廣令流布使不斷絶尒時釋迦牟
尼佛讚言善哉善哉普賢汝能護助是經
令多所衆生安樂利益汝已成就不可思議
功德深大慈悲從久遠來發阿耨多羅三藐
三菩提意而能作是神通之願守護是經我
當以神通力守護能受持普賢菩薩名者
普賢若有受持讀誦正憶念脩習書寫是
法華經者當知是人則見釋迦牟尼佛如
從佛口聞此經典當知是人供養釋迦牟尼
佛當知是人佛讚善哉當知是人為釋迦牟
尼佛手摩其頭當知是人為釋迦牟尼佛
衣之所覆如是之人不復貪著世樂不好外
道經書手筆亦復不喜親近其人及諸惡
者若屠兒若畜猪羊鷄狗若獵師若衒賣女色
是人心意質直有正憶念有福德力是人不為三
毒所惱亦不為嫉妬我慢邪慢增上慢所惱是人
少欲知足能脩普賢之行普賢若如來滅後後
五百歲若有人見受持讀誦法華經者應作是
念此人不久當詣道場破諸魔衆得阿耨多羅

BD00911號　妙法蓮華經（八卷本）卷八

（14–12）

道經書手筆亦復不喜親近其人及諸惡
者若屠兒若畜猪羊鷄狗若獵師若衒賣女色
是人心意質直有正憶念有福德力是人不為三
毒所惱亦不為嫉妬我慢邪慢增上慢所惱是人
少欲知足能脩普賢之行普賢若如來滅後後
五百歲若有人見受持讀誦法華經者應作是
念此人不久當詣道場破諸魔衆得阿耨多羅
三藐三菩提轉法輪擊法鼓吹法蠡雨法雨當
坐天人大衆中師子法座上普賢若於後世受
持讀誦是經典者是人不復貪著衣服卧具
飲食資生之物所願不虚亦於現世得其福報
若有人輕毀之言汝狂人耳空作是行終无所獲
如是罪報當世世无眼若有供養讚歎之者當於
今世得現果報若復見受持是經者出其過惡
若實若不實此人現世得白癩病若有輕咲之
者當世世牙齒踈缺醜脣平鼻手脚繚戾眼目
角睞身體臭穢惡瘡膿血水腹短氣諸惡重病
是故普賢若見受持是經典者當起遠迎當如
敬佛說是普賢勸發品時恒河沙等无量无
邊菩薩得百千万億旋陁羅尼三千大千世界
微塵等諸菩薩具普賢道佛說是經時普
賢等諸菩薩舍利弗等諸聲聞及諸天龍人
非人等一切大會皆大歡喜受持佛語作礼
而去

妙法蓮華經卷第八

BD00911號　妙法蓮華經（八卷本）卷八

（14–13）

今世得現果報若復見受持是經者出其過惡
若實若不實此人現世得白癩病若有輕咲之
者當世世牙齒踈缺醜脣平鼻手脚繚戾眼目
角睞身體臭穢惡瘡膿血水腹短氣諸惡重病
是故普賢若見受持是經典者當起遠迎當如
敬佛說是普賢勸發品時恒河沙等无量无
邊菩薩百千万億旋陁羅尼三千大千世界
微塵等諸菩薩得具普賢道佛說是經時普
賢等諸菩薩舍利弗等諸聲聞及諸天龍人
非人等一切大會皆大歡喜受持佛語作礼
而去

妙法蓮華經卷第八

BD00911 號　妙法蓮華經（八卷本）卷八　（14–14）

大般若波羅蜜多經卷第十八　三藏法師玄奘奉　詔譯
初分教誡教授品第七之八
復次善現所言菩薩摩訶薩者於意云何即
眼界增語是菩薩摩訶薩不不也世尊即耳
鼻舌身意界增語是菩薩摩訶薩不不也世
尊即眼界常增語是菩薩摩訶薩不不也世
尊即耳鼻舌身意界常增語是菩薩摩訶薩
不不也世尊即眼界無常增語是菩薩摩訶
薩不不也世尊即耳鼻舌身意界无常增語
是菩薩摩訶薩不不也世尊即眼界樂增語
是菩薩摩訶薩不不也世尊即耳鼻舌身意
界樂增語是菩薩摩訶薩不不也世尊即眼
界苦增語是菩薩摩訶薩不不也世尊即耳
鼻舌身意界苦增語是菩薩摩訶薩不不也
世尊即耳鼻舌身意界我增語是菩薩摩訶
薩不不也世尊即眼界無我增語是菩薩
摩訶薩不不也世尊即耳鼻舌身意界無我增

BD00912 號　大般若波羅蜜多經（兌廢稿）卷一八　（2–1）

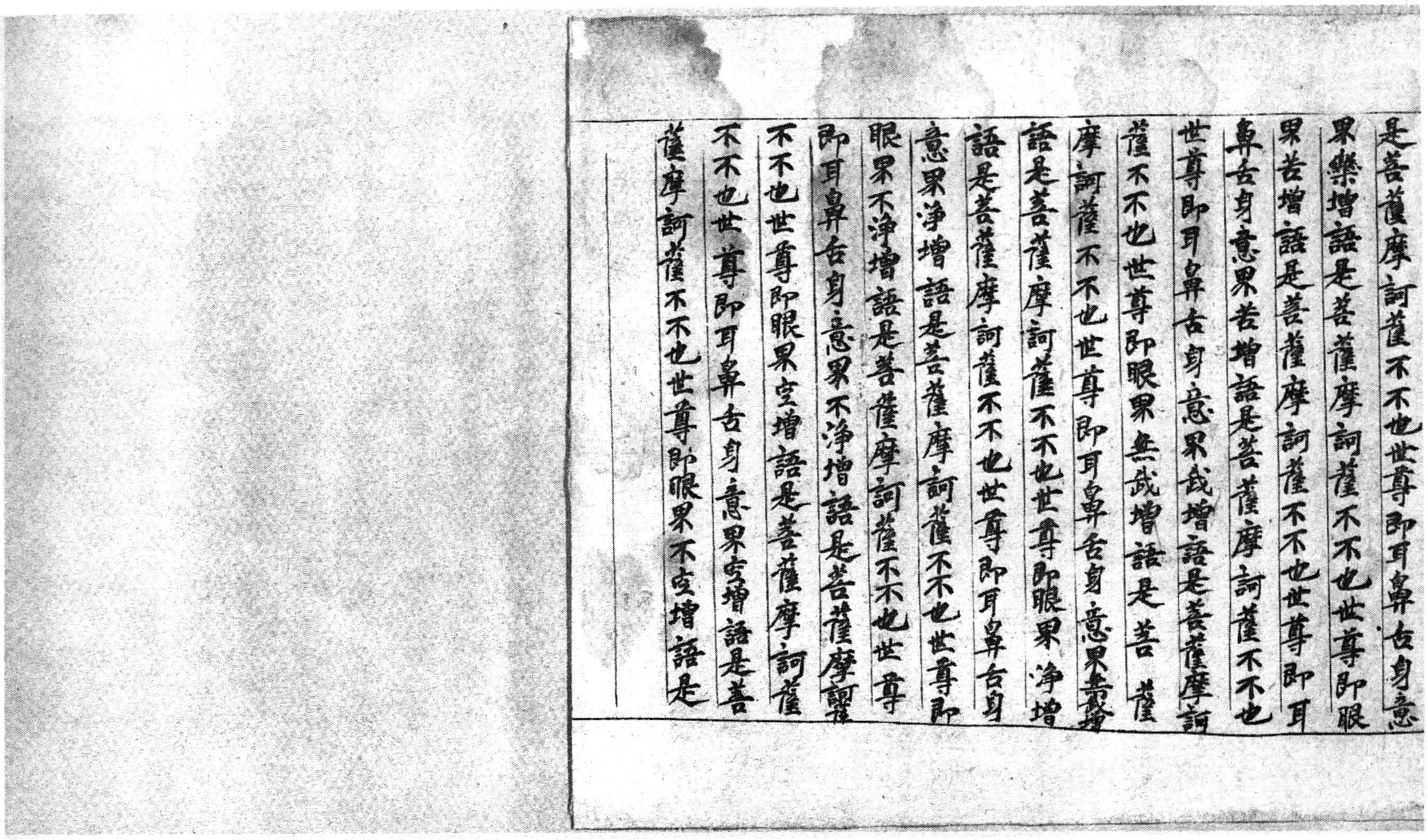
是菩薩摩訶薩不不也世尊即耳鼻舌身意
界樂增語是菩薩摩訶薩不不也世尊即眼
界苦增語是菩薩摩訶薩不不也世尊即耳
鼻舌身意界苦增語是菩薩摩訶薩不不也
世尊即耳鼻舌身意界我增語是菩薩摩訶
薩不不也世尊即眼界無我增語是菩薩
摩訶薩不不也世尊即耳鼻舌身意界無我增
語是菩薩摩訶薩不不也世尊即眼界淨增
語是菩薩摩訶薩不不也世尊即耳鼻舌身
意界淨增語是菩薩摩訶薩不不也世尊即
眼界不淨增語是菩薩摩訶薩不不也世尊
即耳鼻舌身意界不淨增語是菩薩摩訶薩
不不也世尊即眼界空增語是菩薩摩訶薩
不不也世尊即耳鼻舌身意界空增語是菩
薩摩訶薩不不也世尊即眼界不空增語是

BD00912 號　大般若波羅蜜多經（兌廢稿）卷一八　（2–2）

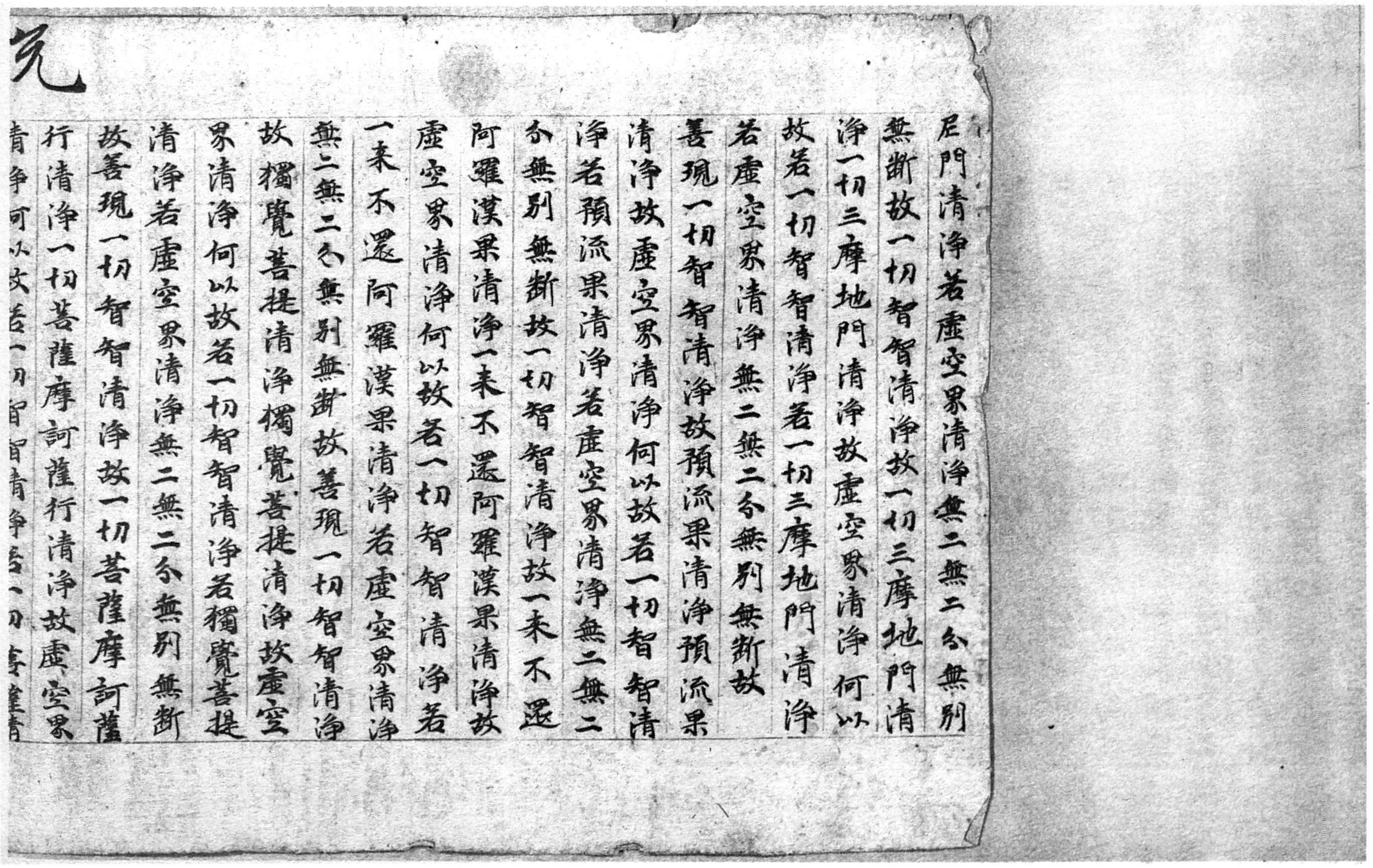
兌
尼門清淨若虛空界清淨無二無二分無別
無斷故一切智智清淨故一切三摩地門清
淨一切三摩地門清淨故虛空界清淨何以
故若一切智智清淨若一切三摩地門清淨
若虛空界清淨無二無二分無別無斷故
善現一切智智清淨故預流果清淨預流果
清淨故虛空界清淨何以故若一切智智清
淨若預流果清淨若虛空界清淨無二無二
分無別無斷故一切智智清淨故一來不還
阿羅漢果清淨一來不還阿羅漢果清淨故
虛空界清淨何以故若一切智智清淨若
一來不還阿羅漢果清淨若虛空界清淨
無二無二分無別無斷故善現一切智智清淨
故獨覺菩提清淨獨覺菩提清淨故虛空
界清淨何以故若一切智智清淨若獨覺菩提
清淨若虛空界清淨無二無二分無別無斷
故善現一切智智清淨故一切菩薩摩訶薩
行清淨一切菩薩摩訶薩行清淨故虛空界
清淨何以故若一切智智清淨若一切菩薩清

BD00913 號　大般若波羅蜜多經（兌廢稿）卷二六二　（2–1）

兌

一来不還阿羅漢果清淨若虛空界清淨
無二無二分無別無斷故善現一切智智清淨
故獨覺菩提清淨獨覺菩提清淨故虛空
界清淨何以故若一切智智清淨若獨覺菩提
清淨若虛空界清淨無二無二分無別無斷
故善現一切智智清淨故一切菩薩摩訶薩
行清淨一切菩薩摩訶薩行清淨故虛空界
清淨何以故若一切智智清淨若一切菩薩清
淨何以故若一切智智清淨若一切菩薩摩
訶薩行清淨若虛空界清淨無二無二分
無別無斷故善現一切智智清淨故諸佛無
上正等菩提清淨諸佛無上正等菩提清淨
故虛空界清淨何以故若一切智智清淨若
諸佛無上正等菩提清淨若虛空界清淨
無二無二分無別斷故

BD00913號　大般若波羅蜜多經（兌廢稿）卷二六二　（2–2）

知聖諦非苦非集非滅非道聖諦上〻大〻
生是名苦聖諦知集无和合是名集聖諦於
畢竟滅法中知无生无滅是名滅聖諦於一
切法平等以不二法得道是名道聖諦梵天
真聖諦者无有虛妄虛妄者所謂着我着衆
生着人着壽命者着養育者着有着无着生
着滅着生死着涅槃梵天若行者言我知見
苦是虛妄我斷集是虛妄我滅證是虛妄我
脩道是虛妄所以者何是人違失佛所許念
是故說為虛妄何等是佛所許念所謂不憶
念一切諸法是為佛所許念若行者住是念
中則不住一切相若不住一切相則住實際
若住實際是名不住心若不住心是人名為
非實語非妄語者梵天是故當知若非實非
虛妄者是名聖諦梵天實者終不作不實若
有佛若无佛法性常住所謂生死性涅槃性
常實所以者何非離生死得涅槃名為聖諦
若人諦知是四聖諦是名世間實語者梵天
當來有比丘不脩身不脩戒不脩心不脩慧
是人說生相是苦諦衆緣和合是集諦滅法
是滅諦以二法求相是道諦佛言我說此愚

BD00914號　思益梵天所問經卷一　（7–1）

有佛若无佛法性常住所謂生死性涅槃性
常實所以者何非離生死得涅槃名為聖諦
若人證如是四聖諦是名世間實語者梵天
當來有比丘不脩身不脩戒不脩心不脩慧
是人說生相是苦諦衆緣和合是集諦滅法
是滅諦以二法求相是道諦佛言我說此愚
人等是外道徒黨我非彼人師彼非我弟子
是人墮於邪道破失法故說言有諦梵天且
觀我坐道場時不得一法是實是虛妄若佛
不得法是法寧可於衆中有言說有論議有
教化耶梵天言不也世尊梵天以諸法无所
得故諸法離自性故我菩提是无貪著相
尒時思益梵天白佛言世尊若如來於法无
所得者有何利益說如來得菩提名為佛佛
言梵天於汝意云何我所說諸法若有為若
无為是法為實為虛妄耶梵天言是法虛妄
非實於汝意云何若法虛妄非實是法為有
為无梵天言世尊若法虛妄是法不應說有
不應說无於汝意云何若法非有非无是法
有得者不梵天言无有得者梵天如來坐道
場時唯得虛妄顛倒所起煩惱畢竟空性以
无所得故得以无所知故知所以者何我所
得法不可見不可聞不可覺不可識不可取
不可著不可說不可難出過一切法相无語
无說无有文字无言說道梵天此法如是猶

得法不可見不可聞不可覺不可識不可取
不可著不可說不可難出過一切法相无語
无說无有文字无言說道梵天此法如是猶
如虛空汝欲於如是法中得利益耶梵天言
不也世尊諸佛如來甚為希有成就未曾有
法深入大慈大悲得如是寂滅相法而以文字
言說教人令得世尊其有聞是能信解者當
知是人不從小功德來世尊是法一切世間
之所難信所以者何世間貪著實而是法
无實无虛妄世間貪著法而是法无法无非
法世尊貪著涅槃而是法无生死无涅槃世
間貪著善法而是法无善无非善世間貪著
樂而是法无苦无樂世間貪著佛出世而是
法无佛出世亦无涅槃雖有說法而是法非
可說相雖讚說僧而僧即是无為是故此法
一切世尊之所難信辟如水中出火火中出
水難可得信如是煩惱中有菩提菩提中有
煩惱是亦難信所以者何如來得是虛妄煩
惱之性亦无法不得有所說法亦无有形雖
有所知亦无分別證涅槃亦无滅者世尊若
有善男子善女人能信解如是法義者當知
是人得脫諸見當知是人已親近无量諸佛
當知是人已供養无量諸佛當知是人為善
知識所護當知是人志意曠大當知是人善
根深厚當知是人守護諸佛法藏當知是人

是人得脫諸見當知是人已親近无量諸佛
當知是人已供養无量諸佛當知是人為善
知識所護當知是人志意曠大當知是人善
根深厚當知是人守護諸佛法藏當知是人
能善思量起於善業當知是人種性尊貴生
如來家當知是人能行大捨捨諸煩惱當知
是人得持戒力非煩惱力當知是人得忍辱
力非嗔恚力當知是人得精進力无有疲懈
當知是人得禪定力滅諸惡心當知是人得
智慧力離惡邪見當知是人一切惡魔不能
得便當知是人一切怨賊所不能破當知是
人不誑世間當知是人是真語者善說法相
故當知是人是實語者說第一義故當知是
人善為諸佛之所護念當知是人柔和濡善
同止安樂當知是人名為大富有聖財故當
知是人常能知足行聖種故當知是人易滿
易養離貪食故當知是人得安隱心到彼岸
故當知是人度未度者當知是人解未解者
當知是人安未安者當知是人滅未滅者當
知是人能示正道當知是人能說解脫當知
是人為大醫王善知諸藥當知是人猶如良
藥善療衆病當知是人智慧勇健當知是人
為有大力堅固究竟當知是人有精進力不
隨他語當知是人為如師子无所怖畏當知
是人為如象王其心調柔當知是人為如善
馬其心調順當知是人為如牛王能導大衆

藥善療衆病當知是人智慧勇健當知是人
為有大力堅固究竟當知是人有精進力不
隨他語當知是人為如師子无所怖畏當知
是人為如象王其心調柔當知是人為如善
馬其心隨順調當知是人為如牛王能導大衆
當知是人為大勇健能破魔怨當知是人為
大丈夫處衆无畏當知是人无所忌難得无
畏法故當知是人无所畏難說真諦法故當
知是人其清白法如月盛滿當知是人智慧
光照猶如日明當知是人除諸闇冥猶如執
炬當知是人樂行捨心離諸憎愛當知是人
載育衆生猶如地當知是人洗諸塵垢猶如
水當知是人燒諸動念猶如火當知是人於
法无鄣猶如風當知是人其心不動猶如須
彌當知是人其心堅固如金剛山當知是人
一切外道競勝論者所不能動當知是人一
切聲聞辟支佛所不能測當知是人多饒法
寶猶如大海當知是人煩惱不現如波陁羅
當知是人求法无猒當知是人以智慧知足
當知是人能轉法輪如轉輪王當知是人身
色殊妙如天帝釋當知是人心得自在如梵
天王當知是人說法音聲猶如雷震當知是
人降法甘露猶如時雨當知是人能增長无
漏根力覺分當知是人已度生死汙埿當知
是人入佛智慧當知是人近佛菩提當知是
人能多學問无與等者當知是人无有量已

人降法甘露猶如時雨當知是人能增長无
為根力覺分當知是人已度生死汙埿當知
是人入佛智慧當知是人近佛菩提當知是
人能多學問无與等者當知是人无有量已
過量當知是人智慧辯才无有鄣㝵當知是
人憶念堅固得陁羅尼當知是人知諸衆生
深心所行當知是人行於正念正觀諸法故
解達義趣當知是人懃行精進利安世間當
知是人超出於世當知是人不可染汙猶如
蓮花當知是人不為世法所覆當知是人利
根者所愛當知是人多聞者所敬當知是人
智者所念當知是人天人供養當知是人禪
者所礼當知是人善人所貴當知是人聲聞
辟支佛之所貪慕當知是人不貪小行當知
是人不覆藏罪不顯功德當知是人威儀備
具生他淨心當知是人身色端政見者悅樂
當知是人有大威德衆所宗仰當知是人以
卅二相荘嚴其身當知是人能紹佛種當知
是人能護法寶當知是人能供養僧當知是
人諸佛所見當知是人為得法眼當知是人以
佛智慧而得受記當知是人具足三忍當知
是人安住道場當知是人破壞魔軍當知是
人得一切種智當知是人轉於法輪當知是
人作无量佛事若人信解如是法義不驚疑
怖畏者得如是功德是人於諸佛阿耨多羅

BD00914號　思益梵天所問經卷一　（7-6）

佛智慧而得受記當知是人具足三忍當知
是人安住道場當知是人破壞魔軍當知是
人得一切種智當知是人轉於法輪當知是
人作无量佛事若人信解如是法義不驚疑
怖畏者得如是功德是人於諸佛阿耨多羅
三藐三菩提甚深難解難知難信難入而能
信受讀誦通利奉持為人廣說如說脩行而
教他人如說脩行如是之人我以一劫若減一
劫說其功德猶不能盡

思益經卷第一

BD00914號　思益梵天所問經卷一　（7-7）

……阿逸多菩
薩常精進菩薩與如是等諸大
桓因等无量諸天大衆俱
尒時佛告長老舍利弗從是西
佛土有世界名曰極樂其土有佛
今現在說法舍利弗彼土何故名為極
衆生无有衆苦但受諸樂故名極樂
又舍利弗極樂國土七重欄楯七重羅網七
重行樹皆是四寶周帀圍繞是故彼國名曰
極樂
又舍利弗極樂國土有七寶池八功德水充
滿其中池底純以金沙布地四邊階道金銀
瑠璃頗梨合成上有樓閣亦以金銀瑠璃頗
梨車璖赤珠馬瑙而嚴飾之池中蓮華大如
車輪青色青光黃色黃光赤色赤光白色白
光微妙香潔舍利弗極樂國土成就如是功
德莊嚴
又舍利弗彼佛國土常作天樂黃金為地晝
夜六時而雨曼陁羅華其國衆生常以清旦
各以衣裓盛衆妙華供養他方十万億佛即
以食時還到本國飯食經行舍利弗極樂國

BD00915 號　阿彌陀經　（6–1）

又舍利弗彼佛國土常作天樂黃金為地晝
夜六時而雨曼陁羅華其國衆生常以清旦
各以衣裓盛衆妙華供養他方十万億佛即
以食時還到本國飯食經行舍利弗極樂國
土成就如是功德莊嚴
復次舍利弗彼國常有種種奇妙雜色之鳥
白鵠孔雀鸚鵡舍利迦陵頻伽共命之鳥是
諸衆鳥晝夜六時出和雅音其音演暢
五力七菩提分八聖道分如是等法其
生聞是音已皆悉念佛念法念僧舍利弗汝
勿謂此鳥實是罪報所生所以者何彼佛國
土无三惡趣舍利弗其佛國土尚无三惡道
之名何況有實是諸衆鳥皆是阿弥陁佛欲
令法音宣流變化所作舍利弗彼佛國土微
風吹動諸寶行樹及寶羅網出微妙音譬如
百千種樂同時俱作聞是音者皆自然生念
佛念法念僧之心舍利弗其佛國土成就如
是功德莊嚴
舍利弗於汝意云何彼佛何故号阿弥陁舍
利弗彼佛光明无量照十方國无所鄣礙是
故号為阿弥陁又舍利弗彼佛壽命及其人
民无量无邊阿僧祇劫故名阿弥陁舍利弗
阿弥陁佛成佛已來於今十劫又舍利弗彼
佛有无量无邊聲聞弟子皆阿羅漢非是筭
數之所能知諸菩薩亦如是舍利弗彼佛國

BD00915 號　阿彌陀經　（6–2）

民无量无邊阿僧祇刧故名阿弥陁舍利弗
阿弥陁佛成佛已来於今十刧又舍利弗彼
佛有无量无邊聲聞弟子皆阿羅漢非是筭
數之所能知諸菩薩亦如是舍利弗彼佛國
土成就如是功德莊嚴
又舍利弗極樂國土衆生生者皆是阿鞞跋
致其中多有一生補處其數甚多非是筭數
所能知之但可以无量无邊阿僧祇刧說舍
利弗衆生聞者應當發願願生彼國所以者
何得與如是諸上善人俱會一處舍利弗不
可以少善根福德因緣得生彼國
舍利弗若有善男子善女人聞說阿弥陁佛
執持名号若一日若二日若三日若四日若
五日若六日若七日一心不亂其人臨命終
時阿弥陁佛與諸聖衆現在其前是人終時
心不顛倒即得往生阿弥陁佛極樂國土舍
利弗我見是利故說此言若有衆生聞是說
者應當發願生彼國土
舍利弗如我今者讚歎阿弥陁佛不可思議
功德東方亦有阿閦鞞佛須弥相佛大須弥
佛須弥光佛妙音佛如是等恒河沙數諸佛
各於其國出廣長舌相遍覆三千大千世界
說誠實言汝等衆生當信是稱讚不可思議
功德一切諸佛所護念經
舍利弗南方世界有日月燈佛名聞光佛大

BD00915號　阿彌陀經　（6–3）

功德一切諸佛所護念經
舍利弗南方世界有日月燈佛名聞光佛大
焰肩佛須弥燈佛无量精進佛如是等恒河
沙數諸佛各於其國出廣長舌相遍覆三千
大千世界說誠實言汝等衆生當信是稱讚
不可思議功德一切諸佛所護念經
舍利弗西方世界有无量壽佛无量相佛无
量幢佛大光佛大明佛寶相佛淨光佛如是
等恒河沙數諸佛各於其國出廣長舌相遍
覆三千大千世界說誠實言汝等衆生當信
是稱讚不可思議功德一切諸佛所護念經
舍利弗北方世界有焰肩佛冣勝音佛難阻
佛日生佛網明佛如是等恒河沙數諸佛各
於其國出廣長舌相遍覆三千大千世界說
誠實言汝等衆生當信是稱讚不可思議功
德一切諸佛所護念經
舍利弗下方世界有師子佛名聞佛名光佛
達摩佛法幢佛持法佛如是等恒河沙數諸
佛各於其國出廣長舌相遍覆三千大千世
界說誠實言汝等衆生當信是稱讚不可思
議功德一切諸佛所護念經
舍利弗上方世界有梵音佛宿王佛香上佛
香光佛大焰肩佛雜色寶華嚴身佛娑羅樹
王佛寶華德佛見一切義佛如須弥山佛如

BD00915號　阿彌陀經　（6–4）

讃功德一切諸佛所護念經
舍利弗上方世界有梵音佛宿王佛香上佛
香光佛大焰肩佛雜色寶華嚴身佛娑羅樹
王佛寶華德佛見一切義佛如須弥山佛如
是等恒河沙數諸佛各於其國出廣長舌相
遍覆三千大千世界說誠實言汝等衆生當
信是稱讃不可思議功德一切諸佛所護念
經
舍利弗於汝意云何何故名一切諸佛所護
念經舍利弗若有善男子善女人聞是諸佛
所說名及經名者是諸善男子善女人皆為
一切諸佛共所護念皆得不退轉於阿耨多
羅三藐三菩提是故舍利弗汝等皆當信受
我語及諸佛所說
舍利弗若有人已發願今發願當發願欲生
阿弥陀佛國者是諸人等皆得不退轉於阿
耨多羅三藐三菩提於彼國土若已生若今
生若當生是故舍利弗諸善男子善女人若
有信者應當發願生彼國土
舍利弗如我今者稱讃諸佛不可思議功德
彼諸佛等亦稱說我不可思議功德而作是
言釋迦牟尼佛能為甚難希有之事能於娑
婆國土五濁惡世劫濁見濁煩惱濁衆生濁命
濁中得阿耨多羅三藐三菩提為諸衆生說
是一切世間難信之法舍利弗當知我於五

BD00915 號　阿彌陀經　（6–5）

有信者應當發願生彼國土
舍利弗如我今者稱讃諸佛不可思議功德
彼諸佛等亦稱說我不可思議功德而作是
言釋迦牟尼佛能為甚難希有之事能於娑
婆國土五濁惡世劫濁見濁煩惱濁衆生濁命
濁中得阿耨多羅三藐三菩提為諸衆生說
是一切世間難信之法舍利弗當知我於五
濁惡世行此難事得阿耨多羅三藐三菩提
為一切世間說此難信之法是為甚難佛說
此經已舍利弗及諸比丘一切世間天人阿
脩羅等聞佛所說歡喜信受作礼而去

佛說阿弥陀經

BD00915 號　阿彌陀經　（6–6）

大般若波羅蜜多經卷第卅四
初分教誡教授品第七之廿四　　三藏法師玄奘奉　詔譯
善現汝復觀何義上
煩惱若無煩惱增語非
隨好若有煩惱若無煩
薩耶世尊若三十二大士
八十隨好有煩惱無煩惱尚畢竟不可得性非
無煩…若
有故況有三十二大士相有煩惱無煩惱增
語及八十隨好有煩惱無煩惱增語此增語
既非有如何可言即三十二大士相若有煩惱
若無煩惱增語是菩薩摩訶薩即八十隨
好若有煩惱若无煩惱增語是菩薩摩訶薩
善現汝復觀何義言即三十二大士相若
世間若出世間增語非菩薩摩訶薩即八
十隨好若世間若出世間增語非菩薩摩訶
薩耶世尊若三十二大士相世間出世間若

BD00916號　大般若波羅蜜多經卷三四　（22–1）

好若有煩惱若煩惱增語是菩薩摩訶薩
善現汝復觀何義言即三十二大士相若
世間若出世間增語非菩薩摩訶薩即八
十隨好若世間若出世間增語非菩薩摩訶
薩耶世尊若三十二大士相世間出世間若
八十隨好世間出世間尚畢竟不可得性非
有故況有三十二大士相世間出世間增語
及八十隨好世間出世間增語此增語既非有
如何可言即三十二大士相若世間若出世
間增語是菩薩摩訶薩即八十隨好若世間
若出世間增語是菩薩摩訶薩善現汝復
觀何義言即三十二大士相若雜染若清淨
增語非菩薩摩訶薩即八十隨好若雜染若
清淨增語非菩薩摩訶薩耶世尊若三十二
大士相雜染清淨若八十隨好雜染清淨尚
畢竟不可得性非有故況有三十二大士相
雜染清淨增語及八十隨好雜染清淨增語
此增語既非有如何可言即三十二大士相若
雜染若清淨增語是菩薩摩訶薩即八十
隨好若雜染若清淨增語是菩薩摩訶薩
善現汝復觀何義言即三十二大士相若屬生
死若屬涅槃增語非菩薩摩訶薩即八十隨
好若（若屬生死）屬涅槃增語非菩薩摩訶薩耶世尊若
三十二大士相屬生死屬涅槃若八十隨好
屬生死屬涅槃尚畢（竟）不可得性非有故況有
三十二大士相屬生死屬涅槃增語及八十隨

BD00916號　大般若波羅蜜多經卷三四　（22–2）

三十二大士相屬生死屬涅槃若八十隨好
屬生死屬涅槃尚畢竟不可得性非有故況有
三十二大士相屬生死屬涅槃增語及八十隨
好屬生死屬涅槃增語此增語既非有如何
可言即三十二大士相若屬生死若屬涅槃
增語是菩薩摩訶薩即八十隨好若屬生死
若屬涅槃增語是菩薩摩訶薩善現汝復
觀何義言即三十二大士相若在內若在外
若在兩間增語非菩薩摩訶薩即八十隨
好若在內若在外若在兩間增語非菩薩摩
訶薩耶世尊若三十二大士相在內在兩間若
八十隨好在內在外在兩間尚畢竟不可得性
非有故況有三十二大士相在內在外在兩間
增語及八十隨好在內在外在兩間增語此增
語既非有如何可言即三十二大士相若在內
若在外若在兩間增語是菩薩摩訶薩即
八十隨好若在內若在外若在兩間增語是菩
薩摩訶薩善現汝復觀何義言即三十二大
士相若可得若不可得增語非菩薩摩訶薩即
八十隨好若可得若不可得增語非菩薩摩訶
薩耶世尊若三十二大士相可得不可得若八十
隨好可得不可得尚畢竟不可得性非有故況
有三十二大士相可得不可得性增語及八十隨
好可得不可得增語此增語既非有如何可言

BD00916 號　大般若波羅蜜多經卷三四　（22–3）

隨好可得不可得尚畢竟不可得性非有故況
有三十二大士相可得不可得性增語及八十隨
好可得不可得增語此增語既非有如何可言
即三十二大士相若可得若不可得增語是菩
薩摩訶薩即八十隨好若可得若不可得
增語是菩薩摩訶薩
復次善現汝觀何義言即無忘失法增語非
菩薩摩訶薩即恒住捨性增語非菩薩摩
訶薩耶具壽善現答言世尊若無忘失法
若恒住捨性尚畢竟不可得性非有故況有
無忘失法增語及恒住捨性增語此增語既非
有如何可言即無忘失法增語是菩薩摩訶薩
即恒住捨性增語是菩薩摩訶薩善現汝
復觀何義言即無忘失法若常若無常增
語非菩薩摩訶薩即恒住捨性若常若無
常增語非菩薩摩訶薩耶世尊若無忘失法
常無常若恒住捨性常無常尚畢竟不可
得性非有故況有無忘失法常無常增語及
恒住捨性常無常增語此增語既非有如何可言
即無忘失法若常若無常增語是菩薩摩
訶薩即恒住捨性若常若無常增語是菩
薩摩訶薩善現汝復觀何義言即無忘失法
若樂若苦增語非菩薩摩訶薩即恒住捨性若
樂若苦增語非菩薩摩訶薩耶世尊若無忘
失法樂苦若恒住捨性樂苦尚畢竟不可得

BD00916 號　大般若波羅蜜多經卷三四　（22–4）

薩摩訶薩善現汝復觀何義言即無忘失法
若樂若苦增語非菩薩摩訶薩即恒住捨性若
樂若苦增語非菩薩摩訶薩耶世尊若無忘
失法樂若苦若恒住捨性樂若苦尚畢竟不可得
性非有故況有無忘失法樂若苦增語及恒住捨
性樂若苦增語此增語既非有如何可言即無忘
失法若樂若苦增語是菩薩摩訶薩即恒住
捨性若樂若苦增語是菩薩摩訶薩善現汝
復觀何義言即無忘失法若我若無我增語
非菩薩摩訶薩即恒住捨性若我若無我增
語非菩薩摩訶薩耶世尊若無忘失法我無
我若恒住捨性我無我尚畢竟不可得性非
有故況有無忘失法我無我增語及恒住捨性
我無我增語此增語既非有如何可言即無
忘失法若我若無我增語是菩薩摩訶薩即
恒住捨性若我若無我增語是菩薩摩訶薩
善現汝復觀何義言即無忘失法若淨若不
淨增語非菩薩摩訶薩即恒住捨性若淨若
不淨增語非菩薩摩訶薩耶世尊若無忘失
法淨不淨若恒住捨性淨不淨尚畢竟不可得
性非有故況有無忘失法淨不淨增語及恒住
捨性淨不淨增語此增語既非有如何可言
即無忘失法若淨若不淨增語是菩薩摩
訶薩即恒住捨性若淨若不淨增語是菩薩
摩訶薩善現汝復觀何義言即無忘失法若

BD00916號　大般若波羅蜜多經卷三四　　（22-5）

即無忘失法若淨若不淨增語是菩薩摩
訶薩即恒住捨性若淨若不淨增語是菩薩
摩訶薩善現汝復觀何義言即無忘失法若
空若不空增語非菩薩摩訶薩即恒住捨
性若空若不空增語非菩薩摩訶薩耶世尊
若無忘失法空不空若恒住捨性空不空尚
畢竟不可得性非有故況有無忘失法空不
空增語及恒住捨性空不空增語此增語既
非有如何可言即無忘失法若空若不空增語
是菩薩摩訶薩即恒住捨性若空若不空
增語是菩薩摩訶薩善現汝復觀何義言
即無忘失法若有相若無相增語非菩薩摩
訶薩即恒住捨性若有相若無相增語非菩
薩摩訶薩耶世尊若無忘失法有相無相
若恒住捨性有相無相尚畢竟不可得性非
有故況有無忘法失有相無相增語及恒住捨
性有相無相增語此增語既非有如何可言
即無忘失法若有相若無相增語是菩薩摩
訶薩即恒住捨性若有相若無相增語是菩
薩摩訶薩善現汝復觀何義言即無忘失法若有
願若無願增語非菩薩摩訶薩即恒住捨
性若有願若無願增語非菩薩摩訶薩耶世
尊若無忘失法有願無願若恒住捨性有
願無願尚畢竟不可得性非有故況
有無忘失法有願無願增語及恒住捨性有願

BD00916號　大般若波羅蜜多經卷三四　　（22-6）

尊若無忘失法有願無願若恒住捨性有
願無願尚畢竟不可得性非有故况
有無忘失法有願無願增語及恒住捨性有願
無願增語既非有如何可言即無忘失法若
有願若無願增語是菩薩摩訶薩即恒住
捨性若有願若無願增語是菩薩摩訶薩善
現汝復觀何義言即無忘失法若寂靜若不
寂靜增語非菩薩摩訶薩即恒住捨性若寂
靜若不寂靜增語非菩薩摩訶薩耶世尊
若無忘失法寂靜不寂靜若恒住捨性寂靜
不寂靜尚畢竟不可得性非有故况有無忘
失法寂靜不寂靜增語及恒住捨性寂靜不
寂靜增語此增語既非有如何可言即無忘失
法若寂靜若不寂靜增語是菩薩摩訶薩即
恒住捨性若寂靜若不寂靜增語是菩薩摩
訶薩善現汝復觀何義言即無忘失法若遠
離若不遠離增語非菩薩摩訶薩即恒住
捨性若遠離若不遠離增語非菩薩摩訶
薩耶世尊若無忘失法遠離不遠離若恒住
捨性遠離不遠離尚畢竟不可得性非有故
况有無忘失法遠離不遠離增語及恒住捨
性遠離不遠離增語此增語既非有如何可言
即無忘失法若遠離若不遠離增語是菩薩
摩訶薩即恒住捨性若遠離若不遠離增
語是菩薩摩訶薩善現汝復觀何義言
即無忘失法若有為若無為增語非菩薩

即無忘失法若遠離若不遠離增語是菩薩
摩訶薩即恒住捨性若遠離若不遠離增
語是菩薩摩訶薩善現汝復觀何義言
即無忘失法若有為若無為增語非菩薩
摩訶薩即恒住捨性若有為若無為增語非
菩薩摩訶薩耶世尊若無忘失法有為無
為若恒住捨性有為無為尚畢竟不可得性非
有故况有無忘失法有為無為增語及恒住
捨性有為無為增語此增語既非有如何可
言即無忘失法若有為若無為增語是菩薩
摩訶薩即恒住捨性若有為若無為增語
是菩薩摩訶薩善現汝復觀何義言即無
忘失法若有漏若無漏增語非菩薩摩訶薩
即恒住捨性若有漏若無漏增語非菩薩摩
訶薩耶世尊若無忘失法有漏無漏若恒住捨
性有漏無漏尚畢竟不可得性非有故况有
無忘失法有漏無漏增語及恒住捨性有漏
無漏增語此增語既非有如何可言即無忘
失法若有漏若無漏增語是菩薩摩訶薩
即恒住捨性若有漏若無漏增語是菩薩摩
訶薩善現汝復觀何義言即無忘失法若
生若滅增語非菩薩摩訶薩即恒住捨性
若生若滅增語非菩薩摩訶薩耶世尊若
無忘失法生滅若恒住捨性生滅尚畢竟不
可得性非有故况有無忘失法生滅增語及
恒住捨性生滅增語此增語既非有如何可言

無忘失法生滅若恒住捨性生滅尚畢竟不
可得性非有故況有無忘失法生滅增語及
恒住捨性生滅增語此增語既非有如何可言
即無忘失法若生若滅增語是菩薩摩訶薩
即恒住捨性若生若滅增語是菩薩摩訶薩
善現汝復觀何義言即無忘失法若善若非善
增語非菩薩摩訶薩即恒住捨性若善若非
善增語非菩薩摩訶薩耶世尊若無忘失法
善非善若恒住捨性善非善尚畢竟不可得
性非有故況有無忘失法善非善增語及恒住
捨性善非善增語此增語既非有如何可言
即無忘失法若善若善非增語是菩薩摩
訶薩即恒住捨性若善若非善增語是菩薩摩訶
薩善現汝復觀何義言即無忘失法若有罪
若無罪增語非菩薩摩訶薩即恒住捨性若
有罪若無罪增語非菩薩摩訶薩耶世尊
若無忘失法有罪無罪若恒住捨性有罪
無罪尚畢竟不可得性非有故況有無忘
失法有罪無罪增語及恒住捨性有罪無罪
增語此增語既非有如何可言即無忘失法若
有罪若無罪增語是菩薩摩訶薩即恒住
捨性若有罪若無罪增語是菩薩摩訶薩
善現汝復觀何義言即無忘失法若有煩惱
若無煩惱增語非菩薩摩訶薩即恒住捨
性若有煩惱若無煩惱增語非菩薩摩訶

捨性若有罪若無罪增語是菩薩摩訶薩
善現汝復觀何義言即無忘失法若有煩惱
若無煩惱增語非菩薩摩訶薩即恒住捨
性若有煩惱若無煩惱增語非菩薩摩訶
薩耶世尊若無忘失法有煩惱無煩惱若
恒住捨性有煩惱無煩惱尚畢竟不可得性
非有故況有無忘失法有煩惱無煩惱增
語及恒住捨性有煩惱無煩惱增語此增語
既非有如何可言即無忘失法若有煩惱若
無煩惱增語是菩薩摩訶薩即恒住捨性
若有煩惱若无煩惱增語是菩薩摩訶薩善現汝
復觀何義言即無忘失法若世間若出世
間增語非菩薩摩訶薩即恒住捨性若世
間若出世間增語非菩薩摩訶薩耶世尊
若無忘失法世間出世間若恒住捨性世間
出世間尚畢竟不可得性非有故況有無忘
失法世間出世間增語及恒住捨性世間出
世間增語此增語既非有如何可言即無忘
失法若世間若出世間增語是菩薩摩訶薩
即恒住捨性若世間若出世間增語是菩薩
摩訶薩善現汝復觀何義言即無忘失法若
雜染若清淨增語非菩薩摩訶薩即恒住
捨性若雜染若清淨增語非菩薩摩訶薩耶
世尊若無忘失法雜染清淨若恒住捨性雜
染清淨尚畢竟不可得性非有故況有無忘

捨性若雜染若清淨增語非菩薩摩訶薩耶
世尊若無忘失法雜染清淨若恒住捨性雜
染清淨尚畢竟不可得性非有故況有無忘
失法雜染清淨增語及恒住捨性雜染清淨
增語此增語既非有如何可言即無忘失法若
雜染若清淨增語是菩薩摩訶薩即恒住
捨性若雜染若清淨增語是菩薩摩訶薩
善現汝復觀何義言即無忘失法若屬生死
若屬涅槃增語非菩薩摩訶薩即恒住捨性
若屬生死若屬涅槃增語非菩薩摩訶薩耶
世尊若無忘失法屬生死屬涅槃若恒住捨
性屬生死屬涅槃尚畢竟不可得性非有故
況有無忘失法屬生死屬涅槃增語及恒住
捨性屬生死屬涅槃增語此增語既非有如
何可言即無忘失法若屬生死若屬涅槃增語
是菩薩摩訶薩即恒住捨性若屬生死若屬
涅槃增語是菩薩摩訶薩善現汝復觀何義
言即無忘失法若在內若在外若在兩間增語
非菩薩摩訶薩即恒住捨性若在內若在外
若在兩間增語非菩薩摩訶薩耶世尊若無
忘失法在內在外在兩間若恒住捨性在內在
外在兩間尚畢竟不可得性非有故況有無
忘失法在內在外在兩間增語及恒住捨性在
內在外在兩間增語此增語既非有如何可言
即無忘失法若在內若在外若在兩間增語是
菩薩摩訶薩即恒住捨性若在內若在外若在兩
[illegible]現汝復觀何義

忘失法在內在外在兩間增語及恒住捨性在
內在外在兩間增語此增語既非有如何可言
即無忘失法若在內若在外若在兩間增語是
菩薩摩訶薩即恒住捨性若在內若在外若在兩
間增語是菩薩摩訶薩善現汝復觀何義
言即無忘失法若可得若不可得增語非菩
薩摩訶薩即恒住捨性若可得若不可得增
語非菩薩摩訶薩耶世尊若無忘失法可
得不可得若恒住捨性可得不可得尚畢竟
不可得性非有故況有無忘失法可得不可得
增語及恒住捨性可得不可得增語此增語既
非有如何可言即無忘失法若可得若不可
得增語是菩薩摩訶薩即恒住捨性若可
得若不可得增語是菩薩摩訶薩復次善
現汝觀何義言即一切智增語非菩薩摩訶
薩即道相智一切相智增語非菩薩摩訶薩
耶具壽善現答言世尊若一切智若道相智
一切相智尚畢竟不可得性非有故況有一切
智增語及道相智一切相智增語此增語既非
有如何可言即一切智增語是菩薩摩訶薩
即道相智一切相智增語是菩薩摩訶薩善
現汝復觀何義言即一切智若常若無常
增語非菩薩摩訶薩即道相智一切相智若常若
無常增語非菩薩摩訶薩耶世尊若一切
智常無常若一切智常無常若道相智
一切相智常無常尚畢竟不可得性非[illegible]

無常增語非菩薩摩訶薩耶世尊若一切
智常無常若一切智常無常若道相智
一切相智常無常尚畢竟不可得性非有故
況有一切智常無常增語及道相智一切相智
常無常增語此增語既非有如何可言即一
切智若常若無常增語是菩薩摩訶薩即
道相智一切相智若常若無常增語是菩薩
摩訶薩善現汝復觀何義言即一切智若樂
若苦增語非菩薩摩訶薩即道相智一切相
智若樂若苦增語非菩薩摩訶薩耶世尊
若一切智樂苦若道相智一切相智樂苦尚畢
竟不可得性非有故況有一切智樂苦增語及
道相智一切相智樂苦增語此增語既非如有何
可言即一切智若樂若苦增語是菩薩摩訶
薩即道相智一切相智若樂若苦增語是菩薩摩訶
訶薩善現汝復觀何義言即一切智若我若
無我增語非菩薩摩訶薩即道相智一切
切相智若我若无我增語非菩薩摩訶薩耶世
尊若一切智我無我若道相智一切相智我
無我尚畢竟不可得性非有故況有一切智
我無我增語及道相智一切相智我無我增語
此增語既非有如何可言即一切智若我若無
我增語是菩薩摩訶薩即道相智一切
相智若我若無我增語是菩薩摩訶薩善
現汝復觀何義言即一切智若淨若不淨增
語非菩薩摩訶薩即道相智一切相智若

BD00916號　大般若波羅蜜多經卷三四　（22–13）

我增語是菩薩摩訶薩即道相智一切
相智若我若無我增語是菩薩摩訶薩善
現汝復觀何義言即一切智若淨若不淨增
語非菩薩摩訶薩即道相智一切相智若
淨若不淨增語非菩薩摩訶薩耶世尊
若一切智淨不淨若道相智一切相智淨不淨
尚畢竟不可得性非有故況有一切智淨不
不淨增語及道相智一切相智淨不淨增語此增語既
非有如何可言即一切智若淨若不淨增語是菩
薩摩訶薩即道相智一切相智若淨若不
淨增語是菩薩摩訶薩善現汝復觀何
義言即一切智若空若不空增語非菩薩摩
訶薩即道相智一切相智若空若不空增語非
菩薩摩訶薩耶世尊若一切智空不空若
道相智一切相智空不空尚畢竟不可得性
非有故況有一切智空不空增語及道相智
一切相智空不空增語此增語既非有如何
可言即一切智若空若不空增語是菩薩摩
訶薩即道相智一切相智若空若不空增語
是菩薩摩訶薩善現汝復觀何義言即一
切智若有相若無相增語非菩薩摩訶薩
即道相智一切相智若有相若無相增語非
菩薩摩訶薩耶世尊若一切智有相無相若
道相智一切相智有相無相尚畢竟不可得
性非有故況有一切智有相無相增語及道相智一

BD00916號　大般若波羅蜜多經卷三四　（22–14）

性非有故況有一切智有相無相增語及道相智一
切相智有相無相增語此增語既非有如何
可言即一切智若有相若無相增語是菩薩
摩訶薩即道相智一切相智若有相若無
相增語是菩薩摩訶薩善現汝復觀何
義言即一切智若有願若無願增語非菩薩
摩訶薩即道相智一切相智若有願若無願
增語非菩薩摩訶薩耶世尊若一切智有
願無願若道相智一切相智有願無願尚畢竟
不可得性非有故況有一切智有願無願增語
及道相智一切相智有願無願增語此增語既
非有如何可言即一切智若有願若無願增語
是菩薩摩訶薩即道相智一切相智若有
願若無願增語是菩薩摩訶薩善現汝復
觀何義言即一切智若寂靜若不寂靜增語
非菩薩摩訶薩即道相智一切相智若寂靜
若不寂靜增語非菩薩摩訶薩耶世尊若一
切智寂靜不寂靜若道相智一切相智寂靜不
寂靜尚畢竟不可得性非有故況有一切智寂
靜不寂靜增語及道相智一切相智寂靜不
不寂靜增語既非有如何可言即一切智若寂
靜若不寂靜增語是菩薩摩訶薩即道相智
一切相智若寂靜若不寂靜增語是菩薩摩
訶薩善現汝復觀何義言即一切智若遠離

BD00916號　大般若波羅蜜多經卷三四　（22–15）

一切相智若寂靜若不寂靜增語是菩薩摩
訶薩善現汝復觀何義言即一切智若遠離
若不遠離增語非菩薩摩訶薩即道相智
一切相智若遠離若不遠離增語非菩薩摩
訶薩耶世尊若一切智遠離不遠離若道
相智一切相智遠離不遠離尚畢竟不可得
性非有故況有一切智遠離不遠離增語及道
相智一切相智遠離不遠離增語此增語既非
有如何可言即一切智若遠離若不遠離增
語是菩薩摩訶薩即道相智一切相智若遠
離若不遠離增語是菩薩摩訶薩善現汝
汝復觀何義言即一切智若有為若無為增語
非菩薩摩訶薩即道相智一切相智若有
為若無為增語非菩薩摩訶薩耶世尊若
一切智有為無為若道相智一切相智有為
無為尚畢竟不可得性非有故況有一切智
有為無為增語及道相智一切相智有為無
為增語此增語既非有如何可言即一切智若
有為若無為增語是菩薩摩訶薩即道相智
一切相智若有為若無為增語是菩薩摩訶
薩善現汝復觀何義言即一切智若有漏
若無漏增語非菩薩摩訶薩即道相智一
切相智若有漏若無漏增語非菩薩摩訶薩
耶世尊若一切智有漏無漏若道相智一切
相智有漏無漏尚畢竟不可得性非有故況

BD00916號　大般若波羅蜜多經卷三四　（22–16）

切相智若有漏若無漏增語非菩薩摩訶薩
耶世尊若一切智有漏無漏若道相智一切
相智有漏無漏尚畢竟不可得性非有故況
有一切智有漏無漏增語及道相智一切相
智有漏無漏增語及道相智一切相智有漏
無漏增語此增語既非有如何可言即一切智
若有漏若無漏增語是菩薩摩訶薩即道
相智一切相智若有漏若無漏增語是菩薩
摩訶薩善現汝復觀何義言即一切智若
生若滅增語非菩薩摩訶薩即道相智
一切相智若生若滅增語非菩薩摩訶薩耶
世尊若一切智生滅若道相智一切相智生滅
尚畢竟不可得性非有故況有一切智生滅
增語及道相智一切相智生滅增語此增語既
非有如何可言即一切智若生若滅增語是
菩薩摩訶薩即道相智一切相智若生若滅
增語是菩薩摩訶薩善現汝復觀何義言
即一切智若善若非善增語非菩薩摩訶
薩即道相智一切相智若善若非善增語非
菩薩摩訶薩耶世尊若一切智善非善
若道相智一切相智善非善尚畢竟不可
得性非有故況有一切智善非善增語及道相
智一切相智善非善增語此增語既非有如何
可言即一切智若善若非善增語是菩薩摩
訶薩即道相智一切相智若善若非善增語
是菩薩摩訶薩善現汝復觀何義言即一

BD00916 號　大般若波羅蜜多經卷三四　（22–17）

可言即一切智若善若非善增語是菩薩摩
訶薩即道相智一切相智若善若非善增語
是菩薩摩訶薩善現汝復觀何義言即一
切智若有罪若無罪增語非菩薩摩訶薩
即道相智一切相智若有罪若無罪增語非
菩薩摩訶薩耶世尊若一切智有罪無罪
若道相智一切相智有罪無罪尚畢竟不可
得性非有故況有一切智有罪無罪增語及
道相智一切相智有罪無罪增語此增語
既非有如何可言即一切智若有罪若無罪
增語是菩薩摩訶薩即道相智一切相智
若有罪若無罪增語是菩薩摩訶薩善
現汝復觀何義言即一切智若有煩惱若無
煩惱增語非菩薩摩訶薩即道相智一切相
智若有煩惱若無煩惱增語非菩薩摩訶薩耶世
尊若一切智有煩惱無煩惱若道相智一切
相智有煩惱無煩惱尚畢竟不可得性非有
有故況有一切智有煩惱無煩惱增語及道
相智一切相智有煩惱無煩惱增語此增語
既非有如何可言即一切智若有煩惱若無
煩惱增語是菩薩摩訶薩即道相智一切相
智若有煩惱若無煩惱增語是菩薩摩訶
薩善現汝復觀何義言即一切智若世間若
出世間增語非菩薩摩訶薩即道相智一
切相智若世間若出世間增語非菩薩摩訶
薩耶世尊若一切智世間出世間若道相智

BD00916 號　大般若波羅蜜多經卷三四　（22–18）

薩善現汝復觀何義言即一切智若世間若
出世間增語非菩薩摩訶薩即道相智一
切相智若世間若出世間增語非菩薩摩訶
薩耶世尊若一切智世間出世間若道相智
一切相智世間出世間尚畢竟不可得性非有
故況有一切智世間出世間增語及道相智一
切相智世間出世間增語此增語既非有如
何可言即一切智若世間若出世間增語是
菩薩摩訶薩即道相智一切相智若世間若出世間
增語是菩薩摩訶薩善現汝復觀何義言
即一切智若雜染若清淨增語非菩薩摩訶
薩即道相智一切相智若雜染若清淨增語
非菩薩摩訶薩耶世尊若一切智雜染清淨
若道相智一切相智雜染清淨尚畢竟不可
得性非有故況有一切智雜染清淨增語及道
相智一切相智雜染清淨增語此增語既非有
如何可言即一切智若雜染若清淨增語是
菩薩摩訶薩即道相智一切相智若雜染若
清淨增語是菩薩摩訶薩善現汝復觀何
義言即一切智若屬生死若屬涅槃增語非菩
薩摩訶薩即道相智一切相智若屬生死若
屬涅槃增語非菩薩摩訶薩耶世尊若一
切智屬生死屬涅槃若道相智一切相智屬生
死屬涅槃尚畢竟不可得性非有故況有一
切智屬生死屬涅槃增語及道相智一切相智
屬生死屬涅槃增語此增語既非有如何可言即一

BD00916 號　大般若波羅蜜多經卷三四　（22–19）

切智屬生死屬涅槃若道相智一切相智屬生
死屬涅槃尚畢竟不可得性非有故況有一
切智屬生死屬涅槃增語及道相智一切相智
屬生死屬涅槃增語此增語既非有如何可言即一
切智若屬生死若屬涅槃增語是菩薩摩
訶薩即道相智一切相智若屬生死若屬涅槃
增語是菩薩摩訶薩善現汝復觀何義言
即一切智若在內若在外若在兩間增語非菩
薩摩訶薩即道相智一切相智若在內若在外若在
兩間增語非菩薩摩訶薩耶世尊若一切智
在內在外在兩間若道相智一切相智在內在
外在兩間尚畢竟不可得性非有故況有一切智在
內在外在兩間增語及道相智一切相智在內在外在兩間增語
此增語既非有如何可言即一切智若在內若在
外若在兩間增語是菩薩摩訶薩即道相
智一切相智若在內若在外若在兩間增語是
菩薩摩訶薩善現汝復觀何義言即一切
智若可得若不可得增語非菩薩摩訶薩
即道相智一切相智若可得若不可得增語非
菩薩摩訶薩耶世尊若一切智可得不可得
若道相智一切相智可得不可得尚畢竟不
可得性非有故況有一切智可得不可得增
語及道相智一切相智可得不可得增語此
增語既非有如何可言即一切智若可得若
不可得增語是菩薩摩訶薩即道相智一
切相智若可得若不可得增語是菩薩摩訶
薩復次善現汝復觀何義言即預流果增語

BD00916 號　大般若波羅蜜多經卷三四　（22–20）

增語既非有如何可言即一切智若可得若
不可得增語是菩薩摩訶薩即道相智一
切相智若可得若不可得增語是菩薩摩訶
薩復次善現汝復觀何義言即預流果增語
非菩薩摩訶薩即一來不還阿羅漢果增語
非菩薩摩訶薩耶具壽善現答言世尊若
預流果若一來不還阿羅漢果尚畢竟不可
得性非有故況有預流果增語及一來不還
阿羅漢果增語此增語既非有如何可言即
預流果增語是菩薩摩訶薩即一來不還阿
羅漢果增語是菩薩摩訶薩善現汝復觀
何義言即預流果若常若無常增語非菩
薩摩訶薩即一來不還阿羅漢果若常若
無常增語非菩薩摩訶薩耶世尊若預流
果常無常若一來不還阿羅漢果常無常尚
畢竟不可得性非有故況有預流果常無
常增語及一來不還阿羅漢果常無常增
語此增語既非有如何可言即預流果若常
若無常增語是菩薩摩訶薩即一來不還
阿羅漢果若常若無常增語是菩薩摩訶
薩善現汝復觀何義言即預流果若樂若
苦增語非菩薩摩訶薩即一來不還阿羅
漢果若樂若苦增語非菩薩摩訶薩耶世
尊若預流果苦樂若一來不還阿羅漢果樂
苦尚畢竟不可得性非有故況有預流果樂
苦增語及一來不還阿羅漢果樂苦增語此增
語既非有如何可言即預流果若樂若苦增語

BD00916 號　大般若波羅蜜多經卷三四　（22–21）

阿羅漢果若常若無常增語是菩薩摩訶
薩善現汝復觀何義言即預流果若樂若
苦增語非菩薩摩訶薩即一來不還阿羅
漢果若樂若苦增語非菩薩摩訶薩耶世
尊若預流果苦樂若一來不還阿羅漢果樂
苦尚畢竟不可得性非有故況有預流果樂
苦增語及一來不還阿羅漢果樂苦增語此增
語既非有如何可言即預流果若樂若苦增語
是菩薩摩訶薩即一來不還阿羅漢果若
樂若苦增語是菩薩摩訶薩善現汝復觀
何義言即預流果若我若無我增語非菩
薩摩訶薩即一來不還阿羅漢果若我若無
我增語非菩薩摩訶薩耶世尊若預流果
我無我若一來不還阿羅漢果我無我尚畢
竟不可得性非有故況有預流果我無我增
語及一來不還阿羅漢果我無我增語此增
語既非有如何可言即預流果若我若無我
增語是菩薩摩訶薩即一來不還阿羅漢
果若我若無我增語是菩薩摩訶薩

大般若波羅蜜多經卷第卅四

BD00916 號　大般若波羅蜜多經卷三四　（22–22）

[illegible]隨戒法有為不能
明能發之緣既有其緣必有所得故此第二
以位階聖凡兼殊男女既緣不同四分律弁五種受戒
三名三語四名八敬五名得處斯之五名僧如常釋 第二言
而論不出二種一曰作戒二曰無作戒言作戒者方便身口造趣營為稱之為
作 二無作者一發續現四心三性始末恒有不藉緣辨字曰無作斯之二種
俱有懸防同稱為戒若並作戒以之為體言無作戒非色非心 第
次辨隨戒二門者第一專精不犯第二犯已能悔言專精者上門之流
一往順教要離善門稱曰專精但持有二一明止持二明作持言止持者
念智措(?)等護身口不造諸惡稱之為止止而無違順受要契故曰止持
言作持者奉順聖教作法作事對事作法稱之為作作而順受故曰作持
第二犯已能悔者不謹之人放縱身口違禁之過不備善門汙本所受
名之為犯 慚愧追謝還令淨本亦名為持雖非一往善哉然名既還
淨 第二曰法故名犯已能懺悔持然犯有二一者作犯現違聖教慶(?)
造諸過稱為作犯二者止犯不准教奉脩止而有違故名止犯 對斯
二犯悔而還淨 並稱為持上來已弁教之宗旨其準受隨若無其
受則隨無所起以有受故眾門得生若無隨門便有戒羸等失以有隨故
令受光潔故以雙(?)持云此二種戒攝受無量諸餘淨戒受之須受隨法
既受門中應釋緣體後辨受體言受緣者八門解之第一釋
名第二辨體物別第三能秉教人師徒位別第四教所被者聖凡不等

一就捨亦還淨　並稱為根本上業之所教之宗意上[illegible]

受則門無門起以有受及餘門得生若无隨門便有戒羸等失以有隨故

今受无業及地持云此二種戒攝受无量諸餘淨戒受及須受隨二法

就受門中廣釋緣起者明受緣後辨受體亦受緣者八門解之第一釋

名第二辨體物別第三能秉教人師徒位別第四教所被者聖凡不等

第五種緣多少第六辨此諸緣發戒時節第七受捨漸頓第八校量

勝劣　第一釋名者諸部立名多少不定或立四受或立五受或三或六受取

律中八受立內自稱受之自誓受戒不受之又合為四受立五受　言五受

者謂善来上法三語八敬羯磨等是　言善来者此人宿植妙因道根淳熟

聞仏說法契證初果深厭生死悕求出家仏言善来即發戒故名善来

名可此等諸人深厭生死悕求出家仏命善来即發具足故云善来　言上

法者性空之理超出相有物莫能加故稱上法无貪迦葉備道進德盛

解滿會增上法而發具戒故云上法　名可盡无生智超出衣表會而得戒

故云上法及母經云中上達立善根上受具足　言三語者此等諸人未感妙業玄悟見

道但託小聖諸阿羅漢等以為良緣名深厭三有悕求出家母云諸羅漢

等教令剃頭染衣稱依三寶語依心成即發具足故云三語　言八敬

者仏於女人不聽在家波闍聞之持生厭離遂自剃頭倚立於門而難見也

為其三請如来遂宣敬法而難得受　愛道聞之尊敬此法作奉行之意

即發具足故云八敬　言羯磨者斯等之人背受微強緣扶彼弱因方能發

戒緣彼僧衆羯磨言下而發戒品隨其能秉就所秉章名故名羯磨

受戒　此五受法得名有四　来善騰境善謂八者求戒心来是聖發

或可贊讚歎受名　有以受戒仏言善来故云上法從境又可當騰受

名遠　立善根上受具足故謂盡无生智得教二受約境就心羯

磨從教亦可功能謂名辨事故　第二物別四受是別羯磨是物總從

遠緣章名或四或六而羯磨統收故該為物總問羯磨受戒既有四緣何

故獨章名羯磨餘不章名者　答一釋云從餘緣章名乃有多種今且[illegible]

就通以章名羯磨何足為妨　第三秉人多論判言見諦自得餘六從

他故對七受釋故令類彼論以判此五遠而言之盡從仏受以仏出世有是

法故若以義推上法得戒名為自受餘諸四種是從他得言何上法名為

自受論云以根本而言由仏說法得證無漏發戒具足名從仏受　一義

他發對七受釋故今類彼論以判此五遠而言之盡從佛受以佛出世有定
法故若以義推上法得戒名為自受餘諸四種是從他得云何上法名為
自受論云以根本而言由佛證法得證無師故於具足名從佛受　一義
而推自以盡智明現前而得具戒又名自得不從他受故以論云　若法者
佛五弟子受師等者爾何故論云從他教得若此據遠因而說善來八
敬受佛衆名從佛受三歸羯磨弟子所秉是從弟子言教下得　第四
所被衆別四句律并善來受戒局在聖位故律中云見法得法得果證已
者得無漏解脫以出家聖順之極方應善來發具足戒內凡已還想心所
測非聖順之極及鄰不度又上法受者要弟四果以其惑盡解滿故爾　三據
八敬內凡已上是以多論此二受法不贏不捨及知內凡已去言羯磨受者始
從為凡一從已後三人通被如涅槃經淨行梵志得初果已羯磨為受四句
律中蓮花色尼多聞此例　第五藉緣多少善來受戒具四緣得一證
初果文言見法得法已二內有出家善心文言欲於如來法中修梵行證
三假對佛形文云前白佛言四假佛教謂聖命善來上法受戒具三緣發假佛教
授如見論說二有祈戒心是餘文羅漢沙弥無出家意故但得其果明須
有心三得無漏聖解謂盡智現在即得具戒　三語受戒名具三緣一假弟子
形對諸羅漢二假弟子教謂口受三歸言辭無缺三歸依心成領前歸依
故能得戒八敬受戒具四緣發一假佛八敬之教二假弟子於三弟子教謂口宣
八敬四奉行之意故受道自陳戒等須受羯磨受戒具足四緣如律所說
一僧數滿足緣二教法成就緣三結界成就緣四身無遮難緣若具此四是大比
丘得戒戒本犯戒之人四中若缺非大苾故須此四方成苾　問善來等受
以心為緣羯磨一受何故不爾答羯磨非不有心以假外緣作法經強以并故
設因名又可羯磨四心俱得恐濫不并以緣又唯母論前四以心為緣羯磨一
受雖文不列要不須心故律文云眠醉狂等不得戒故　弟六得戒時節善
來受者當善來竟即發具足故律云乃至得盡苦原　上法受戒盡智現前
時得以不秉而齊羅漢梵行已立自然戒淨故更不從他受戒　問此上
法得者得作無作不　答作非作法但得無作　問既非作戒何因得發無作戒者
答以非學有故無其作以道力故得無作戒　三歸受戒弟三語竟即發具戒
八敬受戒說弟八訖即得戒　品羯磨一受羯磨竟便發具戒諸論大同　弟七
受捨漸頓　有明受漸頓羯磨一受名漸多頓餘之四受頓而非漸　如何羯磨

法得者得作无作。不者以非作法，但得无作。問：既非作戒，何因得發无作戒者？
答：以非學故无其作，以道力故得无作戒。三歸受戒，第三語竟即發具戒。
八敬受戒，說第八訖即得戒。品羯磨一受羯磨竟便發具戒。諸論大同。第三
受捨漸頓：先明受漸頓。羯磨一受名漸，名頓餘之四受頓而非漸。如何羯磨
漸頓？先受五戒，次受十戒，後受具戒，是名為漸。若不受五十，直受具戒，得
三種戒，說之為頓。問：若一時受得三種戒者，何須漸受？答：為誘習仏法，必
須次第。先受五戒，以自調伏，使樂漸增；次受十戒，善心轉深；次受具戒。
如是次第，得仏法味，好樂堅固，難可退敗，不失次第，不破威儀。如遊
大海，漸漸深入。一時受者即失次第，又破威儀，故漸受。問：一時頓受得三戒
者，其无作體為一為三？答：但發具戒一无作體，更无餘二无作之體。若爾，
便是一戒，如何言三？答：望受得防，望无作与沙弥俗人同戒者，其實體
一。是以多論家援其體望三人始終位別，言得三戒，理實无三。問：以得鎧
无三？答：即此論文解次第受中，俗人下品五戒，次中品心受沙弥戒，前五戒仍本
下品。五戒外發方為中品，上品心受具，本前二品仍猶下中，五十外發始為上品。據
斯以驗，次第漸受，三時心別，同戒无作，尚不發三，超況一時受者而得有三？故
知漸次望位，別作三，非體有三。又可心論云：一切因一切支，得三戒者，三時漸受。
既時別，重發无作，有三體。故若論頓受，既一時方可，名為望位為三，非體有
三。次解捨之漸頓。若望四受，捨俱頓。羯磨捨受並含漸頓，為但羯磨一受之
制。局漸捨兼頓。問：羯磨頓受既得三戒，捨時云何？答：義含漸頓。若並要心三戒
俱捨，則頓失三，是名頓捨。若言我作沙弥，但捨具戒；言作優婆塞者，又捨十
戒；又言我三歸人，方捨五戒，名為漸頓。問：受之与捨俱頓，並漸戒以漸受頓
捨，此三可爾。若本頓受，但得具戒一无作體，云何漸捨？若得漸捨，便成三體。如
如何言一時受防？答：无作通沙弥俗人共有，防非是故。捨時要心捨具，不捨十戒，
若与沙弥戒同，隨捨則在，故律文言：我作沙弥，以十對五義齊，亦故言我作
優婆塞。是以論說援體通三人，有共用義，故望位說三，非體有三。如此釋時，
頓受漸捨，義亦无妨。故多云：譬如樹葉，夏青秋黃，冬時則白，宜體有殊，
隨時異故。樹葉色異而始終一葉，戒亦如是，常是一戒，隨位異故。是以羯磨
受之捨俱頓，並漸善柔等四。准頓非漸，以无作法捨故。第八優劣：如多
論說：若就實惡，有无四受是勝，羯磨為劣；若取任持仏法，利益寬長，羯磨
一勝，餘四受劣。言四勝一劣者，羯磨受者內齊凡夫福德淺薄，感得此戒，多
[illegible]

受之捨俱頓並漸善來等四准頓非漸以无作法據故一第八優劣如多
論說若就實患有无四受是勝羯磨爲劣若取任持佛法利益寬長羯磨
一勝餘四受爲劣言四勝一劣者羯磨受者內齊凡夫福流淺薄感得此戒多
諸實患容有缺上折下奉持心劣令戒有羸餘四受法內凡已去理解心中
受得戒持心堅固肥而不羸二者羯磨凡夫容有不樂道法捨本所受
餘四受法樂道情殷理无退捨三者羯磨容有轉爲二形餘四受法後无
此變四者羯磨受人或起邪見斷捨善根餘四理解不斷善根羯磨一受或
有上四故稱爲劣餘受法无前過非是以名勝此對始典若聖人受多是其勝
言一勝四劣者羯磨一受乃具六義一受時長謂通現未二處遍三方除鬱
單越三報兼男女四位該凡聖五所被无數六多從作法以斯諸義佛法始
終以白四羯磨爲宗本能繼續三寶作无邊利益有住持之功莫大羯
磨故說爲勝餘四受中善來一受終盡雙林自外三受中間所以又局闕
浮未該餘二凡聖位差報局男女對前義未名闕少能住功微故稱四劣差戒緣
[illegible]竟第二次辨受體於中四門料簡第一釋名出體二戒先後三受隨同異第三
弁差戒緣第四戒多少第一言釋名者戒相雖眾義要二種一曰作戒二
无作戒先釋別名作與无作次辨通名所曰之戒言作者謂方便身口起動
造作稱之作故論云作者身動方便言无作者身動滅已與餘識俱彼法隨
生名爲无作以善受戒織行託無在於現前善戒隨生要戒不亦次釋通名戒者此
作无作俱有離防義稱爲戒依善生經通有五名一名爲制斷一切諸不善
故名爲戒又名迮隘雖有諸惡但不容受故名爲戒又名清涼遠離熱惱令
不入故名爲戒又名爲上能上天堂至无上道又名學調伏心習故名戒此之五義是義
用釋名是故經用立名稱之爲戒然於五中迮隘清涼是義安名餘三用名
問何故得知有作无作善論諸部所明二種戒辨一如以論第三羯磨剎那作及无
作根本業道又云身口作前二有對身口无作俱不可見无對二多論云揚令戒
有身口教及无教第一念唯有无教无有教三十住毗婆沙云律儀善根
有其二種一者有作二者无作之者要色无作非色非心以斯文故明知戒有二
種問何須作无作者答若无其作无作无所從生若无之作不可亦防非務須
戒此經言莫如上法得戒以道力故得无作戒次戒辨若依多論作无作戒並是
色法爲辨此義可謂六種分別一有爲无爲分別二戒俱是有爲法聚非三
无爲故第二有爲中三聚分別作无作戒並色法爲辨以及四相不相應法是

種，何須作无作者。答：若无其作，无作无所從生；若无无作，作不可一形防非
戒。此從〔言〕耳。如上法得戒，以道力故得无作戒。次戒體，若依多論，作无作戒並是
色法為體，此義可謂。六種分別：一有為无為分別，二戒俱是有為法聚，非三
无為也。第二有為中三聚分別，作无作戒並色法為體，心及四相不相應法是
其心。戒因故論云：作及无作假色，是分別色陰。第三色聚中三色分別：一可見有
對色，謂色入；二不可見有對色，謂五根四塵；三不可見无對色，謂法入中无作者。
竟作戒前二色，取无作戒者。第四三色攝故，伽心二論云：身作可見有對，口作不可
見有對，身口无作俱不可見无對。論其身作前二色中，唯色入攝；口作戒者
是聲入收，非餘八色。其二无作並法入攝。此作无作俱是色陰。第五就色聲中報
方便分別：色雖通報及方便，然身作是方便非報，故心論云：作者身動身方便。
口作唯方便，以聲非報法故。身口二无作非報非方便。第五三性分別：身口色
聲是善非餘。爾故心論云：以清淨心動身口名善作等。即句物色有廿種，前十
二唯无記，謂八言下長短方圓正不正。通三性局取善邊，身作戒體三聲之
中謂除第二因不受四大聲，如風零等唯无記故；就初因受四大聲第三因俱聲
此二通三性中，亦取善聲邊為口作體。流論身口无作通於二性，今論戒故是善
性攝。第六始終分別：此善作中通於終始，不取始。謂始從請師終至羯磨
未竟，要心未該，善而非戒。第三羯磨一剎那頃（須）斯要心滿足，成就善是
戒，故局取終。然依得宗无作之戒，定用非色非心為體。作戒者取文不定，或有取
文色以為體，故論文竟業者，非直音聲要以心力助成，故知身業亦以心力助
成。明知二業亦色入為體。又引論文以心為體，是故論竟離心无思无身口業，故知
二業用心為體。又假色為身口業體，故論云：身口業緣心四大，竟業緣心。若身口業
非四大為體，性者竟業緣心，名不應以心為體。然竟業依心故，即說竟業用
心為體，故知身業以四大動為業，无別體，即用四大作體。口業者四大相繫於中
出聲，成音曲，有所表彰，以為字句為口作業，无別體，用聲作體。是以論云
是法名聲，性法入所攝故，以遠從四大即聲成，故用聲為體。身業近依四大
故即用所依色為體。次明二戒先後。依心論說：似一時得。故文竟第三一念作无
作根本業道有多云物念，戒有教无教，後次生戒但有无教，无有教。故知
一時然无作三時有，非者一者同時无作但是作俱，是非全戒體。二身是果
時无作有二：一是作俱，二是形俱。一種方是戒體。三謂果後唯局形俱
此是體以其果時有形俱，故明時得。若依此宗以先後義，故實云問齊何名

一時然無作三時有非者一者已時無作俱是作俱是非全前[illegible]
時無作有二一是作俱二是形俱一種方是戒體三謂果後唯局形俱
此是體以其果時有形俱故以時得若依此宗以先後發故實云何名
為無作 若第一念須名為無作以作戒為物念故名無作為第一念唯稱麤
竟亦有無作是彼戒體前二時中位是能中位是能俱亦攝又善生經方便
以異作時以異衆緣和合得名為作餘同緣發生無作已過去唯有無作其
以難在更無記中本所業不名漏失攝斯以并明先後發 第二受隨同異者
解受隨義一辟如一循能捍衆敵為破斯義故立此受隨二法并作無作先解
無作有其七種一道共無作二定共無作三形俱四要期如日夜及處中要其
等五隨業無作如隨戒無作及處中隨作業發者是六事無作如諸寺橋
船等事在時念念發無作等七隨用無作即前事在有人用時後發無作者
是就此七中形俱定要期通二餘五定隨 次并同異受隨無作同義有三
謂名體義異便有六第一受中無作義約一品隨中無作乃有優劣言受中無作一
品者若本上品以受所發無作以增上故戒名上品義容犯罪或拿羅漢更無增減
以其本一品心故中下心受義亦同然三品各定故言義約一品隨中無作多
品不定故優劣對五篇并此優劣者若就根條形勝乃至五劣若自分勝
進五勝乃至分劣即麤五篇次第之義又可一一篇一一戒以有增微事別不等
即有九品之持故隨無作有斯階降 第二物別受中無作發以物總斷一切惡意
於生非生數類得律儀故稱為物總隨以無作次第漸成不可頓起故名為別
第三懸對受中無作懸有防非未即有行隨中無作對事防非行成瞭潔 問懸
未有非對即隨行受有何用 答若無其受隨不成隨以其成一治故 第四長短
受是形俱說以為長隨行無作從備行發非形俱故目之為短 第五有無者
受中無作通三聚唯善隨無作者體非二性是不通兩此複冠性分別受隨俱
善餘二並狹今約有無有通不通受是形俱通在餘二性中故說為寬隨是作俱善
局善性中所以為狹此就一心自作為寬若先後心及以教人餘二性中隨亦通有
如教相所注犯不犯中亦同此狹及犯行中無不犯行若通就先後心中及教人犯行
中亦有不犯行此即受隨俱寬作此解者並須約以為三若局善性俱狹受隨同
善性故若隨人等俱寬以分通三性故若以作自隨行對受分方狹有寬並多
論有四五不同若實依論不別寬狹長短並後受中無作定是長寬是無作者
具於二種以送無作寬長亦第六受根本隨是枝條 次解作同異 同義有五
謂名體義寬長短等不同有四一名[illegible]

中久有不犯於此所受隨頓寬作此解者然須約以為三若局善住俱狹受隨同
善住故若隨人等俱寬以合通三性故若以作自隨行對受受劣方狹有寬此唯多
論有四五不同若實依論不別寬狹長短然隨受中无作言是長寬是无作者
具於二種以道无作寬長尒第六受根本　隨是枝條　次解二作同異　同義有五
謂名體義寬狹長短等不同有四一品多品二物別三緣懸對四根條此說可知既
有此殊盡同昔解受隨義一第二解發戒緣者若依薩婆多別解脫戒唯約見在
以過未非眾生故若准總宗發戒之時不在過未心得戒以非眾生依現在相續心中
發戒以是眾生然受戒時要須三世境上所有之惡皆作斷意方能發戒還防三
世境上非所以然者過去之境能生惡心故論云如人供養過去佛尊是亦得福律儀
亦尒未來之境亦生惡心故須普緣物作斷意方能發戒又若過未不發戒者
三世諸佛戒不齊等以其諸佛戒品齊等故緣三世以發戒也　問戒防未非比丘
殺已起何故得言緣三世境發還防三世非也答境雖過去非是過去等是斷義
故猶防未非是以須尒　第四發戒多少諸戒雖眾不過二種謂作无作作已過去唯
有无作一示相續此无作戒乃有多品以所防之惡既有无量戒寧是一故多論云於
一切眾生數非眾生數而發律儀言於眾生數者上至非想下至阿鼻可殺可誑
不可誑等一一眾生乃至如來就根本而言不過有身口七惡三因緣故一貪故起七二
嗔故起七三癡故起七三七廿一惡對防此惡受戒之時謂從无貪等三善根心各
得身口七枝合廿一種戒善乃至三千大千一一眾生皆亦如是若十戒五戒得十戒依心
多二論於一切眾生一切時戒不斷或廿一種故經云眾生无邊戒亦无邊若非眾生
數乃至草木生種大地非法衣食等及一一罪處本受戒時要期不作還得尒
所戒善切緣故善生經云大地等无邊戒亦无邊出家僧尼佛之聖弟子尊位之
天寔由於此又唯了論四万二千福河謂四万二千學處一切恒流其猶河水洗除
破戒煩惱言四万二千者根本戒有四百卅以尒者如婆藪斗律戒有二百多明釋戒
優婆提舍戒有一百廿多明重戒比丘尼別戒九十九合成四廿是一一戒有攝僧等
十功德一一功德能生十種正行謂信等五根无貪等三及身口二護一戒即百合
戒有四百廿豈非四万二千又无貪比丘者謂第三羯磨竟時四万二千處學竟時並
起无戒不生故稱无貪擾斯以驗故知發戒量不可稱數　問僧尼二衆戒數各別何
以无貪比丘直言四万二千耶解此擾二種通說若取實理名隨本戒二約釋根義
釋俱有四万二千　上來受戒法門辨了自下隨戒奇文中說　第三正釋戒經題目
言四分者蓋是一百年後五部之內一部之別名言戒者是比丘都教之文宗然大

波

起无戒不生得稱无貪攝斯以驗攸知戒量不可勝數　問僧尼二衆戒數各定何
以无貪眦尼直言四万二千耶　一解此攝二種通該若取實理名随本戒二約持根義
釋但有四万二千　上來廣戒法門辨了自下随戒尋文中說　第三正釋戒經題目
言四分者蓋是一百年後五部之内一部之別名言戒者是毗尼都教之宗然大
聖如來始從婆羅柰終記泥洹隨根制戒輕重差殊緩急有異仏涅槃後優婆
離等撰集遺言載傳付弟次第住持乃至過多一百年並以秉宗无二仏衆生
不相是非但為一部大毗尼藏俻傳於世然後波旬多有五弟子各執一見以為指
准至傳聖教不能均融各一釆是分離遂為五異各自相傳並流季世究其宗
言无非仏說如破金杖並為金用物別之叙咸可受持本一今別義然於此又藏
傳至百年後分為五部二百年後為十二部四百年後分作十八随相雖有多種莫
不皆是一大毗尼藏及文殊請問經仏說偈言无摩訶僧祇部分別出有七釋毗尼十一是
為廿部十八及本二來從大乘出无是亦无非我說未來起攝斯以論明知四分之名
者於多部中一部之別名若就餘秉應言曇无德戒本此名法護今約六誦義
名為言四分四誦成部同以名焉今此戒經從彼律出故云四分戒本隨文釋中文雖繁博
聖凡殊異分釋多種不亡今且約義文分為三一者序分二者正宗三者流通　初定
三文　第一從稽首禮至如是持已來名為序分第二從四波羅夷法至七滅已來名為
正宗第三從七佛已下至共成仏道是流通分次釋此三名顯宗由致發起之端名之為
序此五篇七聚及七滅法正明犯以不犯輕重等相被時之益正當聖意名之當
於序共文當機戒攸目正宗法傳季世目之為流而不擁名之為通攸目流通　次釋
所以者說經由序制戒必有由藉攸須序為說彰宜宣宗本攸此正宗正說
之文豈唯現在亦欲開濟大文流傳像季末代等閒企借同悟故須通流說者
序中復分為二　初十二偈正明讚三寶欲流傳聖教攸乃及遐邇代代時
不虧歸敬三寶嘆戒功能勸修奉行是故自作層顯二教通序者
開持證之言以成說敬之本　第二從和合已下是二教大宗発
起之序於斯二序六門辨釋一明二序差三義故示之有師從謂曇无德如來之
別二時有現未三經辨不同如來經者出於金口曇无德經傳於後未以斯三異得
有二經之有二故須立二序　第二序名不同說法以弁勸修發起若也約人曇无如來
雖名有殊且約前說　第三總別偈序是別長行是總之別可知　第四明首異流靈
聖教非修不傳故此偈序寄嘆戒功勸修奉循以明序義和合以下大聖欲明被時
之益至重等目故[illegible]

雖名有殊，且約前說。第三惣別偈序是別，長行是惣，惣別可知。第四明音異，流演
聖教非信不傳，故此偈序寄嘆戒功，勸信奉脩，以明序義。和合以下大聖欲明被時
之益，種重青相，故彰其發起。第五先後次第，問發起前，然後在後說勸信偈後
迴在前明，所以爾者，答二種：一不便，故作如是一章。制戒之相隔於勸信，發起不便二
顯量无發，勸信不具。若勸信前明，順前兩義，故迴發起勸信後說，有何不勞為
妨，理而竟之。勸信之偈乃在流通，事後何以不對正宗等以辨先後，故知不爾。但
勸信雖後，法須前明。第六隨文料釋，偈文為三：初稽首禮三字是立何敬之之儀式
二諸佛已下七字是何所敬，顯所敬境。三今演已下是何敬意，彰其敬意，所謂略廣嘆
戒勸信。稽首禮　次明能敬之辭。頭頂臨足，身業致虔，故曰稽首。又稽者至也，
首者頭也，以頭稽首，謂謙至等。八者身口意業：身業恭敬禮，口業稱揚讚嘆，
意業信敬尊重。此既能敬人業具成身口意業。若局明敬，辨其唯信數。
諸佛及法比丘僧　次明所敬之境。衆聖非一，稱之諸。有敬敬主而兼禮餘，佛者顯
教道理均化儀无二，諸佛平等，故須齊敬。佛者西音，此方釋覺，具一切智，通達
諸法，自覺覺他，三覺圓滿，故名為佛。已上稽首通下三句，言之為及。所言法者有其二義：
一執辨解法，名自辨；二執用釋名法，行者執別所竟。比丘者是西音，智度論中
三義解釋：一名乞士，二意怖魔。乞士一者資身，去道離四邪命，正命自活，故云乞士。二者益
施主，僧田以施，獲反報之福，是故消乞。二名破煩惱，比丘者破，立名煩惱，能破煩惱，
故名比丘。三曰怖魔，能怖於魔及魔人民，故名怖魔。具足三義，故曰比丘。所言僧
者，亦是西音，此名和合，謂四人已上於理於事絕去乖諍，名和合衆。比丘者能
成之因，僧者所成之衆。惣別合舉，故曰比丘僧。此三種□世所珍貴，咸稱為寶。三
寶不同，略有二解：別相、住持、九種之異義，如經論廣辨。今論比丘法，令正法久住
從此已上彰其敬意，有二：一就別敬，二約物敬。言別敬者，敬僧意在一，僧是教主，將傳聖
教，寧不致虔。表師資，有在二報恩供養，三開示增上尊奉之儀，四請威加護。敬法
三意：一法是所傳之旨，真益執聚，故亦須敬。二示尊奉之儀。三請威加護。次物敬者
雖以論云：開發衆生三寶念，是故稽首禮三寶。成實論云：三寶最吉祥，故我住初說
今律主敬者，為比丘演勸時生信，稟化相傳，有久住之益，是其大意。先辨
初文，於毗吐宣，故今演毗尼。西音此方稱滅，包藏由於行教，既辨彰名，故說
此教為毗尼之名，乃有多義，如三藏義說：一能引生是毗尼義，謂第三羯磨
受時能引生四万二千功德，一時並起。二能教身口清淨及正直是毗尼義，為
離業濁煩惱濁，故名身口清淨，正直故向涅槃。三有滅義是毗尼義，往離諸

此教乃毗尼之名乃有多義　如三藏義說一能引生是毗尼義謂第三羯磨
竟時能引生四万二千功德一時並起　二能教身口清淨及正直是毗尼義　乃
離業謂損惱謂故名身口清淨正真故向涅槃　三有滅義是毗尼義住離諸
惡業非不生故名為滅　四引勝故名毗尼謂引倍入道引小入大令凡入聖等五勝人
所行是毗尼義謂一切聖人同行此法物攝律教一切都盡既有多義今翻滅者謂
能得於滅且當第二句涅槃　第三滅義但經論處明滅義今且略弃少多所竟正
法之難有四今約行教二法而明正法故善見云仏語阿難我滅度後有五種法令
法久住一毗尼者是汝大師　二下至五人持律在世　三若有国中十人邊地五人如法受戒
四乃至有廿人如法出罪　五以律師持律故仏法住世五千年又論說竟衆八之現稱為
正法之由人弘能通法之在人及更無不隆故今令正法久住　戒如海无涯如寶求无厭欲
護聖法汝衆集聽我說　此一偈略嘆戒功勸修奉備所防之惡既有无量寧能防
之戒寧有涯際故經云說竟衆生无邊戒亦无涯七寶之珍世所貴求之无厭七善
律儀聖人所尊智者脩學而无疲勞求之无厭五果珎寶轉桂不淨愚人常護
勸令脩修等七法能資聖道故名為寶智者常護勸令脩學戒律法门故曰聽我說
欲滅四棄法及滅僧殘法彰此捨墮衆集聽我說　此一偈文勸捨雜惡不善之業而令飛
出涅槃正因故多論說戒有四義餘經所无　一者戒是仏法平地万善由之生長　二者
諸仏弟子皆依戒住一切衆生由戒而有　三是趣涅槃初门　四是仏法瓔珞而能莊嚴
諸仏正法以此義故持戒之力能滅諸惡故勸聽說　毗婆尸式弃毗舍拘留孫俱那含
牟尼迦葉釋迦文諸世尊大德為我說是事我今欲善說諸賢咸共聽　此偈之
文引仏為證廣略二教七仏同說是故我今勸令奉脩聽徒非一諸並有和耳三齊
釋賢兼仁者齊志詳喩故爰咸共聽　譬如人毀足不堪有所涉毀戒亦如是不得
生天人欲得生天上若生人间者常當護戒足勿令有毀損　此二偈文而明持犯兩法
明義其毀犯後乃況其護持人欲遠涉事必須其脚足若欲遠至涅槃應
存戒品具足之人足既損難進遠涉若戒足闕沉溺三塗故今勸令護戒如足是以經說
如人无足欲行遠路如鳥无翅欲飛昇高如海无船欲度彼岸是不可得若无淨戒
欲得聖果无有是處是故護戒勿令毀損　如御入嶮道失轄折軸憂毀戒亦如是
死時懷恐懼　此偈明毀戒之義御以喩前身轄喩前律儀軸喩根本若失小戒即犯根本
故涅槃云勿輕小罪以為无殃水渧雖微漸盈大器毀戒之喩亦復如是不護小戒即有犯
重之憂故四分律云破戒之人有五種過一欲自害二智者所呵三惡名流布四臨終生悔
五死墮地獄以此義故勸令奉脩　如人自照鏡好醜生欣慼說戒亦如是全毀生憂喜

无時張弛之儀　此偈明毀戒之義　初二喻身毀喻律儀　後一喻根本　若失小戒即犯根本
故涅槃云勿輕小罪以為无殃　水渧雖微漸盈大器　毀戒之喻名讀如是　不護小戒即有犯
重之憂　故四分律云破戒之人有五種過　一欲自害　二智者所呵　三惡名流布　四臨終生悔
五死墮地獄　以此義故勸令奉脩　如人自照鏡　好醜生欣戚　說戒亦如是　全毀生憂喜
此偈法喻　初明合鏡喻　喻淨戒好醜喻持犯　若戒全持便生喜悅　若毀戒行乃有
憂悲　故毗尼沙云　戒如明鏡　无戒像現　戒如瓔珞　能嚴相好　若照淨戒毀犯為先故
云憂喜　如兩陳共戰　勇怯有進退　說戒亦如是　淨穢生安畏　此偈明進脩持犯　以明兩
陳喻持犯　勇怯喻勝劣　戒行若全便進聖果　以毀戒故退墮惡道　持戒不犯便有涅槃安
樂　惡戒因緣喪失珍勝報　智度論云　破戒之人亦不敬其處　如冢屍　如羅剎　惡心
可畏　如大癘人亦不近　譬如毒蛇難可共住　常懷怖懼　我為佛賊　乃至臨終生悔而无
安樂　持淨戒者諸天常護　正法不斷　故花嚴云　具足能持諸威儀　教授以法常和
敬　善御大眾心无憂　去來今佛共同讚　持戒因緣法久住　是人能報諸佛恩　又云戒是
无上菩提本　應當具足持淨戒　若能堅持於禁戒　則是如來所讚歎　世間王為最
眾流海為最　眾星月為最　眾聖佛為最　一切眾律中　戒經為上最　此偈以勝比劣　世王能
護　故名為最　大海深廣　是故名最　月能圓滿　故名為最　佛具眾德　是故名最　戒含多義
是故名最　故經說言　以因此戒得生諸禪及滅苦智　喻如海淵　能滌潤无涯　戒善理
深資潤无窮　超於萬行　喻若於海　若就行論　定除細亂　惠斷根結　以是勝根　終往
別戒是根本　定惠從生　戒復是勝　約教行者　餘詮定惠　故三藏勝　若論根本此是為勝
今云最者　根本故最　摩得論云　最有四種　一生善勝名最　二藏罪中勝故名為最　三相引
故勝　依有漏戒得无漏戒　是故名勝　四相益故勝　依非心戒起於心戒　可勝當非戒起
故戒經為上最　如來立禁戒　半月半月說　此半偈結前嘆戒勸修　諸文畢竟難明奇意
以彰申後讚美　五字勸修　若久誦即廢　所通之法　直擬己情　自嘆得禮　上來廣略二
教通序文畢　自下廣略二教　發起之意　各分其三　謂序正流通　和合僧集會　從此已下是
別發起之序　四分律云　時有與同師知識別部說戒　法當尊重　眾事來故布薩　眾一處住和合說戒
違者與罪　然云有三種合和　一應來者來　二應與欲者與欲　三現前得呵者不呵　反此別眾
云僧集會者　謂同一界皆應相見　是佛所教作法之時共集一處　若多若少乃至一人
以今說戒是名集會　未受具戒者出　簡異眾儀式　四分律云　時有比丘令餘比丘眾
邊說戒事　佛言應令出　不見不聞處　除人未受戒者　非人未者聽之　又不應在屋亂
作也　若有異眾乃令遠去　下坐應　若未受具戒者已出　若无異眾　應言此處无
未受戒人　沙彌出時應誦五緣十數　不者得吉羅　不來諸比丘說欲及清淨

遮說戒事。佛言：並令坐不見不聞處。除人未受戒者、非人來者，驅之；又不應在尼眾
作也。若有異眾，乃令遠去，下坐應〔言〕若未受具戒者已出。若無異眾，應言此處無
未受戒人、沙彌出時，應誦五德十數。不者得吉羅。 不來諸比丘說欲及清淨
此名和合之義。時有病比丘不來聽戒，佛言應與欲及清淨，隨其廣略。若不見
身相、不口說者，不成與欲。以要言之，一切如法事羯磨因緣，佛聽與欲。若無本緣妄陳欲
法不成與欲。鄭僧說戒，斷上成欲。 誰遣比丘尼來請教戒 此明請儀式。若有
受尼眾請教戒者，此時應起，僧中問請眾中若有具十德者，即應受差遣。若無者，
上坐應作略教授法語，請人言：語尼眾此眾無堪教授尼人，然無善說法者。尼眾應
眾應一心行道，謹慎莫放逸。彼答言爾。若無請者，下坐應答言此處無尼來請教誡。
僧今和合何所作為 此句明問僧所作儀式。若更有餘法事，皆應此時先作。為無餘
事，人應答言說戒羯磨。上來是秉法方便。自下正作二同 大德僧聽，今白月十五日眾僧
說戒。若僧時到，僧忍聽和合說戒。白如是 此明作法儀式。四分律中佛語比丘當王法
黑白二月大小兩日隨國所稱言。若僧時到，謂作法時至；僧忍聽者，勸眾詳和。下白
眾初，故曰白如是。言律云若有四人應作白，三人已下當三語說戒，獨住比丘心念布薩。若
不如是，皆得吉羅。 諸大德，我今欲說波羅提木叉戒 此明發起正說。戒序將欲說戒，故標(?)
之諸大德者，先告眾也。波羅提木叉者，西音，此翻為別解脫。由持此戒別別棄捨種種惡故，又能起
解脫果，立得名為解脫律儀。亦不為惡眾所縛，故名解脫。又最勝隨順解脫，故名波羅提
木叉。是則因標果稱。又律中佛語比丘：新受戒者未得聞戒，不知何等，聽集一處和合說之。
波羅提木叉者，戒也。 自攝持威儀，住處行根，面首集眾善法，三昧成就。當結當說當
發起演布開現，反覆分別 眾集現前，默然聽(?)，善思念之 此明聽法儀式。是故律云同
羯磨者集在一處，乃至應訶者不訶，是名如法。若眾大聲小數，妙高坐上而說。
八難緣隨時略說。若容舊來集數有多少，說至此序吉淨便聽。應如律錄道(?)
專心而聽律法，是名善思念之。 若自知有犯者，即應自懺悔；不犯者默然。默然者，知諸
大德清淨 此句明犯不犯義。所言犯者，不離[illegible]之人，於[illegible]身口遠禁，故為過不善行，
汙本所受，名之為犯。慚愧退謝，還令淨本，立名為持。雖非一往善，義然立毀而還淨，
第二自法，故名犯已能悔。是故律云：有二種智人，有罪能見，見已如法懺悔。所言不犯
者，上行之流，一往順教，惡離善行，故名不犯。所以律云：無犯有二，若本不犯，犯已能悔，
同名無犯。若欲懺者，當詣清淨比丘說犯名字，如法除已，方得聞戒。若無犯者，即
當默然，表心淨故。 若有他問者，亦如是答 此句明相問義。律云：非但誦戒之時須如
是答，若有餘人問，若如是故。四分律云如是答者，辭[illegible]比丘相問答[illegible]

問名無犯若欲悔者當詣清淨比丘說犯名字如法除已方得聞戒若無犯者即
當默然表心淨故 若有他問者亦如是答 若問相問義律云非但誦戒之時須如
是答若有餘人問若如是故四分律言如是答者辟如一一比丘相問答世是名亦如是
默然比丘在於眾中乃至三問憶念有罪不懺悔者得故妄語罪 此明違教罪四分
律云嘿妄語者得吉羅罪罪是故眾中問時憶念有罪即應發露若妄不發雖嘿無
罪若正說戒時彼時憶念以亂大眾即應心念發露說戒已後如法懺悔 故妄語
者佛說障道法 此明違罪果報言障道者妄語之罪能令眾僧隨三惡道不
獲聖果名障四禪及三三昧乃至四果是故律云比丘如彼大海不受死屍故
有漂出戒法亦爾不受死屍謂死屍者非沙門自言沙門犯戒惡法不
淨穢污邪見覆善內懷腐爛外現白淨如空中樹雖在眾坐常離眾遠眾
亦遠彼故不捨罪方成聞戒 若彼比丘憶念有罪欲求清淨者應懺悔得安樂
皆懺法若壞初篇犯罪即應除擯大眾若壞僧殘如律處懺乃至吉羅罪類亦可
知由懺因緣三業得淨是以律中佛告比丘以戒學淨謂得淨言乃至提舍尼後得
淨三學淨故能引諸禪及證聖果故曰懺悔得安樂 諸大德我已說戒經序今問
諸大德是中清淨不（三） 諸大德是中清淨默然故是事如是持 皆結成受持也由眾默
然故法事皆成雖有三問共是一法故但得一罪 上來以明序略前教發起別序
從此已下即明序教正宗 諸大德是四波羅夷法半月半月說戒經中來 自下正宗之內物
有八門以階輕重此一初明第一戒篇一篇之內皆有三段初標說儀次陳本戒後問
清淨言前一白文是其標世下至七問皆准於此 問何以得共序教者 答僧尼不勝
名利廣生有漏壞其略教是以如來隨有缺犯制廣補之使犯相斑經重位別教
禁拳據有當時之益原其在此故號正宗之言不出身口正善受之與持犯相經
重但人多釋不可具錄今且略據宗承亦有二種一者止持八相第二者作持門相此
二種持能攝戒經始終物盡戒本之內且從八節料義此八為五犯兩種解釋第一
總相解釋第二名別釋義總相之中四門分別第一五篇第二七聚第三方便第四
持犯此位中五篇雖是究竟以其根本究竟業道是以先明雖然究竟前後眷屬
相名須識是故七聚以為第二七聚之義名含輕重五七之果戒本由因遠緣善不
不可有盡暢思業故方便以為第三既識過相階善理須護持犯乃為第四
欲明五篇四解釋第一釋位第二得名第三五以第四次第 第釋位者雖尼正善
為宗故用能治戒門以為所明四分律中名五犯聚僧祇以為五篇并以一名說四
豪名初篇十三僧殘以為第二篇卅九十共為第三篇四提舍尼為第四篇眾學及

不可有盡暢思業故方便以為第三既識過相陷善理須護持犯為第四
欲明五篇四解釋 第一釋位 第二辨名 第三立五 第四次第 第一釋位者毗尼云善
為宗故用能治戒門以為所明 四分律中名五犯聚 僧祇以為五篇 對以一名說 四
衆名初篇 十三僧殘以為第二篇 卅捨卅以為第三篇 四提捨尼為第四篇 衆學及
滅諍為第五篇 所言篇者輕重相形是故名篇 又云篇者類也 又說均等名
篇各具三均故名為篇 一者名均齊 二者體均齊 三者究竟均齊 具此三均齊等
故得篇名 如前篇名四戒 俱名波羅夷 輕重義等 有此相似得為初篇 餘非類
者理不然 同乃至第五類亦同尔 第二辨名者 波羅夷當體得名 祇云極惡三
義故 惡一者退沒 謂退失道果 二不共住 非二僧攝故 三者墮落 捨此身已 墮阿鼻
地獄 故即此極惡之名 當罪人是故當體得名 僧殘者 境體受名 犯此罪已 垢纏行
者非全堪用 故名為殘 有殘之罪 由僧除滅 故名僧殘 言墮者 從體及境作名 又云隨
義 墮罪有此能 故從功能作名 言提捨者 從對治境互而責過受稱 文言戒犯可呵
法 言吉羅者 從其義立名 故見論云吉羅名惡作 第三立五之意 言業有五 盡立
為五篇 立可唯俗制道 如五形罪 或可如業隨根之教 略標其五 第四次第先
就所防罪 解推尋本制之興 隨犯而禁 輕重事亂 先定今明 次第可依 准蓋是大聖
欲令斯法 佛傳遐代 故命優波離 曲宣方執 示以輕重次第 然後波離 佛涅槃後
一依聖教 集仏所制 以死之罪 宜加先勒 故弁在初 餘次輕者 依其所陷 依乃至五類
以可知 若據能防行次第者 初篇是八根本 故須先明 初篇行壞 下四枝攜 焉能
得生 是故初篇先立根本 八既立已 不將衆法 不成綱綱 不立何能兼法 故立衆行
為第二篇 衆法難成 若不將律儀綱網難立 故明第三 身口威儀 既尓 若不
離譏過 若不敬順三寶 陳懲玆諍 又恐滯縛在三有 焉能出離 是故第五
篇敬順三寶 威儀淳熟 趣道之行 此據根本所以初勝 若據難防 第五
勝乃至初易 第三七聚四門分別 一約位 二名立 三偷蘭先後 四入篇不入 言約位者
罪為第一 十三為第二 一切偷蘭為第三 捨墮為第四 提捨為第五 惡作為
第六 惡說為第七 所言衆者 衆罪非一 聚在一處 名之為聚 言立名者 初篇
當體 殘約境 義蘭就所防罪立名 體唯不善 故見論偷蘭名大遠 能障道
故名為偷蘭 提墮功能 可呵約責立名 第六約作得名 故曰惡作 第七就說為名
故言惡說 言偷蘭先後者 偷蘭過遠 故能治之行 在戒門攝 若約離往
亦須在第五 以轉會方便 究竟之異 雜門所收 遠重是故須在均下雜上
位當第五 又解作因 故三為果 故五為舟 或他義故尓 言入不入者 凡入五篇實

BD00917號　四分律戒本疏卷一

（20–15）

故言惡說　言偷蘭先後者偷蘭遏遮故能治之行在戒門攝若約雜往
亦須在第五以轉會方便究竟二異雜門不收邊重是故須在均下雜上
位當第五又解作因故三為果故五為所成他成故尒　言入不入者凡入五篇宜
具三義一者均二轉均三究竟等四聚並具此義蘭中但有名均雖是蘭聚
獨餘二為以通因果含輕重故不入五篇六言輕重有四種別一不可懺如二逢
是二大衆蘭初二篇下是　三小衆蘭　四對手蘭人邊懺輕者出衆四人中懺殘邊
重者同義生輕殘邊輕者對手懺有七差別故不入篇　第三方便於中有三
一者遠方便　二者進趣方便　三者近緣方便　遠者有果而不成　進趣者道成果　近緣
九者無果而可成　言遠者而自覆藏罪是之不發露覆藏生於後犯名
方便終不攬此以成於彼故名為遠論其正辭其唯究竟教人蘭者
類多因尒廣論五犯悉可為遠如自稱得聖遠賢犯盜如初五殘
不淨小緣提中說故取衣同宿坐貸犯初戒下准說可知舉此為犯與
處為緣餘觀相逢容有由籍如斯等類名遠方便　二進趣方便者心埽事身口
運動造境未成故名進趣如律六明夫偷蘭是名進趣方便　三近緣方便於中有
七　一者近緣　二者境强　三者緣善　四者境善　五者想心　六者疑心　七善心息
物名近緣設在名近緣方便　二境强方便者如欲煞人前境入定或反害我彼
緣强善此進趣攤見不成故境强　三緣善方便者欲煞害前人更有異人突伏呪事
發覺或有緣來善意不遂煞事者於緣善方便　四境善方便者如非人想
非人疑等是下人說欲煞王人張人來替者是　五想方便者起心煞人心緣非人
者是　六疑心方便者起心煞人而生疑心為人為非人而人難死緣於兩境疑心煞者後有
境結罪　七善心息方便者可知上七方便諸部不定祇律性惡但五便方謂從境判闕無損
疑文言黃門二根疑屬女人為殘故遮應具七如生非生相疑等吉若緣五為不問遮往一切僧
言謗無疑故以疑是兩緣順有緣本以故使從境制其心罪是以文言是女疑殘非時疑
等不滿疑皆得提罪故想究竟故不問往遮心境相應犯不相應輕或蘭吉殺人非
人想煞蘭女男相黃門二根觸蘭若就四門具足七方便　第四持犯此戒六門不過二種持
犯就此二種各有其兩言二犯者廣造諸惡作罪成犯名為作犯於善不備心而有違
名曰止犯對此二過故立兩持若不作惡一切惡息離苦不究竟須明
止持以殊作犯若後不共修一切善心得果滿足為欲得果滿足故須并作持以歸四果故須
二種此尋對文說可知若約身口并持犯者離煞盜觸等身止持如應來者收攝卧具

名曰止犯對上二邊故立兩持若不作懸一切惡不離苦不究竟為欲離苦究竟須明
止持以務作犯若後不作修一切善以得果滿足為欲得果滿足故須并作持以翻止果故須
二種此等對文鋭可知若約身口弁持犯者離煞盜婬觸等身止持如應來者捉攝卧具
然燈不安坐食等類是身作持離口四過如妄駡等可是口止作犯者咸來此故
是口止持如受衣持鉢處分說淨離衣六年伏業二年六法作羯淨語傷地壞生二大
聚落及順教脩習等是口作持身口合者准說可知身口兩犯及對而說意戒身口
故不須別說意雖有持犯如律六竟六犯所起中由身口及當審觀其意故以何
何以等皆是助成身口論云然獨意持无犯故文但意不犯合六犯中由身口不由意等
是故成論十不善業道六閂一切業意業大六以所不結罪者得罪極果結戒
法異故分此二種持犯義如律度明從此下隨八文々別釋先就初篇兩種分別
第一物相分別　第二緣支差別　說先就物相十門分別　一業不孤起要由等友等
雖无量不出三毒故以初四配於三毒成犯之相友雖由等暢忌發具々而論亦說
身口是以第二解身口成犯身口之業不過自作教人故次第三自作教人業不自
成要由託境是以第四犯境究[竟]犯境雖衆要過自他乃是第五境有自他境
緣雖具无以成戒以有冠傷六顧不同對境差殊犯不犯己故次第六并其冠傷業
同雖以六釋冠傷之殊及至遠趣境有差牙以有謬妄有犯不犯故此第七錯誤同
異八下衆位遂九立意次第十對治持犯　竟起由三毒者不淨行戒唯己利己乃遂彼
以三起貪成盜煞二戒遠損盡以三事起是以三事成妄語戒之以利己乃遂与初不
同貪瘦起成媱事者起善生云若自樂以非梵行是名從貪若媱怨家眷屬
名從瞋於所生母以非梵行名從癡而境說暢思故妄貪以成盜三事起戒者貪
以起戒可知若盜怨家非物及燒埋等瞋起瞋戒若盜下姓是名從癡又称律
云摩訶帝用仏僧物是癡起瘦成煞三起成准說可知妄語現利貪順情故
无瞋心差思戒業若小妄語理即通三　二身口者伍三媱戒身犯非口事受形交非身
不并故不盜煞二戒盜未離處煞斷相續故身業犯自作遣使彼此俱并故口有
有犯如呪物過淵教人盜煞等是妄語口業止犯須己得聖諦稱名利非言不宣
故口止犯如作書現相又在犯限故身亦有成此緣成論身口并遣三自作教人位空有
三媱戒自重教程教人為非樂在前人過非我故餘教不重去家之人應勸人脩善
反更勸惡故餘教闡盜煞二戒遠通損益自作教人損境无殊暢思文齊故了自作教
人彼我俱犯妄語自作正犯教人同不同若遣人稱己得聖名利權己与自作无
殊教尋引己所教人見怪若直教人自稱得聖彼旣於戒无罪故身已前苦尚均

BD00917號　四分律戒本疏卷一

故口已犯如作書現相是在犯限故身之有戒此作戒論身口不違三自作教人受不
三婬戒自重教輕教人為非樂在前人邊非我故能教不重出家之人應勸人修善
及更助果故能教蘭盜殺三戒通通損蓋自作教人損境无殊暢思之齊故可自作教
人捉我俱犯妄語自作正犯教人同不同若遣人稱己得聖名利擁己為自作无
殊故得同犯所教人犯輕若直教人自稱稱利擁彼於我无潤故俱犯蘭若初
篇說若因此說論自重教輕初歎是自輕教重尼教僧漏失是自他俱重盜婬損
壞及一切同犯者是自他俱輕是勸是若犯不犯說之有罪可知若約結所以說作
兩人四句之可知問自他結所此義何異若自他者不論所教七衆之業但取能教之
業對自作并若更能所以能教罪与所教五衆有罪者對說淺異　四犯境寬狹
但二婬戒說三境是殺名寬餘三局在人境殺故狹已婬欲之性順情內遂語心厚重
不釋偷之義要誰問人畜但使正道暢思无殊故三趣犯以道相當然　五下之三戒事差
於外損在前境趣別報殊增微優劣暢思皆隆故人犯人犯餘趣輕　五自他任
二不淨八戒自他境起如緣青等是下之三戒要在他境盜以重故所以重自盜无別可
損故聖不割　問何以盜得已衣蘭若他衣已衣共在處受取他衣借得已衣謂他衣上
境義得蘭由己衣作境義而得故言已衣蘭而已衣无罪以自施自握等物可知經
他犯戒故民犯境誑欺現利何須自誑　第六對淨分別　若望初戒對淨俱犯下之三戒
如其大淨隨三趣境重輕結犯若也等對是之三戒各稱境犯義等若境差三戒境差
蘭若論同趣為異境單雙並无犯雙雙但犯輕若非情无主物為異境單雙俱不
犯一境既不爾說即无量若其就對并淨隨意在人報不同張王者是若望同趣對
淨但犯義若非畜為異境上半單雙境對淨俱无犯下半雙雙對淨並犯輕若
非情无主物為異境對淨俱无犯一趣既不爾餘非之然　七錯誤凡言錯誤皆是
殊緣不當之隨若遂事由尋事在雜分若隨名對宜任容有別錯誤境差誤
壞以緣凡現緣二境相別應然及至造趣民事有殊二境交涉名之為錯若
緣乇隨彼以相謬妄稱之為誤說四戒配任名錯四弟以三對婬戒錯誤俱犯良以遂
起內情但得正道暢遍不殊不隨餘但是故誤犯文言道疑道非道想名義又不
簡三趣縱有交涉但當正道錯名民重　弟二誤對三戒俱重以其誤无兩並不得
云无以故誤俱犯文言男相盜疑誑女似言惑故　弟三以錯對三戒俱不犯謹餘境本
无以故如墮胎藕故所以知毒錯損對妄語所稱法錯損俱不犯如欲稱聖而言凡錯
稱非境如增上慢人迷凡謂聖損以非巧故並不犯　弟八下衆任遂如方為時數之然
盜及稱已聖教已受具所教之人遂本言教穫財斷命各解能教方本三性之
中至是犯三波羅夷若受戒後教事及罪限戒果等以其善因圓滿已上文

云无以故說得犯文意為伯盜盜誹女以言成就第三六僧對三戒俱不犯謹餘後本
无以故如墮胎勸殺以知事盡借損對妄語以稱法借損俱不犯如欲稱聖而言凡錯
稱非境如增上慢人迷凡謂聖損以非巧故並不犯　第八下眾任運如沙彌時殺之類
盜及稱已聖教已受具以教之人遂本言教擁財斷命欺前合解能教沙彌三位之
中任運犯三波羅夷若受戒竟欲以教事成罪戒俱得以其善因圓滿更業成就故
欲无任運可知　九立意以次弟者但聖制戒欲令調伏貪嗔癡盡故為諸篇立說增戒學
問戒能防非不斷惑結何以而言對之制戒　答若舉對治而言戒能防非云除
細亂漬惡能斷結但真惠不孤要必因禪定由淨戒此推功得本故言制戒為斷三毒
譬如有人欲出去江先塞泉源戒丈如是為持戒故能斷三毒乃至菩提多辭成既諸
戒同世尊次弟者僧祇律云五年冬分第五半月十二日制也初戒即是月廿七日餘
三戒六年並冬分盜第二半月十日謂九月十日殺第三半月九日即是九月廿四日妄語弟
四半月十三日謂十月十三日又釋次第謂鄣道輕重說其次第　第十持犯對治
比丘四篇戒必持作犯言對治者謂離清淨對初少欲之八對盜慈悲之八治殺實
語云除妄語是　婬戒第一　從去已下別解初戒於中有四一制戒意二釋名字
三具緣成犯四明緣義　去之四者並有通別諸戒例然一制戒意通二別　言通意者
如多論云以緣戒故滅得未起非法二滅得已起疑網能知輕重識別攝除對治故以
善護僧中不令非重名種三福生十利以法正當制意略如律言如來出世見眾過
失謂十種利与諸比丘制戒乃至正法久住是通意義該諸戒下不更說　第二
別意婬欲之性能是雜識生死根本若不斷除沈輪三有莫能出離障道
之愿勿過於此佳道之深寧容不禁是以聖制　二釋名字亦有通別通者戒是通名
不淨行等是別号言不淨之行是婬欲之法是以防過戒是能持之目但略明是通戒相
雖亦寄緣鄣欲使觀過然欲術不淨觀離欲行成能亦通舉故名不淨行戒
三具緣成犯多有通別言通者三一是大比丘簡非以被擯等並是故　二制齋教後以
其所人教未攝故三无重病壞心簡癡狂等去之三義說括上下故明了論云若人
已受大比丘戒若如來已制去戒若人不重癡狂是人既犯底戒乃至吉羅皆同已說
下更不標言別者具四緣一有正境二有染心三起方便四与境合若有犯遍多緣
成一正境二犯遍三与境合四者受樂是戒通三別七緣成犯　四明緣義一解明
通緣全无罪可知六明初及弟二等有罪即方便中明緣方便等无罪可知
明弟二全无罪次明別緣若明初緣非通道疑得一偷蘭明二三兩緣无犯明弟四緣有
二偷蘭從破戒儀身手未及蘭說小眾對手三說攝從身手相及至未成重蘭說大眾底

下更不標 言列者具四緣 一有正境 二有染心 三起方便 四与境合 若有然遍是緣
成犯 一正境 二染心遍 三与境合 四者受樂 上戒通三 别七緣成犯 四開緣義 一解開
通緣 全无罪可知 六開物及第二等 有罪 即方便中開緣方便等无罪可知
開第二 全无罪 次開别緣 若開物緣非通 頂疑持 二偷蘭 開三三兩緣无犯開第緣有
二偷蘭 從破威儀身手手 及捉蘭 說小乘 對手三說 捕從身手相及重手 成重蘭 說大衆應
三乞乞 應一百乞乞 是應三說 然遍開緣 此說可知 開通但方便開別有四 但五方便
從此已下正明戒本 諸戒制開不同 以物戒文有其三 一略制 二隨制 三廣制 言略者以此
戒最初因須提那比丘起過故制 言隨結者 後因跋闍比丘 闍比丘不樂梵行 所便還
家 仏因隨結 言廣者 後有乞食比丘林中与畜起過 仏因此人廣制 故名諸是戒本
言開者 以初篇因目連開僧上得 第二篇海夫開多中 第三篇别食說欲七五緣等
皆隨開 乃至吉羅 類名可知 今前諸是戒本也 若比丘共比丘同戒 若不還戒 戒羸
不自悔 犯不淨行 乃至共畜生 是比丘波羅夷 不共住 七 諸是戒本句有其八 初略舉
後廣釋 初句明受法行 次句雜明受法共 三同戒者 雜明行法 四不還戒者 明淨不
捨有戒可犯故 五戒羸不悔者 雜歡道 猶同犯往故 六不淨行等者 說境非 第七
戒者結罪 第八不共住者是治擯也 後廣釋 六 言若比丘者 四分律云 名字比丘 相似比丘
自稱比丘 乞求比丘 著割截衣比丘 破結使比丘 善來比丘 受戒白四羯磨如法成就得處所
比丘 次釋比丘義 言名字比丘者 是通别之義 相似比丘者 犯重人 內實破戒 威儀
相顯似他持戒 故曰相似比丘 自稱比丘者 十誦律云 謗賊住比丘 自言我是比丘 故曰自稱比
丘 言乞求比丘者 順於聖教 以乞資身 離五邪命 正命自活 故名乞求比丘 言著割截
衣比丘者 著壞衣有二利益 一毀其細好 離自貪著 二不為王賊之所貪奪 常有資
身受用之益 奉從聖教 恒著壞衣 故名著割截衣比丘 言破結使比丘者 理解心中所發
戒 故曰也 言善來比丘者 仏命善來 即為具戒 故名善來比丘 言白四羯磨法成就得處所

中心慇重如淨瑠璃无諸瑕穢復聞
大菩薩授記之事亦由過去久脩正行誓
因緣是故我今皆與授記於未來世當成阿
耨多羅三藐三菩提時彼樹神聞佛說已
歡喜信受
金光明冣勝王經除病品第二十四
佛告菩提樹神善女天諦聽諦聽善思念之
是十千天子本願因緣今為汝說善女天過
去无量不可思議阿僧企耶劫尒時有佛出
現於世名曰寶髻如來應供正遍知明行足
善逝世間解无上士調御丈夫天人師佛世尊
善女天時彼世尊般涅槃後正法滅已於像
法中有王名曰天自在光常以正法化於人民
猶如父母是王國中有一長者名曰持水善
解醫明妙通八術衆生病苦四大不調咸能
救療善女天尒時持水長者唯有一子名曰
流水顏容端正人所樂觀受性聰敏妙閑諸

BD00918 號　金光明最勝王經卷九　（11–1）

猶如父母是王國中有一長者名曰持水善
解醫明妙通八術衆生病苦四大不調咸能
救療善女天尒時持水長者唯有一子名曰
流水顏容端正人所樂觀受性聰敏妙閑諸
論書畫筭印无不通達時王國內有无量百
千諸衆生類皆遇疫病衆苦所逼乃至无有
歡樂之心善女天尒時長者子流水見是无
量百千衆生受諸病苦起大悲心作如是念
无量衆生為諸極苦之所逼迫我父長者雖
善醫方妙通八術能療衆病四大增損然已衰
邁老耄虛羸要假扶策方能進步不復能
往城邑聚落救諸病苦今有无量百千衆
生皆遇重病无能救者我今當至大醫父所
諮問治病醫方秘法若得解已當往城邑聚落
之所救諸衆生種種疾病令於長夜得受
安樂時長者子作是念已即詣父所稽首礼
足合掌恭敬却住一面即以伽他請其父曰
慈父當哀愍　我欲救衆生　今請諸醫方　幸願為我說
云何身衰壞　諸大有增損　復在何時中　能生諸疾病
云何噉飲食　得受於安樂　能使內身中　火勢不衰損
衆生有四病　風黃熱痰癊　及以揔集病　云何而療治
何時風病起　何時熱病發　何時動痰癊　何時揔集生
時彼長者聞子請已復以伽他而荅之曰
我今依古仙　所有療病法　次第為汝說　善聽救衆生
三月是春時　三月名為夏　三月名秋分　三月謂冬時
此據一年中　三三而別說　二二為一節　便成歲六時

BD00918 號　金光明最勝王經卷九　（11–2）

時彼長者聞子請已復以伽他而答之曰
我今依古仙　所有療病法　次第為汝說　善聽救衆生
三月是春時　三月名為夏　三月名秋分　三月謂冬時
此據一年中　三三而別說　二二為一節　便成歲六時
初二是花時　三四名熱際　五六名雨際　七八謂秋時
九十是寒時　後二名氷雪　既知如是別　授藥勿令差
當隨此時中　調息於飲食　入腹令消散　衆病則不生
節氣若變改　四大有推移　此時无藥資　必生於病苦
醫人解四時　復知其六節　明閑身七界　食藥使无差
謂味衆血肉　膏骨及髓腦　病入此中時　知其可療不
病有四種別　謂風熱痰癊　及以總集病　應知發動時
春中痰癊動　夏內風病生　秋時黃熱增　冬節三俱起
春食澁熱辛　夏膩熱醎酢　秋時冷甜膩　冬酸澁膩甜
於此四時中　服藥及飲食　若依如是味　衆病无由生
食後病由癊　食消時由熱　消後起由風　准時須識病
既識病源已　隨病而設藥　假令患狀殊　先須療其本
風病服油膩　患熱利為良　癊病應變吐　總集須三藥
風熱癊俱有　是名為總集　雖知病起時　應觀其本性
如是觀知已　順時而授藥　飲食藥无差　斯名善醫者
復應知八術　總攝諸醫方　於此若明閑　可療衆生病
謂針刺傷破　身疾并鬼神　惡毒及孩童　延年增氣力
先觀彼形色　語言及性行　然後問其夢　知風熱癊殊
乾瘦少頭髮　其心无定住　多語夢飛行　斯人是風性
少年生白髮　多汗及多瞋　聰明夢見火　斯人是熱性
心之身本整　慮審頭津膩　夢見水白物　是癊性應知
總集性俱有　或二或具三　隨有一偏增　應知是其性

BD00918 號　金光明最勝王經卷九　（11–3）

少年生白髮　多汗及多瞋　聰明夢見火　斯人是熱性
心之身本整　慮審頭津膩　夢見水白物　是癊性應知
總集性俱有　或二或具三　隨有一偏增　應知是其性
既知本性已　准病而授藥　驗其无死相　方名可救人
諸根倒取境　尊醫人起慢　親友生瞋恚　是死相應知
左眼白色變　舌黑鼻梁攲　耳輪與舊殊　下脣垂向下
訶梨勒一種　具足有六味　能除一切病　无忌藥中王
又三果三辛　諸藥中易得　沙糖蜜蘇乳　此能療衆病
自餘諸藥物　隨病可增加　先起慈愍心　莫規於財利
我已為汝說　療疾中要事　以此救衆生　當獲无邊果
善女天尒時長者子流水親問其父八術之
要四大增損時節不同餌藥方法既善了知
自忖堪能救療衆病即便遍至城邑聚落所
在之處隨有百千万億病苦衆生皆至其所
善言慰喻作如是語我是醫人我是醫人善
知方藥今為汝等療治衆病悉令除愈善女
天尒時衆人聞長者子善言慰喻許為治病
時有无量百千衆生遇極重病聞是語已身
心踊躍得未曾有以此因緣所有病苦悉得
蠲除氣力充實平復如本善女天尒時復有
无量百千衆生病苦深重難療治者即共往
詣長者子所重請醫療時長者子即以妙藥
令服皆蒙除差善女天是長者子於此國內
百千万億衆生病苦悉得除差
金光明最勝王經長者子流水品第二十五
尒時佛告菩提樹神善女天尒時長者子流水

BD00918 號　金光明最勝王經卷九　（11–4）

令服皆蒙除差善女天是長者子於此國內
百千万億衆生病苦悉得除差
金光明最勝王經長者子流水品第二十五
尒時佛告菩提樹神善女天尒時長者子流水
於往昔時在天自在光王國內療諸衆生所
有病苦令得平復受安隱樂時諸衆生以
病除故多脩福業廣行惠施以自歡娛即共
往詣長者子所咸生尊敬作如是言善哉善
哉大長者子善能治長福德之事增益我等
安隱壽命仁今實是大力醫王慈悲菩薩妙
閑醫藥善療衆生无量病苦如是稱歎周遍
城邑善女天時長者子妻名水肩藏有其二
子一名水滿二名水藏是時流水將其二子漸
次遊行城邑聚落過空澤中深險之處見諸
禽獸豺狼狐玃鵰鷲之屬食血肉者皆悉奔
飛一向而去時長者子作如是念此諸禽獸何
因緣故一向飛走我當隨後暫往觀之即便
隨去見有大池名曰野生其水將盡於此池
中多有衆魚流水見已生大悲心時有樹
神示現半身作如是語善哉善哉善男子
汝有實義名流水者可愍此魚應與其水有
二因緣名為流水一能流水二能與水汝今應
當隨名而作是時流水問樹神言此魚頭數為
有幾何樹神荅曰數滿十千善女天時長者
子聞是數已倍益悲心時此大池為日所暴
餘水无幾是十千魚將入死門旋身婉轉見

BD00918號　金光明最勝王經卷九　（11–5）

當隨名而作是時流水問樹神言此魚頭數為
有幾何樹神荅曰數滿十千善女天時長者
子聞是數已倍益悲心時此大池為日所暴
餘水无幾是十千魚將入死門旋身婉轉見
是長者心有所希隨逐瞻視目未曾捨時長
者子見是事已馳趣四方欲覓於水竟不
能得復望一邊見有大樹即便昇上折取枝
葉為作蔭涼復更推求是池中水從何處
來尋覓不已見一大河名曰水生時此河邊
有諸漁人為取魚故於河上流懸險之處決
棄其水不令下過於所決處卒難修補便
作是念此崖深峻設百千人時經三月亦未
能斷況我一身而堪濟辦時長者子速還本城
至大王所頭面禮足却住一面合掌恭敬作
如是言我為大王國土人民治種種病悉令安
隱漸次遊行至其空澤見有一池名曰野生其
水欲涸有十千魚為日所暴將死不久唯願
大王慈悲愍念與二十大象暫往負水濟
彼魚命如我與諸病人壽命尒時大王即勅
大臣速疾與此醫王大象時彼大臣奉王勅
已白長者子善哉大士仁今自可至象廄中隨
意選取二十大象利益衆生令得安樂是
時流水及其二子將二十大象又從酒家多
借皮囊往決水處以囊盛水象負至池寫
置池中水即彌滿還復如故善女天時長者
子於池四邊周旋而視時彼衆魚亦復隨逐

BD00918號　金光明最勝王經卷九　（11–6）

時流水及其二子将二十大象又從酒家多
借皮囊往決水處以囊盛水象負至池寫
置池中水即弥滿還復如故善女天時長者
子於池四邊周旋而視時彼衆魚亦復隨遂
循岸而行時長者子復作是念衆魚何故隨
我而行必爲飢火之所惱逼復欲從我求索
於食我今當與尒時長者子流水告其子言
汝取一象最大力者速至家中啓父長者家
中所有可食之物乃至父母食噉之分及以妻
子奴婢之分悉皆收取即可持来尒時二子受
父教已乘最大象速往家中至祖父所説如
上事收取家中可食之物置於象上疾還
父所至彼池邊是時流水見其子来身心
踊躍遂取餅食遍散池中魚得食已悉皆飽
足便作是念我今施食令魚得命願於来世
當施法食充濟无邊復更思惟我先曾於空閑
林處見一苾芻讀大乘經説十二緣生甚深
法要又經中説若有衆生臨命終時得聞
寳髻如来名者即生天上我今當爲是十
千魚演説甚深十二緣起亦當稱説寳髻佛名
然贍部洲有二種人一者深信大乗二者不信
毁呰亦當爲彼増長信心時長者子作如是
念我入池中可爲衆魚説深妙法作是念已
即便入水唱言南謨過去寳髻如来應正遍
知明行足善逝世間解无上士調御丈夫天人
師佛世尊此佛往昔修菩薩行時作是誓願

BD00918號　金光明最勝王經卷九　（11-7）

即便入水唱言南謨過去寳髻如来應正遍
知明行足善逝世間解无上士調御丈夫天人
師佛世尊此佛往昔修菩薩行時作是誓願
於十方界所有衆生臨命終時聞我名者命
終之後得生三十三天尒時流水復爲池魚
演説如是甚深妙法此有故彼有此生故
彼生所謂无明緣行行緣識識緣名色名色
緣六處六處緣觸觸緣受受緣愛愛緣取
取緣有有緣生生緣老死憂悲苦惱此滅
故彼滅所謂无明滅則行滅行滅則識滅識
滅則名色滅名色滅則六處滅六處滅則觸
滅觸滅則受滅受滅則愛滅愛滅則取滅取滅
則有滅有滅則生滅生滅則老死滅老死滅則
憂悲苦惱滅如是純極苦蘊悉皆除滅説是
法已復爲宣説十二緣起相應陁羅尼曰
怛姪他　毗折你毗折你
毗折你　僧塞僧枳
僧塞枳你　僧塞枳你
毗尒你　毗尒你　毗尒你莎訶
怛姪他　那弥你那珂你　那須你
教雞你　教雞你　教雞你
颯鉢哩設你　颯鉢哩設你　颯鉢哩設你莎訶
怛姪他　薛達你薛達你　薛達你
室里瑟弥你　室里瑟弥你　室里瑟弥你
鄔波地你　鄔波地你　鄔波地你莎訶

BD00918號　金光明最勝王經卷九　（11-8）

怛姪他 薜達你薜達你 薜達你
室里悉弥你 室里悉弥你 室里悉弥你
鄔波地你 鄔波地你 鄔波地你莎訶
怛姪他 婆眦你婆眦你 婆眦你
闍底丁里反下同你 闍底你 闍底你
闍摩弥你 闍摩弥你 闍摩你你莎訶
尒時世尊為諸大衆說長者子昔緣之時諸
人天衆歎未曾有時四大天王各於其處異
口同音作如是說
善哉釋迦尊 說妙法明呪 生福除衆惡 十二支相應
我等亦說呪 擁護如是法 若有生違逆 不善隨順者
頭破作七分 猶如蘭香梢 我等於佛前 共說其呪曰
怛姪他呬里 謎 偈睇 健陁 里
旃荼 里 地 驃 騷伐囇石呬伐囇
補囉布囇矩矩末底 崎囉末底達地目契
寠嚕婆毋嚕婆 具荼毋嚕健提
杜嚕杜嚕眦囇 醫泥悉泥杳徒舍反下同娓
達杳娓鄔悉怛哩 烏率吒囉伐底
頻剌婆伐底 鉢杜摩伐底
俱蘇摩伐底 莎訶
佛告善女天尒時長者子流水及其二子
為彼池魚施水施食并說法已俱共還家是
長者子流水復於後時因有聚會設衆伎
樂醉酒而卧時十千魚同時命過生三十三天
起如是念我等以何善業因緣生此天中便
相謂曰我等先於贍部洲內墮傍生中共受

BD00918號　金光明最勝王經卷九　（11–9）

樂醉酒而卧時十千魚同時命過生三十三天
起如是念我等以何善業因緣生此天中便
相謂曰我等先於贍部洲內墮傍生中共受
魚身長者子流水施我等水及以餅食復
為我等說甚深法十二緣起及陁羅尼復稱
寶髻如來名號以是因緣能令我等得生
此天是故我今咸應詣彼長者子所報恩供
養尒時十千天子即於天沒至贍部洲大醫王
所時長者子在高樓上安隱而睡時十千天子
共以十千真珠瓔珞置其頭邊復以十千置其足
處復以十千置於右脅復以十千置左脅邊
雨曼陁羅花摩訶曼陁羅花積至于膝光
明普照種種天樂出妙音聲令贍部洲有睡
眠者皆悉覺悟長者子流水亦從睡寤是時
十千天子為供養已即於空中飛騰而去於
自自在光王國內處處皆雨天妙蓮花是諸
天子復至本處空澤池中雨衆天花便於此
沒還天宮隨意自在受五欲樂天自在光
王至天曉已問諸大臣昨夜何緣忽現如是希
有瑞相放大光明大臣答言大王當知有諸天
衆於長者子流水家中雨四十千真珠瓔珞
及天曼陁羅花積至于膝王告臣曰詣長者
家喚取其子大臣受勅即至其家奉宣王命
喚長者子時長者子即至王所王曰何緣昨
夜示現如是希有瑞相長者子言如我思忖
定應是彼池內衆魚如經所說命終之後得

BD00918號　金光明最勝王經卷九　（11–10）

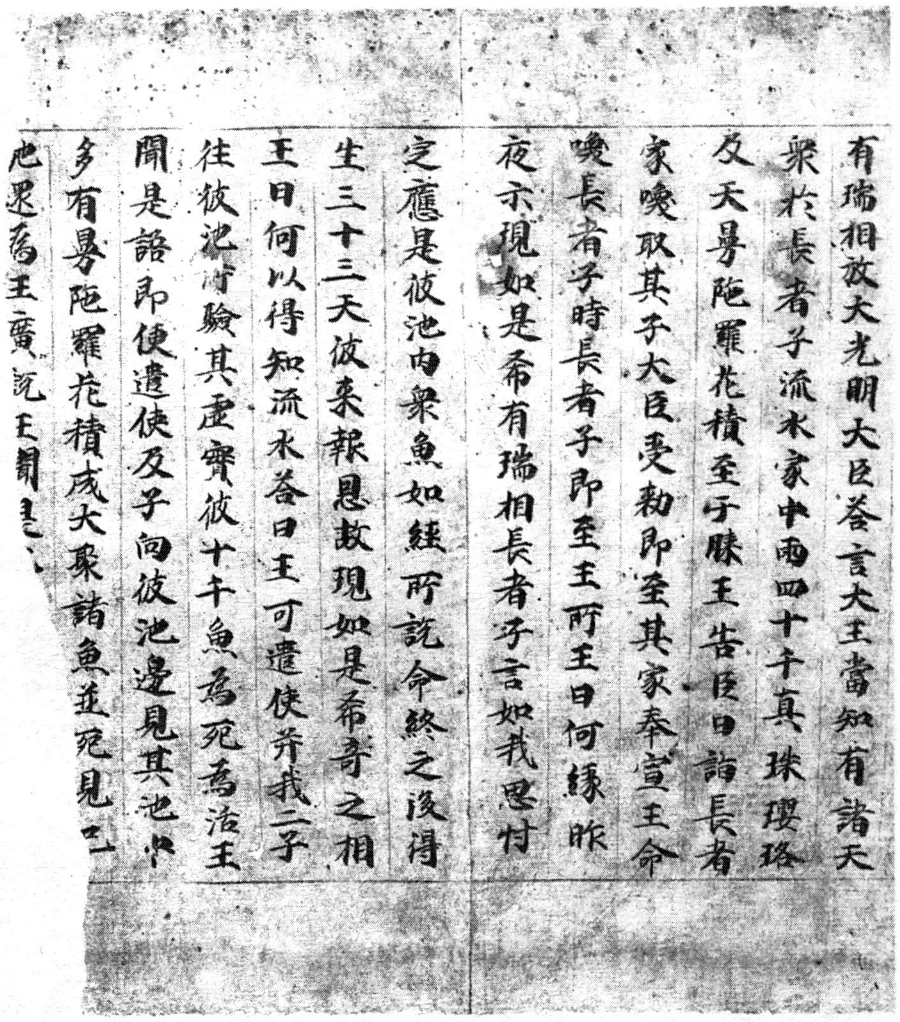
有瑞相放大光明大臣荅言大王當知有諸天
衆於長者子流水家中雨四十千真珠瓔珞
及天曼陁羅花積至于膝王告臣曰詣長者
家喚取其子大臣受勅即至其家奉宣王命
喚長者子時長者子即至王所王曰何緣昨
夜示現如是希有瑞相長者子言如我思忖
之應是彼池内衆魚如經所說命終之後得
生三十三天彼來報恩故現如是希奇之相
王曰何以得知流水荅曰王可遣使并我二子
往彼池所驗其虚實彼十千魚爲死爲活王
聞是語即便遣使及子向彼池邊見其池中
多有曼陁羅花積成大聚諸魚並死見已
馳還爲王廣說王聞是已

BD00918 號　金光明最勝王經卷九　（11–11）

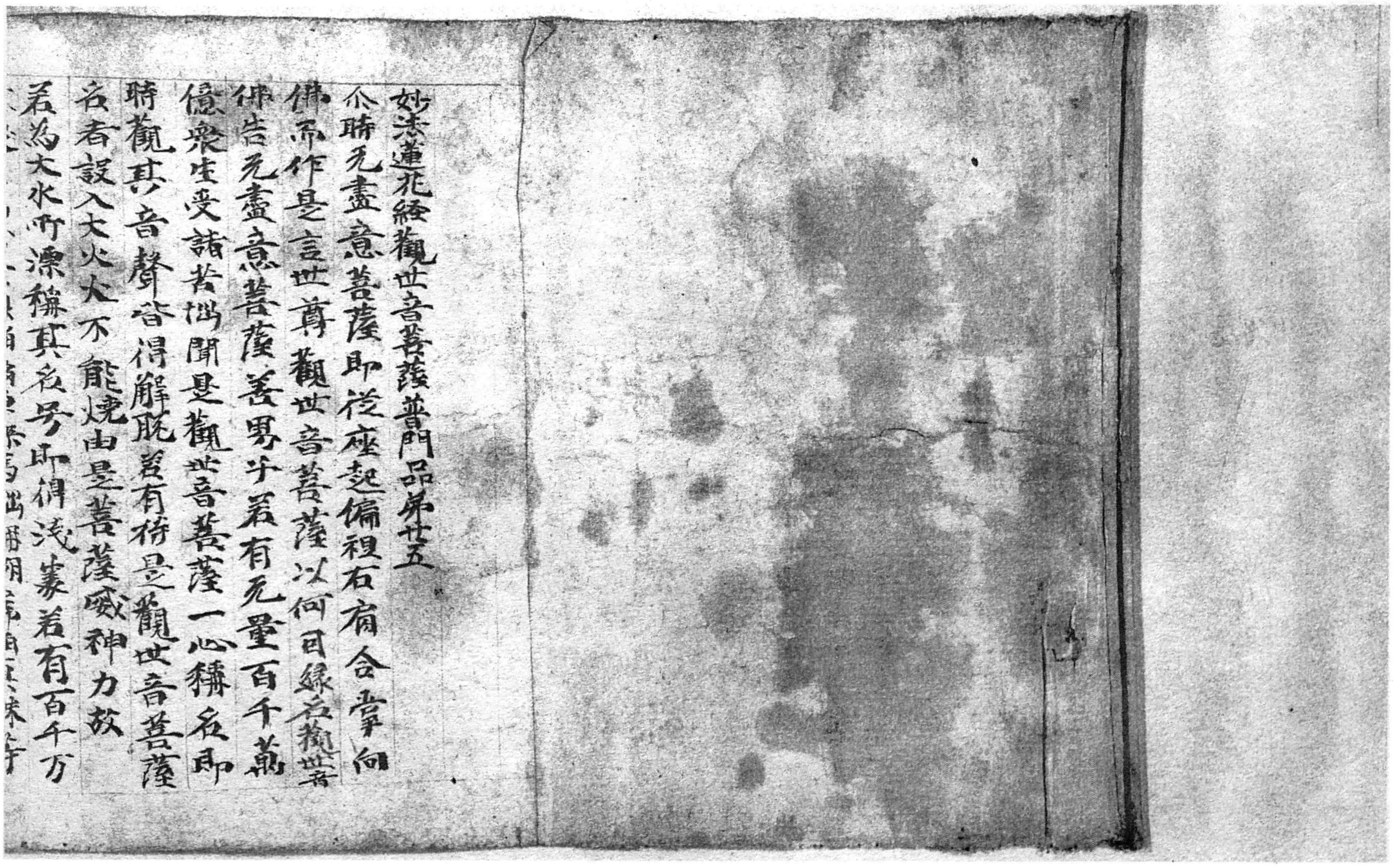
妙法蓮花經觀世音菩薩普門品第廿五
尒時无盡意菩薩即從座起偏袒右肩合掌向
佛而作是言世尊觀世音菩薩以何因緣名觀世音
佛告无盡意菩薩善男子若有无量百千萬
億衆生受諸苦惱聞是觀世音菩薩一心稱名即
時觀其音聲皆得解脫若有持是觀世音菩薩
名者設入大火火不能燒由是菩薩威神力故
若爲大水所漂稱其名号即得淺處若有百千万
[illegible]

BD00919 號 1　觀世音經　（7–1）

佛告无盡意菩薩善男子若有无量百千萬
億衆生受諸苦惱聞是觀世音菩薩一心稱名即
時觀其音聲皆得觧脫若有持是觀世音菩薩
名者設入大火火不能燒由是菩薩威神力故
若為大水所漂稱其名号即得淺處若有百千万
億衆生為求金銀瑠璃車𤦲馬瑙珊瑚虎珀真珠等
寶入於大海假使黒風吹其舡舫飄墮羅刹鬼國其
中若有乃至一人稱觀世音菩薩名者是諸人等皆得
觧脫羅刹之難以是因緣名觀世音 若復有人臨當
被害稱觀世音菩薩名者彼所執刀杖尋段段壞而
得觧脫 若三千大千國土滿中夜叉羅刹欲來惱人聞其
稱觀世音菩薩名者是諸惡鬼尚不能以惡眼視之況
復加害設復有人若有罪若无罪杻械枷鎖檢繫其身
稱觀世音菩薩名者皆悉斷壞即得觧脫
若三千大千國土滿中怨賊有一商主將諸商人賫持重寶
經過嶮路其中一人作是唱言諸善男子善女人勿得恐
怖汝等應一心稱觀世音菩薩名号是菩薩能以无畏
是故衆生汝等若稱名者於此怨賊當得解脫衆商人聞
俱發聲言南无觀世音菩薩稱其名号即得解脫无盡
意觀世音菩薩摩訶薩威神之力巍巍如是若有衆
生多於婬欲常念恭敬觀世音菩薩便得離欲若多愚癡
常念恭敬觀世音菩薩便得離癡无盡意觀世音菩薩
有如是等大威神力多所饒益是故衆生常應心念
若有女人設欲求男礼拜供養觀世音菩薩便生福得智慧
之男設欲求女便生端正有相之女宿殖得本衆人愛敬无
无盡意觀世音菩薩有如是力若有衆生恭敬礼拜觀

BD00919 號 1　觀世音經　（7–2）

有如是等大威神力多所饒益是故衆生常應心念
若有女人設欲求男礼拜供養觀世音菩薩便生福得智慧
之男設欲求女便生端正有相之女宿殖得本衆人愛敬无
无盡意觀世音菩薩有如是力若有衆生恭敬礼拜觀
世音菩薩福不唐捐是故衆生皆應受持觀世音菩薩名
号无盡意菩薩若有人受持六十二億恒河沙菩薩名字
復盡形供養飲食衣服卧具醫藥於汝意云何是善男子
善女人功德多不无盡意菩薩言甚多世尊佛言若復
有人受持觀世音菩薩名号乃至一時礼拜供養是二人福正、
等无異於百千万億劫不可窮盡无盡意受持觀世音菩
薩名号得如是无量无邊福得之利无盡意菩薩白佛言世
觀世音菩薩云何遊此娑婆世界云何而為衆生方便之力其
事云何佛告无盡意菩薩善男子若有國土衆生應以佛身得
度者觀世音菩薩即現佛身而為說法應以辟支佛身得度
者即現辟支佛身而為說法應以聲聞身得度者即現聲聞身
而為說法應以梵王身得度者即現梵王身而為說法應以帝
釋身得度者即現帝釋身而為說法應以自在天身得度者即
現自在天身而為說法應以大自在天身得度者即現大自在天身
而為說法應以天大將軍身得度者即現天大將軍身而為說法應
以毗沙門身得度者即現毗沙門身而為說法應以小王身得度者即
現小王身而為說法應以長者身得度者即現長者身而為說
法應以居士身得度者即現居士身而為說法應以宰官身
得度者即現宰官身而為說法應以婆羅門身得度者即
現婆羅門身而為說法應以長者居士宰官婆羅門婦女
身得度者即現婦女身而為說法應以童男童女身得度
者即現童男童女身而為說法應以天龍夜叉乾闥婆

BD00919 號 1　觀世音經　（7–3）

得度者即現宰官身而為說法應以婆羅門身得度者即
現婆羅門身而為說法應以長者居士宰官婆羅門婦女
身得度者即現婦女身而為說法應以童男童女身得度
者即現童男童女身而為說法應以天龍夜叉乾闥婆阿
修羅迦樓羅緊那羅摩睺羅伽人非人等身得度者即皆現
之而為說法應以執金剛身得度者即現執金剛身而為說法
无盡意是觀世音菩薩成就如是功德以種種形遊諸國土
度脫衆生是故汝等應當一心供養觀世音菩薩摩訶薩於
怖畏急難之中能施无畏是故此娑婆世界皆号之為施无畏
者无盡意菩薩白佛言世尊我今當供養觀世音菩薩即
解頸衆寶珠瓔珞價直百千量金而以與之作是言仁者受此法施
珎寶瓔珞時觀世音菩薩不肯受之无盡意復白佛觀世音菩
薩言仁者愍我等故受此瓔珞尒時佛告觀世音菩薩當愍
此无盡意菩薩及諸四衆天龍夜叉乾闥婆阿修羅迦樓羅
緊那羅摩睺羅伽人非人等故受是瓔珞即時觀世音菩薩
愍諸四衆及於天龍人非人等受其瓔珞分作二分一分奉釋
迦牟尼佛一分奉多寶佛塔无盡意菩薩有如是自在神
力遊於娑婆世界
尒時无盡意菩薩以偈問曰世尊妙相具我今重問彼佛子
何因緣名為觀世音具足妙相尊偈答无盡意汝聽觀音行
善應諸方所弘誓深如海歷劫不思議侍多千億佛發
大清淨願我為汝略說聞名及見身心念不空過能滅諸
有苦假使興害意推落大火坑念彼觀音力火坑變成
池或漂流巨海龍魚諸鬼難念彼觀音力波浪不能沒
或在須彌峯為人所推墮念彼觀音力如日虛空住或被惡
人逐墮落金剛山念彼觀音力不能損一毛或值怨賊遶

BD00919 號 1　觀世音經　（7–4）

有苦假使興害意推落大火坑念彼觀音力火坑變成
池或漂流巨海龍魚諸鬼難念彼觀音力波浪不能沒
或在須彌峯為人所推墮念彼觀音力如日虛空住或被惡
人逐墮落金剛山念彼觀音力不能損一毛或值怨賊遶
各執刀加害念彼觀音力咸即起慈心或遭王難苦臨刑
欲壽終念彼觀音力刀尋段段壞或囚禁枷鎖手足被杻
械念彼觀音力釋然得解脫呪詛諸毒藥所欲害身者念
彼觀音力還著於本人或遇惡羅剎毒龍諸鬼等念彼觀
音力時悉不敢害若惡獸圍遶利牙爪可怖念彼觀音力
疾走无邊方蚖蛇及蝮蝎氣毒烟火然念彼觀音力尋
聲自迴去雲雷鼓掣電降雹澍大雨念彼觀音力應
時得消散衆生被困厄无量苦逼身觀音妙智力能
救世間苦具足神通力廣修智方便十方諸國土无剎不現
身種種諸惡趣地獄鬼畜生生老病死苦以漸悉令滅真
觀清淨觀廣大智慧觀悲觀及慈觀常願常瞻
仰无垢清淨光慧日破諸闇能伏災風火普明照世間悲
體戒雷震慈意妙大雲澍甘露法雨滅除煩惱焰諍訟
經官處怖畏軍陣中念彼觀音力衆怨悉退散妙音
觀世音梵音海潮音勝彼世間音是故須常念念念勿
生疑觀世音淨聖於苦惱死厄能為作依怙具一切功德慈
眼視衆生福聚海无量是故應頂礼
尒時持地菩薩即從座起白佛言世尊若有衆生聞是觀
世音菩薩品自在之業普門示現神通力者當知是人功德
不少佛說是普門品時衆中八万四千衆生皆發无等等
阿耨多羅三藐三菩提心
觀音經一卷

佛說地藏菩薩經

BD00919 號 1　觀世音經　（7–5）

尒時持地菩薩即從坐起白佛言世尊若有衆生聞是觀
世音菩薩品自在之業普門示現神通力者當知是人功德
不少佛說是普門品時衆中八万四千衆生皆發无等
等阿耨多羅三藐三菩提心
觀音經一卷　　　佛說地藏菩薩經
尒時地藏菩薩住在南方瑠璃世界以淨天眼觀地獄之中受苦
衆生鐵碓擣鐵磨磨鐵犁耕鐵鋸解鑊湯湧沸猛火旦天飢則
吞熱鐵丸渴則飲銅汁受諸苦惱無有休息地藏菩薩不忍見之即從
南方來地獄中与閻羅王共同一處別床而坐有四種因緣一者恐閻羅王斷罪
不平二者恐文案交錯三者未合死四者受罪了出地獄池邊若有善男
子善女人造地藏菩薩像寫地藏菩薩經及念地藏菩薩名者此人定德
往生西方極樂世界從一佛國至一佛國從一天堂至一天堂若有人造地藏菩
薩像寫地藏菩薩經及念地藏菩薩名此人定得往生西方極樂世界
此人捨命之日地藏菩薩親自來迎常得与地藏菩薩共同一處聞佛所
說皆大歡喜信受奉行
地藏菩薩經一卷

BD00919 號 2　地藏菩薩經　　（7–6）

薩像寫地藏菩薩經及念地藏菩薩名此人定得往生西方極樂世界
此人捨命之日地藏菩薩親自來迎常得与地藏菩薩共同一處聞佛所
說皆大歡喜信受奉行
地藏菩薩經一卷

BD00919 號 2　地藏菩薩經　　（7–7）

善女人以滿三千大千世界七寶持用布施若
復有人於此經中受持乃至四句偈等為他
人說其福勝彼无量不可數何以故須菩提
一切諸佛阿耨多羅三藐三菩提法皆從此
經出一切諸佛如來皆從此經生須菩提所
謂佛法佛法者即非佛法是名佛法須菩提
於意云何須陁洹能作是念我得須陁洹果
不須菩提言不也世尊何以故實无有法名
須陁洹不入色聲香味觸法是名須陁洹佛
言須菩提於意云何斯陁含能作是念我得
斯陁含果不須菩提言不也世尊何以故實
无有法名斯陁含是名斯陁含須菩提於
意云何阿那含能作是念我得阿那含果不
須菩提言不也世尊何以故實无有法名阿
那含是名阿那含須菩提於意云何阿羅漢
能作是念我得阿羅漢果不須菩提言不
也世尊何以故實无有法名阿羅漢世尊若
阿羅漢作是念我得阿羅漢即為著我人
[illegible]

BD00920號　金剛般若波羅蜜經（菩提留支三十二分本）　（8–1）

那含是名阿那含須菩提於意云何阿羅漢
能作是念我得阿羅漢果不須菩提言不
也世尊何以故實无有法名阿羅漢世尊若
阿羅漢作是念我得阿羅漢即為著我人
眾生壽者世尊佛說我得无諍三昧最為
第一世尊說我是離欲阿羅漢世尊我不作
是念我是離欲阿羅漢世尊我若作是念
我得阿羅漢世尊則不記我无諍行第一以須
菩提實无所行而名須菩提无諍无諍行佛
告須菩提於意云何如來昔在然燈佛所
得阿耨多羅三藐三菩提法不須菩提言不
也世尊如來在然燈佛所於法實无所得阿
耨多羅三藐三菩提
佛告須菩提若菩薩作是言我莊嚴佛國土
彼菩薩不實語何以故須菩提如來所說莊
嚴佛土者則非莊嚴是名莊嚴佛土是故須
菩提諸菩薩摩訶薩應如是生清淨心而无
所住不住色生心不住聲香味觸法生心應无
所住而生其心須菩提譬如有人身如須弥
山王須菩提於意云何是身為大不須菩提
言甚大世尊何以故佛說非身是名大身彼
身非身是名大身
佛言須菩提如恒河中所有沙數如是沙等
恒河於意云何是諸恒河沙寧為多不須菩

BD00920號　金剛般若波羅蜜經（菩提留支三十二分本）　（8–2）

言甚大世尊何以故佛說非身是名大身彼
身非身是名大身
佛言須菩提如恒河中所有沙數如是沙等
恒河於意云何是諸恒河沙寧為多不須菩
提言甚多世尊但諸恒河尚多无數何況其
沙佛言須菩提我今實言告汝若有善男
子善女人以七寶滿尒所恒河沙數世界以施
諸佛如來須菩提於意云何彼善男子善女
人得福多不須菩提言甚多世尊彼善男子
善女人得福甚多佛告須菩提以七寶滿尒
所恒河沙世界持用布施若善男子善女人於
此法門乃至受持四句偈等為他人說而此福
德勝前福德无量阿僧祇
復次須菩提隨所有處說是法門乃至四句
偈等當知此處一切世間天人阿脩羅皆應
供養如佛塔廟何況有人盡能受持讀誦此
經須菩提當知是人成就最上第一希有之
法若是經典所在之處則為有佛若尊重似
佛
尒時須菩提白佛言世尊當何名此法門我
等云何奉持佛告須菩提是法門名為金剛
般若波羅蜜以是名字汝當奉持何以故須
菩提佛說般若波羅蜜則非般若波羅
蜜須菩提於意云何如來有所說法不須菩
提言世尊如

BD00920號　金剛般若波羅蜜經（菩提留支三十二分本）　（8–3）

菩提佛說般若波羅蜜則非般若波羅
蜜須菩提於意云何如來有所說法不須菩
提言世尊如來无所說法須菩提於意云何三
千大千世界所有微塵是為多不須菩提言
彼微塵甚多世尊須菩提是諸微塵如來說
非微塵是名微塵如來說世界非世界是名世
界佛言須菩提於意云何可以三十二大人相
見如來不須菩提言不也世尊何以故如來說
三十二大人相即是非相是名三十二大人相
佛言須菩提若善男子善女人以恒河沙
等身命布施若復有人於此法門中乃至
受持四句偈等為他人說其福甚多无量
阿僧祇
尒時須菩提聞說是經深解義趣涕淚悲泣
捫淚而白佛言希有婆伽婆希有脩伽陀佛
說如是甚深法門我從昔來所得慧眼未曾
得聞如是法門何以故佛說般若波羅蜜即
非般若波羅蜜世尊若復有人得聞是經信
心清淨則生實相當知是人成就第一希有
功德世尊是實相者則是非相是故如來說
名實相實相世尊我今得聞如是法門信解
受持不足為難若當來世其有衆生得聞是
法門信解受持是人則為第一希有何以故
此人无我相人相衆生相壽者相何以故我相
即是非相人相衆生相壽者相即是非相何

BD00920號　金剛般若波羅蜜經（菩提留支三十二分本）　（8–4）

法門信解受持是人則為第一希有何以故
此人无我相人相衆生相壽者相何以故我相
即是非相人相衆生相壽者相即是非相何
以故離一切諸相則名諸佛
佛告須菩提如是如是若復有人得聞是經
不驚不怖不畏當知是人甚為希有何以故
須菩提如來說第一波羅蜜非第一波羅蜜如
來說第一波羅蜜者彼无量諸佛亦說波羅
蜜是名第一波羅蜜
須菩提如來說忍辱波羅蜜即非忍辱波羅
蜜何以故須菩提如我昔為歌利王割截身
體我於尒時无我相无人相无衆生相无壽者
相无相亦非无相何以故須菩提我於往昔
節節支解時若有我相人相衆生相壽者
相應生瞋恨須菩提又念過去於五百世作忍
辱仙人於尒所世无我相无人相无衆生相无
壽者相是故須菩提菩薩應離一切相發阿
耨多羅三藐三菩提心何以故若心有住則
為非住不應住色生心不應住聲香味觸法
生心應生无所住心是故佛說菩薩心不住色
布施須菩提菩薩為利益一切衆生應如是
布施須菩提言世尊一切衆生相即是非相
何以故如來說一切衆生即非衆生須菩提
如來是真語者實語者如語者不異語者
須菩提如來所得法所說法无實无妄語

BD00920號　金剛般若波羅蜜經（菩提留支三十二分本）　（8–5）

何以故如來說一切衆生即非衆生須菩提
如來是真語者實語者如語者不異語者
須菩提如來所得法所說法无實无妄語
真如分第八
須菩提譬如有人入闇則无所見若菩薩心
住於事而行布施亦復如是須菩提譬如人
有目夜分已盡日光明照見種種色若菩薩
不住於事行於布施亦復如是
復次須菩提若有善男子善女人能於此法
門受持讀誦修行則為如來以佛智慧悉知
是人悉見是人悉覺是人皆得成就无量无
邊功德聚須菩提若有善男子善女人初
分日以恒河沙等身布施中日分復以恒河沙
等身布施後日分復以恒河沙等身布施如
是捨恒河沙等无量身如是百千万億那由
他劫以身布施若復有人聞此法門信心不
謗其福勝彼无量阿僧祇何況書寫受持
讀誦修行為人廣說
利益分第九
須菩提以要言之是經有不可思議不可稱
量无邊功德此法門如來為發大乘者說為
發最上乘者說若有人能受持讀誦修行
此經廣為人說如來悉知是人悉見是人皆成
就不可思議不可稱无有邊无量功德聚如
是人等則為荷擔如來阿耨多羅三藐三菩

BD00920號　金剛般若波羅蜜經（菩提留支三十二分本）　（8–6）

量无邊功德此法門如来為發大乘者說為
發最上乘者說若有人能受持讀誦脩行
此經廣為人說如来悉知是人悉見是人皆成
就不可思議不可稱无有邊无量功德聚如
是人等則為荷擔如来阿耨多羅三藐三菩
提何以故須菩提若樂小法者則於此經不能
受持讀誦脩行為人解說若有我見衆生
見人見壽者見於此法門能受持讀誦脩行
為人解說者无有是處須菩提在在處處
若有此經一切世間天人阿脩羅所應供養
當知此處則為是塔皆應恭敬作礼圍繞以諸
華香而散其處
復次須菩提若善男子善女人受持讀誦此
經為人輕賤何以故是人先世罪業應墮惡
道以今世人輕賤故先世罪業則為消滅當
得阿耨多羅三藐三菩提
須菩提我念過去无量阿僧祇阿僧祇劫於
然燈佛前得值八十四億那由他百千万諸佛
我皆親承供養无空過者須菩提如是无量
諸佛我皆親承供養无空過者若復有人於
後世末能受持讀誦脩行此經所得功德我
所供養諸佛功德於彼百分不及一千万億
分乃至筭數譬喻所不能及須菩提若有
善男子善女人於後世末世有受持讀誦
脩行此經所得功德若我具說者或有人聞

BD00920號　金剛般若波羅蜜經（菩提留支三十二分本）　（8–7）

我皆親承供養无空過者須菩提如是无量
諸佛我皆親承供養无空過者若復有人於
後世末能受持讀誦脩行此經所得功德我
所供養諸佛功德於彼百分不及一千万億
分乃至筭數譬喻所不能及須菩提若有
善男子善女人於後世末世有受持讀誦
脩行此經所得功德若我具說者或有人聞
心則狂亂疑惑不信須菩提當知是法門不可
思議果報亦不可思議
斷疑分第十
尒時須菩提白佛言世尊云何菩薩
多羅三藐三菩提心云何住云
伏其心佛告須菩提善
三菩提心者當生
令入无餘
无一

BD00920號　金剛般若波羅蜜經（菩提留支三十二分本）　（8–8）

妙法蓮華經分別功徳品第十七
尒時大會聞佛說壽命劫數長遠如是无量
无邊阿僧祇衆生得大饒益於時世尊告弥
勒菩薩摩訶薩阿逸多我說是如來壽命長
遠時六百八十万億那由他恒河沙衆生得
无生法忍復千倍菩薩摩訶薩得聞持陁羅
尼門復有一世界微塵數菩薩摩訶薩得樂
說无礙辯才復有一世界微塵數菩薩摩訶
薩得百千万億无量旋陁羅尼復有三千大
千世界微塵數菩薩摩訶薩能轉不退法輪
復有二千中國土微塵數菩薩摩訶薩能轉
清淨法輪復有小千國土微塵數菩薩摩訶
薩八生當得阿耨多羅三藐三菩提復有四
四天下微塵數菩薩摩訶薩四生當得阿耨
多羅三藐三菩提復有三四天下微塵數菩
薩摩訶薩三生當得阿耨多羅三藐三菩提
復有二四天下微塵數菩薩摩訶薩二生當
得阿耨多羅三藐三菩提復有一四天下微塵
數菩薩摩訶薩一生當得阿耨多羅三藐三
菩提復有八世界微塵數衆生皆發阿耨多
羅三藐三菩提心佛說是諸菩薩摩訶薩

BD00921 號　妙法蓮華經（八卷本）卷六　（16–1）

得阿耨多羅三藐三菩提復有一四天下微塵
數菩薩摩訶薩一生當得阿耨多羅三藐三
菩提復有八世界微塵數衆生皆發阿耨多
羅三藐三菩提心佛說是諸菩薩摩訶薩
得大法利時於虛空中雨曼陁羅華摩訶曼
陁羅華以散无量百千万億寶樹下師子座
上諸佛并散七寶塔中師子座上釋迦牟尼
佛及久滅度多寶如來亦散一切諸大菩薩
及四部衆又雨細末栴檀沉水香等於虛空
中天鼓自鳴妙聲深遠又雨千種天衣垂諸
瓔珞真珠瓔珞摩尼珠瓔珞如意珠瓔珞遍
於九方衆寶香爐燒无價香自然周至供養
大會一一佛上有諸菩薩執持幡蓋次第而
上至于梵天是諸菩薩以妙音聲歌无量頌
讚嘆諸佛
尒時弥勒菩薩從座而起偏袒右肩合掌向
佛而說偈言
佛說希有法　昔所未曾聞　世尊有大力　壽命不可量
无數諸佛子　聞世尊分別　說得法利者　歡喜充遍身
或住不退地　或得陁羅尼　或无礙樂說　万億旋總持
或有大千界　微塵數菩薩　各各皆能轉　不退之法輪
復有中千界　微塵數菩薩　各各皆能轉　清淨之法輪
復有小千界　微塵數菩薩　餘各八生在　當得成佛道
復有四三二　如此四天下　微塵諸菩薩　隨數生成佛
或一四天下　微塵數菩薩　餘有一生在　當成一切智
如是等衆生　聞佛壽長遠　得无量无漏　清淨之果報
復有八世界　微塵數衆生　聞佛說壽命　皆發无上心

BD00921 號　妙法蓮華經（八卷本）卷六　（16–2）

復有四三二　如此四天下　微塵諸菩薩　隨數生成佛
或一四天下　微塵數菩薩　餘有一生在　當成一切智
如是等眾生　聞佛壽長遠　得无量无漏　清淨之果報
復有八世界　微塵數眾生　聞佛說壽命　皆發无上心
世尊說无量　不可思議法　多有所饒益　如虛空无邊
雨天曼陁羅　摩訶曼陁羅　釋梵如恒沙　无數佛土來
雨栴檀沉香　繽紛而亂墜　如鳥飛空下　供散於諸佛
天鼓虛空中　自然出妙聲　天衣千万種　旋轉而來下
眾寶妙香爐　燒无價之香　自然悉周遍　供養諸世尊
其大菩薩眾　執七寶幡蓋　高妙万億種　次第至梵天
一一諸佛前　寶幢懸勝幡　亦以千万偈　歌詠諸如來
如是種種事　昔所未曾有　聞佛壽无量　一切皆歡喜
佛名聞十方　廣饒益眾生　一切具善根　以助无上心
尒時佛告弥勒菩薩摩訶薩阿逸多其有眾
生聞佛壽命長遠如是乃至能生一念信解
所得功德无有限量若有善男子善女人為
阿耨多羅三藐三菩提故於八十万億那由
他劫行五波羅蜜檀波羅蜜尸羅波羅蜜羼
提波羅蜜毗梨耶波羅蜜禪波羅蜜除般若
波羅蜜以是功德比前功德百分千分百千
万億分不及其一乃至筭數譬喻所不能知
若善男子善女人有如是功德於阿耨多羅
三藐三菩提退者无有是處尒時世尊欲重
宣此義而說偈言
若人求佛慧　於八十万億　那由他劫數　行五波羅蜜
於是諸劫中　布施供養佛　及緣覺弟子　并諸菩薩眾
珍異之飲食　上服與臥具　栴檀立精舍　以園林莊嚴

宣此義而說偈言
若人求佛慧　於八十万億　那由他劫數　行五波羅蜜
於是諸劫中　布施供養佛　及緣覺弟子　并諸菩薩眾
珍異之飲食　上服與臥具　栴檀立精舍　以園林莊嚴
如是等布施　種種皆微妙　盡此諸劫數　以迴向佛道
若復持禁戒　清淨无缺漏　求於无上道　諸佛之所歎
若復行忍辱　住於調柔地　設眾惡來加　其心不傾動
諸有得法者　懷於增上慢　為此所輕惱　如是亦能忍
若復勤精進　志念常堅固　於无量億劫　一心不懈怠
又於无數劫　住於空閑處　若坐若經行　除睡常攝心
以是因緣故　能生諸禪定　八十億万劫　安住心不亂
持此一心福　願求无上道　我得一切智　盡諸禪定際
是人於百千　万億劫數中　行此諸功德　如上之所說
有善男女等　聞我說壽命　乃至一念信　其福過於彼
若人悉无有　一切諸疑悔　深心須臾信　其福為如此
其有諸菩薩　无量劫行道　聞我說壽命　是則能信受
如是諸人等　頂受此經典　願我於未來　長壽度眾生
如今日世尊　諸釋中之王　道場師子吼　說法无所畏
我等未來世　一切所尊敬　坐於道場時　說壽亦如是
若有深心者　清淨而質直　多聞能總持　隨義解佛語
如是之人等　於此无有疑
又阿逸多若有聞佛壽命長遠解其言趣是
人所得功德无有限量能起如來无上之慧何
況廣聞是經若教人聞若自持若教人持若
自書若教人書若以華香瓔珞幢幡繒蓋
香油酥燈供養經卷是人功德无量无邊能
生一切種智阿逸多若善男子善女人聞我

如是之人等　於此无有疑
又阿逸多若有聞佛壽命長遠解其言趣是
人所得功德无有限量能起如来无上之慧何
况廣聞是經若教人聞若自持若教人持若
自書若教人書若以華香瓔珞幢幡繒蓋
香油蘇燈供養經卷是人功德无量无邊能
生一切種智阿逸多若善男子善女人聞我
說壽命長遠深心信解則為見佛常在耆闍
崛山共大菩薩諸聲聞衆圍繞說法又見此
娑婆世界其地瑠璃坦然平正閻浮檀金以
界八道寶樹行列諸臺樓觀皆悉寶成其菩
薩衆咸處其中若有能如是觀者當知是為
深信解相又復如来滅後若聞是經而不毀
呰起隨喜心當知已為深信解相何况讀誦
受持之者斯人則為頂戴如来阿逸多是善
男子善女人不須為我復起塔寺及作僧坊
以四事供養衆僧所以者何是善男子善女
人受持讀誦是經典者為已起塔造立僧坊
供養衆僧則為以佛舍利起七寶塔高廣漸
小至于梵天懸諸幡蓋及衆寶鈴華香瓔珞
末香塗香燒香衆鼓伎樂簫笛箜篌種種
儛戲以妙音聲歌唄讚頌則為於无量千万
億劫作是供養已阿逸多若我滅後聞是經典
有能受持若自書若教人書則為起立僧坊
以赤栴檀作諸殿堂三十有二高八多羅樹
高廣嚴好百千比丘於其中止園林浴池經
行禪窟衣服飲食床蓐湯藥一切樂具充滿

BD00921 號　妙法蓮華經（八卷本）卷六　（16-5）

有能受持若自書若教人書則為起立僧坊
以赤栴檀作諸殿堂三十有二高八多羅樹
高廣嚴好百千比丘於其中止園林浴池經
行禪窟衣服飲食床蓐湯藥一切樂具充滿
其中如是僧坊堂閣若干百千万億其數无
量以此現前供養於我及比丘僧是故我說
如来滅後若有受持讀誦為他人說若自書
若教人書供養經卷不須復起塔寺及造僧
坊供養衆僧况復有人能持是經兼行布施
持戒忍辱精進一心智慧其德㝡勝无量无
邊譬如虛空東西南北四維上下无量无邊
是人功德亦復如是无量无邊疾至一切種
智若人讀誦受持是經為他人說若自書若
教人書復能起塔及造僧坊供養讚歎聲聞
衆僧亦以百千万億讚歎之法讚歎菩薩功
德又為他人種種因緣隨義解說此法華經
復能清淨持戒與柔和者而共同止忍辱无
瞋志念堅固常貴坐禪得諸深定精進勇
猛攝諸善法利根智慧善答問難阿逸多若
我滅後諸善男子善女人受持讀誦是經典
者復有如是諸善功德當知是人已趣道場
近阿耨多羅三藐三菩提坐道樹下阿逸多
是善男子善女人若坐若立若行處此中便
應起塔一切天人皆應供養如佛之塔尒時
世尊欲重宣此義而說偈言
若我滅度後　能奉持此經　斯人福无量　如上之所說
是則為具足　一切諸供養　以舍利起塔　七寶而莊嚴

BD00921 號　妙法蓮華經（八卷本）卷六　（16-6）

應起塔一切天人皆應供養如佛之塔尒時
世尊欲重宣此義而說偈言
若我滅度後　能奉持此經　斯人福无量　如上之所說
是則為具足　一切諸供養　以舍利起塔　七寶而莊嚴
表剎甚高廣　漸小至梵天　寶鈴千万億　風動出妙音
又於无量劫　而供養此塔　華香諸瓔珞　天衣眾伎樂
然香油蘇燈　周帀常照明
惡世法末時　能持是經者　則為已如上　具足諸供養
若能持此經　則如佛現在　以牛頭栴檀　起僧坊供養
堂有三十二　高八多羅樹　上饌妙衣服　牀卧皆具足
百千眾住處　園林諸流池　經行及禪窟　種種皆嚴好
若有信解心　受持讀誦書　若復教人書　及供養經卷
散華香末香　以須曼瞻蔔　阿提目多伽　薰油常然之
如是供養者　得无量功德　如虛空无邊　其福亦如是
況復持此經　兼布施持戒　忍辱樂禪定　不瞋不惡口
恭敬於塔廟　謙下諸比丘　遠離自高心　常思惟智慧
有問難不瞋　隨順為解說　若能行是行　功德不可量
若見此法師　成就如是德　應以天華散　天衣覆其身
頭面接足禮　生心如佛想　又應作是念　不久詣道場
得无漏无為　廣利諸人天　其所住止處　經行若坐卧
乃至說一偈　是中應起塔　莊嚴令妙好　種種以供養
佛子住此地　則是佛受用　常在於其中　經行及坐卧
妙法蓮華經隨喜功德品第十八　六
尒時弥勒菩薩摩訶薩白佛言世尊若有善
男子善女人聞是法華經隨喜者得幾所福
而說偈言

BD00921號　妙法蓮華經（八卷本）卷六　（16–7）

妙法蓮華經隨喜功德品第十八　六
尒時弥勒菩薩摩訶薩白佛言世尊若有善
男子善女人聞是法華經隨喜者得幾所福
而說偈言
世尊滅度後　其有聞是經　若能隨喜者　為得幾所福
尒時佛告弥勒菩薩摩訶薩阿逸多如來滅
後若比丘比丘尼優婆塞優婆夷及餘智者
若長若幼聞是經隨喜已從法會出至於餘處
若在僧坊若空閑地若城邑巷陌聚落田里
如其所聞為父母宗親善友知識隨力演說
是諸人等聞已隨喜復行轉教餘人聞已亦
隨喜轉教如是展轉至第五十阿逸多其第
五十善男子善女人隨喜功德我今說之汝
當善聽若四百万億阿僧祇世界六趣四生
眾生卵生胎生濕生化生若有形无形有想
无想非有想非无想无足二足四足多足如
是等在眾生數者有人求福隨其所欲娛樂
之具皆給與之一一眾生與滿閻浮提金銀
琉璃車𤦲馬瑙珊瑚虎珀諸妙珎寶及象馬
車乘七寶所成宮殿樓閣等是大施主如是
布施滿八十年已而作是念我已施眾生娛
樂之具隨意所欲然此眾生皆已衰老年過
八十髮白面皺將死不久我當以佛法而訓導
之即集此眾生宣布法化示教利喜一時
皆得須陁洹道斯陁含道阿那含道阿羅
漢道盡諸有漏於深禪定皆得自在具八解
脫於汝意云何是大施主所得功德寧為多

BD00921號　妙法蓮華經（八卷本）卷六　（16–8）

之即集此衆生宣布法化示教利喜一時
皆得須陁洹道斯陁含道阿那含道阿羅
漢道盡諸有漏於深禪定皆得自在具八解
脫於汝意云何是大施主所得功德寧為多
不弥勒白佛言世尊是人功德甚多无量无
邊若是施主但施衆生一切樂具功德无量
何況令得阿羅漢果佛告弥勒我今分明語
汝是人以一切樂具施於四百万億阿僧祇
世界六趣衆生又令得阿羅漢果所得功德
不如是第五十人聞法華經一偈隨喜功德
百分千分百千万億分不及其一乃至筭數
譬喻所不能知阿逸多如是第五十人展轉
聞法華經隨喜功德尚无量无邊阿僧祇何
況最初於會中聞而隨喜者其福復勝无量
无邊阿僧祇不可得比又阿逸多若人為是
經故往詣僧坊若坐若立須臾聽受緣是功
德轉身所生得好上妙象馬車乘珎寶輦轝
及乘天宮若復有人於講法處坐更有人来
勸令坐聽若分座令坐是人功德轉身得帝
釋坐處若梵王坐處若轉輪聖王所坐之處
阿逸多若復有人語餘人言有經名法華可
共往聽即受其教乃至須臾閒聞是人功德
轉身得與陁羅尼菩薩共生一處利根智慧
百千万世終不瘖瘂口氣不臭舌常無病口
亦无病齒不垢黑不黃不踈亦不缺落不差
不曲脣不下垂亦不褰縮不麁澁不瘡緊亦
不缺壞亦不喎斜不厚不大亦不黎黑无諸
可惡鼻不匾㔸亦不曲戾面色不黑亦不狹

BD00921號　妙法蓮華經（八卷本）卷六　（16-9）

不曲脣不下垂亦不褰縮不麁澁不瘡緊亦
不缺壞亦不喎斜不厚不大亦不黎黑无諸
可惡鼻不匾㔸亦不曲戾面色不黑亦不狹
長亦不窊曲无有一切不可喜相脣舌牙齒
悉皆嚴好鼻脩高直面貌圓滿眉高而長
額廣平正人相具足世世所生見佛聞法信受
教誨阿逸多汝且觀是勸於一人令往聽法
功德如此何況一心聽說讀誦而於大衆為
人分別如說脩行尒時世尊欲重宣此義而
說偈言
若人於法會　得聞是經典　乃至於一偈　隨喜為他說
如是展轉教　至于第五十　最後人獲福　今當分別之
如有大施主　供給无量衆　具滿八十歲　隨意之所欲
見彼衰老相　髮白而面皺　齒踈形枯竭　念其死不久
我今應當教　令得於道果　即為方便說　涅槃真實法
世皆不牢固　如水沫泡焰　汝等咸應當　疾生猒離心
諸人聞是法　皆得阿羅漢　具足六神通　三明八解脫
最後第五十　聞一偈隨喜　是人福勝彼　不可為譬喻
如是展轉聞　其福尚无量　何況於法會　初聞隨喜者
若有勸一人　將引聽法華　言此經深妙　千万劫難遇
即受教往聽　乃至須臾聞　斯人之福報　今當分別說
世世无口患　齒不踈黃黑　脣不厚褰缺　无有可惡相
舌不乾黑短　鼻高脩且直　額廣而平正　面目悉端嚴
為人所喜見　口氣无臭穢　優鉢華之香　常從其口出
若故詣僧坊　欲聽法華經　須臾聞歡喜　今當說其福
後生天人中　得妙象馬車　珎寶之輦轝　及乘天宮殿

BD00921號　妙法蓮華經（八卷本）卷六　（16-10）

為人所喜見　口氣无臭穢　優鉢華之香　常從其口出
若故詣僧坊　欲聽法華經　須臾聞歡喜　今當說其福
後生天人中　得妙象馬車　珎寶之輦輿　及乘天宮殿
若於講法處　勸人坐聽經　是福因緣得　釋梵轉輪座
何況一心聽　解說其義趣　如說而脩行　其福不可限
妙法蓮華經法師功德品第十九
尒時佛告常精進菩薩摩訶薩若善男子善
女人受持是法華經若讀若誦若解說若書
寫是人當得八百眼功德千二百耳功德八
百鼻功德千二百舌功德八百身功德千二
百意功德以是功德莊嚴六根皆令清淨是
善男子善女人父母所生清淨肉眼見於三
千大千世界內外所有山林河海下至阿鼻
地獄上至有頂亦見其中一切眾生及業因
緣果報生處悉見悉知尒時世尊欲重宣此
義而說偈言
若於大眾中　以无所畏心　說是法華經　汝聽其功德
是人得八百　功德殊勝眼　以是莊嚴故　其目甚清淨
父母所生眼　悉見三千界　內外弥樓山　須弥及鐵圍
并諸餘山林　大海江河水　下至阿鼻獄　上至有頂處
其中諸眾生　一切皆悉見　雖未得天眼　肉眼力如是
復次常精進若善男子善女人受持此經若
讀若誦若解說若書寫得千二百耳功德以
是清淨耳聞三千大千世界下至阿鼻地獄
上至有頂其中內外種種語言音聲象聲馬
聲牛聲車聲啼哭聲愁歎聲螺聲鼓聲鍾聲
鈴聲咲聲語聲男聲女聲童子聲童女聲

BD00921號　妙法蓮華經（八卷本）卷六　（16–11）

讀若誦若解說若書寫得千二百耳功德以
是清淨耳聞三千大千世界下至阿鼻地獄
上至有頂其中內外種種語言音聲象聲馬
聲牛聲車聲啼哭聲愁歎聲螺聲鼓聲鍾聲
鈴聲咲聲語聲男聲女聲童子聲童女聲法
聲非法聲苦聲樂聲凡夫聲聖人聲喜聲不
喜聲天聲龍聲夜叉聲乾闥婆聲阿脩羅聲
迦樓羅聲緊那羅聲摩睺羅伽聲火聲水聲
風聲地獄聲畜生聲餓鬼聲比丘聲比丘尼
聲聲聞聲辟支佛聲菩薩聲佛聲以要言之
三千大千世界中一切內外所有諸聲雖未
得天耳以父母所生清淨常耳皆悉聞知如
是分別種種音聲而不壞耳根尒時世尊欲
重宣此義而說偈言
父母所生耳　清淨无濁穢　以此常耳聞　三千世界聲
象馬車牛聲　鍾鈴螺鼓聲　琴瑟箜篌聲　簫笛之音聲
清淨好歌聲　聽之而不著　无數種人聲　聞悉能解了
又聞諸天聲　微妙之歌音　及聞男女聲　童男童女聲
山川嶮谷中　迦陵頻伽聲　命命等諸鳥　悉聞其音聲
地獄眾苦痛　種種楚毒聲　餓鬼飢渴逼　求索飲食聲
諸阿脩羅等　居在大海邊　自共語言時　出于大音聲
如是說法者　安住於此間　遙聞是眾聲　而不壞耳根
十方世界中　禽獸鳴相呼　其說法之人　於此悉聞之
其諸梵天上　光音及遍淨　乃至有頂天　言語之音聲
法師住於此　悉皆得聞之　一切比丘眾　及諸比丘尼
若讀誦經典　若為他人說　法師住於此　悉皆得聞之
復有諸菩薩　讀誦於經法　若為他人說　撰集解其義

BD00921號　妙法蓮華經（八卷本）卷六　（16–12）

法師住於此　悉皆得聞之　一切比丘衆　及諸比丘尼
若讀誦經典　若為他人說　法師住於此　悉皆得聞之
復有諸菩薩　讀誦於經法　若為他人說　撰集解其義
如是諸音聲　悉皆得聞之　諸佛大聖尊　教化衆生者
於諸大衆中　演說微妙法　持此法華者　悉皆得聞之
三千大千界　内外諸音聲　下至阿鼻獄　上至有頂天
皆聞其音聲　而不壞耳根　其耳聰利故　悉能分別知
持是法華者　雖未得天耳　但用所生耳　功德已如是
復次常精進若善男子善女人受持是經若
讀若誦若解說若書寫成就八百鼻功德以
是清淨鼻根聞於三千大千世界上下內外
種種諸香須曼那華香闍提華香末利華香
瞻蔔華香波羅羅華香赤蓮華香青蓮華香
白蓮華香華樹香菓樹香栴檀香沉水香多
摩羅跋香多伽羅香及千万種和香若末若
丸若塗香持是經者於此間住悉能分別又
復別知衆生之香象香馬香牛羊等香男香
女香童子香童女香及草木叢林香若近若
遠所有諸香悉皆得聞分別不錯持是經者
雖住於此亦聞天上諸天之香波利質多羅
拘鞞陀羅樹香及曼陀羅華香摩訶曼陀羅
華香曼殊沙華香摩訶曼殊沙華香栴檀沉
水種種末香諸雜華香如是等天香和合所
出之香无不聞知又聞諸天身香釋提桓因
在勝殿上五欲娛樂嬉戲時香若在妙法堂
上為忉利諸天說法時香若於諸園遊戲時

水種種末香諸雜華香如是等天香和合所
出之香无不聞知又聞諸天身香釋提桓因
在勝殿上五欲娛樂嬉戲時香若在妙法堂
上為忉利諸天說法時香若於諸園遊戲時
香及餘天等男女身香皆悉遙聞如是展轉
乃至梵世上至有頂諸天身香亦皆聞之并
聞諸天所燒之香及聲聞香辟支佛香菩薩
香諸佛身香亦皆遙聞知其所在雖聞此香
然於鼻根不壞不錯若欲分別為他人說憶
念不謬　尒時世尊欲重宣此義而說偈言
是人鼻清淨　於此世界中　若香若臭物　種種悉聞知
須曼那闍提　多摩羅栴檀　沉水及桂香　種種華菓香
及知衆生香　男子女人香　說法者遠住　聞香知所在
大勢轉輪王　小轉輪及子　群臣諸宮人　聞香知所在
身所著珎寶　及地中寶藏　轉輪王寶女　聞香知所在
諸人嚴身具　衣服及瓔珞　種種所塗香　聞則知其身
諸天若行坐　遊戲及神變　持是法華者　聞香悉能知
諸樹華菓實　及蘇油香氣　持經者住此　悉知其所在
諸山深嶮處　栴檀樹華敷　衆生在中者　聞香皆能知
鐵圍山大海　地中諸衆生　持經者聞香　悉知其所在
阿脩羅男女　及其諸眷屬　鬪諍遊戲時　聞香皆能知
曠野險隘處　師子象虎狼　野牛水牛等　聞香知所在
若有懷妊者　未辯其男女　无根及非人　聞香悉能知
以聞香力故　知其初懷妊　成就不成就　安樂產福子
以聞香力故　知男女所念　染欲癡恚心　亦知脩善者
地中衆伏藏　金銀諸珎寶　銅器之所盛　聞香悉能知
種種諸瓔珞　无能識其價　聞香知貴賤　出處及所在

以聞香力故 知男女所念 染欲癡恚心 亦知脩善者
地中衆伏藏 金銀諸珎寶 銅器之所盛 聞香悉能知
種種諸瓔珞 无能識其價 聞香知貴賤 出處及所在
天上諸華等 曼陁曼殊沙 波利質多樹 聞香悉能知
天上諸宮殿 上中下差別 衆寶華莊嚴 聞香悉能知
天園林勝殿 諸觀妙法堂 在中而娛樂 聞香悉能知
諸天若聽法 或受五欲時 來往行坐臥 聞香悉能知
天女所著衣 好華香莊嚴 周旋遊戲時 聞香悉能知
如是展轉上 乃至於梵世 入禪出禪者 聞香悉能知
光音遍淨天 乃至于有頂 初生及退沒 聞香悉能知
諸比丘衆等 於法常精進 若坐若經行 及讀誦經法
或在林樹下 專精而坐禪 持經者聞香 悉知其所在
菩薩志堅固 坐禪若讀誦 或為人說法 聞香悉能知
在在方世尊 一切所恭敬 愍衆而說法 聞香悉能知
衆生在佛前 聞經皆歡喜 如法而脩行 聞香悉能知
雖未得菩薩 无漏法生鼻 而是持經者 先得此鼻相
復次常精進若善男子善女人受持是經若
讀若誦若解說若書寫得千二百舌功德若
好若醜若美不美及諸苦澁物在其舌根皆
變成上味如天甘露无不美者若以舌根於
大衆中有所演說出深妙聲能入其心皆令
歡喜快樂又諸天子天女釋梵諸天聞是深
妙音聲有所演說言論次第皆悉來聽及諸
龍龍女夜叉夜叉女乾闥婆乾闥婆女阿脩
羅阿脩羅女迦樓羅迦樓羅女緊那羅緊那
羅女摩睺羅伽摩睺羅伽女為聽法故皆來
親近恭敬供養及比丘比丘尼優婆塞優婆

BD00921號　妙法蓮華經（八卷本）卷六　（16–15）

衆生在佛前 聞經皆歡喜 如法而脩行 聞香悉能知
雖未得菩薩 无漏法生鼻 而是持經者 先得此鼻相
復次常精進若善男子善女人受持是經若
讀若誦若解說若書寫得千二百舌功德若
好若醜若美不美及諸苦澁物在其舌根皆
變成上味如天甘露无不美者若以舌根於
大衆中有所演說出深妙聲能入其心皆令
歡喜快樂又諸天子天女釋梵諸天聞是深
妙音聲有所演說言論次第皆悉來聽及諸
龍龍女夜叉夜叉女乾闥婆乾闥婆女阿脩
羅阿脩羅女迦樓羅迦樓羅女緊那羅緊那
羅女摩睺羅伽摩睺羅伽女為聽法故皆來
親近恭敬供養及比丘比丘尼優婆塞優婆
夷國王王子羣臣眷屬小轉輪王大轉輪王
七寶千子內外眷屬乘其宮殿俱來聽法以
是菩薩善說法故婆羅門居士國內人民盡
其形壽隨侍供養又諸聲聞辟支佛菩薩
諸佛常樂見之是人所在方面諸佛皆向其

BD00921號　妙法蓮華經（八卷本）卷六　（16–16）

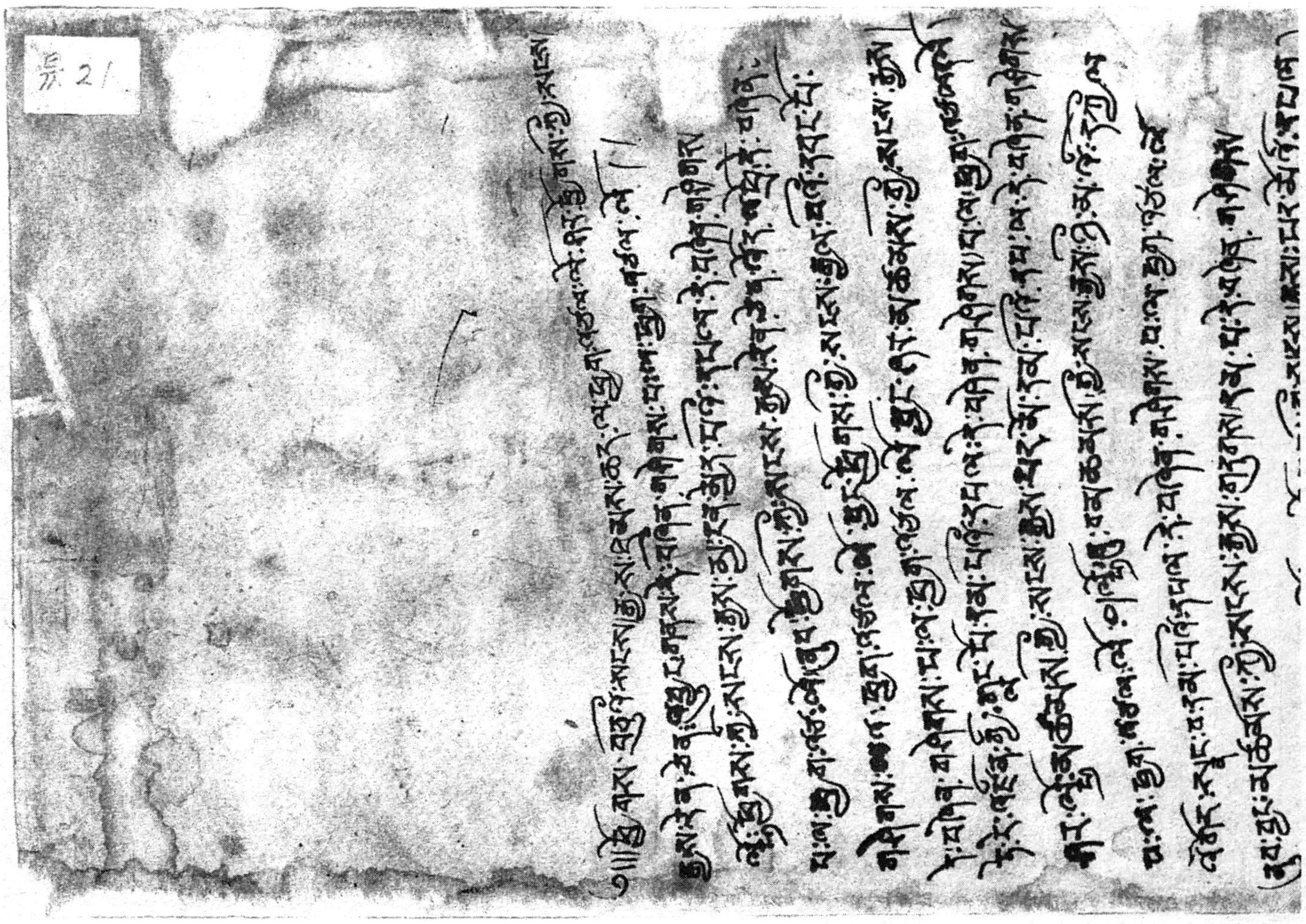

BD00921 號背　藏文佛經　　（2–1）

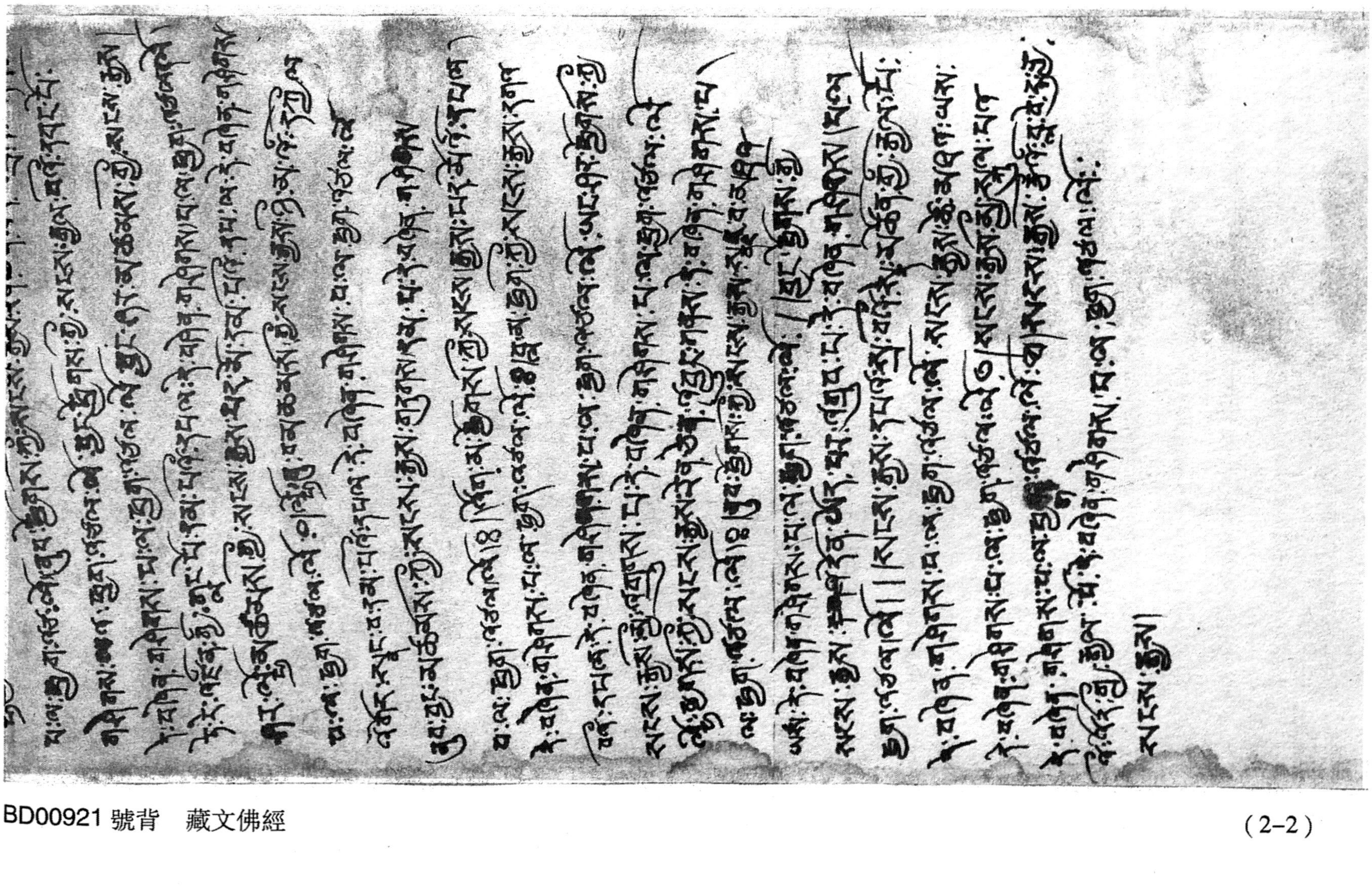

BD00921 號背　藏文佛經　　（2–2）

而為說法應以小王身得度者即現小王身
而為說法應以長者身得度者即現長者身
而為說法應以居士身得度者即現居士身
而為說法應以宰官身得度者即現宰官身
而為說法應以婆羅門身得度者即現婆羅
門身而為說法應以比丘比丘尼優婆塞優
婆夷身得度者即現比丘比丘尼優婆塞優
婆夷身而為說法應以長者居士宰官婆羅
門婦女身得度者即現婦女身而為說法應
以童男童女身得度者即現童男童女身而
為說法應以天龍夜叉乾闥婆阿脩羅迦樓
羅緊那羅摩睺羅伽人非人等身得度者即
皆現之而為說法應以執金剛神得度者即
現執金剛神而為說法无盡意是觀世音菩薩
成就如是功德以種種形遊諸國土度脫眾
生是故汝等應當一心供養觀世音菩薩是
觀世音菩薩摩訶薩於怖畏急難之中能施
无畏是故此娑婆世界皆號之為施无畏者
无盡意菩薩白佛言世尊我今當供養觀世
音菩薩即解頸眾寶珠瓔珞價直百千兩金

BD00922 號　妙法蓮華經卷七　（4–1）

成就如是功德以種種形遊諸國土度脫眾
生是故汝等應當一心供養觀世音菩薩是
觀世音菩薩摩訶薩於怖畏急難之中能施
无畏是故此娑婆世界皆號之為施无畏者
无盡意菩薩白佛言世尊我今當供養觀世
音菩薩即解頸眾寶珠瓔珞價直百千兩金
而以與之作是言仁者受此法施珎寶瓔珞
時觀世音菩薩不肯受之无盡意復白觀世
音菩薩言仁者愍我等故受此瓔珞爾時佛
告觀世音菩薩當愍此无盡意菩薩及諸四眾
天龍夜叉乾闥婆阿脩羅迦樓羅緊那羅摩
睺羅伽人非人等故受是瓔珞即時觀世音
菩薩愍諸四眾及於天龍人非人等受其瓔
珞分作二分一分奉釋迦牟尼佛一分奉多
寶佛塔无盡意觀世音菩薩有如是自在神力
遊於娑婆世界爾時无盡意菩薩以偈問曰
世尊妙相具　我今重問彼　佛子何因緣　名為觀世音
具足妙相尊　偈答无盡意　汝聽觀音行　善應諸方所
弘誓深如海　歷劫不思議　侍多千億佛　發大清淨願
我為汝略說　聞名及見身　心念不空過　能滅諸有苦
假使興害意　推落大火坑　念彼觀音力　火坑變成池
或漂流巨海　龍魚諸鬼難　念彼觀音力　波浪不能沒
或在須彌峯　為人所推墮　念彼觀音力　如日虛空住
或被惡人逐　墮落金剛山　念彼觀音力　不能損一毛
或值怨賊遶　各執刀加害　念彼觀音力　咸即起慈心
或遭王難苦　臨刑欲壽終　念彼觀音力　刀尋段段壞
或囚禁枷鎖　手足被杻械　念彼觀音力　釋然得解脫

BD00922 號　妙法蓮華經卷七　（4–2）

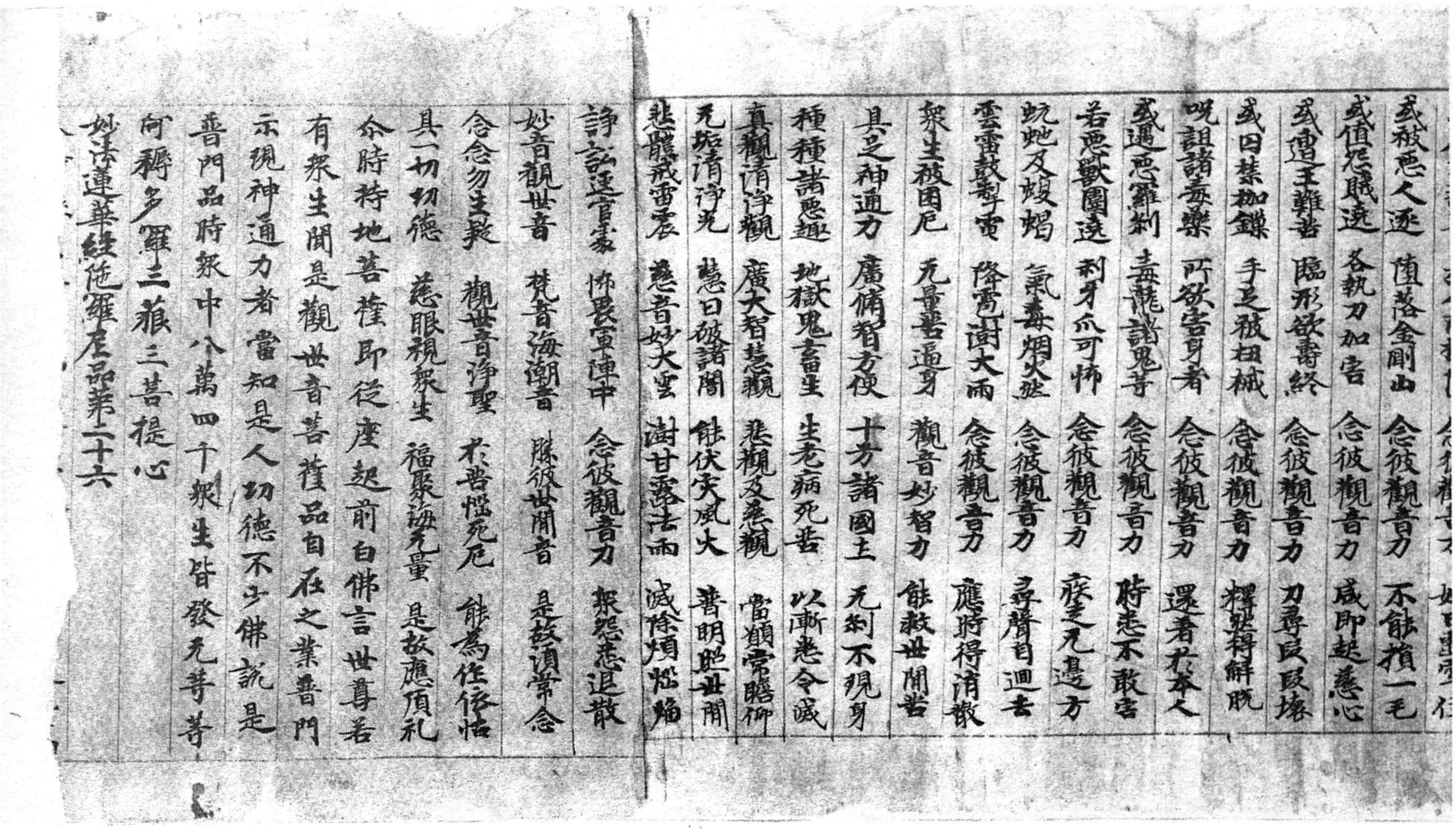
或被惡人逐　墮落金剛山　念彼觀音力　不能損一毛
或值怨賊遶　各執刀加害　念彼觀音力　咸即起慈心
或遭王難苦　臨刑欲壽終　念彼觀音力　刀尋段段壞
或囚禁枷鎖　手足被杻械　念彼觀音力　釋然得解脫
呪詛諸毒藥　所欲害身者　念彼觀音力　還著於本人
或遇惡羅刹　毒龍諸鬼等　念彼觀音力　時悉不敢害
若惡獸圍遶　利牙爪可怖　念彼觀音力　疾走无邊方
蚖虵及蝮蝎　氣毒煙火然　念彼觀音力　尋聲自迴去
雲雷鼓掣電　降雹澍大雨　念彼觀音力　應時得消散
衆生被困厄　无量苦逼身　觀音妙智力　能救世間苦
具足神通力　廣脩智方便　十方諸國土　无刹不現身
種種諸惡趣　地獄鬼畜生　生老病死苦　以漸悉令滅
真觀清淨觀　廣大智慧觀　悲觀及慈觀　常願常瞻仰
无垢清淨光　慧日破諸闇　能伏災風火　普明照世間
悲體戒雷震　慈意妙大雲　澍甘露法雨　滅除煩惱燄
諍訟經官處　怖畏軍陣中　念彼觀音力　衆怨悉退散
妙音觀世音　梵音海潮音　勝彼世間音　是故須常念
念念勿生疑　觀世音淨聖　於苦惱死厄　能為作依怙
具一切功德　慈眼視衆生　福聚海无量　是故應頂禮
尒時持地菩薩即從座起前白佛言世尊若
有衆生聞是觀世音菩薩品自在之業普門
示現神通力者當知是人功德不少佛說是
普門品時衆中八萬四千衆生皆發无等等
阿耨多羅三藐三菩提心
妙法蓮華經陁羅尼品第二十六

BD00922 號　妙法蓮華經卷七　（4–3）

无垢清淨光　慧日破諸闇　能伏災風火　普明照世間
悲體戒雷震　慈意妙大雲　澍甘露法雨　滅除煩惱燄
諍訟經官處　怖畏軍陣中　念彼觀音力　衆怨悉退散
妙音觀世音　梵音海潮音　勝彼世間音　是故須常念
念念勿生疑　觀世音淨聖　於苦惱死厄　能為作依怙
具一切功德　慈眼視衆生　福聚海无量　是故應頂禮
尒時持地菩薩即從座起前白佛言世尊若
有衆生聞是觀世音菩薩品自在之業普門
示現神通力者當知是人功德不少佛說是
普門品時衆中八萬四千衆生皆發无等等
阿耨多羅三藐三菩提心
妙法蓮華經陁羅尼品第二十六

BD00922 號　妙法蓮華經卷七　（4–4）

雅當爾之時大士上來稱歎彌勒大德緣象象自行得通万善攝備化人道暢群生蒙潤
種諸善根初住以上七住已來善根初住善薩能爾身百億世界教化衆生心所得有
疾歎也者常安住者安心於空方便迴迴者迴以已所遘須因中万善迴施人界求法不
態者能解開心求其勝法精无疲懈說法无勝者勸誘諸人說法与人精无惓
惓求其勝法所得有懈求法不懈於入生死而无所畏者此住上外化常
能於生死教化衆生情无疲猒說法与人所得勝悟成上說法与人精
悔无悔也於諸榮辱心无憂喜者无趣之解達觀湛然不見有二境之別
空有不憂喜心遥慄也不輕未學敬學如人者未學當學不得輕慢已學
當敬之如仏者言明解隨煩惱者安居心中起煩惱在於生死縣阿僧祇（?）
者合旨觀空正念也於遠離樂不以爲貴者聲聞見有有遠離有法得於
淨滕以之爲貴明善薩遠離有法不以爲貴不同聲聞也不著己樂
處於旁樂者大士見生衆在苦不得以樂自居故言不著己樂存於禪定
如地獄獄想者釋上己樂不著己樂善薩雖在禪定見苦衆
生而心悲切發於含靈生於苦想如似地獄所得著於己樂於生
死中如園果想者善薩在於生死教化衆生如似春時於光菴
遊觀之時想釋上處於旅樂見來求者爲善師想者見前
人來者求於法無說諸法与人之功來歸己增益功德此前人与我知善師之想

BD00923號　維摩詰經疏（擬）

（3–1）

處於彼樂者大士見生衆在苦不得以樂自居故云不着己樂存於禪定
如地獄〻〻想者釋上己樂不着己樂菩薩雖在禪定見苦衆
生而心悲切登於合靈生於苦想如似地獄所得着於己樂於生
死中如園果想者菩薩在於生死救於衆生如似春時於花首
遊觀之時〻想釋上處於彼樂見来求者爲善師想者見前
人来者求於法我說法与人之功来歸己增益功德此前人与我爲善師想〻
於諸所有具一切智想者〻於目中所有万善求於八果時二想故言具一切
智想也此是別明初住自他行見毁戒人起救護〻者此明二住菩薩外化毁戒
之人言无因果墮於生死是故起救護想諸波羅密者六住非一故言諸爲
父母想者六度有菩薩〻之功故言名爲父母想道品爲眷屬想者道品
之善能使外惡不干守解增長故爲眷屬想也發行善想者發行七住
以上无想善根此是自行无有齊限者八住菩薩〻行方便教化衆
生无有齊限以諸淨國爲因成己之德得清淨也行无限施具足好相者
明八住大士一念心平万行俱備求於八果八住雖好除一切惡者身三業不善
衆惡嚴整除一切惡身口意淨生死无數劫者生死長遠〻无數劫也意
而有勇者當莊嚴國因之意勇健之心也聞八果顯无量功德志而不懈
者聞八果顯无量功德當起釋精心盡意修行万善情无疲惓也以智
慧劍者智慧猛〻利其如利劍能斷結〻故言破煩惱賊〻也出陰
界入者此是八住菩薩外化大士出陰界入諸界方外還入生死何負
衆生永使解脫者使得涅槃解脫也以大精進者魔軍〻〻非精
進不滅精之心万善齊進故摧破四魔軍也常求无念實相智慧者
智无知万品俱照行少欲知足而不捨世法者散聞行少欲知足捨
於世法入於涅槃欲明菩薩雖行少欲不捨世法也不壞威儀而能隨
俗者不壞觀音威儀而能隨俗造作衆事也起神通慧者能發
其形功以神通之慧孔道衆生出離生死也念定總〻持〻之来凡有二種一
是義持二聞持一義逗心暖劫餘明故言義持一聞逗耳虚劫

衆惡莊嚴除一切惡身口意淨生死无難劫者生死長遠无難超意

而有勇者當黄堅固因之意勇健之心也聞亾无量德志而不惓

者聞亾果頭无量功德當趣精心盡意願行万善情无疲惓也以智

慧劒者智慧猶猛利其如利劒能斷結㦲故言破煩惱賊也出陰

界入者此是八住菩薩外化大士出陰界入諸界方外是入生死何負

衆生永使解脫者使得涅槃解脫也以大精進者魔軍燒厳北精

進不滅精之心万善齊進故摧破四魔軍也常求无念實相智慧者聖

智无知万品俱照行少欲知足之而不捨世法者敬聞行少欲知足捨

於世法入於涅槃欲明菩薩雖行少欲不捨世法也不懷威儀而能隨

俗者不懷觀空威儀而能隨俗造作衆事也起神通慧者能廣

其能功以神通之惠見道衆生出離生死也念定捴持捴持之來有二種一

是義持二聞持（逗）一義趣心曉劫餘明故言義持一聞過耳塵劫

不忘故言聞持所不忘善别諸根斷衆生疑者善察根機達解語藥

說則有益故能斷疑也以樂說辯者以樂說辯說演大乘情无有㝵也

一校竟

故言湛然滿也。布以七淨花，浴者得無生之解，名義淨縛，須君中心淨不相行中
有三見淨、道淨、度疑淨、道非道淨，果至阿那含金剛心是行斷智見淨，阿羅漢果
是行斷智見淨也。浴此無垢人者，浴此池者便成無垢之人，故言無垢也。象馬五通馳者，象馬
駿足，能馳萬里，喻方能五通能馳也。輪以極靈難翻，曰喻如象馬能馳萬里
大乘以為車，車能從此至彼之苦。大乘之法能通行者至於彼岸，於下地目中之苦是
以大乘喻若車也。調御以一心者，既有其車，須執御之者；心若掉動，應須攝定；心若
沉沒，應須勸策法撰進。喜不掉不沒，名之為調，用一捨心調御大乘車也。又漫一解，神動則
須定，心沉即須惠，不沉不沒，便能調伏，御大乘車也。遊於八正路者，既有象馬之馳，大
乘為車，正御之旨，任遊於八正之路，便能到於果彼岸也。相具以嚴
容也。八十種好莊嚴其資也。慚愧之上服者，衣能蔽形醜，由慚愧之心莫行万善
滿足法身嚴儀，非上服如何。深心為華鬘者，華鬘能約髮不散，深心能束萬行不散，
故言深心為華鬘也。富有七財寶者，信戒施聞惠慚愧為七財寶也。教授以滋息者，教
授前人，依從教化，功未種已增長功德，故言滋息也。如說而修行者，如來所說，循而行之，
迴向微末之善向於果利也。四禪為牀坐者，牀本能離下濕，四禪能除欲界諠亂也。從於淨
命生者，禪定功德由淨命所得，故言從於淨命而生。多聞增智慧以為自覺音者，多聞能
增長智惠，覺察無生，益多聞之解，能為菩薩覺悟之音也。甘露法為食者，甘露一食
受命長存；涅槃一得，與生死永隔，惠命長存也。解脫味為漿，除渴，解脫之法能除
生死愛欲之渴，喻若漿也。淨心以澡浴，信淨之心清無疑濁也。戒品為塗香者，香
能去穢，戒定惠名能除煩惱臭穢，以為資身之香也。上標明二智，從摧滅煩惱
賊以下別明方便智之用也。摧滅煩惱賊者，肇實智明方便智，世賊奪人財，
財寶傷人軀命；煩惱能奪功德財，傷人惠命，喻若賊也。以實智之解
外於煩惱，喻若賊也。勇健无能踰者，實智之解權於方式，勇健之中至
无過也。降伏四種魔，勝幡建道場者，四魔家務眾惠斯違，果勝幡立

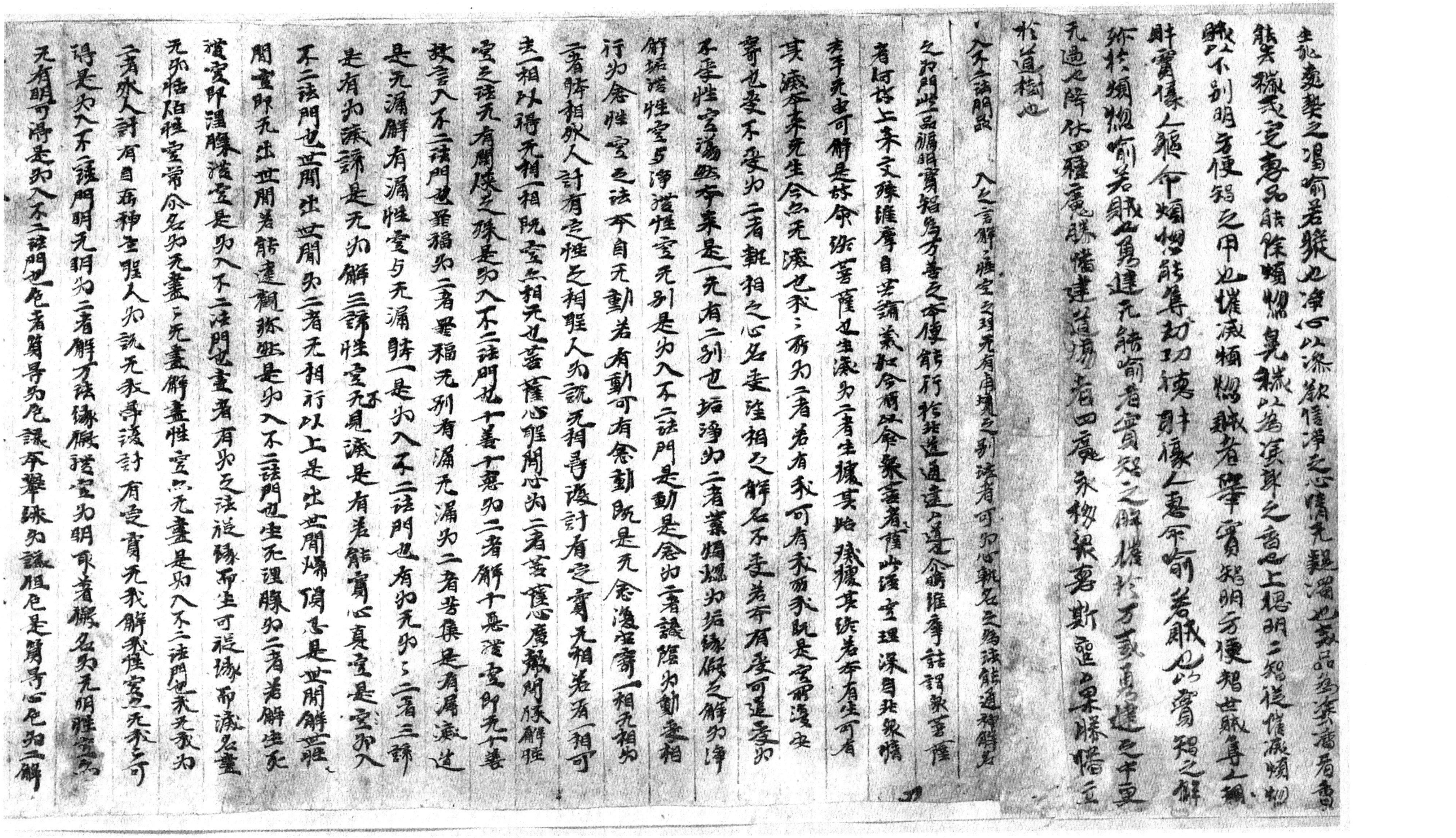
生死處契之渴喻若猴也淨心以除欲情淨之心情无疑滯也故品名此法喻者喜
龍炎熾之定惠名能除煩惱塵亂以為演耳之音也上總明二智從懺滅煩惱
賊以不別明方便智之用也懺滅煩惱惱賊者肇寳智明方便智世賊等上綱
財寶儀人惠命煩惱能奪劫功德財儀人惠命喻若賊也實智之解
外於煩惱喻若賊也惠遣无餘喻若實智之解儀於方便惠遣之千里
无遺也降伏四種魔勝幡建道場者四魔永拂衆惑斯遣果勝幡立
於道樹也
入不二法門品　入之言解性空之理无有兩境之別法者可為心軌名之為法能通神解名
之為門此品明實智為方善之本便能行於非道通達佛道令淨名維摩詰謂衆菩薩
者何故上來文殊維摩自芸論義和合所以令衆菩薩以後空理深自非衆情
之本无由可解是故命諸菩薩各出法為二者生滅其始其終若本有生可有
其滅本來无生今亦无滅也我我所為二者若有我可有我所我既是空我所復安
寄也受不受為二者執相之心名受陰相之解名不受若本有受可遣受為
不受性空湛然本來是一无有二別也垢淨為二者業煩惱為垢緣假之解為淨
解垢諸性空与淨諸性空无別是為入不二法門是動是念為二者識陰為動受想
行為念性空之法本自无動若有動可有念動既是无念復安寄一相无相為
二者諦相外人計有定性之相聖人為說无相尋復計有定實无相若有一相可
去一相以待无相一相既空亦无相无也菩薩心聲聞心為二者菩薩心廣為解聲聞心狹解脫
空之法无有闊狹之殊是為入不二法門也十善十惡為二者解十惡諸空即是十善
故言入不二法門也罪福為二者罪福无別有漏无漏為二者苦集是有漏滅道
是无漏解有漏性空与无漏一是為入不二法門也有為无為二者三諦
是有為滅諦是无為解三諦性空无不見滅是有若能窮心真空是空亦入
不二法門也世間出世間為二者无相行以上是出世間煩惱是世間解離
間空即无出世間若能達觀是為入不二法門也生死涅槃為二者若解生死
復空即涅槃復空是為入不二法門也盡不盡者有為之法從緣而生可從緣而滅名盡
无為恬怕性空常爾名為无盡盡无盡解盡性空无无盡是為入不二法門也我无我為
二者外人計有自在神主聖人為說无我尋復計有定實无我解我性空亦无无我可
得是為入不二法門明无明為二者解方便緣假空為明取著假名為无明性空亦
无有明可得是為入不二法門也色者質导為色議本攀緣為識但色是質导心色為二解

BD00924 號　維摩詰經疏（擬）

（6–2）

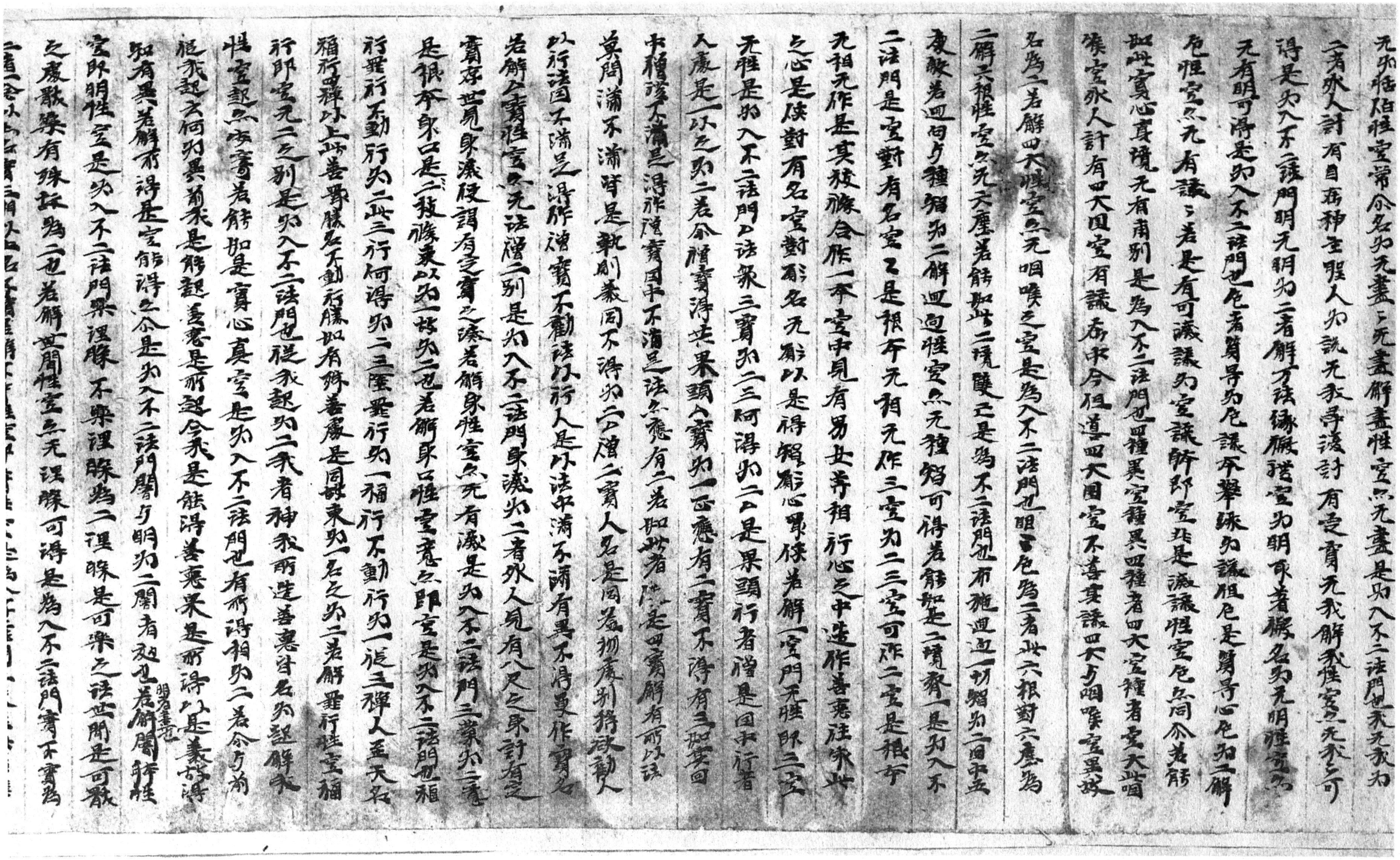

BD00924號　維摩詰經疏（擬）　（6–3）

從我起云何爲異前我是能起善惡是所起今我是能得善惡果是所得以是義故得
知有異若解前得是空能得之今是爲入不二法門闇与明爲二闇者惡也明者善也若解闇體性
空即明性空是爲入不二法門樂涅槃不樂涅槃爲二涅槃是可樂之法世間是可猒
之處猒樂有殊故爲二也若解世間性空亦无涅槃可得是爲入不二法門實不實爲
二者一舍以上名實二相以上名不實若解不實性空即實性空是爲入不二法門上來至此菩薩
以言遣法文殊師利以言遣言維摩詰以言遣无言是故嘿然者上觀衆生品中舍
利弗嘿然天女呵之今維摩嘿何故不被呵舍利弗存有而境之異維摩詰不見有
二境之別以无言遣言會旨故不致呵也

香積品

就此品中三段明義第一遣化菩薩上方乞飯第二此方共食第三爲他方菩薩說穢土化益訖
說法已竟生嫌將有諸人須食弟子生念此諸菩薩當於何食維摩即以神力遣化菩薩
上方乞飯聞目有是食之方菩薩更无得食之處只背捨人者要行至難下欲得食上
方猶法爲彼菩薩日夜說要法者上聞維摩說法然其一世饒衆生多於彼土百千劫行菩薩
讚嘆釋迦所說勝妙即欲奉覲稱行見穢土多難俗物生淨土故問成就要法行无創
无生於淨土維摩言成就八法得生淨土何者爲八教上接下得失相形長短爲二自他爲異也

菩薩行品

菩薩品行者下如來爲他方菩薩說穢土化宜菩薩行法以下文爲名故言爲
菩薩行品維摩詰語文殊師利可共見如來說法即同諸人悟道須往見如來利益時至以是
義故告文殊也大意見如來有六事利益第一見如來威儀阿難香飯往世人近論佛事无妨
第二威儀如來爲他方大士說菩薩之行第三觀如來相見應知真觀而生解第四見如
來斷取妙喜世界与此土衆生作入道之緣第五見如來威儀世尊佛封此典廣明法使養
第六見如來威儀世尊附囑此典流通像代万世不絕使使聽法衆生藉斯生善有此利
益故須見也　今就此品中復有六段明義第一從於此文至非意所圖非所惻明訖
事使養第二阿難白佛以下至未曾有也明阿難問香飯久近第三從佛告阿難或有
光明而作佛事以下至是名入一切諸佛法門明如來爲說佛事无方第四從菩薩入此門以下至維摩
所現神通之力歎聞辟支所不能作此言對阿難乃自發切他方菩薩第五從爾時衆香
世界菩薩來者以下至隨其所應現佛國異者此是他方大士覺佛殊未曾有過自
惰第六從唯然世尊願賜少法以下訖品請法還家菩薩入此門者入之言解之此明
事无方行者若見一切淨妙佛土不以爲喜者淨妙在於衆生業行所感非是如來道
德高勝能獲此大何得爲喜故言不貪不高者若見如來道德高勝感得淨
土可生貪高之心今所知妙土不在佛感是故不生貪高心也若見一切佛土不淨不
以爲憂惱 [illegible]

事使養。第二阿難白佛下至未曾有也，明阿難問香飯久近。第三從佛告阿難或有
光明而作佛事以下盡是名入一切諸佛法門，如來為說佛事無方。第四從菩薩入此門以下至維摩
所現神通之力，歎聞辟支所不能作此言，對阿難乃自鄙劣。他方菩薩第五從尒時衆香
世界菩薩來者以下至隨其所應現佛國異者，此是他方大士覺佛義，來如稱道自
情。第六從唯然世尊願賜少法以下訖品，請法還家。菩薩入此門者，入之言解之也。
事無方行者，若見一切淨妙佛土不以為喜者，淨妙存於衆生業行所感，非是如來道
德高勝能難。此大阿得為喜，故言不貪不高者，若見如來道德高勝感得淨
土，可生貪高之心，今所知妙土不在人感，是故不生貪高心也。若見一切人土不淨不
以為憂者，穢土之來，衆生行感，非是如來罪，故得此何得為憂也。不得不沒
者，若有憂可有沒，既無其憂，得沒安審也。是故名為三藐三佛陀，名為多阿、
他伽度名為佛陀者，此號舉三号。三藐者正遍知，於有無理中斷諸明暗者該
不違達，不名正遍知。正以有無理上無法不了，故言正遍知。多陀阿伽度者名如來，
會如理而來，故言如來也。佛陀者名人，人名覺者，若一法不覺者不名為人，以自覺覺人名之為
佛也。若我廣說三句義者，如以劫壽不能盡受。如來三大阿僧祇行行方成，豈況歎
聞一劫之中盡能受也。唯然世尊者，唯之言尒，敬諾辭也。願賜少法者，此是第六請法還
家。有無為為是少法，此法之文何以而生？由上維摩其此世一衆行道，多於淨土百千劫行
也。他方大士謂釋迦所說勝彼，故也。欲穢土請法淨土流通，故由上言生於此讃也。當舍聚來者
釋迦豈得彼舍但捨彼方菩薩，於如來高名遠振，欲生諸善衆同舍也。人言有者，從此下至
來為說盡無盡解脫法門者，有為之法從緣而生，還從緣而滅，名為盡也。無為常住恒住
常，尒故名無盡也。解脫者，無餘涅槃名為解脫，又復一解無為之法，有繫斷縛，故言解脫。諸有有
無之理可為心軌，故名為法。能通神解名為解，行也。汝等當學，有為第一章，無為是第二章。內
此張二章內，下使人因之生行。如菩薩者，自下為說有為法，能有為之中初明住下菩薩自行外化，
第二明初住以上至六住以還自行外化，第三明七住以上十住已來自行外化。初不盡有為不住無
為。至而不忌忘是住下廿心自行，從教化衆生至我罪釋法是住下外化，從種諸善根至慈悲攝
者，明初住菩薩七住已還自行也。入生死明其外化，從殖衆行善根出陰界入是十地以上自行有實
衆生以下至是名不盡有為，明其外化也。如菩薩者，若欲作菩薩者，有為之中不得作盡滅之行。若
作盡滅之行，不得資成空慧空觀，不明同於二乘。常在生死，無上之果何由可獲？以是義故，有
為之中不得作盡滅之行，得能資成空觀，空觀外明，於有中方善相巧得
立，便能趣向佛果，是故菩薩不得盡滅有為之中方行也。不住無為者，菩薩住著無為，若其心空
同於聲聞，空觀不明，不能莫達，有中諸善有一方善何由得立，正以不住著無為便能增其勝解空

會如理而來故言如來也佛者名之為覺覺者覺一法不覺者不名為佛以自覺覺人名之為
佛也若我廣說三句義者如以劫壽不能盡受如來三大阿僧祇行行方成豈況散
開劫之中盡能受也唯然世尊者唯之言介敬諾辭也願賜少法者此是第六請法還
家有無為為是少法此法文何以而生由上維摩然其此世一身行道多於諍土百千劫行
也他方大士謂釋迦前說勝彼說也欲歸土請法淨土流通彼由上言生於此難也當念如來者
釋迦豈請彼念但棟彼方菩薩欲於如來高名遠稱故生讀善菩薩念也今言有者從此不如
來為說盡無盡解脫諸門者有為之法從緣而生是從緣而滅名為盡也无為恬怕性空
常介故名無盡也解脫者無餘涅槃名為解脫又淺解无為之法有絕斷隊故言解脫法者有
无之理可為心軌故名為法解通神解名為解行也汝等當學有為第一章內无為是第二章內
此張二章內下使人因之生行如是菩薩者自下為說有為法就有為之中初明住下菩薩自行外化
第二明初住以上至六住以還自行外化第三明七住以上十住已來自行外化初不盡有為不住无
為至而不忽忘是住下廿心自行從教化衆生至於四攝法是住下外化從種諸善根至慈悲諸
者明初住菩薩六住已還自行也入生死明其外化從發行善根出陰界入是七地以上自行有為
衆生以下至是名不盡有為明其外化也如是菩薩者為欲作善菩薩者有為之中不得作盡滅之行者
作盡滅之行不得消滅空惠空觀不明同於凡夫常在生死无上之果何由可獲以是義故有
為之中不得作盡滅之行正以不作盡滅之行便能資成空觀空觀外明於有如萬善相資得
互便能趣向果是故菩薩不得盡滅有為之中萬行也不住无為者菩薩住著无為若安心空
同於聲聞空觀不明不能莫達有中諸善有中萬善何由得立正以不住著无為便能增其勝解空
觀而明能莫有中萬善相乃得立若欲作善菩薩者不得住著无為也何謂不盡有為者不離大慈不
捨大悲常在生死脩行萬善教化衆生有為之中不得作盡滅之行也深發一切智心者此住下自行
在於住地餘求佛果心緣住空遠歸常住故言深發也而不忽忘者空觀專解不為亂心所借故言
而不忽忘者教化衆生終不厭倦者此有中外化既內解開心而不忽忘便能濟拔无崖空有厭
惓故言而不厭於四攝法者欲在生死濟度非四攝不得常念順行以四攝之法化
於衆生故言常念順行也護持正法者此是住下護法者若菩薩自行不通化人道

BD00924號　維摩詰經疏（擬）　　（6–6）

BD00924號背　雜寫

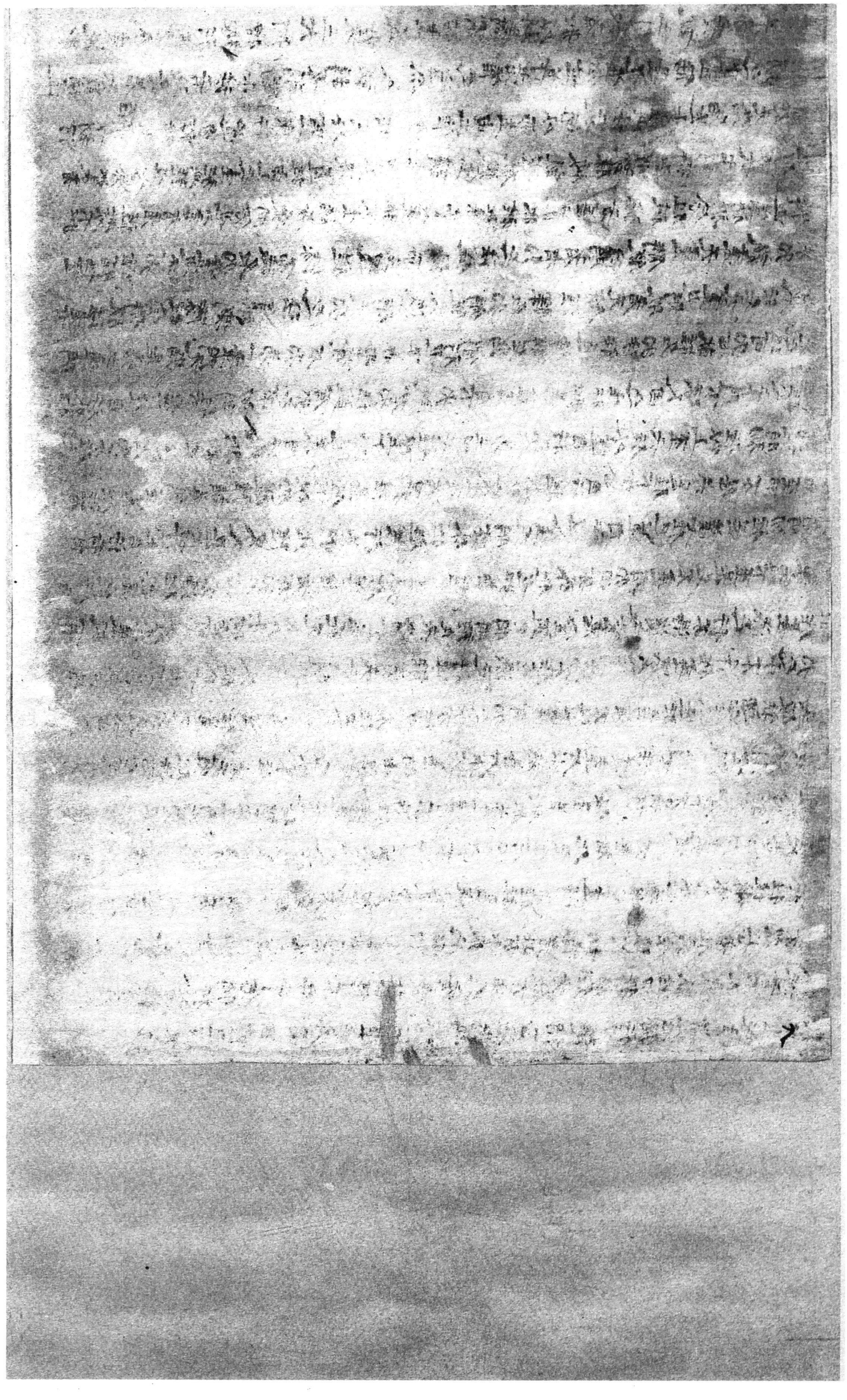

（1-1）

眼是二子有大神力福德智慧久脩菩薩所
行之道所謂檀波羅蜜尸波羅蜜羼提波羅
蜜毗梨耶波羅蜜禪波羅蜜般若波羅蜜
方便波羅蜜慈悲喜捨乃至卅七品助道法皆
悉明了通達又得菩薩淨三昧日星宿三昧
淨光三昧淨色三昧淨照明三昧長莊嚴三
昧大威德藏三昧於此三昧亦悉通達尒時
彼佛欲引導妙莊嚴王及慜念衆生故說是
法華經時淨藏淨眼二子到其母所合十指
爪掌白言願母往詣雲雷音宿王華智佛所
我等亦當侍從親覲供養礼拜所以者何此
佛於一切天人衆中說法華經宜應聽受母
告子言汝父信受外道深著婆羅門法汝等
應往白父與共俱去淨藏淨眼合十指爪掌
白母我等是法王子而生此耶見家母告子
言汝等當憂念汝父為現神變若得見者心
必清淨或聽我等往至佛所於是二子念其
父故踊在虛空高七多羅樹現種種神變於

BD00925號　妙法蓮華經卷七　（10–1）

應往白父與共俱去淨藏淨眼合十指爪掌
白母我等是法王子而生此耶見家母告子
言汝等當憂念汝父為現神變若得見者心
必清淨或聽我等往至佛所於是二子念其
父故踊在虛空高七多羅樹現種種神變於
虛空中行住坐臥身上出水身下出火身下
出水身上出火或現大身滿虛空中而復現
小小復現大於空中滅忽然在地入地如水
履水如地現如是等種種神變令其父王心
淨信解
時父見子神力如是心大歡喜得未曾有合
掌向子言汝等師為是誰誰之弟子二子白
言大王彼雲雷音宿王華智佛今在七寶菩
提樹下法座上坐於一切世間天人衆中廣
說法華經是我等師我是弟子父語子言我
今亦欲見汝等師可共俱往於是二子從
空中下到其母所合掌白母父王今已信解
堪任發阿耨多羅三藐三菩提心我等為
父已作佛事願母見聽於彼佛所出家脩
道尒時二子欲重宣其意以偈白母
願母放我等　出家作沙門　諸佛甚難值　我等隨佛學
如優曇波羅　值佛復難是　脫諸難亦難　願聽我出家
母即告言聽汝出家所以者何佛難值故於
是二子白父母言善哉父母願時往詣雲雷
音宿王華智佛所親近供養所以者何佛難
得值如優曇波羅華又如一眼之龜值浮木

BD00925號　妙法蓮華經卷七　（10–2）

如優曇波羅 值佛復難是 脫諸難亦難 願聽我出家
母即告言聽汝出家所以者何佛難值故於
是二子白父母言善哉父母願時往詣雲雷
音宿王華智佛所親近供養所以者何佛難
得值如優曇波羅華又如一眼之龜值浮木
孔而我等宿福深厚生值佛法是故父母當
聽我等令得出家所以者何諸佛難值時亦
難遇彼時妙莊嚴王後宮八万四千人皆悉
堪任受持是法華經淨眼菩薩於法華三昧
久已通達淨藏菩薩已於无量百千万億劫
通達離諸惡趣三昧欲令一切衆生離諸惡
趣故其王夫人得諸佛習三昧能知諸佛秘
密之藏二子如是以方便力善化其父令心
信解好樂佛法於是妙莊嚴王與群臣眷屬
俱淨德夫人與後宮婇女眷屬俱其王二子
與四万二千人俱一時共詣佛所到已頭面礼
足繞佛三帀却住一面尒時彼佛爲王說法
示教利喜王大歡悅尒時妙莊嚴王及其夫
人解頸真珠瓔珞價直百千以散佛上於虛
空中化成四柱寶臺臺中有大寶床敷百
千万天衣其上有佛結加趺坐放大光明尒時
妙莊嚴王作是念佛身希有端嚴殊特成就
第一微妙之色時雲雷音宿王華智佛告四
衆言汝等見是妙莊嚴王於我前合掌立
不此王於我法中作比丘精勤脩習助佛道
法當得作佛号娑羅樹王國名大光劫名大
高王其娑羅樹王佛有无量菩薩衆及无量
聲聞其國平正功德如是其王即時以國付

BD00925 號　妙法蓮華經卷七　（10–3）

[illegible]妙莊嚴王於我前合掌立
不此王於我法中作比丘精勤脩習助佛道
法當得作佛号娑羅樹王國名大光劫名大
高王其娑羅樹王佛有无量菩薩衆及无量
聲聞其國平正功德如是其王即時以國付
弟與夫人二子并諸眷屬於佛法中出家脩
道王出家已於八万四千歲常勤精進脩行
妙法華經過是已後得一切淨功德莊嚴三
昧即外虛空高七多羅樹而白佛言世尊此
我二子已作佛事以神通變化轉我邪心令
得安住於佛法中得見世尊此二子者是我
善知識爲欲發起宿世善根饒益我故來生
我家尒時雲雷音宿王華智佛告妙莊嚴王
言如是如是如汝所言若善男子善女人種
善根故世世得善知識其善知識能作佛事
示教利喜令入阿耨多羅三藐三菩提大王當
知善知識者是大因緣所謂化導令得見佛
發阿耨多羅三藐三菩提心大王汝見此二
子不此二子已曾供養六十五百千万億那
由他恒河沙諸佛親近恭敬於諸佛所受
持法華經愍念邪見衆生令住正見妙莊嚴
王即從虛空中下而白佛言世尊如來甚希
有以功德智慧故頂上肉髻光明顯照其眼
長廣而紺青色眉間豪相白如珂月齒白齊
密常有光明脣色赤好如頻婆菓尒時妙莊
嚴王讚歎佛如是等无量百千万億功德已
如來前一心合掌復白佛言世尊未曾有也
如來之法具足成就不可思議微妙功德教

BD00925 號　妙法蓮華經卷七　（10–4）

嚴王讚嘆佛如是等无量百千万億功德已
如来前一心合掌復白佛言世尊未曾有也
如来之法具足成就不可思議微妙功德教
戒所行安隱快善我從今日不復自随心行
不生邪見憍慢瞋恚諸悪之心說是語已礼
佛而出佛告大衆於意云何妙莊嚴王豈異
人乎今華德菩薩是其淨德夫人今佛前
光照莊嚴相菩薩是哀愍妙莊嚴王及諸
眷屬故於彼中生其二子者今藥王菩薩藥
上菩薩是是藥王藥上菩薩成就如此諸大
功德已於无量百千万億諸佛所殖衆德本
成就不可思議諸善功德若有人識是二
菩薩名字者一切世間諸天人民亦應礼拜
佛說是妙莊嚴王本事品時八万四千人遠
塵離垢於諸法中得法眼淨

妙法蓮華經普賢菩薩勸發品第廿八

尒時普賢菩薩以自在神通威德名聞與大
菩薩无量无邊不可稱數從東方来所經諸
國普皆震動雨寶蓮華作无量百千万億種
種伎樂又與无數諸天龍夜叉乾闥婆阿脩
羅迦樓羅緊那羅摩睺羅伽人非人等大衆
圍繞各現威德神通之力到娑婆世界耆闍
崛山中頭面礼釋迦牟尼佛右繞七帀白佛言
世尊我於寶威德上王佛國遥聞此娑婆世
界說法華經與无量无邊百千万億諸菩
薩衆共来聽受唯願世尊當為說之若善男
子善女人於如来滅後云何能得是法華經

BD00925號　妙法蓮華經卷七

（10–5）

界說法華經與无量无邊百千万億諸菩
薩衆共来聽受唯願世尊當為說之若善男
子善女人於如来滅後云何能得是法華經
佛告普賢菩薩若善男子善女人成就四法
於如来滅後當得是法華經一者為諸佛護
念二者殖衆德本三者入正定聚四者發救
一切衆生之心善男子善女人如是成就四法
於如来滅後必得是經尒時普賢菩薩白佛
言世尊於後五百歲濁悪世中其有受持是
經典者我當守護除其衰患令得安隱使
无伺求得其便者若魔若魔子若魔女若魔
民若為魔所著者若夜叉若羅刹若鳩槃荼
若毗舍闍若吉蔗若富單那若韋陁羅等諸
惱人者皆不得便是人若行若立讀誦此經
我尒時乗六牙白象王與大菩薩衆俱詣其
所而自現身供養守護安慰其心亦為供養
法華經故是人若坐思惟此經尒時我復乗
白象王現其人前其人若於法華經有所忘
失一句一偈我當教之與共讀誦還令通利
尒時受持讀誦法華經者得見我身甚大歡
喜轉復精進以見我故即得三昧及陁羅尼
名為旋陁羅尼百千万億旋陁羅尼法音方
便陁羅尼得如是等陁羅尼世尊若後世後
五百歲濁悪世中比丘比丘尼優婆塞優婆
夷求索者受持者讀誦者書寫者欲脩習是
法華經於三七日中應一心精進滿三七日已
我當乗六牙白象與无量菩薩而自圍繞以
一切衆生所憙見身現其人前而為說法亦

BD00925號　妙法蓮華經卷七

（10–6）

五百歲濁惡世中比丘比丘尼優婆塞優婆
夷求索者受持者讀誦者書寫者欲脩習是
法華經於三七日中應一心精進滿三七日已
我當乘六牙白象與无量菩薩而自圍繞以
一切衆生所憙見身現其人前而為說法示
教利喜亦復與其陁羅尼呪得是陁羅尼
故无有非人能破壞者亦不為女人之所惑亂
我身亦自常護是人唯願世尊聽我說此陁
羅尼即於佛前而說呪曰
阿檀地途賣反檀陁婆地二檀陁婆帝三檀陁
鳩舍隸四檀陁脩陁隸五脩陁隸六脩陁羅
婆底七佛馱波羶禰八薩婆陁羅尼阿婆多
尼九薩婆婆沙阿婆多尼十脩阿婆多尼十一
僧伽婆履叉尼十二僧伽涅伽陁尼十三阿僧祇十四
僧伽波伽地十五帝隸阿惰僧伽兜略盧遮反
波羅帝十六薩婆僧伽三摩地伽蘭地十七薩婆
達磨脩波利刹帝十八薩婆薩埵樓馱憍舍略
阿㝹伽地十九辛阿毗吉利地帝二十
世尊若有菩薩得聞是陁羅尼者當知普賢
神通之力若法華經行閻浮提有受持者應
作此念皆是普賢威神之力若有受持讀誦
正憶念解其義趣如說脩行當知是人行普
賢行於无量无邊諸佛所深種善根為諸如
来手摩其頭若但書寫是人命終當生忉利
天上是時八万四千天女作衆伎樂而来迎之
其人即著七寶冠於婇女中娛樂快樂何況
受持讀誦正憶念解其義趣如說脩行若

来手摩其頭若但書寫是人命終當生忉利
天上是時八万四千天女作衆伎樂而来迎之
其人即著七寶冠於婇女中娛樂快樂何況
受持讀誦正憶念解其義趣如說脩行若
有人受持讀誦解其義趣是人命終為千佛
授手令不恐怖不墮惡趣即往兜率天上彌
勒菩薩所彌勒菩薩有三十二相大菩薩衆
所共圍繞有百千万億天女眷屬而於中生有
如是等功德利益是故智者應當一心自書
若使人書受持讀誦正憶念如說脩行世尊
我今以神通力守護是經於如来滅後閻浮
提內廣令流布使不斷絶尒時釋迦牟尼佛
讚言善哉善哉普賢汝能護助是經令多
所衆生安樂利益汝已成就不可思議功德深
大慈悲從久遠来發阿耨多羅三藐三菩提
意而能作是神通之願守護是經我當以神
通力守護能受持普賢菩薩名者普賢若
有受持讀誦正憶念脩習書寫是法華經者
當知是人則見釋迦牟尼佛如從佛口聞此經
典當知是人供養釋迦牟尼佛當知是人佛
讚善哉當知是人為釋迦牟尼佛手摩其
頭當知是人為釋迦牟尼佛衣之所覆如是
之人不復貪著世樂不好外道經書手筆亦
復不憙親近其人及諸惡者若屠兒若畜猪
羊雞狗若獵師若衒賣女色是人心意質直
有正憶念有福德力是人不為三毒所惱亦
不為嫉妬我慢邪慢增上慢所惱是人少欲

[illegible]
羊雞狗若獵師若衒賣女色是人心意質直
有正憶念有福德力是人不為三毒所惱亦
不為嫉妬我慢耶慢增上慢所惱是人少欲
知足能脩普賢之行普賢若如来滅後後五
百歲若有人見受持讀誦法華經者應作是
念此人不久當詣道場破諸魔衆得阿耨多
羅三藐三菩提轉法輪擊法鼓吹法蠡雨法
雨當坐天人大衆中師子法座上普賢若於
後世受持讀誦是經典者是人不復貪著衣
服卧具飲食資生之物所願不虛亦於現世
得其福報若有人輕毀之言汝狂人耳空作
是行終无所獲如是罪報當世世无眼若有供
養讃歎之者當於今世得現果報若復見受
持是經者出其過惡若實若不實此人現
世得白癩病若輕笑之者當世世牙齒踈缺
醜脣平鼻手脚繚戾眼目角睞身體臭穢惡
瘡膿血水腹短氣諸惡重病是故普賢若見
受持是經典者當起遠迎當如敬佛說是普
賢勸發品時恒河沙等无量无邊菩薩得百
千億旋陁羅尼三千大千世界微塵等諸菩
薩具普賢道佛說是經時普賢等諸菩薩
舍利弗等諸聲聞及諸天龍人非人等一切大
會皆大歡喜受持佛語作礼而去

妙法蓮華經卷第七

BD00925號　妙法蓮華經卷七　（10–9）

瘡膿血水腹短氣諸惡重病是故普賢若見
受持是經典者當起遠迎當如敬佛說是普
賢勸發品時恒河沙等无量无邊菩薩得百
千億旋陁羅尼三千大千世界微塵等諸菩
薩具普賢道佛說是經時普賢等諸菩薩
舍利弗等諸聲聞及諸天龍人非人等一切大
會皆大歡喜受持佛語作礼而去

妙法蓮華經卷第七

BD00925號　妙法蓮華經卷七　（10–10）

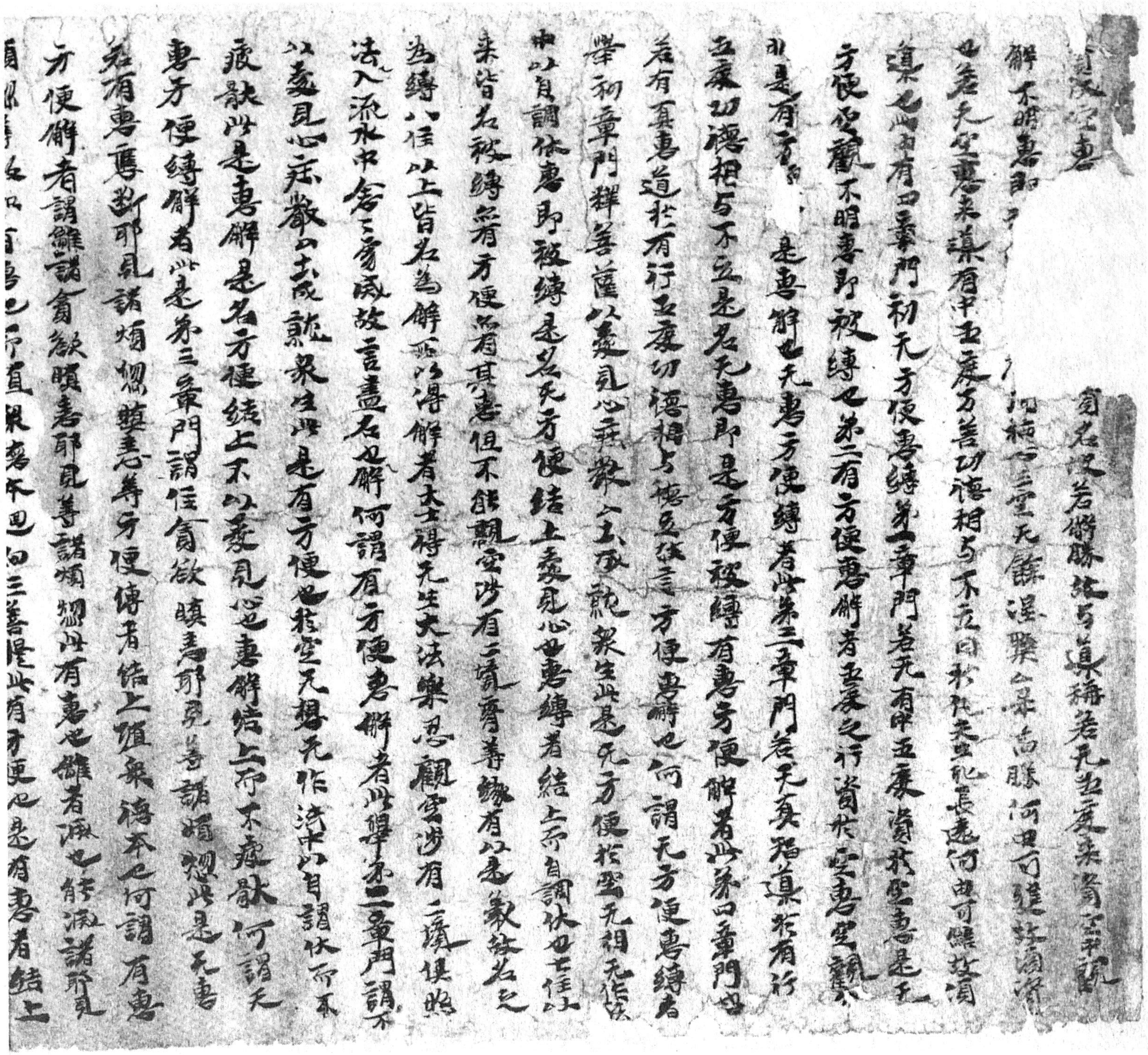

BD00926號　維摩詰經疏（擬）　（10–1）

BD00926號　維摩詰經疏（擬）

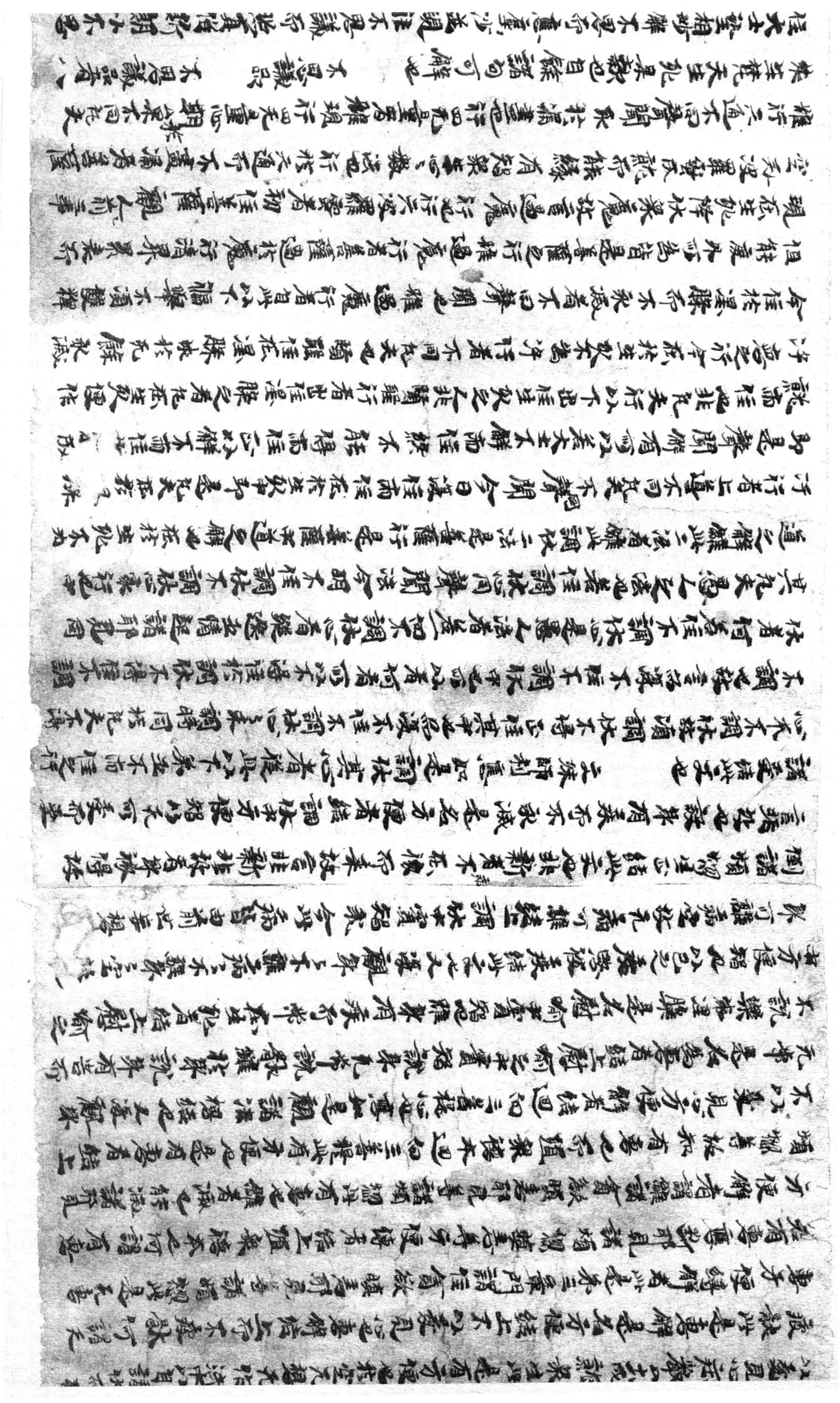

（10–2）

[illegible]
現在生死降伏衆魔故言過魔行也行六波羅蜜者初住菩薩觀人前三事
空無波羅蜜成熟有能緣有智衆生心心數法也行於六通而不盡漏者菩薩
雖行六通不同聲聞取於漏盡也行四無量者雖現行四無量心期於衆不同梵天
生梵天生死果報也自餘諸句可解也　　不思議品　不思議品者八
住大士望相妙解不思而意度沙並現能不思議而顯其實斯朗以不思
議名品故名不思議品此品所以而來者上明慰喻調伏二智雙用之能顯此以下
說此二智別作之力自此以下更迭彰隱顯明義此品但說方便智觀衆生品明其
實智佛道品復論方便入不二法門更談實智香積一品重明方便菩薩行品實智
所爲見阿閦佛品方便之用是故此品由於上文生也就此品中三段明義始於此文至五百天子
得法眼淨訶其舍坐之心第二從維摩詰問文殊以下盡至窮劫不盡正明借坐燈王現
不思議之事也第三明聲聞觀不思議事妙失利慶深迦葉悲歎舍利弗見此室中空
無牀坐作是念者何以不在上而生念下憶念為何故正在此中而爲未來命問原未能理
不應坐不得生念今問原已責諸人有時之形須牀坐資身聽清法聽故此中念坐
也斯諸菩薩大弟子者何故在念食但言斯諸菩薩不道弟子有何所以此中雖
舉今解有所以但聲聞是出家人法自有乞食法菩薩是在家之衆更無得食之
地是故偏念菩薩此中聽法莫問道俗有時之形皆須牀坐故言斯諸菩薩大弟子
衆當於何坐也夫求法者不貪軀命何況牀坐者夫真求法者不見陰界諸入能役於
衆無不見有假名行者能聽於法不見三衆安身之處無三寶可學之所不見四諦
觀行之境上身並智不貪身命何況牀坐牀坐資身增長生死聽法養神超
過于外　今日何故念牀坐也非有色受想行識五陰也非有界入者界者六界入者
十二入性空真法不見陰界諸入來於身非有欲色無色之依者欲者欲界色者色界無
色者無色界不見三界安身之處不著之法衆也者無其三寶可學之所也無見苦者
無苦諦也無斷集者無集諦也無造盡證脩道之求者無滅道二諦也是名戲論者是
名法有戲論也若如其上言是真求法自下若造其此語是名戲論唯舍利弗法名寂
滅者性空之法無五陰生滅動故名法名寂滅若行生滅是求生滅也非求法也是
求五陰生滅非求性空真法觸上無五陰也法名無染若染著性空之法不為十二入所染也
故言法名無染乃至涅槃者何況有為之法無為之法也是則染著非求法也
是即染著十二入法非是真求性空之法觸上無十二入也法無行處者性空之法無十八界
行處緣其境界是行處即非求法者是行十八界行緣之處非是真求性空法也法無處

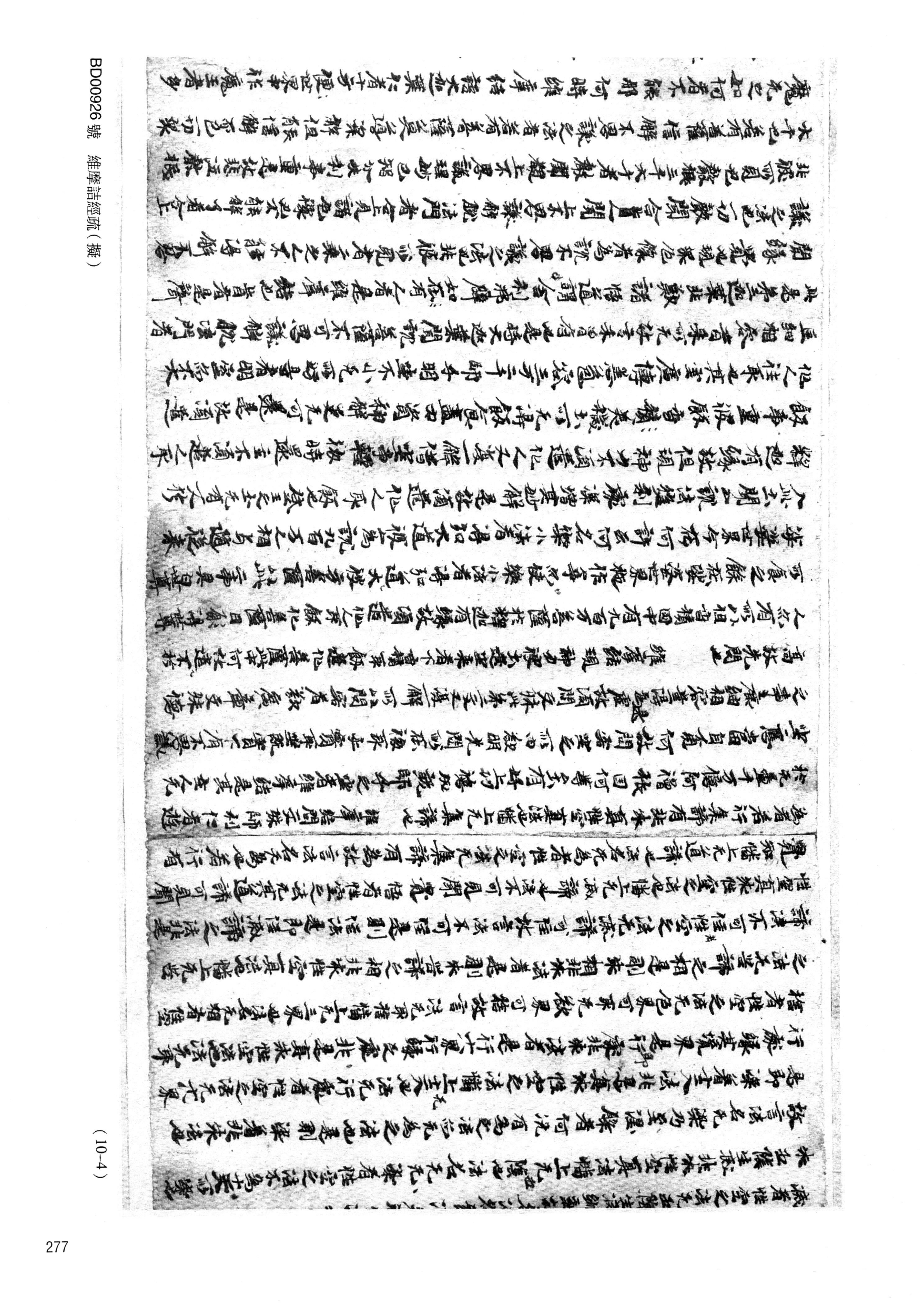

[illegible]

非彼所見也。敵根三千大千者，敵摧觀上不思議理妙色，況小小利事，重是故悲泣敵根
大千也。若有菩薩信解不思議之法者，若有菩薩莫尊深解，但能信解而已，一切衆
魔无如之何。若不能耶。何時維摩詰語大迦葉：仁者，十方世界中作魔王者多
是住不可思議菩薩。若此文何以而來？由上迦葉尊者菩薩信解不可思議法者，
一切衆魔无如之何，此言是攬。魔有二種：一是實魔，二是權魔。若是實魔，不能耶
得。何者是權魔？勸伏信解菩薩耶得言，一切衆魔如之何，以是義故須
出此文也。善薩有威德力，故行逼迫示如是者。生下龍象喻，彼夫不勞无有力勢
者，生下驢喻也。龍象蹴蹋，非驢所堪者。權魔所作，非實魔所知也。

觀衆生品

觀衆生品者，所以而來？由上迦葉悲嘆諸人修道淨不見思議，兩字妙有淨受
菩提心者，既名菩薩，度悉人生死，行化生死多難，故行化无能觀於衆生，作何等相觀
於衆生。如第二稱，第三首，意甲鳥際，皆悉勿言可得於化。是故此品因之而生。文際鮮由
三。菩薩見人因耕殺人妻子，劓人首足。何以能示觀衆生，皆如幻相。此段行如斯以事
是故此品因生之也。就此品中有兩段明義。就於此中，至從无住本立一切法，明生死有長之法
第二從時維摩詰室有天女以下，出行无畏法人天女是也。就前段中有三段明義。第一於此
此文至文殊師利言：若菩薩作是觀者，明空第一行菩薩慈以下至而作福祐无所帰
望明四等之法。第三從生死有畏以下，至從无住本立一切法，明生死无畏之法也。
文殊師利言：菩薩作是觀者，云何行慈？文見若衆生以樂施之上來觀万法，盡空无有
若衆生不可施之以樂，若如此者，便絶於慈悲，无上之果何由可得。若爾作是空空觀
已，自念當為衆生說如斯法者，說真空之法也。使前人得空觀之解，是即真實慈也
行寂滅者，從慈之中四段明義。從寂滅慈至无邊以來，明其境界；從羅漢慈至此四足慈
出其行慈之人。既行慈无有所得，是以從自然慈以下，出彼得果，既明其果。果之不孤，獲在
須有行。是以行大悲以下，出彼行四也。行寂滅慈者，性空之法絶於緣動，況言寂滅。行者
行此寂滅之法，說與前人，況言行也。无所生故者，无生死之法也。行不熱慈，无煩惱故者，
性空之法无煩惱，煩惱以此之法說與前人，故言行不熱慈也。行等之慈，等三世故者，
性空之法等无三世，故言等三世也。　　何謂為悲？菩薩所作功德，皆與衆生者
菩薩破无相一切寂在於三塗，救拔衆生免苦，得樂，皆由菩薩大悲之力也。何謂為
喜？有菩薩見衆生增万善功精，度脫衆生見善，菩薩度脫，增其勝解，即生喜

BD00926號　維摩詰經疏（擬）

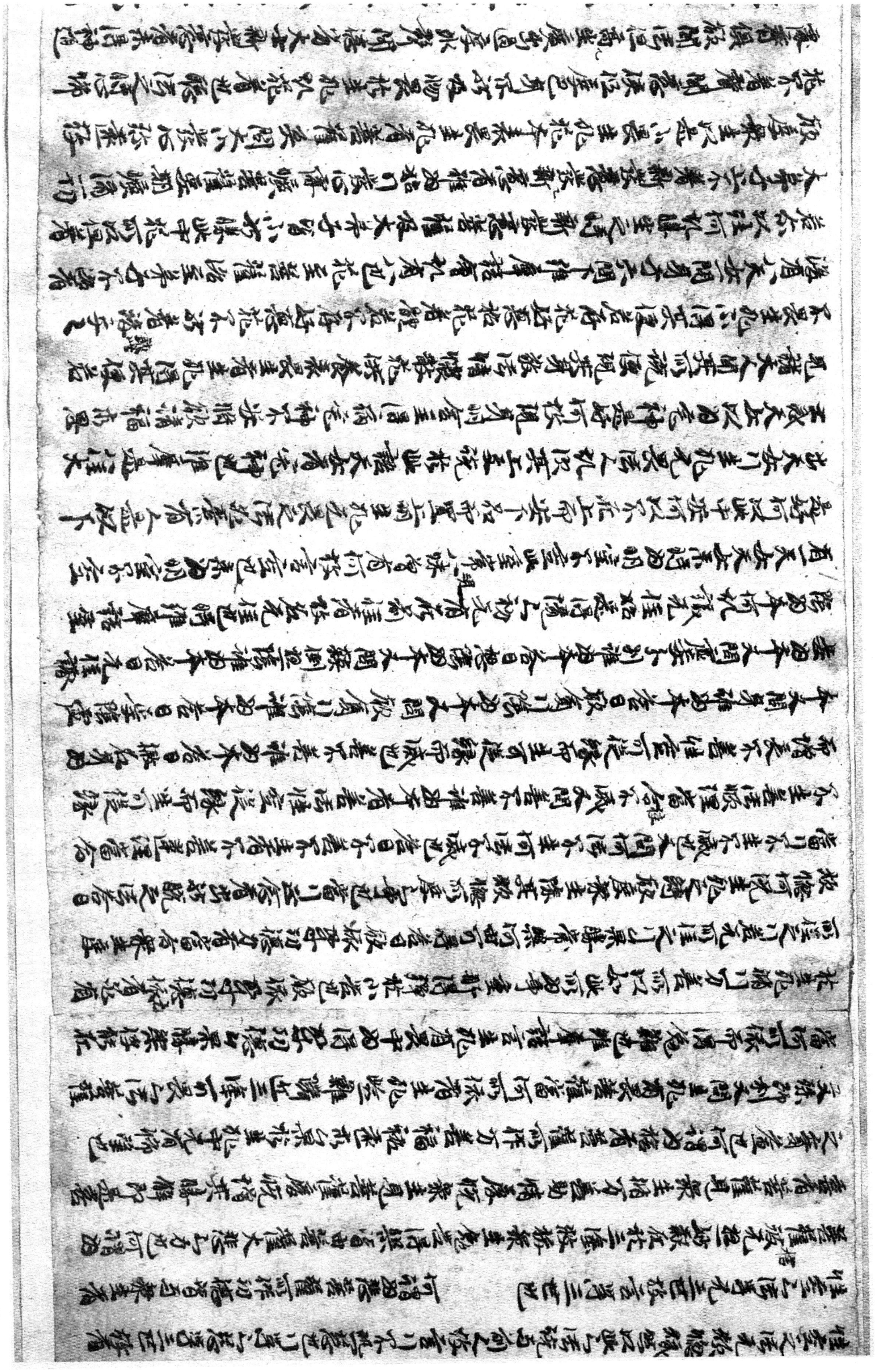

（10–6）

故厚衆生以是小畏生死花奇表畏生死者菩薩莫問大小皆悉來逆接
花不着聲聞意使住塵色身不得放脱畏於生死致花着也聽法之時心怖
處齊俱欲聞法但高坐廣出過摩訶聲聞法為大士斷疑悉者未得神通
故是以現二俱不于界也若曰此花不如法者不如戒律之法是以棄之也勿謂
此花為不如法者切之言莫之謂此花為不如戒律之法也所以者何所以不
得謂此花為不如戒律之法者何是花无心无所分別而者自生分別想耳
云何當此自以分別想一心而得除遣若於仏法出家者存花有好惡之緣有
所分別為不如法也若能等花性空同諸法者便能无所分別是即不分別也
舍利弗有三明歎花供養從此以下第一問止室之逆上來共論義辯異勝之花
與維摩詰共住來久何問之逆也解脫无言說者性空心中无念心是虛抱寄
言說若有所言說皆不解脫天華所以者何所以文字言說即是解脫相
者何解脫者不存內者不存性空心中不存外者不存生死中不存生死中
間者不存道之所中名字者亦不存內不存滯名字邊中不存外者不存名
境中不存中間者不存寄聲也解脫從緣人生三緣性空之中无解脫文字
亦從三緣而生三緣性空无文字可得孔言文字亦空也是孔舍利弗者是上來
万法空故莫離文字求解脫也所以者何所以不得文字求解脫者何一切諸
法皆空即解脫相也舍利弗言不復離婬怒癡爲解脫也若道一切諸法即解脫
相者婬怒癡者存法諸數中若爾以理不復離婬怒癡爲解脫相之婬怒癡即
是解脫也若不離婬怒癡得解脫者一切外道之不離婬怒癡亦應得解脫
如其外道離婬怒癡解脫者我今之得離文字求解脫亦本先說離婬怒癡
然後得解脫今道不離違於仏語若順仏所說離婬怒癡得解脫者我今亦
應得離文字外求解脫也仏爲增上慢人者仏爲增上之人存有得之懷孔說
離婬怒癡爲解脫相也若无增上慢存有得相人者仏說婬怒癡體性空即為
解脫相空之處不殊故言即解脫相也善哉者是第二段上來論義并當法相
不失其旨故言善哉也汝何所得以何爲證弁能如是者四類是可謂涅槃是
可證汝於此二法爲何得也我无得无證故弁如是者性空之中无法可得无證
可證奇能如是也所以者何者所以我无得无證者何若存有得證便是增上我此
增上慢故无得无證也問曰涉於三乘爲何至求者我上聞涉於二諸中爲何耶得乃

可證亦能如是也所以者何者所以我无得无證者何若存有得證便是增上我共
增上慢故无得无證也問曰於三乘爲何至來者我上問於二法中爲何所得乎
道无證上促使於无得无證今於三乘復於一乘若无所求便与外道无別若
有所求是即有得何故諸我无得无證也三乘自有前聲論我體也元三不三
何處有三乘法可求耶得如人入瞻蔔林者有人者喻天女也瞻蔔林者喻
維摩詰室也唯嗅瞻蔔不嗅餘香者无餘香可嗅瞻蔔香者聞大乘法更不
嗅餘香者无小乘法可聞也 入此室者合上瞻蔔林也 但聞功德之香者合上唯
嗅瞻蔔也不樂聲聞功德之香者合上不嗅餘香也釋梵四天王諸天龍神等輩等
入此室得聞誦說正法最以然後乃當說吾心此是耶不樂大法此以並況遠是故
移次上文生於此語也於何以不轉女身者上來論義神根爽利許有過人計
於不覩能轉女身何故不轉受此穢形也此第六段明義也天曰我從十二年來
求女人相了不能得者我此室來有十二年女相性空无所轉之可也又一解十有二年
有小乘教也此將欲作我白法華女人空故可轉爲男三乘不定可轉爲一乘也无有
无不有者女相有時無空不有者無空也

仏道品

仏道者正應尊行於非道通達仏道也形同欲流遠作聚塵名行於非道通達仏道
有妙无[illegible][illegible]能化以正路故言行於非道通達仏道 仏道品何以而來上明天女有於本
不備行万善爲因能通行者名果道此仏道是果因果相各故次上觀置於此品龍
中有五段明義第一從於此文至文殊師利能如是行於非道是爲通達仏道明師
行化之功第二從何等爲如來種至何稱謂也明弟子請行之法第三現无爲以下作譬
譬喻上爾第四迦葉悲歎第五說偈酬普現色身問也菩薩云何通達仏道者非道
處无道要因行非然後通是至於非中使无道之處正道得通是於是維摩詰問文
殊師利何等爲如來種者維摩此中何故問文殊成以前說七識處者欲界人天爲
一初禪至三禪爲四空處識處不用處想前四爲七也有頂處[illegible]中人計三塗地獄有業
音熏通識不樂住故不安議名四禪得无相定始生之時有色心受生已別有一
人非色非心行者未依此色心處是四万劫後時欲化還有一念心來代非色非心來心
一動即便命終是識不樂住也非相之中得滅盡定无有心識故不樂住九惱者
受我愛家增我善有及我之身爲三分爲三世故言九也六十二見者根本有二有之以无
邊常見如夫五陰上計邊計常五陰有十誰人五陰爲計爲十想爲廿分爲三世爲
六十涅槃上爲計邊常二故有六十二也何故涅槃上不計爲十涅槃不爲與分所

動即便念經是議不樂住也非相之中滅盡定无有心□□不樂住
愛我恐家猶我善有反我之身為三分為三世故言九也六十二見者根本有二有之以无
過常見但夫五陰上計斷計常五陰有十離人五陰為計為十想為廿分為三世為
六十涅槃上為計斷常二故有六十二也何故涅槃上不計為十涅槃不為貪分解
成故不多計何故不計三涅槃不分三世故不計三也雖不屬三世不過斷常是斷
非斷便是常故言二也曰何謂也不善蔵皆善得與款理相冥然无上六界以正建
十惡為因此語何謂也答曰若見无為入正謂者相无以上空觀真解名為无餘涅
槃名為正位自不返解与大作喻本亦高原陸地不生蓮華者与見无為斷
見為之人斷於煩惱永出三界證於涅槃无有煩惱不為重皆所這不能發菩提
之心喻如高原陸地不生蓮華也卑濕淤泥乃生此華者五逆十惡能生為重皆能
道便能發菩提之心也喻淤泥乃生蓮華也如是見无為絕不生於正法者合高
陸地不生蓮華也煩惱泥中能有衆生起佛法者合上卑濕淤泥乃生華也又
如種種於空終不得生者与入正位作喻阿羅漢斷三界或盡朝夕入於涅槃不
能得發菩提之心喻如空中種種不生蒙壤之地乃能茂者与五逆逆罪十惡衆
為喻如是入正法位不生佛法者合上種種於空也起我見心如須弥山猶能發菩提心者
合上糞壤之地也尔時會中有菩薩名普現色身者欲明空不空上閑世間居人有父
處陰妻子資養此中何故皆无於下須彌偈訓普現色身弟五无也此文何以
而未遠從空空中未是好何故不上少不至正此中生也上明无衆菩薩行於非道以
一道教化衆生未知真處以何為本便能行於非道通達佛道今明正二智方善為本
故能行於非道通達佛道此之一答訓其兩意故次上文設此偈也 智度菩薩母者
實智二度弟六般若度也母本在家當事實智據內而用喻若父母就此偈中有兩
段明義從此至或品為洿音明其實智為万善之本擇破煩惱散以下明方便智為
万善之本二智俱能便能行於非道通達佛道方便以為父者父本在家外作事方便之智
能外化群品喻若於父在外為業一切衆導師莫不由是生者從此以上十住已還衆多導
師莫不由二智而生也法喜以為妻者妻本守節即不失其禮合心歡喜善修勝法故
懷心情俱悅喻若妻也慈悲心為女者女本有外適之義慈悲外群生喻若於女
也善心成實男者男人有幹能立家事善心成實能感人果喻若男之能立家
業也業畢竟空寂舍者舍者本能庭霜御露性空之理能遮生死霜寒喻
煩惱喻舍也弟子衆塵勞者衆多三塵勞衆生道善心事

段明義從此至盡品為答音明其實智為方善之本權攝煩惱服以下明方便智為
万善之本二智俱存便能行於非道通達仏道方便以為父者父本在家外作業方便之智
能外化群品喻若於父在外為業一切衆導師莫不由是生者從地以上十住已還衆多導
師莫不由二智而生也法喜以為妻者妻本守節不失其禮令心歡喜菩薩勝法在
懷心情俱悅喻若妻也慈悲心為女者女本有外適之義慈悲外化群生喻若於女
也善心誠實男者男之貞幹能立家事善心成實能感仏果喻若男之能立家
業也畢竟空寂舍者舍者本能遮霜御霰畢竟空之理能遮生死霜寒煩
惱而露喻舍也弟子衆塵勞者衆多塵勞衆生隨善薩化轉故言弟子衆
塵勞隨意之所轉也道品善知識者道品之解有益利之用如善知識由是者由後
未之善得成仏果正覺也諸度法等侶者諸六度法是菩薩趣向仏果空真
伴侶若欲得仏果順行非度不濟也四攝為伎女者四攝能集大衆伎女何由能聚
於人女能歌詠四攝何由能集大衆由誦法音以此為音樂者以此歌詠誦法之音
為伎女音樂也總持為園苑者園本能使外人不入華菓繁榮總持之行能使
外惡不干万善增長故言為園苑也无漏法林樹能除煩熱得於清涼无漏之解
能除煩惱熱得果請涼之復一解菩園中長者名之為樹天漏之理高林蹄花出三界
也覺意淨妙華者見諦无漏上有七覺淨好故有甘樹上亦有華〻能感果今有
无漏之樹便七覺之華〻能感果七覺之意能得涅槃妙數也无餘涅槃解
脫是七覺智惠家果八解之欲池也者池本能除垢穢解脫之法能除三界結縛
喻若於池定之水湛然滿者解脫之果要因於定今解脫既禪定外何由不滿

德清淨若有
於衆中乃至三問憶念
得故妄語罪故妄語者佛説障
憶念有罪欲求清淨者應懺
諸大德我已説戒經序今問諸大德是中
諸大德是中清淨默然故是事如是持
諸大德是四波羅夷法半月半月説戒經中來
若比丘共比丘同戒若不還戒戒羸不自悔犯不
淨行乃至共畜生是比丘波羅夷不共住
若比丘若在村落若閑靜處不與□
與取法若爲王王大臣所捉
是賊汝癡汝无所知是比丘
若比丘故自手斷人命持刀與人歎譽死快勸死咄
男子用此惡活爲寧死不生作如是心思惟種
種方便歎譽死快勸死是比丘波羅夷不共住
若比丘實無所知自稱言我得上人法我已入聖

BD00927號　四分律比丘戒本　（17–1）

是賊汝癡汝无所知是比丘
若比丘故自手斷人命持刀與人歎譽死快勸死咄
男子用此惡活爲寧死不生作如是心思惟種
種方便歎譽死快勸死是比丘波羅夷不共住
若比丘實無所知自稱言我得上人法我已入聖
智勝法我知是我見是彼於異時若問若不問
欲自清淨故作是説我實不知不見言知言見
虚誑妄語除增上慢是比丘波羅夷不共住
諸大德我已説四波羅夷法若比丘犯一一波羅夷
法不得與諸比丘共住如前後亦如是是比丘得
波羅夷罪不應共住今問諸大德是中清淨不（三説）
諸大德是中清淨默然故是事如是持
諸大德是十三僧伽婆尸沙法半月半月説戒經來
若比丘故弄陰出精除夢中僧伽婆尸沙
若比丘婬欲意與女人身相觸若捉手若捉髮
若觸一一身分者僧伽婆尸沙
若比丘婬欲意與女人麤惡婬欲語隨麤惡婬欲
語僧伽婆尸沙
若比丘婬欲意於女人前自歎身言大妹我修梵
行持戒精進修善法可持是婬欲法供養我如
是供養第一最僧伽婆尸沙
若比丘往來彼此媒嫁持男意語女持女意語男
若爲成婦事若爲私通事乃至須臾頃僧伽婆尸沙
若比丘自求作屋無主自爲已當應量作是中量
者長佛十二磔手內廣七磔手當將餘比丘指授
處所彼比丘當指示處所無難處無妨處若比丘
有難處妨處自求作屋無主自爲已不將餘比

BD00927號　四分律比丘戒本　（17–2）

若比丘自求作屋無主自爲已當應量作是中量
者長佛十二磔手內廣七磔手當將餘比丘指授
處所彼比丘當指示處所無難處無妨處若比丘
有難處妨處自求作屋無主自爲已不將餘比
丘指授處所若過量作者僧伽婆尸沙
若比丘欲作大房有主爲已作當將餘比丘往指
授處所彼比丘應指授處所无難處无妨處若比
比有難處妨處作大房有主爲已作不將餘比丘
指授處所僧伽婆尸沙
若比丘瞋恚所覆故非波羅夷比丘以无根波羅
夷法謗欲壞彼清淨行彼於異時若問若不問
知此事无根說我瞋恚故作是語若比丘作是語
者僧伽婆尸沙
若比丘以瞋恚故於異分事中取片非波羅夷比
丘以无根波羅夷法謗欲壞彼清淨行彼於異時
若問若不問知是異分事中取片是比丘自言我
瞋恚故作是語作是語者僧伽婆尸沙
若比丘欲壞和合僧方便受壞和合僧法堅持不
捨彼比丘應諫是比丘言大德莫壞和合僧莫方
便壞和合僧莫受壞僧法堅持不捨大德應與
僧和合與僧和合歡喜不諍同一師學如水乳合
於佛法中有增益安樂住是比丘如是諫時堅
持不捨彼比丘應三諫捨此事故乃至三諫捨者
善不捨者僧伽婆尸沙
若比丘伴（有餘）黨若一若二若三乃至无數彼比丘語是
比丘言大德莫諫此比丘此比丘是法語比丘律
語比丘此比丘所說我等喜樂此比丘所說我等忍
可彼比丘言大德莫作是說言此比丘法語比丘
律語比丘此比丘所說我等喜樂此比丘所說我
等忍可然此比丘非法語比丘非律語比丘

若比丘伴黨若一若二若三乃至无數彼比丘語是
比丘言大德莫諫此比丘此比丘是法語比丘律
語比丘此比丘所說我等喜樂此比丘所說我等忍
可彼比丘言大德莫作是說言此比丘法語比丘
律語比丘此比丘所說我等喜樂此比丘所說我
等忍可然此比丘非法語比丘非律語比丘
大德莫欲破壞和合僧汝等當喜樂欲壞和合僧
大德與僧和合歡喜不諍同一師學如水乳合於佛
法中有增益安樂住是比丘如是諫時堅持不捨
彼比丘應三諫捨此事故乃至三諫捨者善不捨
者僧伽婆尸沙
若比丘依聚落若城邑住汙他家行惡行汙他家
亦見亦聞行惡行亦見亦聞諸比丘當語是比丘
言大德汙他家行惡行汙他家亦見亦聞行惡行
亦見亦聞大德汝汙他家行惡行今可遠此聚落
去不須住此是比丘語彼比丘作如是語言大德諸
比丘有愛有恚有怖有癡有如是同罪比丘有
駈者有不駈者諸比丘報言大德莫作是語有
愛有恚有怖有癡有如是同罪比丘有駈者有
不駈者而諸比丘不愛不恚不怖不癡大德汙他
家行惡行汙他家亦見亦聞行惡行亦見亦聞是
比丘如是諫時堅持不捨彼比丘應再三諫捨此
事故乃至三諫捨者善不捨者僧伽婆尸沙
若比丘惡性不受人語於戒法中諸比丘如法諫已
自身不受諫語言諸大德莫向我說若好若惡
我亦不向諸大德說若好若惡諸大德且止莫諫
我彼比丘諫是比丘言大德莫自身不受諫語大
德自身當受諫語大德如法諫諸比丘諸比丘
亦如法諫大德如是佛弟子衆得增益展轉相
諫展轉相教展轉懺悔是比丘如是諫時堅持

我亦不向諸大德若好若惡諸大德且止莫諫
我彼比丘諫是比丘言大德莫自身不受諫語大
德自身當受諫語大德如法諫諸比丘諸比丘
亦如法諫大德如是佛弟子衆得增益展轉相
諫展轉相教展轉懺悔是比丘如是諫時堅持
不捨彼比丘應三諫捨此事故乃至三諫捨者
不捨者僧伽婆尸沙
諸大德我已說十三僧伽婆尸沙法九初犯四乃
至三諫若比丘犯一一法知而覆藏應强與波利
婆沙行波利婆沙竟增上與六夜摩那埵行摩
那埵已餘有出罪應二十人僧中出是比丘罪若
少一人不滿二十衆出是比丘罪不得
除諸比丘亦可可此是時今問諸大德是中清淨
不 三說 諸大德是中清淨默然故是事如是持
諸大德是二不定法半月半月說戒經中來
若比丘共女人獨在屏處覆處障處可作婬處坐說
非法語有住信優婆私三法中一一法說若波
羅夷若僧伽婆尸沙若波逸提是坐比丘自言
我犯是罪於三法中應一一治若波羅夷若僧伽
婆尸沙若波逸提如住信優婆私所說應如法治
是比丘是名不定法
若比丘共女人在露現處不可作婬處坐作麤惡
語有住信優婆夷於二法中以一一法說若僧伽婆
尸沙若波逸提是坐比丘自言我犯是事於二法
中應一一法治若僧伽婆尸沙若波逸提如住信
優婆夷所說應如法治是比丘是名不定法
諸大德我已說二不定法今問諸大德是中清淨
不 三說 諸大德是中清淨默然故是事如是持
諸大德是三十尼薩耆波逸提法半月半月說戒經

中應一一法治若僧伽婆尸沙若波逸提如住信
優婆夷所說應如法治是比丘是名不定法
諸大德我已說二不定法今問諸大德是中清淨
不 三說 諸大德是中清淨默然故是事如是持
諸大德是三十尼薩耆波逸提法半月半月說戒經
中來
若比丘衣已竟迦絺那衣已出畜長衣經十日不
淨施得畜若過十日尼薩耆波逸提
若比丘衣已竟迦絺那衣已出三衣中離一一衣異
處宿除僧羯磨尼薩耆波逸提
若比丘衣已竟迦絺那衣已出若比丘得非時衣
欲須便受受已疾疾成衣若足者善若不足者
得畜一月爲滿足故若過畜者尼薩耆波逸提
若比丘從非親里比丘尼取衣除貿易尼薩耆
波逸提 若比丘令非親里比丘尼浣故
衣若染若打尼薩耆波逸提
若比丘從非親里居士居士婦乞衣除餘時尼
薩耆波逸提餘時者若比丘奪衣失衣燒衣漂
衣是謂餘時
若比丘失衣奪衣燒衣漂衣若非親里居士居士
婦自恣請多與衣是比丘當知足受衣若過者尼
薩耆波逸提
若比丘居士居士婦爲比丘辦衣價買如是衣與
某甲比丘是比丘先不受自恣請到居士家如是說
善哉居士爲我買如是如是衣與我爲好故若
得衣者尼薩耆波逸提
若比丘二居士居士婦與比丘辦衣價持如是衣價
買如是衣與某甲比丘是比丘先不受居士自恣請
到二居士家作如是言善哉居士辦如是如是衣價

價衣者尼薩耆波逸提
若比丘二居士居士婦與比丘辦衣價持如是衣價
買如是衣與某甲比丘是比丘先不受居士自恣請
到二居士家作是言善哉居士辦如是如是衣價
與我共作一衣為好故若得衣者尼薩耆波逸提
若比丘若王若大臣若婆羅門若居士居士婦遣
使為比丘送衣價持如是衣價與某甲比丘彼使
人至比丘所語比丘言大德今為汝故送是衣價受
取是比丘應語彼使如是言我不應受此衣價我
若須衣合時清淨當受彼使語比丘言大德有
執事人不須衣比丘應語言有若僧伽藍民若
優婆塞此是比丘執事人常為諸比丘執事時彼
使往至執事人所與衣價已還至比丘所作如是言大
德所示某甲執事人我已與衣價大德知時往彼
當得衣須衣比丘當往執事人所若二反三反為
作憶念應語言我須衣若二反三反為作憶念
若得衣者善若不得衣應四反五反六反在前默然
立若四反五反六反在前默然住得衣者善若
不得衣過是求得衣者尼薩耆波逸提若不得
衣從所得衣價處若自往若遣使往語言汝先遣
使持衣價與某甲比丘是比丘竟不得汝還取莫
使失此是時 十一
若比丘離野蠶綿作新臥具者尼薩耆波逸提
若比丘以新純黑羺羊毛作新臥具者尼薩耆
波逸提 若比丘作新臥具應用二分純黑羊
毛三分白四分牻若比丘不用二分黑三分白四分牻
作新臥具者尼薩耆波逸提
若比丘作新臥具持至六年若減六年不捨故
更作新者除僧羯磨尼薩耆波逸提
若比丘作新坐具當取故者縱廣一磔手帖著新

BD00927 號　四分律比丘戒本　（17–7）

作新臥具者尼薩耆波逸提
若比丘作新臥具持至六年若減六年不捨故
更作新者除僧羯磨尼薩耆波逸提
若比丘作新坐具當取故者縱廣一磔手帖著新
者上壞色故若作新坐具不取故者縱廣一磔
手帖著新者上用壞色故尼薩耆波逸提
若比丘道路行得羊毛若無人持得自持乃至三
由旬若無人持自持過三由旬尼薩耆波逸提
若比丘使非親里比丘尼浣染擘羊毛者尼薩耆
波逸提 若比丘自手捉錢若金銀若教人捉
置地受者尼薩耆波逸提
若比丘種種賣買者尼薩耆波逸提
若比丘種種販賣者尼薩耆波逸提 二十
若比丘畜長鉢不淨施得齋十日過者尼薩耆
波逸提
若比丘畜鉢減五綴不漏更求新鉢為好故尼
薩耆波逸提彼比丘應往僧中捨展轉取最下
鉢與之令持乃至破應持此是時
若比丘自乞縷線使非親里織師織作衣者尼
薩耆波提
若比丘居士居士婦使織師為比丘織作衣彼比丘
先不受自恣請便往織師所語言此衣為我作與
我極好織令廣大堅緻我當少多與汝價是比丘
與價乃至一食直若得衣者尼薩耆波逸提
若比丘先與比丘衣後瞋恚若自奪若教人奪取
還我衣來不與汝若比丘還衣彼取衣者尼薩
耆波逸提
若比丘有病殘藥酥油生酥蜜石蜜齋七日得
服若過七日服者尼薩耆波逸提
若比丘春殘一月在當求雨浴衣半月應用浴若

BD00927 號　四分律比丘戒本　（17–8）

耆波逸提
若比丘有病殘藥蘇油生蘇蜜石蜜齋七日得
服若過七日服者尼薩耆波逸提
若比丘春殘一月在當求雨浴衣半月應用浴若
比丘過一月前求雨浴衣過半月前用浴者尼薩耆
波逸提　　若比丘十日未竟夏三月諸比丘
得急施衣比丘知是急施衣當受受已乃至衣時應
畜若過畜者尼薩耆波逸提
若比丘夏三月竟後迦提一月滿在阿蘭若有疑
恐懼處住比丘在如是處住三衣中欲留一一衣置
舍內諸比丘有因緣離衣宿乃至六夜若過者
尼薩耆波逸提
若比丘知是僧物自求入已者尼薩耆波逸提卅
諸大德我已說三十尼薩耆波逸提法今問諸大
德是中清淨不三說　諸大德是中清淨默然故是
事如是持　諸大德九十波逸提法半月半月說戒經
中來　　若比丘知而妄語者波逸提
若比丘種類毀呰語者波逸提
若比丘兩舌語者波逸提
若比丘與婦女同室宿者波逸提
若比丘與未受大戒人共宿過二宿至三宿者波
逸提　　若比丘與未受戒人共誦者波逸提
若比丘知他有麤惡罪向未受大戒人說除僧羯
磨波逸提　　若比丘向未受大戒人說過人法
言我見是我知是實者波逸提
若比丘與女人說法過五六語除有智男子波逸提
若比丘自手掘地若教人掘者波逸提一十
若比丘壞鬼神村者波逸提
若比丘妄作異語惱他者波逸提

若比丘與女人說法過五六語除有智男子波逸提
若比丘自手掘地若教人掘者波逸提一十
若比丘壞鬼神村者波逸提
若比丘妄作異語惱他者波逸提
若比丘嫌罵者波逸提
若比丘取僧繩牀木牀若臥具坐蓐露地敷若
教人敷捨去不自舉不教舉者波逸提
若比丘於僧房中敷僧臥具若自敷若教人敷
若坐若臥去時不自舉不教人舉者波逸提
若比丘知先比丘住處後來強於中間敷僧臥具止
宿念言彼若嫌迮者自當避我去作如是因緣
非餘非威儀波逸提
若比丘瞋他比丘不喜僧房中若自牽出教他
牽出波逸提
若比丘若房若重閣上脫腳繩牀若木牀若坐
若臥波逸提
若比丘知水有虫若澆泥若草若教人澆者波
逸提　　若比丘作大房舍戶扉窗牖及餘莊飾
具指授覆苫齊二三節若過者波逸提二十
若比丘僧不差教誡比丘尼者波逸提
若比丘為僧差教授比丘尼乃至日暮者波逸提
若比丘語諸比丘作如是語比丘為飲食故教授
比丘尼者波逸提
若比丘與非親里比丘尼衣除貿易波逸提
若比丘與非親里比丘尼作衣者波逸提
若比丘與比丘尼在屏處坐者波逸提
若比丘與比丘尼期同一道行從一村乃至一村除
異時波逸提異時者與估客行若疑畏怖時是
謂異時

若比丘與非親里比丘尼作衣者波逸提
若比丘與比丘尼在屏處坐者波逸提
若比丘與比丘尼期同一道行從一村乃至一村除
異時波逸提異時者與估客行若疑畏怖時是
謂異時
若比丘與比丘尼共期同乘一船上水下水除直
渡者波逸提
若比丘知比丘尼讚歎教化因緣得食食除擅越
先意者波逸提
若比丘與婦女共期同一道行乃至村間波逸提三十
若比丘施一食處无病比丘應一食若過受者波逸提
若比丘展轉食除餘時波逸提餘時者病時施
衣時是謂餘時
若比丘別衆食除餘時波逸提餘時者病時作
衣時施衣時道行時乘船時大衆集時沙門施
食時此是時
若比丘至白衣家請比丘與餅麨飯若比丘須者
當二三鉢受還至僧伽藍中應分與餘比丘食若
比丘无病過兩三鉢受持還至僧伽藍中不分與
比丘食者波逸提
若比丘足食竟或時受請不作餘食法而食者波
逸提　若比丘知他比丘足食已若受請不
作餘食法殷勤請與食長老取是食以是因緣非
餘時欲使他犯者波逸提
若比丘非時受食食者波逸提
若比丘殘宿而食者波逸提
若比丘不受食若藥著口中除水及楊枝波逸提
若比丘得好美飲食乳酪魚及肉比丘如此美飲
食无病自爲己索者波逸提　四十

BD00927 號　四分律比丘戒本　（17–11）

若比丘殘宿而食者波逸提
若比丘不受食若藥著口中除水及楊枝波逸提
若比丘得好美飲食乳酪魚及肉比丘如此美飲
食无病自爲己索者波逸提　四十
若比丘外道男外道女自手與食者　波逸提若
比丘先受請已前食後食詣餘家不屬授餘比丘
除餘時波逸提餘時者病時作衣時施衣時是
謂時
若比丘在食家中有寶強安坐者波逸提
若比丘食家中有寶在屏處坐者波逸提
若比丘獨與女人露地坐者波逸提
若比丘語餘比丘如是語大德共至聚落當與汝
食彼比丘竟不教與是比丘食語言汝去我與汝
一處若坐若語不樂我獨坐獨語樂以此因緣
非餘方便遣去波逸提
若比丘請四月與藥无病比丘應受若過受除常
請更請分請盡形壽請波逸提
若比丘往觀軍陣除時因緣波逸提
若比丘二宿三宿軍中住或時觀軍陣鬪戰若觀
遊軍象馬力勢者波逸提　五十
若比丘飲酒者波逸提
若比丘水中戲戲者波逸提
若比丘以指相擊攊者波逸提
若比丘不受諫者波逸提
若比丘恐怖他比丘者波逸提
若比丘半月洗浴无病比丘應受若過受除餘時
波逸提餘時者熱時病時作時風時雨時遠行

BD00927 號　四分律比丘戒本　（17–12）

若比丘不受諫者波逸提
若比丘恐怖他比丘者波逸提
若比丘半月洗浴无病比丘應受若過受除餘時
波逸提餘時者熱時病時作時風時雨時遠行
來時此是時
若比丘无病爲炙身故露地然火若教人然除時
因緣波逸提
若比丘藏他比丘衣鉢坐具鍼筒若自藏若教人
藏下至戲笑者波逸提
若比丘與比丘比丘尼式叉摩那沙弥沙弥尼衣後不
語主還取著者波逸提
若比丘得新衣應三種壞色一一色中隨意壞若青
若黑若木蘭若比丘不以三種壞色若青若黑若木
蘭著餘新衣者波逸提
若比丘故煞畜生命者波逸提
若比丘知水有虫飲用者波逸提
若比丘故惱他比丘令須臾間不樂者波逸提
若比丘知他比丘犯麁惡罪覆藏者波逸提
若比丘年滿二十應受大戒若比丘知年不滿二十與
受大戒此人不得戒彼比丘可呵癡故波逸提
若比丘知諍事起如法懺悔已後更發起者波逸
提
若比丘知是賊伴結要共同道行乃至一村
間者波逸提　若比丘作如是語我知佛所說法行
婬欲非鄣道法彼比丘諫此比丘言大德莫作是語
莫謗世尊謗世尊者不善世尊不作是語世尊无
數方便說犯婬欲者是鄣道法彼比丘諫此比丘時堅持不

BD00927號　四分律比丘戒本　（17–13）

間者波逸提　若比丘作如是語我知佛所說法行
婬欲非鄣道法彼比丘諫此比丘言大德莫作是語
莫謗世尊謗世尊者不善世尊不作是語世尊无
數方便說犯婬欲者是鄣道法彼比丘諫此比丘時堅持不
捨彼比丘乃至三諫捨此事故若三諫捨者善不捨波逸
提
若比丘知如是語人未作法如是邪見而不捨供給
須共同羯磨止宿言語者波逸提
若比丘知沙弥作如是言我從佛聞法行婬欲非鄣
道法彼比丘諫此沙弥作如是言汝莫誹謗世尊誹謗世
尊者不善世尊不作是語沙弥世尊无數方便說婬
欲是鄣道法彼比丘諫此沙弥時堅持不捨彼比丘應乃
至再三諫捨此事故乃至三諫而捨者善不捨者彼比丘應
語彼沙弥言汝自今已去不得言佛是我世尊不隨
得隨逐餘比丘如諸沙弥得與比丘二三宿汝今无是事汝出去
滅去不應住此若比丘知如是衆中被儐沙弥而誘
將畜養共止宿者波逸提七十
若比丘餘比丘如法諫時作如是語我今不
學此戒當難問餘智慧持律比丘者波逸
提　若爲知爲學故應難問
學故應難問
若比丘說戒時作如是語大德何用說是雜碎
戒爲說是戒時令人惱愧懷疑輕呵戒故波逸提
若比丘說戒時作如是語我今始知此法戒經所
載半月半月說戒經來餘比丘知是比丘若二

BD00927號　四分律比丘戒本　（17–14）

學故應難問
若比丘說戒時作如是語大德何用說是雜碎
戒爲說是戒時令人惱愧懷疑輕呵戒故波逸提
若比丘說戒時作如是語我今始知此法戒經所
載半月半月說戒經來餘比丘知是比丘若二
若三說戒中坐何况多彼比丘无知无解若犯
罪應如法治更重增无知罪語言長老汝无利
不善得汝說戒時不用心念不一心兩耳聽
法彼无知故波逸提
若比丘共同羯磨已後如是語言諸比丘隨親厚以
衆僧物與者波逸提
若比丘衆僧斷事未竟不與欲而起去波逸提
若比丘與欲已後悔者波逸提
若比丘共比丘鬪諍已聽此語向彼說者波逸提
若比丘瞋恚故不喜打比丘者波逸提
若比丘瞋恚不喜以手搏比丘者波逸提八十
若比丘瞋恚故以无根僧伽婆尸沙謗者波逸提
若比丘刹利水澆頭王種王未出未藏寶而入
若過宮門國者波逸提
若比丘若寶及莊飾具自捉若教人捉除僧伽藍中
及寄宿處波逸提若比丘在僧伽藍中若寄宿
處捉寶若以寶莊飾自捉教人捉當作是意若
有主識者當取作如是因緣非餘
若比丘非時入聚不囑比丘者波逸提
若比丘作繩床木床足應高如來八指除入陛孔
上截竟若過者波逸提
若比丘作兜羅綿褚繩床木床大小蓐成者波逸提
若比丘作骨牙角針筒刳刮者波逸提
若比丘作尼師檀當應量作是中量者長佛二

BD00927號　四分律比丘戒本

（17–15）

上截竟若過者波逸提
若比丘作兜羅綿褚繩床木床大小蓐成者波逸提
若比丘作骨牙角針筒刳刮者波逸提
若比丘作尼師檀當應量作是中量者長佛二
磔手廣一磔手半更增廣長各半磔手若過
裁竟波逸提
若比丘作覆瘡衣當應量作是中量者長
四磔手廣二磔手裁竟過者波逸提
若比丘作雨浴衣當應量作是中量者長佛六
磔手廣二磔手半過者裁竟波逸提
若比丘與如來等量作衣或量過作者波逸提
是中如來衣量者長佛十磔手廣六磔手是謂如
來衣量九十
諸大德我已說九十波逸提法今問諸大
德是中清淨不（如是三）諸大德是中清淨嘿然
故是事如是持
諸大德是四波羅提提舍尼法半月半月說
戒經中來
若比丘入村中從非親里比丘尼若無病自手取
食食者是比丘應向餘比丘悔過言大德我
犯可呵法所不應爲我今向大德悔過是法名
悔過法
若比丘至白衣家內食是中有比丘尼指示
與某甲羹與某甲餅比丘應語彼比丘尼
如是言大姊且止須比丘食竟若無一比丘
語彼比丘尼如是言大姊子且止須比丘食竟
者是比丘應向餘比丘悔過言大德我犯可
呵法所不應爲我今向大德悔是是法名悔

BD00927號　四分律比丘戒本

（17–16）

食食者是比丘應向餘比丘悔過言大德我
犯可訶法所不應為我今向大德悔過是法名
悔過法
若比丘至白衣家內食是中有比丘尼指示
與某甲羹與某甲餅比丘應語彼比丘尼
如是言大姉子且止須比丘食竟若無一比丘
語彼比丘尼如是言大姉子且子止須比丘食竟
者是比丘應向餘比丘悔過言大德我犯可
訶法所不應為我今向大德悔是是法名悔
過法若比丘先作學家羯磨若比丘於如是學家
先不請無病自手受食食者是比丘應向餘
比丘悔過言大德我犯可訶法所不應我今
向大德悔過是名悔過法
若比丘在阿蘭若迥遠有疑恐怖處若比
丘在如是阿蘭若處住先不語檀越若僧
伽藍外不受食在僧內伽藍無病自手受食白
食者應向餘比丘悔過言大德我犯可訶法所
不應為我今向大德悔過是法名悔過法

BD00927 號　四分律比丘戒本　　（17–17）

尸羅不
尸羅軌則雖得不壞然毀正見
見而棄多聞於佛所說契經
有雖多聞而增上慢由增上
是非他嫌謗正法為魔伴黨
耶見復令无量俱胝有情墮
情應於地獄傍生鬼趣流轉
藥師瑠璃光如來名号便捨
不墮惡趣設有不能捨諸惡行
惡趣者以彼如來本願威力
名号從彼命終還生人趣得
意樂便能捨家趣於非家如
處无有毀犯正見多聞解甚
不謗正法不為魔伴漸次脩行諸菩薩行速
得圓滿
復次曼殊室利若諸有情慳貪嫉妬自讚毀
他當墮三惡趣中无量千歲受諸劇苦受劇
苦已從彼命終還生人間作牛馬駝驢恒被
鞭撻飢渴逼惱又常負重隨路而行或得為
人生居下賤作人奴婢受他驅役恒不自在
若昔人中曾聞世尊藥師瑠璃光如來名号
由此善因今復憶念至心歸依以佛神力衆
苦解脫諸根聰利智慧多聞恒求勝法常遇
善友永斷魔羂破无明㲉竭煩惱河解脫一

BD00928 號　藥師瑠璃光如來本願功德經　　（10–1）

人生居下賤作人奴婢受他駈役恒不自在
若昔人中曾聞世尊藥師瑠璃光如来名号
由此善因今復憶念至心歸依以佛神力衆
苦解脫諸根聰利智慧多聞恒求勝法常遇
善友永斷魔羂破无明㲉竭煩惱河解脫一
切生老病死憂悲苦惱
復次曼殊室利若諸有情好憙乖離更相鬪
訟惱亂自他以身語意造作增長種種惡業
展轉常為不饒益事互相謀害告召山林樹
塚等神殺諸衆生取其血宍祭祀藥叉羅剎
婆等書怨人名作其形像以惡呪術而呪咀
之厭媚蠱道呪起屍鬼令斷彼命及壞其身
是諸有情若得聞此藥師瑠璃光如来名号
彼諸惡事悉不能害一切展轉皆起慈心利
益安樂无損惱意及嫌恨心各各歡悅於自
所受生於喜足不相侵凌互為饒益
復次曼殊室利若有四衆苾芻苾芻尼鄔波
索迦鄔波斯迦及餘淨信善男子善女人等
有能受持八分齋戒或經一年或復三月受
持學處以此善根願生西方極樂世界无量
壽佛所聽聞正法而未定者若聞世尊藥師
瑠璃光如来名号臨命終時有八菩薩乘神
通来示其道路即於彼界種種雜色衆寶華
中自然化生或有因此生於天上雖生天中
而本善根亦未窮盡不復更生諸餘惡趣天
上壽盡還生人間或為輪王統攝四洲威德
自在安立无量百千有情於十善道或生剎

BD00928 號　藥師瑠璃光如來本願功德經　（10–2）

中自然化生或有因此生於天上雖生天中
而本善根亦未窮盡不復更生諸餘惡趣天
上壽盡還生人間或為輪王統攝四洲威德
自在安立无量百千有情於十善道或生剎
帝利婆羅門居士大家多饒財寶倉庫盈溢
形相端嚴眷屬具足聰明智慧勇健威猛如
大力士若是女人得聞世尊藥師瑠璃光如
来名号至心受持於後不復更受女身
尒時曼殊室利童子白佛言世尊我當誓於
像法轉時以種種方便令諸淨信善男子善
女人等得聞世尊藥師瑠璃光如来名号乃
至睡中亦以佛名覺悟其耳世尊若於此經
受持讀誦或復為他演說開示若自書若使
人書恭敬尊重以種種華香塗香秣香燒香
花鬘瓔珞幡蓋伎樂而為供養以五色綵作
囊盛之掃灑淨處敷設高座而用安處尒時
四大天王與其眷屬及餘无量百千天衆皆
詣其所供養守護世尊若此經寶流行之處
有能受持以彼世尊藥師瑠璃光如来本願
功德及聞名号當知是處无復橫死亦復不
為諸惡鬼神奪其精氣設已奪者還得如故
身心安樂
佛告曼殊室利如是如是如汝所說曼殊室
利若有淨信善男子善女人等欲供養彼世
尊藥師瑠璃光如来者應先造立彼佛形像
敷清淨座而安處之散種種華燒種種香以
種種幢幡莊嚴其處七日七夜受八分齋戒

BD00928 號　藥師瑠璃光如來本願功德經　（10–3）

利若有淨信善男子善女人等欲供養彼世
尊藥師瑠璃光如來者應先造立彼佛形像
敷清淨座而安處之散種種華燒種種香以
種種幢幡莊嚴其處七日七夜受八分齋戒
食清淨食澡浴香潔著新淨衣應生无垢濁
心无怒害心於一切有情起利益安樂慈悲
喜捨平等之心鼓樂歌讃右遶佛像復應念
彼如來本願功德讀誦此經思惟其義演說
開示隨所樂願一切皆遂求長壽得長壽求
冨饒得冨饒求官位得官位求男女得男女
若復有人忽得惡夢見諸惡相或恠鳥來集
或於住處百恠出現此人若以衆妙資具恭
敬供養彼世尊藥師瑠璃光如來者惡夢惡
相諸不吉祥皆悉隱沒不能為患或有水火
刀毒懸嶮惡象師子虎狼熊羆毒蛇惡蠍蜈
蚣蚰蜒蚊䖟等怖若能至心憶念彼佛恭敬
供養一切怖畏皆得解脫若他國侵擾盜賊
反亂憶念恭敬彼如來者亦皆解脫
復次曼殊室利若有淨信善男子善女人等
乃至盡形不事餘天唯當一心歸佛法僧受
持禁戒若五戒十戒菩薩四百戒苾芻二百
五十戒苾芻尼五百戒於所受中或有毀犯
怖墮惡趣若能專念彼佛名号恭敬供養者
必定不受三惡趣生或有女人臨當產時受
於極苦若能至心稱名礼讃恭敬供養彼如
來者衆苦皆除所生之子身分具足形色端
正見者歡喜利根聰明安隱少病无有非人

必定不受三惡趣生或有女人臨當產時受
於極苦若能至心稱名礼讃恭敬供養彼如
來者衆苦皆除所生之子身分具足形色端
正見者歡喜利根聰明安隱少病无有非人
奪其精氣
尒時世尊告阿難言如我稱揚彼佛世尊藥
師瑠璃光如來所有功德此是諸佛甚深行
處難可解了汝為信不阿難白言大德世尊
我於如來所說契經不生疑惑所以者何一
切如來身語意業无不清淨世尊此日月輪
令墮落妙高山王可使傾動諸佛所言无有
我於如來所說契經不生疑惑所以者何一
切如來身語意業无不清淨世尊此日月輪可
令墮落妙高山王可使傾動諸佛所言无有
異也世尊有諸衆生信根不具聞說諸佛所
深行處作是思惟云何但念藥師瑠璃光如
來一佛名号便獲尒所功德勝利由此不信
返生誹謗彼於長夜失大利樂墮諸惡趣流
轉无窮佛告阿難是諸有情若聞世尊藥師
瑠璃光如來名号至心受持不生疑惑墮惡
趣者无有是處阿難此是諸佛甚深所行難
可信解汝今能受當知皆是如來威力阿難
一切聲聞獨覺及未登地諸菩薩等皆悉不
能如實信解唯除一生所繫菩薩阿難人身
難得於三寶中信敬尊重亦難可得得聞世尊
藥師瑠璃光如來名号復難於是阿難彼藥
師瑠璃光如來无量菩薩行无量巧方便无

一切聲聞獨覺及未登地諸菩薩等皆悉不
能如實信解唯除一生所繫菩薩阿難人身
難得於三寶中信敬尊重亦難可得聞世尊
藥師瑠璃光如來名号復難於是阿難彼藥
師瑠璃光如來无量菩薩行无量巧方便无
量廣大願我若一劫若一劫餘而廣說者劫
可速盡彼佛行願善巧方便无有盡也尒時
衆中有一菩薩摩訶薩名曰救脫即從座起
偏袒一肩右膝著地曲躬合掌而白佛言大
德世尊像法轉時有諸衆生為種種患之所
困厄長病羸瘦不能飲食喉脣乾燥見諸方
暗死相現前父母親屬朋友知識啼泣圍遶
然彼自身卧在本處見琰魔使引其神識至
于琰魔法王之前然諸有情有俱生神隨其
所作若罪若福皆具書之盡持授與琰魔法
王尒時彼王推問其人筭計所作隨其罪福
而處斷之時彼病人親屬知識若能為彼歸
依世尊藥師瑠璃光如來請諸衆僧轉讀此
經然七層之燈懸五色續命神幡或有是處
神識得還如在夢中明了自見或經七日或
二十一日或三十五日或四十九日彼識還
時如從夢覺皆自憶知善不善業所得果報
由自證見業果報故乃至命難亦不造作諸
惡之業是故淨信善男子善女人等皆應受
持藥師瑠璃光如來名号隨力所能恭敬供
養

BD00928號　藥師瑠璃光如來本願功德經　（10–6）

惡之業是故淨信善男子善女人等皆應受
持藥師瑠璃光如來名号隨力所能恭敬供
養
尒時阿難問救脫菩薩曰善男子應云何恭
敬供養彼世尊藥師瑠璃光如來續命幡燈
復云何造救脫菩薩言大德若有病人欲脫
病苦當為其人七日七夜受持八分齋戒應
以飲食及餘資具隨力所辦供養苾芻僧晝
夜六時礼拜供養彼世尊藥師瑠璃光如來
讀誦此經四十九遍然四十九燈造彼如來
形像七軀一一像前各置七燈一一燈量大
如車輪乃至四十九日光明不絕造五色䌽
幡長四十九搩手應放雜類衆生至四十九
可得過度危厄之難不為諸橫惡鬼所持復
次阿難若剎帝利灌頂王等災難起時所謂
人衆疾疫難他國侵逼難自界叛逆難星宿
變怪難日月薄蝕難非時風雨難過時不雨
難彼剎帝利灌頂王等尒時應於一切有情
起慈悲心赦諸繫閉依前所說供養之法供
養彼世尊藥師瑠璃光如來由此善根及彼
如來本願力故令其國界即得安隱風雨順
時穀稼成熟一切有情无病歡樂於其國中
无有暴惡藥叉等神惱有情者一切惡相皆
即隱沒而剎帝利灌頂王等壽命色力无病
自在皆得增益阿難若帝后妃主儲君王子

BD00928號　藥師瑠璃光如來本願功德經　（10–7）

時穀稼成熟一切有情无病歡樂於其國中
无有暴惡藥叉等神惱有情者一切惡相皆
即隱沒而刹帝利灌頂王等壽命色力无病
自在皆得增益阿難若帝后妃主儲君王子
大臣輔相中宮綵女百官黎庶為病所苦及
餘厄難亦應造立五色神幡然燈續明放諸
生命散雜色華燒眾名香病得除愈眾難解
脫
尒時阿難問救脫菩薩言善男子云何已盡
之命而可增益救脫菩薩言大德汝豈不聞
如來說有九橫死耶是故勸造續命幡燈脩
諸福德以脩福故盡其壽命不經苦患阿難
問言九橫云何救脫菩薩言善諸有情得病
雖輕然无醫藥及看病者設復遇醫授以非
藥實不應死而便橫死又信世間邪魔外道
妖孽之師妄說禍福便生恐動心不自正卜
問覓禍殺種種眾生解奏神明呼諸魍魎請
乞福祐欲冀延年終不能得愚癡迷惑信邪
倒見遂令橫死入於地獄无有出期是名初
橫二者橫被王法之所誅戮三者畋獵嬉戲
耽婬嗜酒放逸无度橫為非人奪其精氣四
者橫為火焚五者橫為水溺六者橫為種種
惡獸所噉七者橫墮山崖八者橫為毒藥厭
禱呪咀起屍鬼等之所中害九者飢渴所困
不得飲食而便橫死是為如來略說橫死有
此九種其餘復有无量諸橫難可具說

BD00928號　藥師瑠璃光如來本願功德經　（10–8）

禱呪咀起屍鬼等之所中害九者飢渴所困
不得飲食而便橫死是為如來略說橫死有
此九種其餘復有无量諸橫難可具說
復次阿難彼琰魔王主領世間名籍之記若
諸有情不孝五逆破辱三寶壞君臣法毀於
信戒琰魔法王隨罪輕重考而罰之是故我
今勸諸有情然燈造幡放生脩福令度苦厄
不遭眾難
尒時眾中有十二藥叉大將俱在會坐所謂
宮毗羅大將　伐折羅大將　迷企羅大將　安底羅大將
頞儞羅大將　珊底羅大將　因達羅大將　波夷羅大將
摩虎羅大將　真達羅大將　招杜羅大將　毗羯羅大將
此十二藥叉大將一一各有七千藥叉以為
眷屬同時舉聲白佛言世尊我等今者蒙佛
威力得聞世尊藥師瑠璃光如來名号不復
更有惡趣之怖我等相率皆同一心乃至盡
形歸佛法僧誓當荷負一切有情為作義利
饒益安樂隨於何等村城國邑空閑林中若
有流布此經或復受持藥師瑠璃光如來名
号恭敬供養者我等眷屬衛護是人皆使解
脫一切苦難諸有願求悉令滿足或有病厄
求度脫者亦應讀誦此經以五色縷結我名
字得如願已然後解結
尒時世尊讚諸藥叉大將言善哉善哉大藥
叉將汝等念報世尊藥師瑠璃光如來恩德
常應如是利益安樂一切有情

BD00928號　藥師瑠璃光如來本願功德經　（10–9）

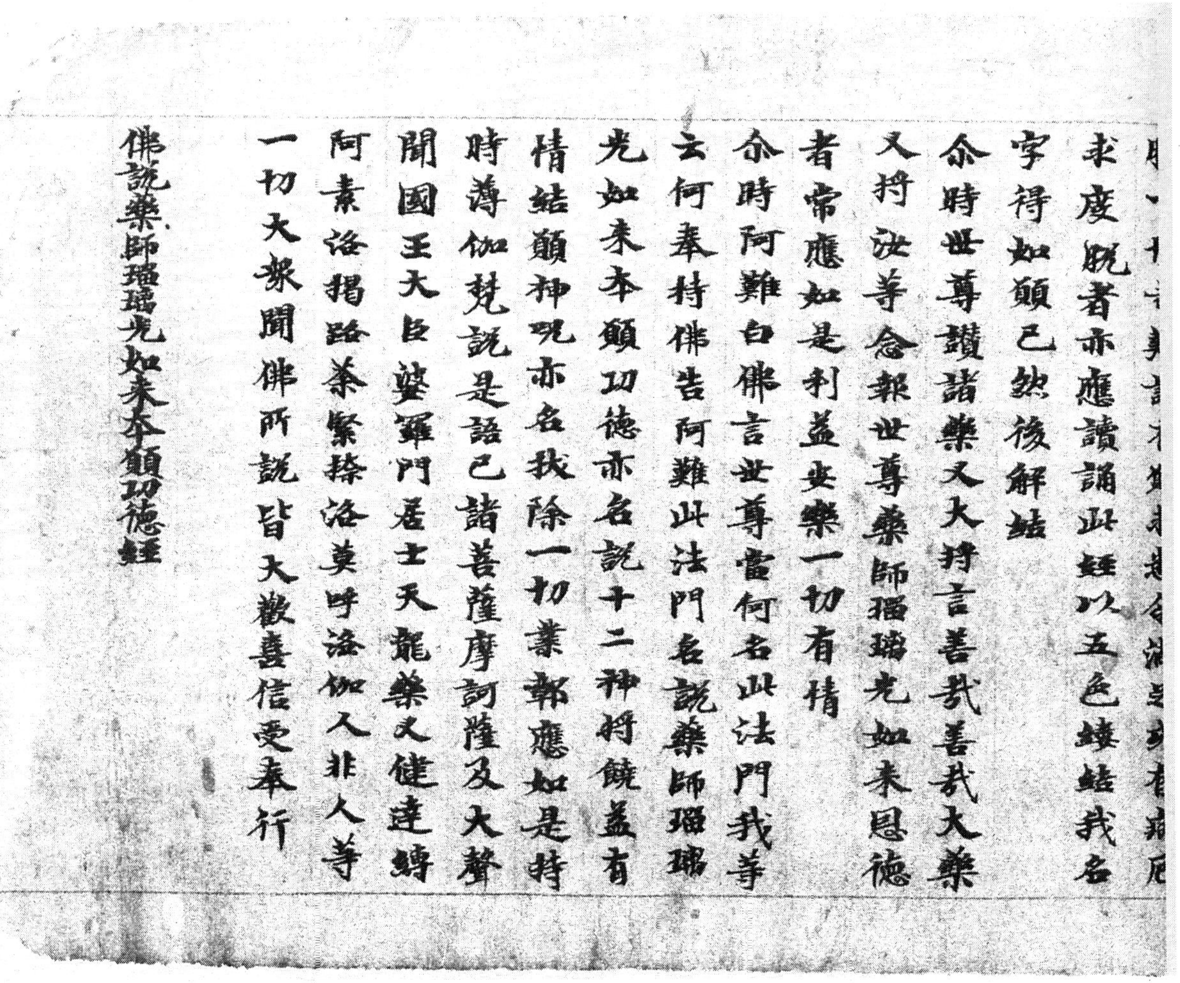

求度脫者亦應讀誦此經以五色縷結我名
字得如願已然後解結
尒時世尊讚諸藥叉大將言善哉善哉大藥
叉將汝等念報世尊藥師瑠璃光如來恩德
者常應如是利益安樂一切有情
尒時阿難白佛言世尊當何名此法門我等
云何奉持佛告阿難此法門名說藥師瑠璃
光如來本願功德亦名說十二神將饒益有
情結願神呪亦名拔除一切業鄣應如是持
時薄伽梵說是語已諸菩薩摩訶薩及大聲
聞國王大臣婆羅門居士天龍藥叉揵達縛
阿素洛揭路荼緊捺洛莫呼洛伽人非人等
一切大衆聞佛所說皆大歡喜信受奉行
佛說藥師瑠璃光如來本願功德經

BD00928 號　藥師瑠璃光如來本願功德經　（10–10）

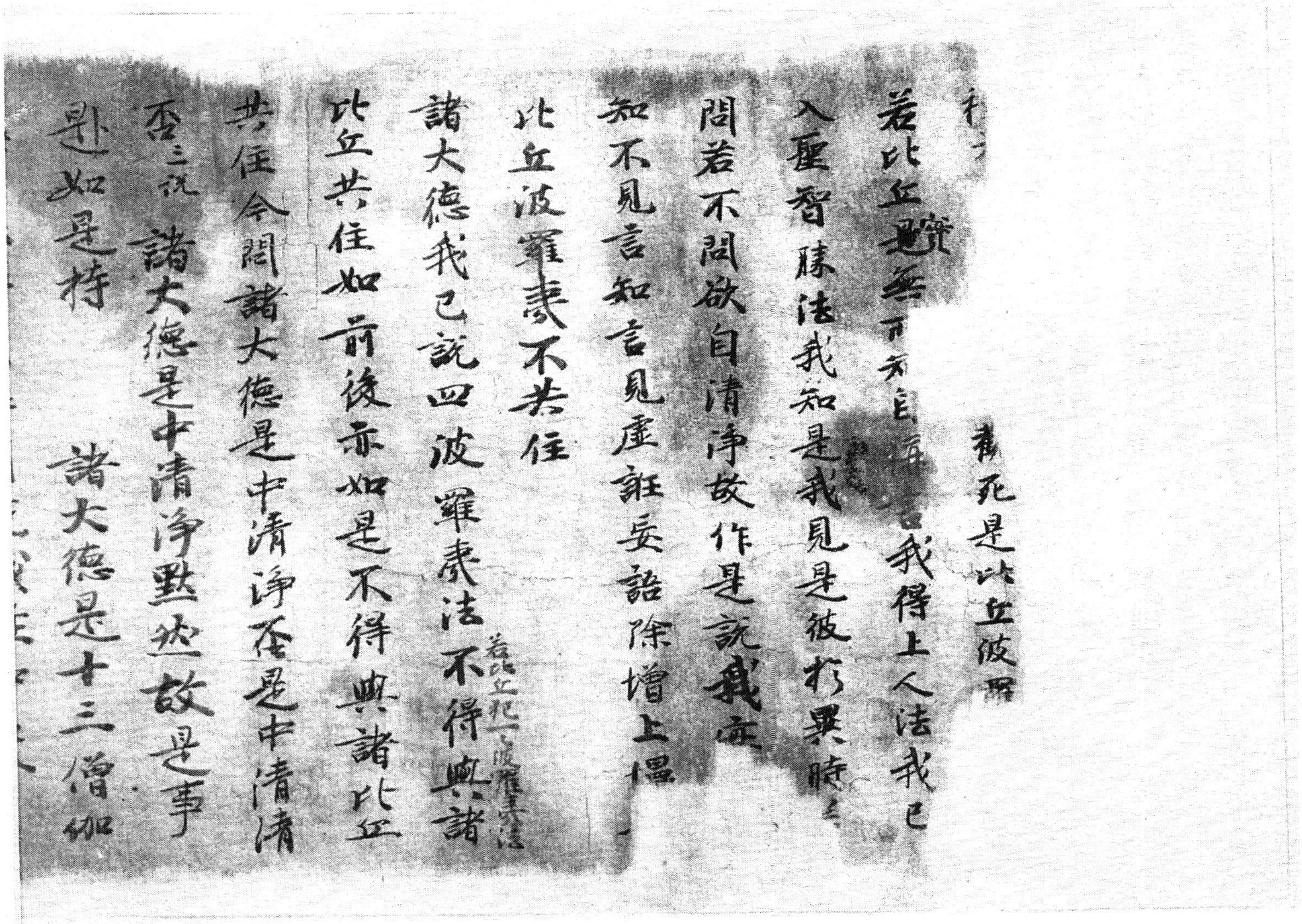

歎死是比丘波羅
若比丘實無所知自稱言我得上人法我已
入聖智勝法我知是我見是彼於異時若
問若不問欲自清淨故作是說我實
知不見言知言見虛誑妄語除增上慢
比丘波羅夷不共住
諸大德我已說四波羅夷法 若比丘犯一一波羅夷法 不得與諸
比丘共住如前後亦如是不得與諸比丘
共住今問諸大德是中清淨不 是中清淨
否 三說 諸大德是中清淨默然故是事
是如是持　諸大德是十三僧伽

BD00929 號　四分律比丘戒本　（11–1）

共住今問諸大德是中清淨否是中清淨
否三説　諸大德是中清淨默然故是事
是如是持　諸大德是十三僧伽
婆尸沙法半月半月説戒經中來
若比丘故弄陰出精除夢中僧伽婆
尸沙　若比丘婬欲意與女人身相觸
若捉手若捉髮若觸一一身分者僧伽
婆尸沙
[illegible]
若比丘若王若大臣若婆羅門若居士居士婦遣使
為比丘送衣價持如是衣價與某甲比丘彼使人至
比丘所語比丘言大德今為汝故送是衣價受取是比丘
應語彼使如是言我不應受此衣價我若須衣合時清
淨當受彼使語比丘言大德有執事人不須衣比丘應語言
有若僧伽藍民若優婆塞此是比丘執事人常為諸比丘
執事時彼使往至執事人所與衣價已還至比丘所作如是言大
德所示某甲執事人我已與衣價大德知時往彼
當得衣須比丘當往執事人所若二反三反為作憶念應語
言我須衣若二反三反為作憶念若得衣者善若不得衣
四反五反六反在前默然住若四反五反六反在前默然住得衣
者善若不得衣過是求得衣者尼薩耆波逸提若不得衣
從所得衣價處若自往若遣使往語言汝先遣使持衣價

BD00929 號　四分律比丘戒本　（11–2）

言我須衣若二反三反為作憶念若得衣者善若不得衣
四反五反六反在前默然住若四反五反六反在前默然住得衣
者善若不得衣過是求得衣者尼薩耆波逸提若不得衣
從所得衣價處若自往若遣使往語言汝先遣使持衣價
與某甲比丘是比丘竟不得汝還取莫使失此是時
若比丘雜野蠶綿作新臥具尼薩耆波逸提
若比丘以新純黑羺羊毛作新臥具尼薩耆波逸提
若比丘作新臥具應用二分純黑羊毛三分白四分尨若
比丘不用二分黑三分白四分尨作新臥具者尼薩耆波逸提
若比丘作新臥具持至六年若減六年不捨故更作新者除
僧羯磨尼薩耆波逸提
若比丘作新坐具當取故者縱廣一搩手帖著新者上
壞色故若作新坐具不取故者縱廣一搩手帖著新者
上用壞色故尼薩耆波逸提
若比丘道路行得羊毛若無人持得自持乃至三由旬
若無人持自持過三由旬尼薩耆波逸提
若比丘使非親里比丘尼浣染擘羊毛者尼薩耆波逸提
若比丘自手捉錢若金銀若教人捉若置地受者尼薩
耆波逸提
若比丘種種賣買者尼薩耆波逸提
若比丘種種販賣者尼薩耆波逸提
若比丘畜長鉢不淨施得齊十日過者尼薩耆波逸提
若比丘畜鉢減五綴不漏更求新鉢為好故尼薩耆波逸
提彼比丘應往僧中捨展轉取最下鉢與之令持乃至破應
持此是時
若比丘自乞縷線使非親里織師織作衣者尼薩耆波逸提
若比丘居士居士婦使織師為比丘織作衣彼比丘先不受自恣
請更往織師所語言此衣為我作與我極好織令廣大堅緻

BD00929 號　四分律比丘戒本　（11–3）

若比丘畜鉢減五綴不漏更求新鉢為好故尼薩耆波逸
提彼比丘應往僧中捨展轉取最下鉢與之令持乃至破應
持此是時
若比丘自乞縷綫使非親里織師織作衣者尼薩耆波逸提
若比丘居士居士婦使織師為比丘織作衣彼比丘先不受自恣
請便往織師所語言此衣為我作與我極好織令廣大堅緻
我當少多與汝價是比丘與價乃至一食直若得衣尼薩耆
波逸提
若比丘先與比丘衣後瞋恚若自奪若教人奪取還我衣來
不與汝若比丘還衣彼取衣尼薩耆波逸提
若比丘有病殘藥蘇油生蘇蜜石蜜齊七日得服若過
七日服者尼薩耆波逸提
若比丘春殘一月在當求雨浴衣半月應用浴若比丘過一月
前求雨浴衣過半月前用浴尼薩耆波逸提
若比丘十日未竟夏三月諸比丘得急施衣比丘知是急施衣當
受受衣已乃至衣時應畜過若畜者尼薩耆波逸提
若比丘夏三月竟後迦提一月滿在阿蘭若有疑恐懼處住比
丘在如是處住三衣中欲留一一衣置舍內諸比丘有因緣離衣宿
乃至六夜若過者尼薩耆波逸提
若比丘知是僧物自求入己者尼薩耆波逸提
諸大德我已說三十尼薩耆波逸提法今問諸大德是中清淨不
諸大德是中清淨默然故是事如是持
諸大德是九十波逸提法半月半月說戒經中來
若比丘知而妄語者波逸提
若比丘種類毀呰語者波逸提
若比丘兩舌語者波逸提
若比丘與婦女同室宿者波逸提
若比丘與未受大戒人共宿過二宿至三宿波逸提

若比丘種類毀呰語者波逸提
若比丘兩舌語者波逸提
若比丘與婦女同室宿者波逸提
若比丘與未受大戒人共宿過二宿至三宿波逸提
若比丘與未受大戒人共誦者波逸提
若比丘知他有麁惡罪向未受大戒人說除僧羯磨波逸提
若比丘向未受大戒人說過人法言我見是我知是實者
波逸提
若比丘與女人說法過五六語除有知男子波逸提
若比丘自手掘地若教人掘者波逸提 十
若比丘壞鬼神村者波逸提
若比丘妄作異語惱他者波逸提
若比丘嫌罵者波逸提
若比丘取僧繩床木床若臥具坐蓐露地敷若教人敷
捨去不自舉不教人舉波逸提
若比丘於僧房中敷僧臥具若自敷若教人敷若坐若臥
時去不自舉不教舉波逸提
若比丘知先比丘住處後來強於中間敷臥具止宿念言彼
若嫌迮者自當避我去作如是因緣非餘非威儀波逸提
若比丘瞋他比丘不喜僧房中若自牽出教他牽出波逸提 三
若比丘若房若重閣上脫腳繩床若木床若坐若臥波逸提
若比丘知水有蟲若自用澆泥若澆草若教人澆者波逸提
若比丘作大房舍戶扉闈牖及餘莊飾具指授
覆苫齊二三節若過者波逸提 廿
若比丘僧不差教誡比丘尼者波逸提
若比丘為僧差教授比丘尼乃至日暮者波逸提
若比丘語諸比丘如是語諸比丘為飲食故教授比
丘尼者波逸提

若比丘僧不差教戒比丘尼者波逸提
若比丘爲僧差教授比丘尼乃至日暮者波逸提
若比丘語諸比丘如是語諸比丘爲飲食故教授比
丘尼者波逸提
若比丘與非親理比丘尼衣除貿易波逸提
若比丘與非親理比丘尼作衣者波逸提
若比丘與比丘尼在屏處坐者波逸提
若比丘與比丘尼共期同一道行從一村乃至一村除異時
波逸提異時者與賈客行若疑畏怖時是謂異時
若比丘與比丘尼共期同乘一船上水下水除直渡者波逸提
若比丘知比丘尼讃嘆教化因緣得食食除檀越先有
意者波逸提
若比丘與婦女共期同一道行乃至一村間波逸提 卅
若比丘施一食處無病比丘應一食若過授者波逸提
若比丘展轉食除餘時者病時施作衣時施衣時道
行時乘船時大衆集時沙門施食時此是時
若比丘至白衣家請比丘與餅麨飯若比丘欲須
者須當二三鉢受還至僧伽藍中應分與餘比丘食
若比丘無病過兩三鉢受持還僧伽藍中不分與餘
比丘食者波逸提
若比丘足食竟或時受請不作餘食法而食者波逸
提
若比丘知他比丘足食已若受請不作餘
食法慇懃請與食長老取是食以是因緣非餘
欲使他犯者波逸提
若比丘非時受食食者波逸提
若比丘殘宿食而食者波逸提

食法慇懃請與食長老取是食以是因緣非餘
欲使他犯者波逸提
若比丘非時受食食者波逸提
若比丘殘宿食而食者波逸提
若比丘不受食若藥着中口除水及楊枝波逸提
若比丘得好美飲食乳藥魚及肉若比丘如此
美飲食无病自爲已索者波逸提 卌
若比丘外道男外道女自手與食者波逸提
若比丘先受請已前食後食詣餘家不囑授
餘比丘除餘時波逸提餘時者病時作衣時
施衣時是謂餘時
若比丘在食家中有寶強安坐者波逸提
若比丘食家中有寶在屏處坐者波逸提
若比丘獨與女人露地坐者波逸提
若比丘語餘比丘如是語大德共至聚落當與
汝食彼比丘竟不教與是比丘食語言汝去我
與汝一處若坐若語樂不我獨坐獨樂以此
因緣非餘方便遣去波逸提
請比丘四月與藥无病比丘應受若過受除常
請更請分請盡形受請波逸提
若比丘往觀軍陣除時因緣波逸提
若比丘有因緣聽至軍二宿三宿過者波逸提
若比丘二宿三宿軍中住或時觀軍陣鬪戰
若觀

若比丘往觀軍陣除時因緣波逸提
若比丘有因緣聽至軍二宿三宿過者波逸提
若比丘二宿三宿軍中住或時觀軍陣鬪戰
若觀遊軍象馬勢者波逸提卒
若比丘飲酒者波逸提　若比丘水中嬉戲者波逸提
若比丘以指相擊攊者波逸提
若比丘不受諫者波逸提
若比丘恐怖他比丘者波逸提
若比丘半月洗浴无病比丘應受不得過除
餘時波逸提餘時者熱時病時作時風時雨時道
行時此是餘時
若比丘无病自為炙身故在露地然火若教人
然除時因緣波逸提
若比丘藏他比丘衣鉢坐具針筒若自藏教人
藏下至戲笑者波逸提
若比丘與比丘比丘尼式叉摩那沙弥尼衣鉢具
後不語主還取著者波逸提
若比丘得新衣應三種壞色一一色中隨意
壞若青若黑若木蘭若比丘不以三種壞色
若青若黑若木蘭著餘新衣者波逸提卒
若比丘故斷畜生命者波逸提
若比丘知水有蟲飲用者波逸提
若比丘故惱他比丘令須臾間不樂者波逸提

若青若黑若木蘭著餘新衣者波逸提卒
若比丘故斷畜生命者波逸提
若比丘知水有蟲飲用者波逸提
若比丘故惱他比丘令須臾間不樂者波逸提
若比丘知他比丘麤犯罪覆藏者波逸提
年滿二十應受大戒若比丘知年不滿二十與受大
戒此人不得戒彼比丘可呵癡故波逸提
若比丘知諍事如法懺悔已後更發舉者波逸提
若比丘知賊伴結要共同道行乃至一村間者波逸提
若比丘作如是語我知佛所說法行婬欲非障道法
彼比丘諫此比丘言大德莫作是語莫謗世
者不善世尊不作是語世尊无數方便說犯婬欲
者障道法彼比丘諫此比丘時堅持不捨彼比丘乃
至三諫捨此事故若再三諫捨者善不捨者波
逸提
若比丘知如是語人未作法如是邪見而不捨供給
所須共同羯磨止宿言語者波逸提
若比丘知沙弥作如是言我從佛聞法若行婬欲
非障道法彼比丘諫此沙弥如是言汝莫誹謗世
尊謗世尊者不善世尊不作是語沙弥世尊无
數方便說犯婬欲是障道法彼比丘諫此沙弥時
堅持不捨彼比丘乃再三呵諫令捨此是故乃至三
諫捨者善不捨者彼比丘應語彼沙弥言

尊謗世尊者不善世尊不作是語汝莫謗世尊[illegible]
數方便說犯婬欲是障道法彼比丘諫此沙彌時
堅持不捨彼比丘再三呵諫令捨此是故乃至三
諫捨者善不捨者彼比丘應語彼沙彌言
汝自今已不得言佛是我世尊不得隨逐餘
比丘如諸沙彌得與比丘二宿三宿汝今无
是事汝今出去滅去不應住此若比丘知
是衆中被擯沙彌而誘將畜養共比宿者
波逸提 七十
若比丘餘比丘如法諫時作如是語我今
不學此戒當難問餘智慧持律比丘者波
逸提若為知為學故應難問
若比丘說戒時作如是語大德何用說是雜
碎戒為說戒時令人惱愧懷疑輕呵戒故波逸提
若比丘說戒時作如是語我今始知此戒經所載
半月半月說戒經中來餘比丘知是比丘若二
若三何況多彼比丘无知无解若犯罪應如
法治更犯重增无知罪語言長老汝无利
不善得汝說戒時不用心念不一心兩耳聽法
彼无知故波逸提
若比丘共同羯磨已後如是語諸比丘隨親
友衆僧物與者波逸提
若比丘衆僧斷事未竟不與欲而起去者波逸提

BD00929 號　四分律比丘戒本　（11-10）

若比丘餘比丘如法諫時作如是語我今
學此戒當難問餘智慧持律比丘者波
逸提若為知為學故應難問
若比丘說戒時作如是語大德何用說是雜
碎戒為說戒時令人惱愧懷疑輕呵戒故波逸提
若比丘說戒時作如是語我今始知此戒經所載
半月半月說戒經中來餘比丘知是比丘若二
若三何況多彼比丘无知无解若犯罪應如
法治更犯重增无知罪語言長老汝无利
不善得汝說戒時不用心念不一心兩耳聽法
彼无知故波逸提
若比丘共同羯磨已後如是語諸比丘隨親
友衆僧物與者波逸提
若比丘衆僧斷事未竟不與欲而起去者波逸提
若比丘與欲已後悔者波逸提
若比丘[illegible]此語向彼說者[illegible]
若比丘嗔恚故不[illegible]比丘者波逸提
若比丘嗔恚故不[illegible]比丘者波逸提
[illegible]

BD00929 號　四分律比丘戒本　（11-11）

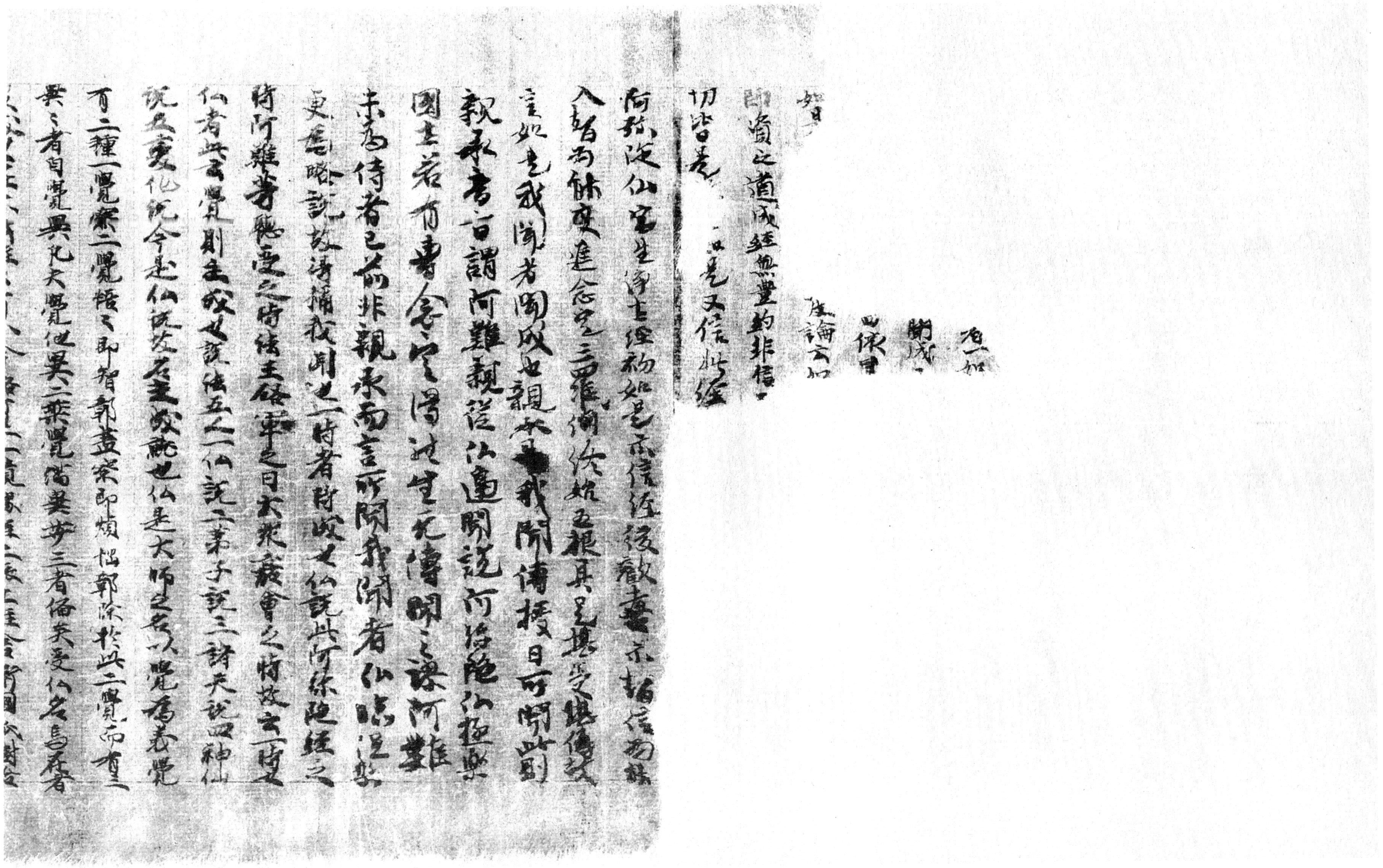

BD00930號 阿彌陀經義述 （9–1）

時阿難等聽受之時佳王舍軍之日大衆集會之時故云一時也
仏者此云覺是則主成就說法五人一仏說二弟子說三諸天說四神仙
說五變化說今是仏說故名主成就也仏是大師之名以覺爲義覺
有二種一覺察二覺悟々即智郭蓋察即煩惱郭除於此二覺而有三
異々者自覺異凡夫覺他異二乘覺滿異菩薩三者備矣受仏名焉在者
處故々在亦云住々有八今略有二一境界住二依止住舍衛國祇樹給
孤獨園者舍二住也國是境界爲化在俗之徒園是依止爲攝出家之衆
祇陀太子之名此云戰勝太子載誕之時王破鄰軍之賊宮人聞奏因以名
之給孤獨本名須達以慈心恤窮賑貧而恤寡卹人美之因以號
焉々有上下未可先稱獨園々々施樹別未可但言祇樹二人同心共造精
舍一爲名故云祇樹給孤獨園法身實无住託示化有方假住此處說
阿彌陀五門循行定得往生五門則二業讚歎迴向　經云與大比丘
衆諸大菩子者何　述曰衆成也其義爲三一聲聞衆二菩薩衆三諸
天衆此聲聞衆有五一標類二明數三歎德四列名五結定　與大比丘
者標類也與者共也名共四智六神義同水乳自身親彼目之爲與
智度論云共者一戒二見三處四時五道六解脫等名之爲共大者梵云摩訶
此有三義一多二勝云何大一切衆中最上故一切郭斷故人天王等恭敬
故云何多數至千二百五十人故云何勝九十六種外道論議能破故比
丘略有三義一怖魔二乞士三破惡亦三則初中後也怖魔者夫創
軌云門則建降魔之旌故剃髮染衣天宮動而魔怖也乞士者身
爲道存身安則道隆故乞法食以資身也破惡者欲聖之
道長凡夫道消而消之而破惡以證果也本是因地之名若至果地轉怖
魔爲殺賊乞士爲應供說破惡爲不生僧者此云衆也比丘一
處和合名衆也千二百五十人俱者唱數也皆是大阿羅漢者
梵語也羅漢有三義如上比丘果地三名應知識衆所知識者
人天大衆所共知識知者知其內德識者識其外形也長老舍利

處知合前名衆也千二百五十人俱者唱數也皆是大阿羅漢者
梵德也羅漢有三義如上說比丘果地三名應知識衆所知識者
人天大衆所共知識知者知其內德識者識其外形也長老舍利
弗至阿㝹樓䭾者列名也叨列摩訶為十七人長老患為淨命
等並梵音之謂舍利此云身子鈍為無邊則藥陁利為無邊
則子吉臣高来難事集突神鬼迦悟目連此云讃迦葉此云飲
光迦旃延此云扇繩俱絺羅此云在根雜陁阿難此云歡喜
羅睺羅此云覆鄣憍梵波提此云牛主賓頭盧此云上頭
羅墮此云利根迦留陁夷此云黑色劫賓那此云房宿薄俱羅
此云善容阿㝹樓䭾此云如意如是等大弟子結之也 經云并
諸菩薩乃至如是等諸大菩薩者何 述曰菩衆也有三初標類次列
名後結之菩名覺士義有四一應覺二正覺三覺分四覺士有
二訓一治二事此云無生離念之覺事治化衆生故名覺士摩
訶此云大覺士真常師云約位言之地前十信十解十行名菩自利也
十迴向名摩訶菩利他也登地已上七地已下名菩八地已上名摩訶菩
地論（翻度）云大義有三一願大二行大三利益大文殊師利此云妙德法王子也
當紹尊位阿逸多此云無能勝也乾陁訶提此云常精進身心清道
如攸頭狀也與如是等菩薩者結之也 經云及釋提桓因乃至諸
天衆俱者何 述曰下列諸天衆具足云釋提桓因陁羅此云
主提桓大釋迦此云能天名能主諸天大衆俱者等餘欲色界諸餘
天衆也 經云爾時仏告乃至現在説法者何 述曰上明證信通
序下明發起別序別有六一和機二指處三教主四依報五正果六
弘法和機則告舍利弗指處則示在西方教量則過十方億
仏土依報則極樂世界正果則有仏号阿彌陁弘化法則今現
在說法是也 經云舍利弗彼土何故名極樂者何 述曰下明正

序下明發起別序，別有六：一和樓，二指處，三教主，四依報，五正果，六
弘法。和樓則告舍利弗，指處則示在西方，教主則過十方億
佛土，依報則極樂世界，正果則有佛號阿彌陀，弘化法則今現
在說法是也。　經云：舍利弗，彼土何故名極樂者何？　述曰：下明
宗略，略中五，廣，廣中略，略二者：一淨土因果，二法身因果。中五者：一則極
樂彌陀不退之果，二明表願起行勸脩其因，三明六方諸佛
現相證成，四明諸佛既證令脩學，五明二土世尊互相讚
德。廣中者五章名二，遂有十重：一安樂依報，二彌陀正果，三發願
往生，四往生之行，五諸佛現相，六釋相所由，七明願因，八三生行果，
九此佛讚彼，十彼佛讚此。今簡去廣略處中解釋五章，則
為五重。初章有二：一明極樂依報，二明彌陀正果。初中有三：一問，二
答。此問也。　經云：其國眾生无有眾苦，故名極樂者何？
答有二義：初總標宗略答，後開宗廣釋。此標宗答。阿彌陀
國无有眾苦，唯有樂事，一生彼土，橫截五道，超出三界，至不
退轉。當初僧祇万劫脩道有二：一難行，二易行。此土脩道名
曰難行，西方脩道名曰易行。如跛人步行陸路則苦，跛人乘船水
路則樂。　經云：又舍利弗，極樂國土七重欄楯，乃至名為極
樂者何？　述曰：下明開宗廣釋，有五：一明寶欄林樹嚴，二明寶
池花光嚴，三明寶樂神通嚴，四明寶鳥法音嚴，五明寶樹
搖風嚴。此是初寶欄林樹嚴，有六：一寶欄，二寶楯，三寶羅，
四寶網，五寶林，六寶樹。欄楯將內德，楯防外。寶羅網網珠纓，
无漏法之林樹，並西方功德法莊嚴也。　經云：又舍利弗，極
樂國土乃至功德莊嚴者何？　述曰：第二寶池花光嚴，有八：一寶
池，二寶水，三寶階，四寶道，五寶樓，六寶花，七寶閣，八寶光嚴。
寸是池則八解之浴池，水則八功德之香水，階則三乘之寶階，道
則八正之寶道，樓則八定之鳥樓，閣則三空之重閣，花則七淨

樂國土乃至功德莊嚴者何　述曰第二寶池花光嚴有八一寶
池二寶水三寶階四寶道五寶樓六寶花七寶閣八寶光嚴
寸是池則八解之浴池水則八功德之香水階則三乘之寶階道
則八正之寶道樓則八定之高樓閣則三空之重閣花則七淨
之覺花光明則智惠之光明能破衆生之愚闇者也
經云又舍利弗常作天樂乃至功德莊嚴者何　述曰第三
寶樂神通嚴有三一明作樂雨花二明應供諸仏三明結嚴成就
天則六時常雨四花人則衣裓盛花供養十方億仏旦則發此回施供
養食時則從彼土此經行　經云復次舍利弗彼國常有種
之鳥乃至變化所作者何　述曰第四衆鳥法音嚴有六一
標瑞鳥二別指其名三歌詠法音四聞念三寶五破除疑執
六顯不可思議　經云種種奇妙雜色之鳥者總標詳瑞異色之
鳥如白鵠孔雀共命之鳥者別指其名略叙七鳥之名色其
時演暢根力覺道等法者歌詠法音仏常六時觀六道衆
生鳥之六時歌詠道品西方土衆生聞是音已皆念仏法僧
者明聞者利益也舍利弗汝勿謂此鳥實是罪報所生乃
至何況有實者此破直情疑初牒疑言所以不釋彼土無
三惡道之名況有三惡之義也　是諸衆鳥乃至變化所作
者此顯不思議是諸鳥者乃是弥陁化作令法音宣流莊嚴國
界利益衆生也　經云舍利弗彼仏國土微風吹動乃至妙是
莊嚴者何　述曰第五寶樹羅網嚴有四一風搖樹響二如衆
天樂音三聞念三歸四結嚴成就微風吹動諸寶行樹者風
搖寶樹則法說妙音也　譬如百千衆音者如天樂音則
辯說妙音也聞者自然皆念仏法僧者明聞念三歸則聞者利益也
成就如是功德者結嚴成就也　經云舍利弗於汝意乃至何
弥陁者何　述曰此下第四一問二答三結四釋位此國何故名何

辭說妙音也 聞者聞時念佛法僧者 四聞無三歸 對聞者利益也

成就如是功德者 結教成就也　經云舍利弗於汝意云何

彌陀者何　述曰此已 離有四 一問 二答 三結 四釋 經問何故名阿

彌陀　經云舍利弗彼佛光明無量乃至是故號為阿彌陀者何　述曰

者有三 一光明 二壽命 三徒衆 光明無量也　經云又舍利弗

彼佛壽命乃至故名阿彌陀者何　述曰此明主衆壽命皆無

量 初通後別 通壽無量故名阿彌陀也　經云舍利弗乃成

佛已來於今十劫者何　述曰此明別壽 壽雖十劫 然世間不

可數故名無量壽　經云又舍利弗彼佛無量乃至非筭數

之所能知者何　述曰明徒衆 衆有二 一聲聞衆 二菩薩衆 此

明二衆也　經云諸菩薩亦如是者何　述曰此明菩薩衆也

經云舍利弗彼佛國乃至成就如是功德莊嚴者何　述曰略結也

光明壽命菩薩聲聞人法雖殊皆非筭數所能知 故名無量壽

從本為名 故名無無量 量量壽壽者 即阿彌陀也　經云又舍利弗極

樂國土衆生生者乃至阿僧祇劫說者何　述曰此明利位有三

一生生彼土即阿鞞跋致 此明因緣 二多有補處大士 此明緣勝

三阿僧祇說此明無量

經云舍利弗衆生聞者應當發願乃至生彼國者何　述曰下明

初歎勝起行勸請生其國 文有六意 一釋願 二釋願 三釋行

四釋行 五總願 六總行 此釋願也　經云所以者何乃至俱會一處

者何　述曰釋經願　經云舍利弗不可以少善根福德因緣得生彼

國者何　述曰此釋行也 特明大勸 勸善衆生 ... 亦不少也

經云舍利弗若有善男子善女人聞說阿彌陀佛名號乃至極樂國土者何

述曰釋行也 有五 一修機 二名本 三時 四見佛 五往生 機則

男子女人 名本則阿彌陀佛 時多明七日一心 彼佛與迎 則彌陀聖衆無缺

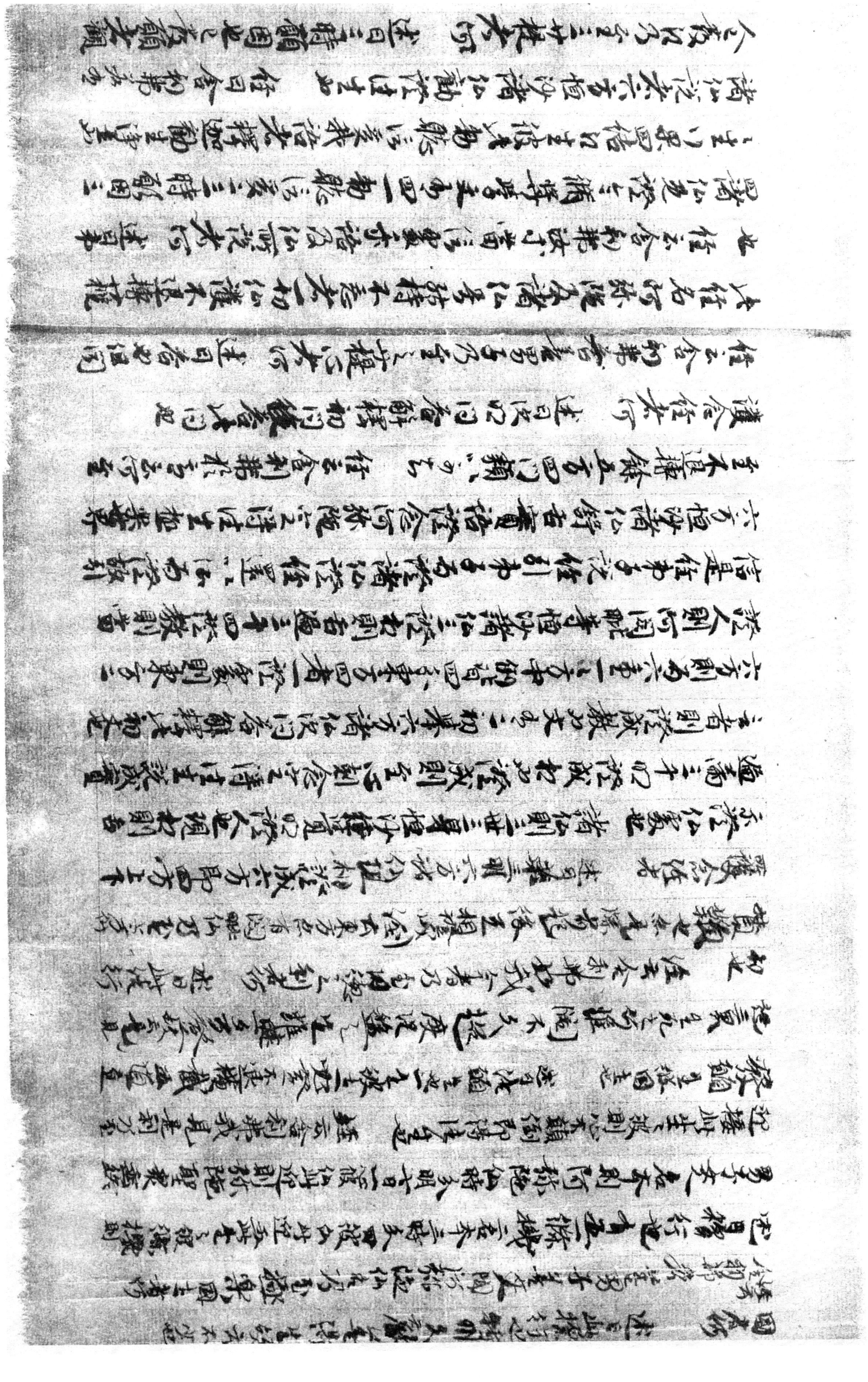

BD00930號　阿彌陀經義述　（9–7）

三生以果四結以生彼也勸聽法義語者釋迦勸生淨土也
諸佛說者六方恒沙諸佛勸證往生也　經曰舍利弗若有
人已發願今發願當發願者何　述曰三時願因也已發願者觀
音勢至之流今發願者現在法愛之輩當發願者未來法
生之類發生阿彌陀佛國者三時所生處也得不退菩提者一
生彼處地勝緣強及隨不退无上菩提也　經云於彼國土若
已當生者何　述曰明三生以果也已生者觀音勢至之流今
生者現在法愛之輩當生者未來法生之類也　經云舍
利弗乃至生彼國土者何　述曰結以生彼也諸佛所以懃
懃勸歸西方者以獲不退也　經云舍利弗如我今者乃至
不可思議功德者　述曰第五明二尊互相讚德初略
明二尊互相讚得後遍明彼讚此初文也明此讚彼則
釋迦如來讚彌陀及諸佛極樂淨土之果明彼讚此則彌
陀及十方諸佛讚歎釋迦穢土成道化衍淨業之因也
經云而作是言乃至甚難希有之事者何　述曰次偏明彼
佛讚此釋迦穢土成立於甚難之事即五濁惡世教化衆
生法取淨土之證不退也文有三種一標二釋三結標則甚
難希有之事三章釋則釋五濁菩提之事三意結則還
此三義此則標也甚難則五濁惡世也希則有无上菩提之
事則為曰生解說穢土衍因得淨土果此難法之道
經云能於娑婆國土乃至難信之法者何　述曰釋三章
門五濁者釋甚難章門得菩提者釋希有章門為生說
者釋之事門也　經云舍利弗當知我於乃至是為甚難
者何　述曰結三章也五濁得菩提者二門結自利也為世
間說者一門結利他也　經云佛說此經已乃至歡喜信
受奉行者何　述曰明流通兩聖對揚蒙益深心歡喜

予則爲曰生解、說、穢土備國淨淨土果此雜法之法也
經云於此娑婆國土乃至難法之法者何　述曰釋三章
門五濁者釋甚難章門得菩提者釋希有章門爲世說
者釋三事門也　經云舍利弗當知我於五濁惡世
者何　述曰結三章也五濁得菩提者二門結自利也爲世
間說者一門結利他也　經云佛說此經已乃至歡喜信
受奉行者何　述曰明流通兩聖對揚歎喜深心歡喜
信受奉行以上釋經文第三段竟　三寶衆神通遊於中有六一明寶衆
和雅不鼓自鳴聞者心開集阿提持進二明黃金寶地光耀
十方寫目通神方界須臾三明天花芬馥六返唯新各布寶
階不相雜亂四明諸菩衣裓持花遍廣十方應供諸佛五
明應供既周旋記利益限以食時還歸章化六明七章之內
莊嚴者之嘆說周既結成極樂其後天之花之六時自然散光
色照曜不雜亂香氣氛氳遍十方聞者自蠱無爲覩四明讚
焉法音發

轝及乘天宮若復有人於講法處坐
勸令坐聽若分座令坐是人功德轉身得帝
釋坐處若梵王坐處若轉輪聖王所坐之處
阿逸多若復有人語餘人言有經名法華可
共往聽即受其教乃至須臾間聞是人功德
轉身得與陀羅尼菩薩共生一處利根智慧
百千万世終不瘖瘂口氣不臭舌常
亦无病齒不垢黑不黃不踈亦不缺
不曲脣不下垂亦不褰縮不麁
不缺壞亦不喎斜不厚不大亦不黎
可惡鼻不匾㔸亦不曲戾面色不黑亦不
長亦不窊曲无有一切不可憙相脣舌牙
悉皆嚴好鼻脩高直面貌圓滿眉高而
額廣平正人相具足世世所生見佛聞法信
教誨阿逸多汝且觀是勸於一人令往聽
功德如此何況一心聽說讀誦而於大眾

BD00931號　妙法蓮華經卷六　（6–1）

長亦不窊曲无有一切不可憙相脣舌牙
悉皆嚴好鼻脩高直面貌圓滿眉高而
額廣平正人相具足世世所生見佛聞法信
教誨阿逸多汝且觀是勸於一人令往聽
功德如此何況一心聽說讀誦而於大眾
人分別如說脩行尒時世尊欲重宣
而說偈言
若人於法會　得聞是經典　乃至於一偈
如是展轉教　至于第五十　最後人獲福　今當分別之
如有大施主　供給无量眾　具滿八十歲　隨意之所欲
見彼衰老相　髮白而面皺　齒踈形枯竭　念其死不久
我今應當教　令得於道果　即為方便說　涅槃真實法
世皆不牢固　如水沫泡焰　汝等咸應當　疾生猒離心
諸人聞是法　皆得阿羅漢　具足六神通　三明八解脫
最後第五十　聞一偈隨喜　是人福勝彼　不可為譬喻
如是展轉聞　其福尚无量　何況於法會　初聞隨喜者
若有勸一人　將引聽法華　言此經深妙　千万劫難遇
即受教往聽　乃至須臾聞　斯人之福報　今當分別說
世世无口患　齒不踈黃黑　脣不厚褰缺　无有可惡相
舌不乾黑短　鼻高脩且直　額廣而平正　面目悉端嚴
為人所憙見　口氣无臭穢　優鉢華之香　常從其口出
若故詣僧坊　欲聽法華經　須臾聞歡喜　今當說其福
後生天人中　得妙象馬車　珍寶之輦輿　及乘天宮殿
若於講法處　勸人坐聽經　是福因緣得　釋梵轉輪座
何況一心聽　解說其義趣　如說而脩行　其福不可限
妙法蓮華經法師功德品第十九
尒時佛告常精進菩薩摩訶薩若善男子
善女人受持是法華經若讀若誦若解說若書

BD00931號　妙法蓮華經卷六　（6–2）

何況一心聽解說其義趣如說而脩行其福不可限

妙法蓮華經法師功德品第十九

介時佛告常精進菩薩摩訶薩若善男子
善女人受持是法華經若讀若誦若解說若書
寫是人當得八百眼功德千二百耳功德八
百鼻功德千二百舌功德八百身功德千二
百意功德以是功德莊嚴六根皆令清淨是
善男子善女人父母所生清淨肉眼見於三
千大千世界內外所有山林河海下至阿鼻
地獄上至有頂亦見其中一切衆生及業因
緣果報生處悉見悉知介時世尊欲重宣
此義而說偈言

若於大衆中　以无所畏心　說是法華經　汝聽其功德
是人得八百　功德殊勝眼　以是莊嚴故　其目甚清淨
父母所生眼　悉見三千界　內外弥樓山　須弥及鐵圍
并諸餘山林　大海江河水　下至阿鼻獄　上至有頂處
其中諸衆生　一切皆悉見　雖未得天眼　肉眼力如是

復次常精進若善男子善女人受持此經若
讀若誦若解說若書寫得千二百耳功德以
是清淨耳聞三千大千世界下至阿鼻地獄
上至有頂其中內外種種語言音聲象聲馬
聲牛聲車聲啼哭聲愁歎聲螺聲鼓聲鍾
聲鈴聲笑聲語聲男聲女聲童子聲童女聲法
聲非法聲苦聲樂聲凡夫聲聖人聲喜聲不
喜聲天聲龍聲夜叉聲乾闥婆聲阿脩羅聲
迦樓羅聲緊那羅聲摩睺羅伽聲火聲水聲
風聲地獄聲畜生聲餓鬼聲比丘聲比丘尼
聲聲聞聲辟支佛聲菩薩聲佛聲以要言
之三千大千世界中一切內外所有諸聲雖未

喜聲天聲龍聲夜叉聲乾闥婆聲阿脩羅聲
迦樓羅聲緊那羅聲摩睺羅伽聲火聲水聲
風聲地獄聲畜生聲餓鬼聲比丘聲比丘尼
聲聲聞聲辟支佛聲菩薩聲佛聲以要言
之三千大千世界中一切內外所有諸聲雖未
得天耳以父母所生清淨常耳皆悉聞知如
是分別種種音聲而不壞耳根介時世尊欲
重宣此義而說偈言

父母所生耳　清淨无濁穢　以此常耳聞　三千世界聲
象馬車牛聲　鍾鈴螺鼓聲　琴瑟箜篌聲　簫笛之音聲
清淨好歌聲　聽之而不著　无數種人聲　聞悉能解了
又聞諸天聲　微妙之歌音　及聞男女聲　童子童女聲
山川險谷中　迦陵頻伽聲　命命等諸鳥　悉聞其音聲
地獄衆苦痛　種種楚毒聲　餓鬼飢渴逼　求索飲食聲
諸阿脩羅等　居在大海邊　自共語言時　出于大音聲
如是說法者　安住於此間　遙聞是衆聲　而不壞耳根
十方世界中　禽獸鳴相呼　其說法之人　於此悉聞之
其諸梵天上　光音及遍淨　乃至有頂天　言語之音聲
法師住於此　悉皆得聞之　一切比丘衆　及諸比丘尼
若讀誦經典　若為他人說　法師住於此　悉皆得聞之
復有諸菩薩　讀誦於經法　若為他人說　撰集解其義
如是諸音聲　悉皆得聞之　諸佛大聖尊　教化衆生者
於諸大衆中　演說微妙法　持此法華者　悉皆得聞之
三千大千界　內外諸音聲　下至阿鼻獄　上至有頂天
皆聞其音聲　而不壞耳根　其耳聰利故　悉能分別知
持是法華者　雖未得天耳　但用所生耳　功德已如是

復次常精進若善男子善女人受持是經若
讀若誦若解說若書寫成就八百鼻功德以

三千大千界內外諸音聲下至阿鼻獄上至有頂天
皆聞其音聲而不壞耳根其耳聰利故悉能分別知
持是法華者雖未得天耳但用所生耳功德已如是
復次常精進若善男子善女人受持是經若
讀若誦若解說若書寫成就八百鼻功德以
是清淨鼻根聞於三千大千世界上下內外
種種諸香須曼那華香闍提華香末利華香
瞻蔔華香波羅羅華香赤蓮華香青蓮
華香白蓮華香華樹香菓樹香栴檀香沉水香
多摩羅跋香多伽羅香及千万種和香若末若
丸若塗香持是經者於此間住悉能分別又
復別知眾生之香象香馬香牛羊等香男
香女香童子香童女香及草木叢林香若近
若遠所有諸香悉皆得聞分別不錯持是經
者雖住於此亦聞天上諸天之香波利質多羅
拘鞞陀羅樹香及曼陀羅華香摩訶曼陀
羅華香曼殊沙華香摩訶曼殊沙華香栴
檀沉水種種末香諸雜華香如是等天香和合所
出之香无不聞知又聞諸天身香釋提桓因
在勝殿上五欲娛樂嬉戲時香若在妙法堂
上為忉利諸天說法時香若於諸園遊戲時
香及餘天等男女身香皆悉遙聞如是展轉
乃至梵世上至有頂諸天身香亦皆聞之并
聞諸天所燒之香及聲聞香辟支佛香菩薩
香諸佛身香亦皆遙聞知其所在雖聞此香
然於鼻根不壞不錯若欲分別為他人說
念不謬尒時世尊
是人

BD00931 號　妙法蓮華經卷六　（6–5）

香女香童子香童女香及草木叢林香若近
若遠所有諸香悉皆得聞分別不錯持是經
者雖住於此亦聞天上諸天之香波利質多羅
拘鞞陀羅樹香及曼陀羅華香摩訶曼陀
羅華香曼殊沙華香摩訶曼殊沙華香栴
檀沉水種種末香諸雜華香如是等天香和合所
出之香无不聞知又聞諸天身香釋提桓因
在勝殿上五欲娛樂嬉戲時香若在妙法堂
上為忉利諸天說法時香若於諸園遊戲時
香及餘天等男女身香皆悉遙聞如是展轉
乃至梵世上至有頂諸天身香亦皆聞之并
聞諸天所燒之香及聲聞香辟支佛香菩薩
香諸佛身香亦皆遙聞知其所在雖聞此香
然於鼻根不壞不錯若欲分別為他人說
念不謬尒時世尊
是人

BD00931 號　妙法蓮華經卷六　（6–6）

與一十於六道中所有父母
窣堵波物四方僧物現前僧物
世尊法律不樂奉行師長教〻
行聲聞獨覺大乘行者喜生罵
心生悔惱見有勝己便懷嫉妬法
慳惜无明所覆邪見
憎長於諸佛所而起誹
法如是衆罪佛以真實慧真
明真實平等慈智慈見我今
皆悉發露不敢覆藏未作之
之罪今皆懺悔所作業障應墮惡道地獄
餓鬼之中阿蘇羅衆及八難處願我此生
所有業障皆得消滅所有惡報未來不受亦
如過去諸大菩薩脩菩提行所有業障悉已
懺悔我之業障今亦懺悔皆悉發露不敢覆
藏已作之罪願得除滅未來之惡更不敢造
亦如未來諸大菩薩脩菩提行所有業障悉
已懺悔我之業障今亦懺悔皆悉發露不敢
覆藏已作之罪願得除滅未來之惡更不敢
造亦如現在十方世界諸大菩薩脩菩提行

BD00932 號　金光明最勝王經卷三　（16–1）

所有業障皆得消滅所有惡報未來不受亦
如過去諸大菩薩脩菩提行所有業障悉已
懺悔我之業障今亦懺悔皆悉發露不敢覆
藏已作之罪願得除滅未來之惡更不敢造
亦如未來諸大菩薩脩菩提行所有業障悉
已懺悔我之業障今亦懺悔皆悉發露不敢
覆藏已作之罪願得除滅未來之惡更不敢
造亦如現在十方世界諸大菩薩修菩提行
所有業障悉已懺悔我之業障今亦懺悔皆
悉發露不敢覆藏已作之罪願得除滅未來
之惡更不敢造
善男子以是因緣若有造罪一刹那中不得覆
藏何況一日一夜乃至多時若有犯罪欲求清
淨心懷媿恥信於未來必有惡報生大恐
怖應如是懺如人被火燒頭燒衣救令速滅火
若未滅心不得安若人犯罪亦復如是即應
懺悔令速除滅若有願生富樂之家多
饒財寶復欲發意修習大乘亦應懺悔滅除
業障欲生豪貴婆羅門種剎帝利家及轉
輪王七寶具足亦應懺悔滅除業障
善男子若有欲生四大王衆三十三天夜摩
天覩史多天樂變化天他化自在天亦應懺
悔滅除業障若欲生梵衆梵輔大梵天少光
无量光極光淨天少淨无量淨遍淨天无雲
福生廣果无煩无熱善現天善見色究竟天

BD00932 號　金光明最勝王經卷三　（16–2）

天覩史多天樂變化天他化自在天亦應懺
悔滅除業障若欲生梵衆梵輔大梵天少光
无量光極光淨天少淨无量淨遍淨天无雲
福生廣果无煩无熱善現天善見色究竟天
亦應懺悔滅除業障若欲求預流果一來果
不還果阿羅漢果亦應懺悔滅除業障若欲
願求三明六通聲聞獨覺自在菩提至究竟
地求一切智智淨智不思議智不動智三藐三
菩提正遍智者亦應懺悔滅除業障何以故
善男子一切諸法從因緣生如來所說異相生
異相滅因緣異故如是過去諸法皆已滅盡
所有業障无復遺餘是諸行法未得現
生而令得生未來業障更不復起何以故善男
子一切法空如來所說无有我人衆生壽者
亦无生滅亦无行法善男子一切諸法皆依
於本亦不可說何以故過一切相故若有善男
子善女人如是入非微妙真理生信敬心
是名无衆生而有於本以是義故說於懺
悔滅除業障
善男子若人成就四法能除業障永得清淨
云何為四一者不起邪心正念成就二者於甚
深理不生誹謗三者於初行菩薩起一切
智心四者於諸衆生起慈无量是謂為四尒
時世尊而說頌言

深理不生誹謗三者於初行菩薩起一切
智心四者於諸衆生起慈无量是謂為四尒
時世尊而說頌言
專心護三業　不誹謗深法　作一切智想　慈心淨業障
善男子有四業障難可滅除云何為四一者於
菩薩律儀犯極重惡二者於大乘經心生誹
謗三者於自善根不能增長四者貪着三
有无出離心復有四種對治業障云何為四
一者於十方世界一切如來至心親近說一切
罪二者為一切衆生勸請諸佛說深妙法
三者隨喜一切衆生所有功德四者所有一
切功德善根悉皆迴向阿耨多羅三藐三菩
提尒時天帝釋白佛言世尊世間所有男子
女人於大乘行有能行者有不行者云何能
得隨喜一切衆生功德善根佛言善男子若
有衆生雖於大乘未能修習然於晝夜六時
偏袒右肩右膝著地合掌恭敬一心專念作
隨喜時得福无量應作是言十方世界一切
衆生現在修行施戒心慧我今皆悉深生隨
喜由作如是隨喜福故必當獲得尊重殊勝
无上无等最妙之果如是過去未來一切衆生
所有善根皆悉隨喜又於現在初行菩薩發
菩提心所有功德過百大劫行菩薩行有大
功德獲无生忍至不退轉一生補處如是一切

无上无等最妙之果如是過去未來一切衆生
所有善根皆悉随喜又於現在初行菩薩發
菩提心所有功德過百大刧行菩薩行有大
功德獲无生忍至不退轉一生補處如是一切
功德之藴皆悉至心随喜讃歎過去未
來一切菩薩所有功德随喜讃歎亦復如是
復於現在十方世界一切諸佛應正遍知證
妙菩提爲度无邊諸衆生故轉无上法輪行
无礙法施擊法皷吹法螺建法幢雨法雨哀
愍勸化一切衆生咸令信受皆蒙法施悉得
充足无盡安樂又復所有菩薩聲聞獨覺功
德積集善根若有衆生未具如是諸功德者
悉令具足我皆随喜如是過去未來諸佛菩
薩聲聞獨覺所有功德亦皆至心随喜讃歎
善男子如是随喜當得无量功德之聚如恒
河沙三千大千世界所有衆生皆斷煩惱成
阿羅漢若有善男子善女人盡其形壽常
以上妙衣服飲食卧具醫藥而爲供養如是
功德不及如前随喜功德千分之一何以故供
養功德有數有量不攝一切諸功德故随喜
功德无量无數能攝三世一切功德是故若人
欲求增長勝善根者應修如是随喜功德
若有女人願轉女身爲男子者亦應修習随
喜功德必得心現成男子尒時天帝釋白佛
言世尊已知随喜功德勸請功德唯願爲記

BD00932 號　金光明最勝王經卷三　（16–5）

功德无量无數能攝三世一切功德是故若人
欲求增長勝善根者應修如是随喜功德
若有女人願轉女身爲男子者亦應修習随
喜功德必得心現成男子尒時天帝釋白佛
言世尊已知随喜功德勸請功德唯願爲記
欲令未來一切菩薩當轉法輪現在菩薩正
修行故佛告帝釋若有善男子善女人願求
阿耨多羅三藐三菩提者應當修行聲聞
獨覺大乘之道是人當於晝夜六時如前威
儀一心專念作如是言我今歸依十方一切諸
佛世尊已得阿耨多羅三藐三菩提未轉无
上法輪欲捨報身入涅槃者我皆至誠頂礼
勸請轉大法輪雨大法雨然大法燈照明理趣
施无礙法莫般涅槃久住於世度脱安樂一
切衆生如前所説乃至无盡安樂我今以此
勸請功德迴向阿耨多羅三藐三菩提如過
去未來現在諸大菩薩勸請功德迴向菩
提我亦如是勸請功德迴向无上正等菩提
男子假使有人以三千大千世界滿中七寶
供養如來若復有人勸請如來轉大法輪
所得功德其福勝彼何以故彼是財施此是
法施善男子且置三千大千世界七寶布施
若人以滿恒河沙數大千世界七寶供養一
切諸佛勸請功德亦勝於彼由其法施有五
勝利云可爲五一者法施兼利自他財施不

BD00932 號　金光明最勝王經卷三　（16–6）

所得功德其福勝彼何以故彼是財施此是
法施善男子且置三千大千世界七寶布施
若人以滿恒河沙數大千世界七寶供養一
切諸佛勸請功德亦勝於彼由其法施有五
勝利云何為五一者法施兼利自他財施不
尒二者法施能令衆生出於三界財施之福
不出欲界三者法施能淨法身財施但唯增
長於色四者法施无窮財施有盡五者法施
能斷无明財施唯伏貪愛是故善男子勸請
功德无量无邊難可譬喻如我昔行菩薩
道時勸請諸佛轉大法輪由彼善根是故今
日一切帝釋諸梵王等勸請於我轉大法輪
善男子請轉法輪為欲度脫安樂諸衆生故
我於往昔為菩提行勸請如來久住於世莫
般涅槃依此善根我得十力四无所畏四无礙
辯大慈大悲證得无數不共之法我當入於
无餘涅槃我之正法久住於世我法身者
清淨无比種種妙相无量智慧无量自在无
量功德難可思議一切衆生皆蒙利益百千万
劫說不能盡法身攝藏一切諸法一切諸法不
攝法身法身常住不墮常見雖復斷滅亦
非斷見能破衆生種種異見能生衆生種種
真見能解一切衆生之縛无縛可解能植衆
生諸善根本未成熟者令成熟已成熟者令

量功德難可思議一切衆生皆蒙利益百千万
劫說不能盡法身攝藏一切諸法一切諸法不
攝法身法身常住不墮常見雖復斷滅亦
非斷見能破衆生種種異見能生衆生種種
真見能解一切衆生之縛无縛可解能植衆
生諸善根本未成熟者令成熟已成熟者令
解脫无作无動遠離闠閙寂靜无為自在安
樂過於三世能現三世出於聲聞獨覺之境
諸大菩薩之所修行一切如来體无有異此菩
皆由勸請功德善根力故如是法身我今
已得是故若有欲得阿耨多羅三藐三菩提
者於諸經中一句一頌為人解說功德善根尚
无限量何況勸請如来轉大法輪久住於世
莫般涅槃
時天帝釋復白佛言世尊若善男子善女人
為求阿耨多羅三藐三菩提故脩三乘道所
有善根云何迴向一切智智佛告天帝釋善
男子若有衆生欲求菩提脩三乘道所有善根
願迴向者當於晝夜六時慇重至心作如是說
我從无始生死以来於三寶所脩行成就所有
善根乃至施與傍生一摶之食或以善言和
解諍訟或受三歸及諸學處或復懺悔
勸請隨喜所有善根我今作意悉皆攝取迴
施一切衆生无悔悋心是解脫分善根所攝如
是所有功德善根悉以迴施一切衆生不住想

善根乃至施與傍生一摶之食或以善言和
解諍訟或受三歸及諸學處或復懺悔
勸請隨喜所有善根我今作意悉皆攝取迴
施一切衆生无悔悋心是解脫分善根所攝如
是所有功德善根悉以迴施一切衆生不住想
心不捨相心我亦如是功德善根悉以迴施
一切衆生願皆獲得如意之手撝空出寶
滿衆生願富樂无盡智慧无窮妙法辯才悉
皆无滯共諸衆生同證阿耨多羅三藐三菩
提得一切智因此善根更復出生无量善法
亦皆迴向无上菩提又如過去諸大菩薩修行
之時功德善根悉皆迴向一切種智現在未
来亦復如是然我所有功德善根亦皆迴
向阿耨多羅三藐三菩提是諸善根願共一
切衆生俱成正覺如餘諸佛坐於道場菩提
樹下不可思議无礙清淨住於无盡法藏陁
羅尼首楞嚴定破魔波旬无量兵衆應見
覺知應可通達如是一切一刹那中悉皆照了
於後夜中獲甘露法證甘露義我及衆生願
皆同證如是妙覺猶如
无量壽佛　勝光佛　妙光佛　阿閦佛
功德善光佛　師子光明佛　百光明佛　網光明佛
寶相佛　寶焰佛　焰明佛　焰盛光明佛
吉祥上王佛　微妙聲佛　妙莊嚴佛　法幢佛
上勝身佛　可愛色身佛　光明遍照佛　梵淨王佛

BD00932號　金光明最勝王經卷三　（16–9）

皆同證如是妙覺猶如
无量壽佛　勝光佛　妙光佛　阿閦佛
功德善光佛　師子光明佛　百光明佛　網光明佛
寶相佛　寶焰佛　焰明佛　焰盛光明佛
吉祥上王佛　微妙聲佛　妙莊嚴佛　法幢佛
上勝身佛　可愛色身佛　光明遍照佛　梵淨王佛
上性佛
如是等如來應正遍知過去未來及以現在
示現應化得阿耨多羅三藐三菩提轉无上
法輪爲度衆生我亦如是廣說如上
善男子若有淨信男子女人於此金光明最勝
經王滅業障品受持讀誦憶念不忘爲他廣
說得无量无邊大功德聚譬如三千大千
世界所有衆生一時皆得成就人身得人身
已成獨覺道若有男子女人盡其形壽恭
敬尊重四事供養一一獨覺各施七寶如須彌
山此諸獨覺入涅槃後皆以珎寶起塔供養
其塔高廣十二踰繕那以諸花香寶幢幡蓋
常爲供養善男子於意云何是人所獲功德
寧爲多不天帝釋言甚多世尊善男子若復
有人於此金光明微妙經典衆經之王滅業
障品受持讀誦憶念不忘爲他廣說所獲功
德於前所說供養功德百分不及一百千万
億分乃至校量譬喻所不能及何以故是善
男子善女人住正行中勸請十方一切諸佛

BD00932號　金光明最勝王經卷三　（16–10）

障品受持讀誦憶念不忘為他廣說所獲功
德於前所說供養功德百分不及一百千万
億分乃至校量譬喻所不能及何以故是善
男子善女人住正行中勸請十方一切諸佛
轉无上法輪皆為諸佛歡喜讚歎善男子如
我所說一切施中法施為勝是故善男子於三
寶所設諸供養不可為比勸受三歸持一
切戒无有毀犯三業不空不可為比一切世
界一切衆生隨力隨能隨所願樂於三乘中
勸發菩提心不可為比於三世中一切世界
所有衆生皆得无礙速令成就无量功德不
可為比三世刹土一切衆生令无障礙得三菩
提不可為比三世刹土一切衆生勸令速出
四惡道苦不可為比三世刹土一切衆生勸
令除滅極重惡業不可為比一切苦惱勸令
解脫不可為比一切怖畏苦惱逼切皆令得
解不可為比三世佛前一切衆生所有功
德勸令隨喜發菩提願不可為比勸除惡行
罵辱之業一切功德皆願成就所在生中勸
請供養尊重讚歎一切三寶勸請衆生淨
脩福行成滿菩提不可為比是故當知勸請
一切世界三世三寶勸請滿足六波羅蜜勸請
轉於无上法輪勸請住世經无量劫演說无
量甚深妙法功德甚深无能比者

BD00932 號　金光明最勝王經卷三　（16–11）

請供養尊重讚歎一切三寶勸請衆生淨
脩福行成滿菩提不可為比是故當知勸請
一切世界三世三寶勸請滿足六波羅蜜勸請
轉於无上法輪勸請住世經无量劫演說无
量甚深妙法功德甚深无能比者
尒時天帝釋及恒河女神无量梵王四大天
衆從座而起偏袒右肩右膝著地合掌頂礼
白佛言世尊我等皆得聞是金光明最勝
王經今悉受持讀誦通利為他廣說依此法住
何以故世尊我等欲求阿耨多羅三藐三菩
提隨順此義種種勝相如法行故尒時梵王
及天帝釋等於說法處皆以種種曼陁羅
花而散佛上三千大千世界地皆大動一切天鼓
及諸音樂不鼓自鳴放金色光遍滿世界
出妙音聲時天帝釋白佛言世尊此等皆
是金光明經威神之力慈悲普救種種利益
種種增長菩薩善根滅諸業障佛言如是如
是如汝所說何以故善男子我念往昔過无量
百千阿僧祇劫有佛名寶王大光照如來應
正遍知出現於世住世六百八十億劫尒時寶
王大光照如來為欲度脫人天釋梵沙門婆
羅門一切衆生令安樂故當出現時初會
說法度百千億億万衆皆得阿羅漢果諸漏
已盡三明六通自在无礙於第二會復度九
十千億億万衆皆得阿羅漢果諸漏已盡三

BD00932 號　金光明最勝王經卷三　（16–12）

王大光照如來為欲度脫人天釋梵沙門婆
羅門一切衆生令安樂故當出現時初會
說法度百千億億万衆皆得阿羅漢果諸漏
已盡三明六通自在无礙於第二會復度九
十千億億万衆皆得阿羅漢果諸漏已盡三
明六通自在无礙於第三會復度九十八千億
億万衆皆得阿羅漢果圓滿如上
善男子我於尒時作女人身名福寶光明於
第三會親近世尊受持讀誦是金光明經為
他廣說求阿耨多羅三藐三菩提故時彼世
尊為我授記此福寶光明女於未來世當得
作佛号釋迦牟尼如來應正遍知明行足善
逝世間解无上士調御丈夫天人師佛世尊捨
女身後從是以來越四惡道生人天中受上
妙樂八十四百千生作轉輪王至于今日得
成正覺名稱普聞遍滿世界時會大衆忽然
皆見寶王大光照如來轉无上法輪說微妙
法善男子去此娑訶世界東方過百千恒河
沙數佛土有世界名寶莊嚴其寶王大光照
如來今現在彼未般涅槃說微妙法廣化群
生汝等見者即是彼佛
善男子若有善男子善女人聞是寶王大光
照如來名号者於菩薩地得不退轉至大涅
槃若有女人聞是佛名者臨命終時得見彼
佛來至其所既見佛已究竟不復更受女身

BD00932 號　金光明最勝王經卷三　（16–13）

生汝等見者即是彼佛
善男子若有善男子善女人聞是寶王大光
照如來名号者於菩薩地得不退轉至大涅
槃若有女人聞是佛名者臨命終時得見彼
佛來至其所既見佛已究竟不復更受女身
善男子是金光明微妙經典種種利益種種
增長菩薩善根滅諸業障善男子若有苾芻
苾芻尼鄔波索迦鄔波斯迦隨在何處為人
講說是金光明微妙經典於其國土皆獲四種
福利善根云何為四一者國王无病離諸災
厄二者壽命長遠无有障礙三者无諸怨
敵兵衆勇健四者安隱豐樂正法流通何以
故如是人王常為釋梵四王藥叉之衆共守護故
尒時世尊告大衆曰善男子是事實不是時
无量釋梵四王及藥叉衆俱時同聲荅世尊言
如是如是若有國土講宣讀誦此妙經王是
諸國主我等四王常來擁護行住共俱其王
若有一切災障及諸怨敵我等四王皆使消
殄憂愁疾疫亦令除差增益壽命感應禎
祥所願遂心恒生歡喜我等亦能令國中所
有軍兵悉皆勇健佛言善哉善哉善男子
如汝所說汝當脩行何以故是諸國王如法行
時一切人民隨王脩習如法行者汝等皆蒙色
力勝利宮殿光明眷屬强盛時釋梵等白
佛言如是世尊佛言若有講說此妙經典

BD00932 號　金光明最勝王經卷三　（16–14）

如汝所說汝當脩行何以故是諸國主如法行
時一切人民隨王脩習如法行者汝等皆蒙色
力勝利宮殿光明眷屬强盛時釋梵等白
佛言如是世尊佛言若有講説此妙經典
流通之處於其國中大臣輔相有四種益云
何為四一者更相親穆尊重愛念二者常
為人王心所愛重亦為沙門婆羅門大國小
國之所遵敬三者輕財重法不求世利嘉名
普暨衆所欽仰四者壽命延長安隱快樂是
名四益若有國土宣説是經沙門婆羅門得四
種勝利云何為四一者衣服飲食卧具醫藥
无所乏少二者皆得安心思惟讀誦三者依於
山林得安樂住四者隨心所願皆得滿足是名
四種勝利若有國土宣説是經一切人民皆得
豊樂无諸疾疫商估往還多獲寶貨具
足勝福是名種種功德利益
爾時梵釋四天王及諸大衆白佛言世尊如
是經典甚深之義若現在者當知如來卅七
種助菩提法住世未滅若是經典滅盡之時
正法亦滅佛言如是如是善男子是故汝等
於此金光明經一句一頌一品一部皆當一心正
讀誦正聞持正思惟正脩習為諸衆生廣
宣流布長夜安樂福利无邊時諸大衆聞
佛說已咸蒙勝益歡喜受持

種助菩提法住世未滅若是經典滅盡之時
正法亦滅佛言如是如是善男子是故汝等
於此金光明經一句一頌一品一部皆當一心正
讀誦正聞持正思惟正脩習為諸衆生廣
宣流布長夜安樂福利无邊時諸大衆聞
佛說已咸蒙勝益歡喜受持

金光明最勝王經卷第三

闠胡對　穆莫六　暨其器

BD00932 號背　雜寫　　（1–1）

尒時世尊復語阿[illegible]
黄金百万兩供養十方比丘福徳多不言誰
甚多世尊荅言阿難亦不如來是一步向道
場中佛說此經為一切法界衆生勸脩淨行
一切天人阿脩羅等聞佛所說皆大歡喜作
礼而去奉行
尒時世尊厭離娑婆世界入於涅槃白佛言
阿難我去之時不知迴日觀屬法等令教衆生
心盡心勞灑尒時阿難白佛言世尊衆生沉
在苦海无有出期尒時世尊復語阿難由汝
等方便之力善化善育令出苦海尒時阿難
白佛言世尊衆生愚癡觀前顛到齊其貴事
遂其賤妄下漏一種无有二殊衆生心别尒時
世尊其開經藏濟說妙言利益衆生若有衆
生聞是說者心生歡喜是人最上希有尒時
阿難白佛言世尊唯有闡提衆生難化難育
尒時世尊荅言如牛耕田由人所遣弥猴作舞
由人教造罪衆生由人勸尒時阿難白佛言世
尊若有衆生欲生西方国者緣我身及向我
口眼中下不淨亦我不聽佛語阿難此經大聖
若有衆生勤誦此經者免得三難苦一難恭
囚二難病人三難地獄

BD00933 號　無量大慈教經　　（5–1）

由人教所造罪衆生由人勸所尒時阿難白佛言世
尊若有衆生鄣生西方国者緣我身及向我
口眼中下不淨亦我不肆佛語阿難此經大聖
若有衆生勤誦此經者免得三難苦一難禁
囚二難病人三難地獄
尒時世尊荅言阿難我爲閻浮衆生難化難育
故開此經藏出其殊別妙經爲汝演說若人見
此經者不生清淨當知是人與我无業我一
切經典廣說妙言引度衆生一稱我名者恚
見隨聲往救令身劫剝師僧者死隨寒氷
地獄又生蛩中爲他責剝如此等以逕八万
之劫餘受畜生身以逕五百劫蠢動衆生恚
皆作遍後受人身瘂残盲跛五百劫中恒受
啞報令時世尊荅言阿難汙淨行居僧者死
隨鐵窟中地獄八万刀輪一時來下斬截其
身尒時阿難白佛言如佛思量此事越三界
尒時世尊白佛言阿難飲酒醉乱女心隨飲銅
地獄中尒時阿難飲酒醉乱不識世尊阿難重
白酒之无命何故戒之尒時世尊復語阿難飲
酒醉乱不識尊親我見撥呈國有人曰酒婬
毋破其五戒是以禁之尒時世尊白言大諸菩
薩菩我戒佛以來於今五百餘劫經典披遍
讀誦周迊朱聞是言未聞是說若有衆
生聞此經者宿種善回宿種善果思尋此
經不可思量不可稱盡尒時如來語諸菩薩

薩菩我戒佛以來於今五百餘劫經典披遍
讀誦周迊朱聞是言未聞是說若有衆
生聞此經者宿種善回宿種善果思尋此
經不可思量不可稱盡尒時如來語諸菩薩
我說言語重如太山衆生聞者輕如微塵此
法難聞亦復難見佛語阿難若有衆生聞此
經者心生歡喜如此之人盡心爲說尒時世
尊復語阿難我見衆生隨落三塗若將刀害
身體由斯可惡我不惡見於衆生受大苦惱
悲愍苦身上濟出光明遍照十方有我緣者
得見我身无我緣者不見我想尒時阿難白
佛言世尊如何有二種心一種衆生則有見
者則无見者尒時如來復語阿難日月普照盲
者不見尒時阿難重白世尊云何是盲云何是
明尒時世尊荅言阿難脩福者是明不脩福
者是盲尒時阿難復白佛言世尊脩福者
不見由何尒時世尊白言阿難脩福不見我身
鄣閇佛光汙泥三寶是以不得見我佛語菩
薩聞此經者心生歡喜如子見父母遠行得
歸如飢得食如渴得漿如此之人盡爲說法
佛語阿難食肉之人喻如群犢諍骨各各
貪多見其豬羊常在煞煞其是宍如猫趁
鼠專心用意今身信解佛法者從人中來
今身不信佛法者從畜生身來造罪不
不悔者喻如運金填園損其寶物造罪者悔
如病得藥還復差損汙衣水洗還得清淨

𠁊專心用意今身信解佛法者從人中來
今身不信佛法者從畜生身來造罪不
不悔者喻如運金塡園損其寶物造罪悔者
如病得藥還復差損汙衣水洗還得清淨
佛語普廣菩薩用我語者一偈成佛不信
我者喻如海中求針任費功力无得見曰佛
語菩薩今身盜他物者來生与他作癡
牛令他苦打非時苦使受牛身以還五百
劫與他為奴任他駈使心生逃避令被捉得
苦刑印面非理苦打佛語諸菩薩迦葉中
有二種心一者善心二者惡心云何名為惡人若
有衆生入寺之時維從衆僧乞索求僧長
短或噉僧食都无慙愧心餅菓菜茹懷挾歸
家如此之人死墮鑊丸地獄云何名為善人
若有衆生入寺之時見僧恭敬見佛礼拜
受式懺悔捨於財物経營三寶不惜身命
護持大法如此之人舉足一步天堂自至來
來受稟如樹提伽是則名為審上善人也佛
告大衆我向所論種種因果此經一名殊別
二名殊勝三名菩薩若有衆生聞此經者
一發善心得生淨土佛告菩薩聞我說者
心生歡喜如旱得水苗稼蘇活不受花
語者如石水澱无有潤時尒時阿難曰佛言
世尊汝等見振旦國有人從七歲脩福至
於百年臨命終時破其五戒此人得
尒時世尊復語阿難喻如般車上万斤

受式懺悔捨於財物経營三寶不惜身命
護持大法如此之人舉足一步天堂自至來
來受稟如樹提伽是則名為審上善人也佛
告大衆我向所論種種因果此經一名殊別
二名殊勝三名菩薩若有衆生聞此經者
一發善心得生淨土佛告菩薩聞我說者
心生歡喜如旱得水苗稼蘇活不受花
語者如石水澱无有潤時尒時阿難曰佛言
世尊汝等見振旦國有人從七歲脩福至
於百年臨命終時破其五戒此人得
尒時世尊復語阿難喻如般車上万斤
臨頭翻車連本所損何有得其樂
多如雲翳日片時之光喻如一口之
久飽佛語衆生我等廣說因緣其
普勸衆生同脩淨行一切世間天
羅等聞佛所說皆大歡喜作礼而

佛說无量大慈

是名莊嚴是故須菩提諸菩
生清淨心不應住色生心
觸法生心應无所住而生其心須
有人身如須彌山王於意云何是身為
須菩提言甚大世尊何以故佛說非身是名
大身須菩提如恒河中所有沙數如是沙等
恒河於意云何是諸恒河沙寧為多不須菩
提言甚多世尊但諸恒河尚多无數何况其
沙須菩提我今實言告汝若有善男子善女
人以七寶滿尒所恒河沙數三千大千世界
以用布施得福多不須菩提言甚多世尊佛
告須菩提若善男子善女人於此經中乃至
受持四句偈等為他人說而此福德勝前福
德復次須菩提隨說是經乃至四句偈等當
知此處一切世間天人阿脩羅皆應供養如

BD00934號　金剛般若波羅蜜經　（9–1）

告須菩提若善男子善女人於此經中乃至
受持四句偈等為他人說而此福德勝前福
德復次須菩提隨說是經乃至四句偈等當
知此處一切世間天人阿脩羅皆應供養如
佛塔廟何况有人盡能受持讀誦須菩提當
知是人成就最上第一希有之法若是經典
所在之處則為有佛若尊重弟子
尒時須菩提白佛言世尊當何名此經我等
云何奉持佛告須菩提是經名為金剛般若
波羅蜜以是名字汝當奉持所以者何須菩
提佛說般若波羅蜜則非般若波羅蜜須菩
提於意云何如來有所說法不須菩提白佛
言世尊如來无所說須菩提於意云何三千
大千世界所有微塵是為多不須菩提言甚
多世尊須菩提諸微塵如來說非微塵是名
微塵如來說世界非世界是名世界須菩提
於意云何可以三十二相見如來不不也世
尊不可以三十二相得見如來何以故如來
說三十二相即是非相是名三十二相須菩
提若有善男子善女人以恒河沙等身命布
施若復有人於此經中乃至受持四句偈等
為他人說其福甚多
尒時須菩提聞說是經深解義趣涕淚悲泣
而白佛言希有世尊佛說如是甚深經典我
從昔來所得慧眼未曾得聞如是之經世尊

BD00934號　金剛般若波羅蜜經　（9–2）

佘時須菩提聞說是經深解義趣涕淚悲泣
而白佛言希有世尊佛說如是甚深經典我
從昔來所得慧眼未曾得聞如是之經世尊
若復有人得聞是經信心清淨則生實相當
知是人成就第一希有功德世尊是實相者
則是非相是故如來說名實相世尊我今得
聞如是經典信解受持不足為難若當來世
後五百歲其有眾生得聞是經信解受持是
人則為第一希有何以故此人无我相人相眾
生相壽者相所以者何我相即是非相人相
眾生相壽者相即是非相何以故離一切諸
相則名諸佛
佛告須菩提如是如是若復有人得聞是經
不驚不怖不畏當知是人甚為希有何以故
須菩提如來說第一波羅蜜非第一波羅蜜
是名第一波羅蜜
須菩提忍辱波羅蜜如來說非忍辱波羅蜜
何以故須菩提如我昔為歌利王割截身體
我於佘時无我相无人相无眾生相无壽者
相何以故我於往昔節節支解時若有我相
人相眾生相壽者相應生瞋恨須菩提又念
過去於五百世作忍辱仙人於佘所世无我
相无人相无眾生相无壽者相是故須菩提
菩薩應離一切相發阿耨多羅三藐三菩提

過去於五百世作忍辱仙人於佘所世无我
相无人相无眾生相无壽者相是故須菩提
菩薩應離一切相發阿耨多羅三藐三菩提
心不應色生心不應住聲香味觸法生心應
生无所住心若心有住則為非住是故佛說
菩薩心不應住色布施須菩提菩薩為利益
一切眾生應如是布施如來說一切諸相即
是非相又說一切眾生則非眾生須菩提
如來是真語者實語者如語者不誑語者
不異語者須菩提如來所得法此法无實无虛
須菩提若菩薩心住於法而行布施如人入
闇則无所見若菩薩心不住法而行布施如
人有目日光明照見種種色須菩提當來之
世若有善男子善女人能於此經受持讀誦
則為如來以佛智慧悉知是人悉見是人皆
得成就无量无邊功德
須菩提若有善男子善女人初日分以恒河
沙等身布施中日分復以恒河沙等身布施
後日分亦以恒河沙等身布施如是无量百
千萬億劫以身布施若復有人聞此經典信
心不逆其福勝彼何况書寫受持讀誦為人
解說須菩提以要言之是經有不可思議不
可稱量无邊功德如來為發大乘者說為發
最上乘者說若有人能受持讀誦廣為人說

解說須菩提以要言之是經有不可思議不
可稱量无邊功德如來為發大乘者說為發
最上乘者說若有人能受持讀誦廣為人說
如來悉知是人悉見是人皆得成就不可量
不可稱无有邊不可思議功德如是人等則
[illegible]荷擔如來阿耨多羅三藐三菩提何以故
須菩提若樂小法者著我見人見眾生見壽
者見則於此經不能聽受讀誦為人解說須
菩提在在處處若有此經一切世間天人阿
脩羅所應供養當知此處則為是塔皆應恭
敬作礼圍繞以諸華香而散其處
復次須菩提善男子善女人受持讀誦此經
若為人輕賤是人先世罪業應墮惡道以今
世人輕賤故先世罪業則為消滅當得阿耨
多羅三藐三菩提須菩提我念過去无量阿
僧祇劫於然燈佛前得值八百四千萬億那
由他諸佛悉皆供養承事无空過者若復有
人於後末世能受持讀誦此經所得功德於
我所供養諸佛功德百分不及一千萬億分
乃至筭數譬喻所不能及須菩提若善男子
善女人於後末世有受持讀誦此經所得功
德我若具說者或有人聞心則狂亂狐疑不
信須菩提當知是經義不可思議果報亦不
可思議

善女人於後末世有受持讀誦此經所得功
德我若具說者或有人聞心則狂亂狐疑不
信須菩提當知是經義不可思議果報亦不
可思議
尒時須菩提白佛言世尊善男子善女人發
阿耨多羅三藐三菩提心云何應住云何降
伏其心佛告須菩提善男子善女人發阿耨
多羅三藐三菩提者當生如是心我應滅度
一切眾生滅度一切眾生已而无有一眾生
實滅度者何以故若菩薩有我相人相眾生
相壽者相則非菩薩所以者何須菩提實无
有法發阿耨多羅三藐三菩提者須菩提於
意云何如來於然燈佛所有法得耨多羅三
藐三菩提不不也世尊如我解佛所說義佛
於然燈佛所无有法得阿耨多羅三藐三
菩提佛言如是如是須菩提實无有法如來
得阿耨多羅三藐三菩提須菩提若有法如
來得阿耨多羅三藐三菩提者然燈佛則不
與我受記汝於來世當得作佛号釋迦牟尼
以實无有法得阿耨多羅三藐三菩提是故
然燈佛與我受記作是言汝於來世當得作
佛号釋迦牟尼何以故如來者即諸法如義
若有人言如來得阿耨多羅三藐三菩提須
菩提實无有法佛得阿耨多羅三藐三菩提
須菩提如來所得阿耨多羅三藐三菩提於

若有人言如來得阿耨多羅三藐三菩提須
菩提實无有法佛得阿耨多羅三藐三菩提
須菩提如來所得阿耨多羅三藐三菩提於
是中无實无虛是故如來說一切法皆是佛
法須菩提所言一切法者即非一切法是故名
一切法須菩提譬如人身長大須菩提言世
尊如來說人身長大則為非大身是名大
身須菩提菩薩亦如是若作是言我當滅
度无量衆生則不名菩薩何以故須菩提實
无有法名為菩薩是故佛說一切法无我无人
无衆生无壽者須菩提若菩薩作是言我當
莊嚴佛土是不名菩薩何以故如來說莊嚴
佛土者即非莊嚴是名莊嚴須菩提若菩薩
通達无我法者如來說名真是菩薩
須菩提於意云何如來有肉眼不如是世尊
如來有肉眼須菩提於意云何如來有天眼
不如是世尊如來有天眼須菩提於意云何
如來有慧眼不如是世尊如來有慧眼須菩
提於意云何如來有法眼不如是世尊如來
有法眼須菩提於意云何如來有佛眼不如
是世尊如來有佛眼須菩提於意云何如恒河
中所有沙佛說是沙不如是世尊如來說是
沙須菩提於意云何如一恒河中所有沙有
如是等恒河是諸恒河所有沙數佛世界如

BD00934 號　金剛般若波羅蜜經　（9–7）

中所有沙佛說是沙不如是世尊如來說是
沙須菩提於意云何如一恒河中所有沙有
如是等恒河是諸恒河所有沙數佛世界如
是寧為多不甚多世尊佛告須菩提尒所國
土中所有衆生若干種心如來悉知何以故
如來說諸心皆為非心是名為心所以者何
須菩提過去心不可得現在心不可得未來
心不可得須菩提於意云何若有人滿三千
大千世界七寶以用布施是人以是因緣得
福多不如是世尊此人以是因緣得福甚多
須菩提若福德有實如來不說得福德多以
福德无故如來說得福德多
須菩提於意云何佛可以具足色身見不不
也世尊如來不應以具足色身見何以故如來
說具足色身即非具足色身是名具足色身須
菩提於意云何如來可以具足諸相見不不
也世尊如來不應以具足諸相見何以故如
來說諸相具足即非具足是名諸相具足須
菩提汝勿謂如來作是念我當有所說法莫
作是念何以故若人言如來有所說法即為
謗佛不能解我所說故須菩提說法者无法
可說是名說法須菩提白佛言世尊佛得阿
耨多羅三藐三菩提為无所得耶如是如是
須菩提我於阿耨多羅三藐三菩提乃至无
有少法可得是名阿耨多羅三藐三菩提復

BD00934 號　金剛般若波羅蜜經　（9–8）

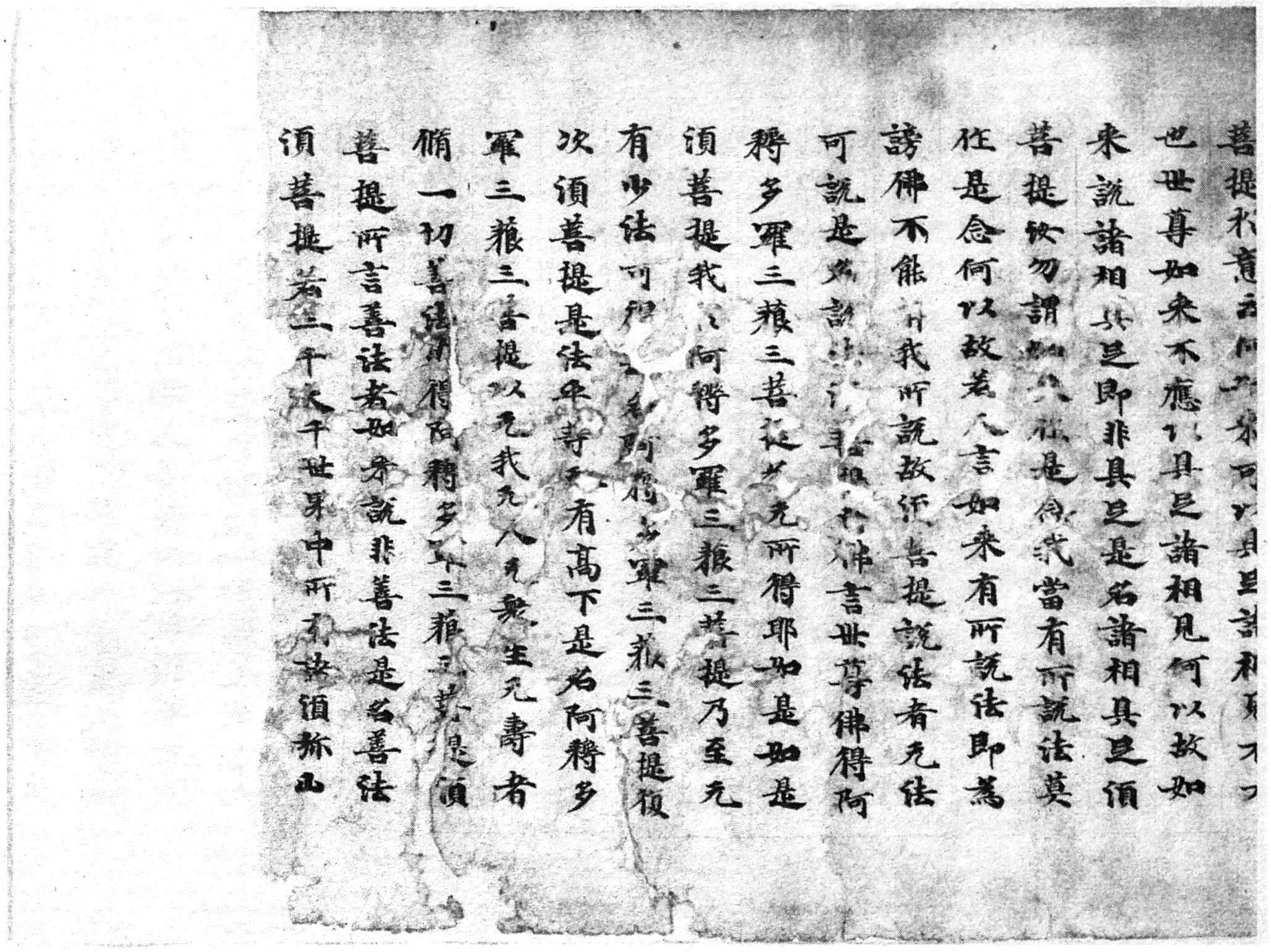

善提於意云何佛可以具足諸相見不
也世尊如來不應以具足諸相見何以故如
來說諸相具足即非具足是名諸相具足須
菩提汝勿謂如來作是念我當有所說法莫
作是念何以故若人言如來有所說法即為
謗佛不能解我所說故須菩提說法者无法
可說是名說法須菩提白佛言世尊佛得阿
耨多羅三藐三菩提為无所得耶如是如是
須菩提我於阿耨多羅三藐三菩提乃至无
有少法可得是名阿耨多羅三藐三菩提復
次須菩提是法平等无有高下是名阿耨多
羅三藐三菩提以无我无人无衆生无壽者
脩一切善法則得阿耨多羅三藐三菩提須
菩提所言善法者如來說非善法是名善法
須菩提若三千大千世界中所有諸須彌山

BD00934 號　金剛般若波羅蜜經　（9–9）

[illegible]佛[illegible]深微隱遠无處不明晝如
一力也佛悉明知來今現在所造行現所受報
處二力也佛悉分別天人衆生度之異念三力也佛
知衆生若干種語及度世語四力也佛悉了知世
間雜種无量情態五力也佛能現禪解定行除衆
勞諍六力也佛知厭縛知縛以解要在所宜行七
力也佛習如海善言无量巨識一切宿命所更八
力也佛天眼淨見人物死神所出美惡殃福隨
行受罪九力也佛漏已盡无復縛著神真叡智曰
知見證究暢道行可作能作无餘生死其智明審
是爲佛十力也
四无所畏者佛神智明无所不知愚人或言佛未
知至於梵魔衆聖皆莫能論佛之智故獨步不懼
一无所畏佛漏以盡悉已愚或相言佛漏未盡至
於梵魔衆聖莫能論佛之盡故獨步不懼二无所
畏佛說經戒天下誦習愚或相言佛經可還至於梵

BD00935 號　太子瑞應本起經卷下　（14–1）

知至於梵魔衆聖皆莫能論佛之智故獨步不懼
一无所畏佛漏以盡意已愚義相言佛漏未盡至
於梵魔衆聖莫能論佛之志故獨步不懼二无所
佛說經戒天下誦習愚義相言佛經可遏至於梵
魔衆聖莫能論佛之正經故獨步不懼三无所畏
佛現道義言真而要能度苦厄愚相言不能度苦
至於梵魔衆莫能論佛之正道故周行不懼四无
所畏也佛得是意一切知見坐自念言吾貢激妙
難知難明甚難得也高而无上廣不可極深而无
下深不可側大包天地細入无間昔定光佛時蒻
我為佛名釋迦文今果得之從无數劫勤苦所求
遠今得耳自念宿命諸所施為慈孝仁義礼敬誠
信中正守善處心學聖柔晞淨意行六度无極布
施持戒忍辱精進一心智慧習四等心慈悲喜護
養育衆生如視赤子承事諸佛積德无量累劫勤
苦不忘其功今悉自得書自頌曰
今覺佛極尊蘂淺淨无漏一切能將蘂從者必歡
豫太福之報快妙願皆得我懸羨得上有吾將逝泥洹
佛初得道自知食少身體虛輕徐起入水洗浴畢
欲上岸天案樹枝得攀而出旋住樹下有五百青
雀飛來繞佛三匝而去復有長者女姊妹有願生
子男者當作百味之食祠山樹神後生得男喜即
作糜咸以金鉢其女烏糜釜勺不污女益珍歡與
數女俱入山中望見好樹即遣婢先掃除婢見佛
不知何神是赤女曰有神在樹下女令婢敷百味
之糜置頭上前長跪上食并金鉢佛言女壽有善
意又以現世得福見諸衆女遂拜而退佛食糜念
先三佛初得道時皆有獻百味食并金鉢如此器
者今皆在天都王龍所佛即擲鉢水中自然逆流

作糜咸以金鉢其女烏糜釜勺不污女益珍歡與
數女俱入山中望見好樹即遣婢先掃除婢見佛
不知何神是赤女曰有神在樹下女令婢敷百味
之糜置頭上前長跪上食并金鉢佛言女壽有善
意又以現世得福見諸衆女遂拜而退佛食糜念
先三佛初得道時皆有獻百味食并金鉢如此器
者今皆在天都王龍所佛即擲鉢水中自然逆流
上至七里還前三鉢上四器共累相類如一龍王
歡喜知復有佛〻定意七日不動不搖樹神念佛
新得道快坐七日未有獻食者我當求人令飯佛
時適有五百賈客從山一面過東牛皆躓身不行
中有兩大人一名離謂二名波利佛還與衆人俱
諸樹神請福神現光像言今世有佛在此優留曼
衆尼連禪水邊未有致食者汝曹幸先能有善意
必獲大福賈人聞佛名皆大喜言佛必獨大尊天
神所敬非凡器也即和麨蜜俱詣樹下稽首上佛
佛念先古諸佛哀愍人施法皆持鉢不宜如餘道
人手受食也四天王即遥知佛當用鉢如人屈伸
臂頃俱到頞那山上如意所念石中自然出四鉢
香潔无穢四天王各取一鉢還共上佛願哀賈人
令得大福方有鐵鉢後弟子當用食佛念取一鉢
不可餘王意便悉受四鉢累置左手中右手案之
合成一鉢令四際現佛受麨蜜告諸賈人言當歸
命於佛歸命於法方有比丘衆當豫自歸即皆受
教各三自歸佛起於異處食畢呪願賈人言今所
布施欲使食者得充氣力當令施家世〻得願得
色得力得膽得善安快无病終保年壽諸邪惡鬼
不得妨近已有善心立德本故諸善鬼神常當擁
護開示道地得利諧偶不便大憂无復患難人有

今得大福方有鐵鉢後弟子當用食佛念取一鉢
不可餘王意便悉受四鉢累置左手中右手案之
合成一鉢令四際現佛受麨蜜告諸賈人言當歸
命於佛歸命於法方有比丘衆當稱自歸即皆受
教各三自歸佛起於異處食畢呪願賈人言今所
布施欲使食者得充氣力當令施家世世得願得
色得力得膽得善妥快无病終保年壽諸邪惡鬼
不得嬈近已有善心立德本故諸善鬼神當擁
護開示道趣得利諧偶不使犬蹇无復患難人有
正見已信善敬淨潔不悔夜道德者福德益大所
置轉勝吉无不利日月五星廿八宿天神鬼王常
隨護助四大天王賞别善人東提頭賴南維睒文
西維樓勒北枸均羅當護汝等令不遭横能有慧
意研精學問敬佛法衆棄捐衆惡不自放恣終受
吉祥種福得福行道得道已无見佛一心奉事當
獲悉致弟一福現世獲祐快解見諦冨樂自致泥
洹時妻麨冷佛腹内風起帝釋即知應時到閻浮
提界上取藥果呵棃勒來白佛言是果香潔可服
取除内風佛食之風即除去起到文鄰瞽龍所无
提水邊坐定七日不喘不息光照水中龍目得開
自識如前見三佛光明自視得視龍王歡喜沐浴
名香擾擁穰合忠水見佛相好光景如樹有華前
遶币身離佛圍卅里龍有七頭羅覆佛上欲以蔽
障蚊虻寒暑時雨七日龍一心不亂不渇七日雨
上佛宿龍作化年少道人著好衣飾稽首問佛佛
得无寒得无熱得无蚊虻所嬈近佛荅言
久得在屏處思道其福快昔所願欲聞今以悉知
快不為疲所嬈龍受衆生快度世三毒滅得佛泥洹
快生世得覩佛 聞受經法快 得与辟支佛 真人會亦快

BD00935號　太子瑞應本起經卷下　(14–4)

上佛宿龍作化年少道人著好衣飾稽首問佛佛
得无寒得无熱得无蚊虻所嬈近佛荅言
久得在屏處思道其福快昔所願欲聞今以悉知
快不為疲所嬈龍受衆生快度世三毒滅得佛泥洹
快生世得覩佛 聞受經法快 得与辟支佛 真人會亦快
不与愚從事 得離惡人快 有黠别真爲 知信正道快
佛告龍王汝當自歸復於佛自歸於法自歸於比丘
僧即受三自歸諸畜生中是龍爲最先見佛佛以神
足還坐石室自念本願欲度衆生思惟生死本從十
二因緣法法起故便有生死法法滅者生死乃盡
作是故自得是不作是是便息一切衆生意爲精
神冥冥窈窈恍惚无形自起識想隨行受身身无
常主神无常形神心變化躁濁難清自生自滅未
曾休息一念去一念來如水中泡一起一滅一復興
至于三界欲色不色九神所止皆繫於識不得免
昧昧盛不自覺故謂之癡莫知要道夫道至妙虛
寂无念不可以凡世間意知世間道術九十六種
各信所事甚知其義皆樂生求安貪欲著味好於
聲色故不能樂佛佛道道清淨无所有凡計身萬
物不可得常有設當爲說天下皆苦空无所有誰
能信者枯告我耳意欲黙然不爲世間說經便入
定意佛衣眉中光上照七天天天梵知佛欲取泥洹
悲念三界皆爲長衆已不得知度世之法死即當
復墮三惡道何時當脫天下久遠乃有佛佛難
得見如優曇鉢華我今當爲天下人請命求哀於
佛令止說經即詣天帝釋將天樂般遮下到石室
佛方定意教般遮彈琴歌其辞曰

BD00935號　太子瑞應本起經卷下　(14–5)

悲念三界皆爲長衆已不得知度世之法死輒當
復墮三惡道何時當脫天下久遠乃有佛耳佛難
得見如優曇鉢華我今當爲天下人請命求哀於
佛令止說經耶語天帝釋將天樂般遮下到石室
佛方定意教般遮彈琴歌其辭曰
聽我歌十力　棄蓋寂定禪　光徹照七天　德香踰旃檀
上帝神妙來　歎仰欲見尊　梵釋貴敬意　稽首欲受聞
佛所本行願　精進百劫勤　四等大布施　十方受弘恩
持戒淨无垢　慈佛護衆生　勇慧入禪智　大悲救度經
皆行積无數　功勳成於今　戒忍定慧力　動地魔以禽
德普蓋天地　神智過靈聖　相好特无比　八聲震十方
志高如須彌　清妙莫能論　永離淫怒癡　无復老死患
唯哀從定覺　愍傷諸天人　爲施法藏寶　敷慧甘露珍
令從憂畏解　危厄得已安　迷惑見正道　邪疑覩真言
一切皆願樂　欲聽受令歎　當開不死法　善化於无窮
佛意悉知便　從定覺梵天　曰佛言從久遠以來適復
見佛耳諸天歡喜欲聞佛法當爲世間說法願莫
般泥洹衆生愚闇无有慧眼唯加慈哀令得解脫
諸天人中多有賢善好道易解亦有精進能受教
者畏於地獄三惡道者願開法情爲現甘露受者
死多天下无佛時我見餘道人俱有三毒自意合
作經與人尚學之其不至誠法何況佛之清淨无
婬怒癡願佛說法使衆生得聞至誠之道佛言善
〻哉〻天梵欲廣施安救諸世間饒利寧濟樂使
解脫我念世間貪愛者欲菌生死皆步能自覺本
從十二因緣起緣癡行緣行識緣識名像緣名像六入
緣六入更樂緣更樂痛緣痛愛緣愛受緣受有
緣有生緣生老死憂悲苦悶心惱大患具有精神

BD00935 號　太子瑞應本起經卷下　（14–6）

〻哉〻天梵欲廣施安救諸世間饒利寧濟樂使
解脫我念世間貪愛者欲菌生死皆步能自覺本
從十二因緣起緣癡行緣行識緣識名像緣名像六入
緣六入更樂緣更樂痛緣痛愛緣愛受緣受有
緣有生緣生老死憂悲苦悶心惱大患具有精神
從是轉生受死欲得道者當斷貪愛滅除情欲无爲
无起然則癡〻滅〻則行〻滅〻則名識〻滅〻則
名〻像〻滅〻則六〻入〻滅〻則更〻樂〻滅〻
則痛〻滅〻則愛〻滅〻則受〻滅〻則有〻滅
〻則生〻滅〻則老死憂悲苦悶心惱大患皆盡
是謂得道唯佛覺此微妙難明大如清淨无愚癡
想不可以世凡夫意知天下道術九十六種各有
所事或事天地日月五星或事水火鬼邪龍神皆
樂生求安貪欲著味好於聲色故不能樂佛道不
聞佛經不知要法凡人意異許身万物謂可常保
設當爲說自之所見萬物无常有身皆苦身爲兆
身空无所有親戚家屬悉非人所正言似反誰肯
信者吾爲枯昔不如取泥洹故欲不言耳梵天復請曰
從无數劫人在世間　生死唯佛經難得聞　從佛在世能度脫者
今以得願人中難有　尊極无過佛是故稽首禮
世間歸者爲久夜冥　今方與神智无量　當開法藏施慧光明
照諸天人令得開解　佛能度一切是故願自歸
從本發意傷諸病痛慈哀　无過佛是故稽首禮
佛已可梵天念誰可先度昔者父王遣五人侍我今
在山中即復道還五人見佛自相謂言是人來者慎
莫與語佛到五人皆起不知作禮時佛言卿等特
心何不守固屬言莫起何以作禮五人不對願爲
弟子佛即手摩其頭已爲沙門還坐樹下各自思

BD00935 號　太子瑞應本起經卷下　（14–7）

佛已可從天念誰可先度昔者少王最王人佳我房
在山中即復道還五人見佛自相謂言是人來者慎
莫與語佛到五人皆起不知作禮時佛言卿等特
心何不守固為言莫起何以作禮五人不對頭為
弟子佛即手摩其頭已為沙門還坐樹下各自思
惟佛又度念此間有優為迦葉大明徤有名字國
王吏民皆共事之與五百弟子在尼連禪水邊厥
先開化令解啟書信樂佛法合乃餘人當隨而學
即往從之迦葉見佛來起迎讃言幸甚大道人善
來相見消息安不佛即答言无病弟一利知足弟
一富善友弟一厚无為弟一安迦葉曰有何勅使
佛言欲寄一事宜不頓惡煩借火室一宿之間曰
不爱也中有毒龍恐相害耳佛言无苦龍不害我
重借至三迦葉言此道人德高能居中者大善佛
即澡洗蔛入火室將草布地遠坐須臾龍瞋毒身
中出烟佛亦身中出烟龍大忿怒身皆火出佛亦
神現身出大光龍火佛火於是俱盛石室盡然其
突烟出如失火狀迦葉夜起相視星宿見火室洞
然嗐〻言咄斂是大沙門端政可惜不随我言竟
為毒火所害佛知其意於內以道神滅毒毒降龍
身化置鉢中迦葉惺懽令五百弟子人持一瓶水
就御滅火而一瓶者更民一火所復益怖皆言咄
〻斂是大沙門明旦佛持鉢盛龍而出迦葉驚喜
言大道人乃尚活耶器中何等佛言然吾自活耳
是鉢中可言毒龍眾人所畏不敢入室者今已降
之以儀戒矣迦葉自以得道謂佛非真顧語弟子
是大沙門極神雖神未及於道不如我已得羅漢也
佛復移近迦葉坐一樹下夜弟一四天王俱下聽佛
說經四王光景明如盛火迦葉夜起占候見佛邊

BD00935號　太子瑞應本起經卷下　（14-8）

是鉢中可言毒龍眾人所畏不敢入室者今已降
之以儀戒矣迦葉自以得道謂佛非真顧語弟子
是大沙門極神雖神未及於道不如我已得羅漢也
佛復移近迦葉坐一樹下夜弟一四天王俱下聽佛
說經四王光景明如盛火迦葉夜起占候見佛邊
有四火晨旦行問大道人忽事火乎佛言不事答
曰昨夜此間乃有四火何佛言昨四天王來下聽
經是其光耳迦葉言是大沙門明極神雖神尚未
得道不如我已得羅漢也
佛上樹下弟二天帝釋夜復來下聽佛說經帝釋
光景甚益大明迦葉夜起占候見佛邊火更倍於
昨四明心念是大沙門續事火也明日復行問大
道人得无事火佛言不事火也昨天帝釋來下聽
經是其光耳迦葉念言是大沙門乃神雖神然未
及於道不如我得羅漢也
後夜弟七梵天又下聽經梵之光明倍於帝釋迦葉
夜起占候見光益大明日復行問大道人事火乎
佛言不事火日昨夜火光益大明何佛言昨夜梵
天來下聽經是其光耳迦葉復念是大沙門神則
神矣然未得道不如我得羅漢也
迦葉五百弟子人事三火合千五百火明旦然之
火了不然怪而白師〻言疑是大沙門所為也即
行問佛我五百弟子凡事千五百火今旦然之火
皆不然是大道人所為乎佛言卿欲使然不問之
至三曰欲使然佛言可去當然應聲皆然迦葉甚
大沙門神則神矣然未得道不如我已得羅漢也
迦葉即自事三火明旦然之又不肯然心念復是
大沙門所為即行問佛我自事三火今日然之了
不肯然續大道人所為耶佛言欲使然乎曰願使

BD00935號　太子瑞應本起經卷下　（14-9）

至三日欲使然佛言可去當然應聲皆然迦葉逮
大沙門神則神矣然未得道不如我已得羅漢也
迦葉即自事三火明旦然之又不肯然心念復是
大沙門所為耶行問佛我自事三火今日然之了
不肯然續大道人所為耶佛言欲使然乎曰願使
然可去自當然三火即然迦葉復念是大沙門神
則神矣然未得道不如我已得羅漢
火然之後迦葉欲滅之不可復滅五百弟子及諸
事火者共助滅之而不可滅皆言是大沙門所為
迦葉行問佛火既然矣今不可滅佛言欲使滅乎
曰欲使滅可去火當滅應聲即滅迦葉故念是大
沙門雖不如我道真也
迦葉行白佛言願大道人留此不須復遠行我自
給飯食還勑家明日作好飯施狀坐已食時白行
請佛々言便去今随後到迦葉适去佛如人屈伸
臂頃東過弗于逮界上數千万里取樹果名閻逼截
滿鉢還迦葉未至佛已坐其牀迦葉到問大道人
從何道來佛言卿适去我適東過弗于逮界上取
閻逼果香美可食便取食之佛飯已去迦葉續念
是大沙門雖神故不如我得道真也
明日食時迦葉復請佛々言便去今随後到适去
佛便西詣拘耶尼界上數千億万里取阿摩勒果
盛滿鉢還先迦葉坐林上迦葉後至問大道人從
何面來佛言卿适去我西詣拘耶尼取阿摩勒
果香美便取食之佛飯已去迦葉復念是大沙門
雖神故不如我道真
明日迦葉復請佛々言便去今随後到迦葉又願
忽然不見佛已以神力足北適欝單曰界上數千億

BD00935號　太子瑞應本起經卷下　（14–10）

果香美便取食之佛飯已去迦葉復念是大沙門
雖神故不如我道真
明日迦葉復請佛々言便去今随後到迦葉又願
忽然不見佛已以神力足北適欝單曰界上數千億
萬里取自然粳米盛滿鉢還先迦葉坐林上迦葉
後至問大道人復從何來乎佛言從北方欝單曰
地取此自然粳米使美且香卿式食之佛飯已去
迦葉復念是大沙門雖神故不如我道真也
明日食時佛持鉢到迦葉家受飯而還於屏處
食已欲滌漱天帝釋知佛意即下以手指地水出
成池令佛得用迦葉鋪時彷陽衆中見有水悵
而問佛何緣有此佛言吾朝得卿飯於此食已念
欲滌漱天帝釋指地令有水汝當名此為地池迦
葉復念是大沙門雖神故不如我道真也
佛還樹下道見迦葉弊衣取欲浣之天帝釋知佛
意即到頞鄰山上取四方成治好石來置池邊白
佛言可用浣衣佛取濯衣天帝釋復取六方大石
來給濯衣迦葉見池邊有著石又問何緣有此佛
言欲浣濯及欲濯衣天帝到頞鄰山上取此石來
迦葉復念是大沙門雖神故不如我道真也
佛復入栢地池澡浴畢欲出无所攀攬上素有樹
名迦譚絕大脩好其樹自然曲下就佛々奉而出
迦葉見樹曲下善薩悵而又問佛言吾入池浴出
无所攀是故樹神為我曲之迦葉復念是大沙門
雖神故不如我道真
時摩竭國王及吏民以歲節會祀詣迦葉相娛樂
七日迦葉見佛神聖明智衆人見者必但捨我而
事之當令其去七日快也佛知其意即隱七日迦
葉後日又復念佛間者我有節會餘食甚忍渇大

BD00935號　太子瑞應本起經卷下　（14–11）

雖神故不如我道真
時摩竭國王及吏民以歲節會祀禱迦葉相娛樂
七日迦葉見佛神聖明智衆人見者必沮捨我而
事之當令其去七日快也佛知其意即隱七日迦
葉後日又復念佛聞者我有節會餘食甚多得大
沙門來飯之快耶佛遽知之即時來到迦葉喜言
大道人來一何善也我適欲相供養中閒何為七
不現佛言聞者王與吏民來會七日卿意念言是
大沙門神聖明智衆人見者必沮捨我而事之當
令其去七日快也是故我去今卿念我故復來耳
迦葉心念是大沙門乃知人意雖神故不如我道真也
時迦葉五百弟子適俱破薪斧一舉斧皆不得下
懷共白師〻言是大沙門所為也即行問佛我諸
弟子向共破薪斧皆舉而不得下佛言可去斧當
下斧即下〻之後斧皆著薪舉之不舉復行白佛
令斧適下又皆不舉佛言可去今使斧舉斧即舉
得用迦葉復念是大沙門雖神故不如我道真也
時尼連禪水長流駃疾佛以自然神道斷水令住
使水隔起高出人頭令底揚塵佛行其中迦葉恐
佛為水所漂即與弟子俱乘船索佛見水隔斷中
央塵起佛行其間迦葉呼言大道人乃尚活耶佛
言然自活耳又問佛欲上船不佛言大善佛念今
當現神令子心伏即從水中貫船底入无有穿跡
迦葉故念是大沙門神則神矣然不如我已得羅漢也
佛語迦葉汝非羅漢亦不如真道胡為虛妄自稱
貢高於是迦葉心驚毛豎自知无道即稽首言大
道人實神聖乃知我意寧可得從大道人稟受
經戒作沙門耶佛言且還報汝弟子歎之益善卿

佛語迦葉汝非羅漢亦不如真道胡為虛妄自稱
貢高於是迦葉心驚毛豎自知无道即稽首言大
道人實神聖乃知我意寧可得從大道人稟受
經戒作沙門耶佛言且還報汝弟子歎之益善卿
是大長者國中所望采今欲學大道可獨自知乎
迦葉受教還告諸弟子汝曹知不我日所見意始
信解當除鬚髮被法衣受佛戒作沙門汝等欲何
趣五百弟子曰我等所知皆大師恩師所尊信必
不虛妄願皆隨從得作沙門於是師徒脫身衆褐
及水瓶杖屐諸事火具盡棄水中俱共詣佛所皆
前白言今我五百人已有信意願欲離家除鬚髮
受佛戒佛言可諸沙門來迦葉五百人鬚髮自墮
衣皆成沙門也
優為迦葉有二弟次曰那提迦葉次曰翅夷迦葉
二弟各有二百五十弟子廬舍居水邊見諸梵志
衣服什物諸事火具皆隨水流二弟驚愕恐兄五
百人為惡人所害大水所漂即合身五百弟子慎
流而上見兄師徒皆作沙門怪問大兄年百廿智
慧高遠國王吏民所共宗事我意以兄為是羅漢
今反捨梵志道學沙門法此非小事佛豈獨大尊
其道勝乎迦葉荅曰佛道最勝其法无量雖我世
學未曾有得道神智如佛者也其經戒甚清淨我
以兒慈心度人以五事教化一者道是神足變化
自然二者智慧知人本意三者經道所行隨病與
藥二弟各顧謂弟子汝等欲何起合五百人俱同
聲言願隨大師即皆稽首求作沙門佛言沙門來
二弟及五百弟子皆除鬚髮即佛後成為沙門
佛便有千沙門俱到波羅捺私縣業樹下坐諸弟

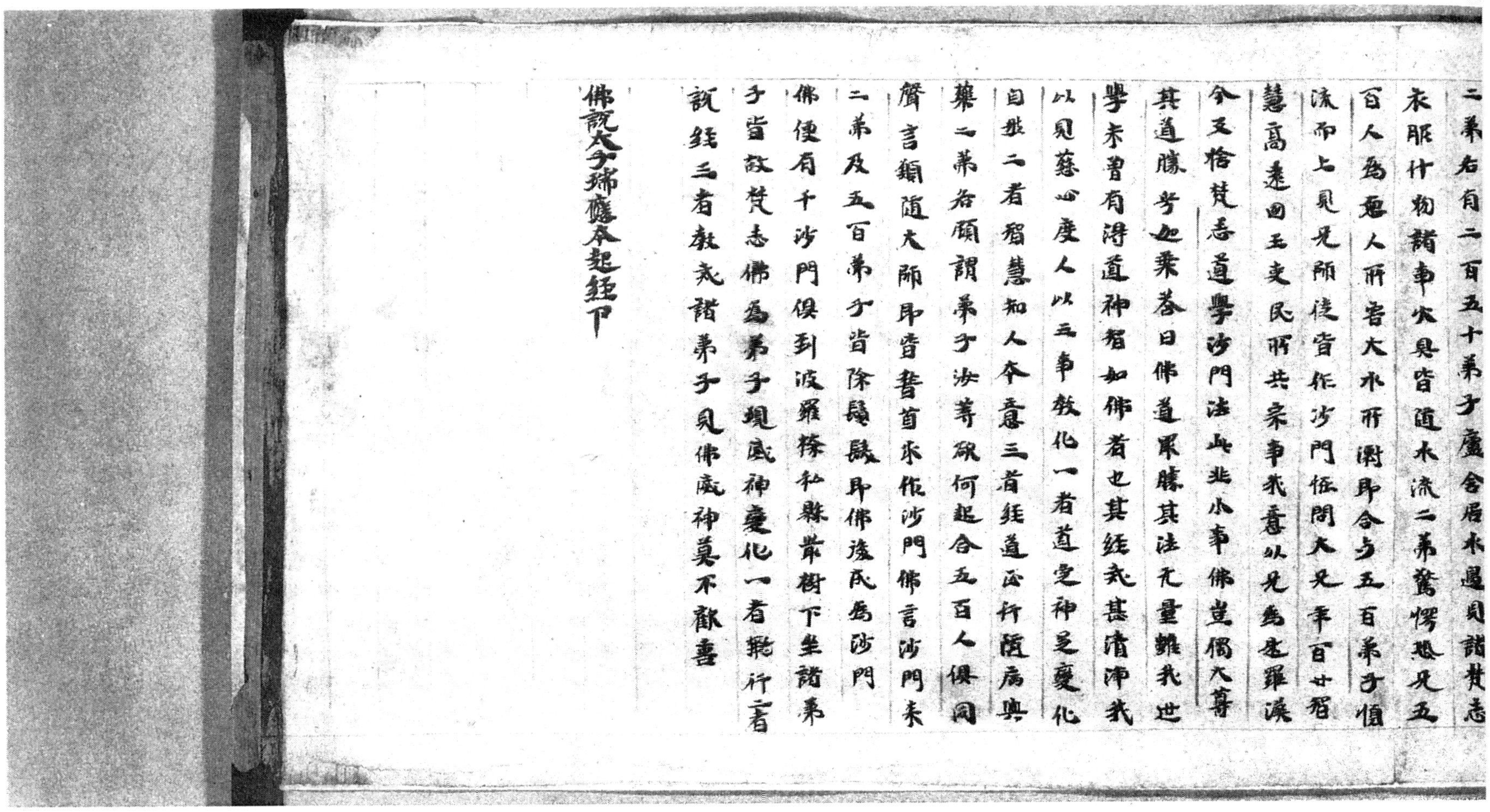

二弟名有二百五十弟子廬舍居水邊見諸梵志
衣服什物諸事火具皆隨水流二弟驚愕恐兄五
百人為惡人所害大水所漂即合與五百弟子順
流而上見兄師徒皆作沙門怪問大兄年百廿智
慧高遠國王吏民所共宗事我意以兄為已羅漢
今反捨梵志道學沙門法此非小事佛豈獨大尊
其道勝乎迦葉答曰佛道最勝其法無量雖我世
學未曾有得道神智如佛者也其經戒甚清淨我
以見慈心度人以三事教化一者道足神足變化
自然二者智慧知人本意三者經道以行隨病與
藥二弟名顧謂弟子汝等欲何起合五百人俱同
齎言願隨大師即皆著首求作沙門佛言沙門來
二弟及五百弟子皆除鬚髮即佛儀成為沙門
佛便有千沙門俱到波羅㮈私梨樹下坐諸弟
子皆故梵志佛為弟子現威神變化一者飛行言
說經三者教戒諸弟子見佛威神莫不歡喜
佛說太子瑞應本起經下

BD00935 號　太子瑞應本起經卷下　（14–14）

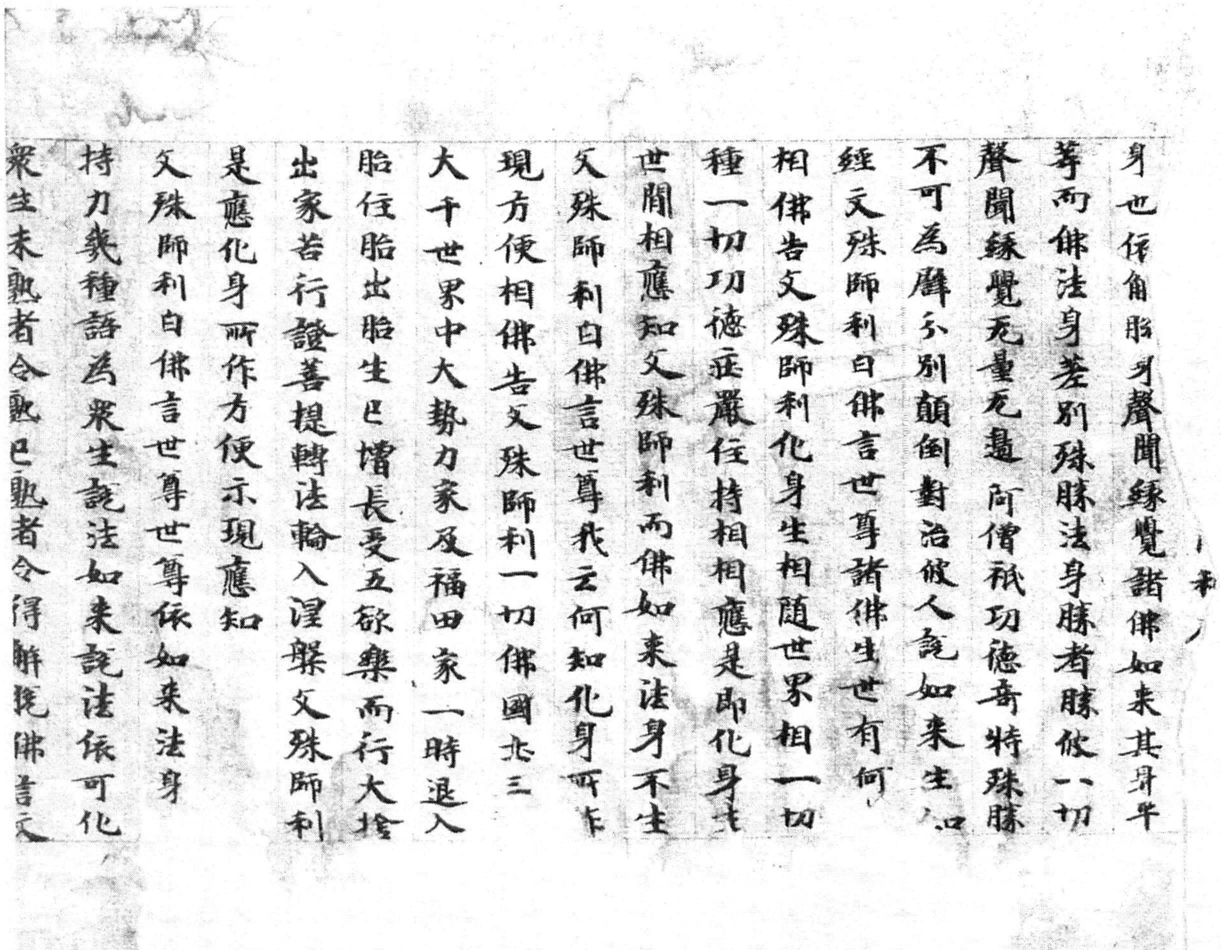

身也住角胎身聲聞緣覺諸佛如來其身平
等而佛法身差別殊勝法身勝者勝彼一切
聲聞緣覺無量無邊阿僧祇功德奇特殊勝
不可為譬分別顛倒對治彼人說如來生知
經文殊師利白佛言世尊諸佛生世有何
相佛告文殊師利化身生相隨世界相一切
種一切功德莊嚴住持相相應是即化身生
世間相應知文殊師利而佛如來法身不生
文殊師利白佛言世尊我云何知化身所作
現方便相佛告文殊師利一切佛國土三
大千世界中大勢力家及福田家一時退入
胎住胎出胎生已增長受五欲樂而行大捨
出家苦行證菩提轉法輪入涅槃文殊師利
是應化身所作方便示現應知
文殊師利白佛言世尊世尊依如來法身
持力幾種語為眾生說法如來說法依可化
眾生未熟者令熟已熟者令得解脫佛言文

BD00936 號　深密解脫經卷五　（13–1）

是應化身所作方便示現應知
文殊師利白佛言世尊世尊依如來法身
持力幾種語為衆生說法如來說法依可化
衆生未熟者令熟已熟者令得解脫佛言文
殊師利如來有三語何等為三謂說脩多羅
毗尼摩得勒伽文殊師利是為三種應知文
殊師利言世尊何等脩多羅何等毗尼何等
摩得勒伽佛言文殊師利我所說少事法是
名脩多羅少事法者謂四種事九種事廿九
種事文殊師利所言四種事者謂聞事歸依
事學事菩提事是名四種事文殊師利所言
九種事者謂施設事衆生向受用事向生事
向生住事向染淨事向種種事能說事可說
事眷屬事是名九種事文殊師利所言廿九
事者謂依煩惱對染諸行事隨煩事何者是
隨煩事謂隨煩依人相未來世生因事故依
法相未來行因事依淨分觀事即彼處脩行
事令心住事現身受樂法行事過一切苦觀
行事即如實知彼事彼事有三種依顛倒住
持故依衆生相外觀耶行住持相故内心无
慞惽住持故脩行住事現證事脩行事作向
堅固事觀彼九種事觀察遠離不遠離方便
事向散亂事不散亂不失事脩行无鄣㝵事
脩行利益事向堅固事向彼實證事具足得
涅槃事如來善說比丘法世間正見出諸外

BD00936號　深密解脫經卷五　（13–2）

堅固事觀彼九種事觀察遠離不遠離方便
事向散亂事不散亂不失事脩行无鄣㝵事
脩行利益事向堅固事向彼實證事具足得
涅槃事如來善說比丘法世間正見出諸外
道一切勝事不脩行彼法退事何以故文殊
師利若於如來善說比丘法中不能脩行令
善法退非耶見過文殊師利言世尊何者是
毗尼相文殊師利比丘相者我為聲聞及諸
菩薩說波羅提木叉及波羅木叉相應法是
名比丘事文殊師利言世尊菩薩有幾種法
攝波羅提木叉佛言文殊師利菩薩有七種
法攝波羅提木叉何等為七所謂菩薩知說
受持法知說波羅夷事知說過事知說過事
體知說无過事體知說起過事知說受持法
失事文殊師利是名菩薩七種法攝波羅提
木叉應知
文殊師利言世尊何者是摩得勒伽文殊師
利我所說十一種相示現了義經是名摩得
勒伽文殊師利言世尊何等是摩得勒伽十
一種相佛言文殊師利所謂世諦相第一義
諦相觀菩提分法相彼法相自體相彼法果
相受彼法說相彼法鄣相彼法隨煩相彼法
過失相彼法利益相
文殊師利言世尊何者是世諦相文殊師利
世諦相者有三種何等為三說人相說分別
體相觀法思惟作種種業相應知文殊師利

BD00936號　深密解脫經卷五　（13–3）

過失相依法利益相
文殊師利言世尊何者是世諦相文殊師利
世諦相者有三種何等爲三謂人相說分別
體相觀法思惟作種種業相應知文殊師利
言世尊何者苐一義諦相文殊師利苐一義
諦相有七種如七種真如中說文殊師利言
世尊何者是觀善提分法相文殊師利觀善
提分法相者所謂觀一切種事應知文殊師
利言世尊何者是依法相文殊師利依法相
者如八種觀中應知文殊師利言世尊何等
八種觀文殊師利所謂依實諦住諦過失功
德通相形相相應相廣略說相文殊師利實
諦相者所謂真如住諦相者所謂人相分別
差別體一向答相隨問分別答相置答相蓄
事示現相過失相者所謂我說諸法染過功
德相者所謂我說一切淨法无量利益相通
相者有六種應知何等六種謂真實義通得
通說離二邊通不可思議通意通形相者所
謂三世三有爲相四種因緣相應相者有四
種應知何等四謂相待相應所作相應能作
所作相應生相應法體相應相待相應者謂
何等因何等緣能生有爲行名字等用是名
相待相應能作所作相應者何等因何等緣
能得法能生法能生法已能成辦業是名能
作所作相應生相應者謂何等因何等緣知

何等因何等緣能生有爲行名字等用是名
相待相應能作所作相應者何等因何等緣
能得法能生法能生法已能成辦業是名能
作所作相應生相應者謂何等因何等緣知
法說法示法能成能正覺知是名生相應法
體相應者略說有二種何等爲二謂一者淨
三者不淨文殊師利淨有五種相不淨有七
種相文殊師利何者淨五種相一者依現前
見相二者依依現前見相三者自相譬喻相
四者成就相五者說清淨阿含相文殊師利
何者是依現前見相謂一切有爲行无常一
切有爲行苦一切法无我世間現前見法如
是等是名依現前見相應知文殊師利何者
是依依現前見相所謂所切諸有爲行一相
故不失未來善不善業依依彼法現見故依
種種種業見種種衆生現見故依善不善業
受苦受樂現見故於現見法中譬喻如是等
依依心現見相應知
文殊師利自相譬喻相者所謂內外一切世
間現見譬喻因緣如是等名爲自相因緣譬
喻應知如是依依現見相依心依現見相譬
喻相一向成就依事名爲成就相應知文殊
師利何者是說清淨阿含相所謂一切智人
說依寂靜涅槃之相如是等名清淨阿含相
應知文殊師利汝應如是深觀察五種清淨

貐相一向成就彼事名爲成就相應知文殊
師利何者是說清淨阿含相所謂一切智人
說彼寂靜涅槃之相如是等名清淨阿含相
應知文殊師利汝應如是深觀察五種清淨
相深觀察已知清淨知清淨已如是脩行
文殊師利白佛言世尊有幾種法知一切智
人相佛言文殊師利有五種法知一切智人
相何等爲五有人出世於諸一切天人世
間名一切智有人畢竟成就卅二大人之相
得十力法能斷一切衆生疑具四无畏降伏
一切諸魔怨敵說法更无能作礙難於說法
中善說八聖善提道分現證成就四沙門果
文殊師利如是依生依相斷疑降伏无人能
難現見沙門五種法現前是名一切智人相
應知文殊師利此依生成相應現見相應量
相應比智相應聖人說法相應知五種相是
名清淨相應知文殊師利何者是七種不清
淨相所謂彼相似見相彼不相以見相有一
切相似見相一切不相似見相自辟貐異相
不成相說法不清淨阿含相文殊師利何者
是有一切相似見相謂一切法依意識
如是等名爲一切法相似同見相文殊師利
何者一一切法不相似見相謂法相體相業
法因果異相一一相異相畢竟彼相待異
相如是等是名一切不相似不同見相文殊

如是等名爲一切法相似同見相文殊師利
何者一一切法不相似見相謂法相體相業
法因果異相一一相異相畢竟彼相待異
相如是等是名一切不相似不同見相文殊
師利何者是自辟貐異相謂彼相似見相辟
貐中有一切不相似不同相爲成彼事一向不
成是故我說彼不成相文殊師利自辟貐中
彼不相似見相有一切相似同相爲成彼事
一向不成是故我說不成相若不成相者彼
法不清淨若法不清淨者不應脩行是故我
說不清淨阿含相以自性不清淨應知文殊
師利何者是法體所謂如來出世及不出世
法住法體法界是名法界體相應知
文殊師利言世尊何者是略廣相文殊師利
所謂略說一句彼一句上上句差別无量句
乃至說應至處是名略說應知
文殊師利言世尊何者是得相文殊師利謂
取諸法見觀善提分別法我說善提分法四
念處等是名彼法自體相共世間出世間速
離深相彼法果起世間出世間功德是名彼
得相文殊師利即彼法依解脫智受用應知
廣爲人說示現是名彼法隨順示現相文殊
師利即彼脩行善提分法離道相違深法是
名向障法應知文殊師利爲彼法多生增長
是名隨順彼法相文殊師利鄣諸法是名過

廣為人說示現是名依法隨順示現相文殊
師利即依脩行菩提分法離道相違深法是
名向障法應知文殊師利為依法多生增長
是名隨順依法相文殊師利鄣諸法是名過
相文殊師利隨順依法功德是名利益相應知
尒時文殊師利菩薩白佛言世尊唯願世尊
為諸菩薩更重略說脩多羅比尼摩得勒伽
義不共一切外道二乘陀羅尼相諸佛如来
說甚深法諸菩薩得甚深意得已能入一切
佛法佛告文殊師利汝今諦聽我當為汝略
說陀羅尼義諸菩薩等聞我法已能得我意
得我意已入於我法文殊師利何者略說陀
羅尼義所謂我說一切染法一切淨法彼一
切法不覺相无作相无分別相无我相如是
如是法我說不覺无作无分別无我相以一
切无覺无我相是故染法非先是染後時得
淨諸淨法者亦非先淨後得名染愚癡凡夫
依虛忘染身執著我法計自體相依因耶見
而言有我所謂我能見我聞能覩得味能觸
我能知我能食我染我淨生如是等諸耶見
行若人如是如實能知離煩惱身依人能得
離諸煩惱斷諸戲論畢竟清淨得无為身无
有一切諸有為行文殊師利是名略說陀羅
尼義應知尒時世尊而說偈言
諸法本无染　後時不清淨　染及於清淨　是諸法无我

離諸煩惱斷諸戲論畢竟清淨得无為身无
有一切諸有為行文殊師利是名略說陀羅
尼義應知尒時世尊而說偈言
諸法本无染　後時不清淨　染及於清淨　是諸法无我
染身見有我　生於我所有　我染及清淨　我見及以食
若能如是知　依人離煩惱　能得无染身　是故名无為
文殊師利菩薩白佛言世尊世尊如来心生
有何等相願為我說佛告文殊師利文殊師
利如来非心意意識得名而无諸行見生得
名依應化身說名為生文殊師利言世尊若
法身離於諸行云何離作心行而能生心佛
言文殊師利依本方便般若脩行自然而生
文殊師利譬如睡眠无心覺起而能覺起文
殊師利如入滅盡定而无起心依本作心自
然而起文殊師利如睡滅定二无起心依本
而起如是如来心生依本般若方便脩行成
就應知
文殊師利菩薩白佛言世尊世尊說如来應
化所作化身為是有心為是无心佛言文殊
師利得言有心得言无心何以故以自心不
得自在言无心依他方故言有心文殊師利
白佛言世尊如尊說如来行處如來境界此
二種法有何差別佛言文殊師利言如来行
處者一切諸佛功德平等不可思議无量功
德莊嚴清淨佛之國土是名諸佛如来行處

德自在言无心依他力故言有心文殊師利
白佛言世尊說如来行處如来境界此
二種法有何差别佛言文殊師利言如来行
處者一切諸佛功德平等不可思議无量功
德莊嚴清淨佛之國土是名諸佛如来行處
文殊師利言如来境界者有五種何等為五
所謂衆生界世界法界可化衆生界方便界文
殊師利如来行處如来境界如是差别應
知
文殊師利菩薩白佛言世尊世尊如来得大
菩提轉大法輪入大涅槃此三種相云何差
别我云何知佛告文殊師利言文殊師利无
有二相不證菩提非不證菩提不轉法輪非
不轉法輪非入大涅槃非不入大涅槃文殊
師利言世尊我解世尊所說之義何以故如
来法身本来常清淨故應化身示現故文殊
師利言世尊衆生見彼應化之身聞應化身
觸應化身供養讚嘆應化之身得諸功德於
何身得佛言文殊師利以能正念如来身故
以應化身依如来法身住持力得
文殊師利白佛言世尊世尊等无心无作无
行何義故如来法身為諸衆生出大光明及
出无量應化鏡像而諸聲聞辟支佛等解脫
之身无如是相佛言文殊師利等无心无作
辟如日月摩尼珠等為諸衆生出大光明及
種種物而水瑠璃頗梨珠等无心无作不出

行何義故如来法身為諸衆生出大光明及
出无量應化鏡像而諸聲聞辟支佛等解脫
之身无如是相佛言文殊師利等无心无作
辟如日月摩尼珠等為諸衆生出大光明及
種種物而水瑠璃頗梨珠等无心无作不出
一切光明等物何以故依大衆生住持力故
依諸衆生增上業故文殊師利辟如善巧鍊
治珠寶能出影像餘不善者不出光明文殊
師利諸佛如来亦復如是依无量法正觀脩
行方便般若作諸善業集諸善根依佛法身
方便智慧出諸光明及出无量應化色像聲
聞緣覺解脫之身不能脩集一切善根故不
能出
文殊師利菩薩白佛言世尊世尊說依諸佛
菩薩住持力故一切衆生成就世間功德之
身所謂生於剎利婆羅門大長者家欲界色
界无色界一切處一切身一切功德果報成
就皆依諸佛及諸菩薩住持力得世尊何意
作如是說佛言文殊師利如来住持之力及
菩薩力隨說何等道何等脩行若有人能依
於彼道如實脩行彼人一切生處一切身一
切世間果報成就文殊師利若人不能信於
彼道又復不能如實脩行謗我法而
於我身生惡瞋心彼人命終一切生處常得
一切下劣惡身受惡果報文殊師利依於此

於彼道如實脩行彼人一切生處一切身一
切世間果報成就文殊師利若人不能信於
彼道又復不能如實脩行謗我法爭我法而
於我身生惡瞋心彼人命終一切生處常得
一切下劣惡身受惡果報文殊師利依於此
義汝今應知非但成就上妙勝身及勝果報
依佛如來住持力得下劣惡身及惡果報亦
依如來住持力得
文殊師利白佛言世尊世尊不淨國土中何
法易得何法難得世尊淨佛國土中何法易
得何法難得佛告文殊師利言文殊師利不
淨國土中有八事易得二事難得何等爲八
所謂外道易得受苦衆生易得生下姓家勢
力敗壞易得惡行衆生易得破戒衆生易得
入惡道衆生易得發下品心小乘衆生易得
發菩提心菩薩降劣心易得
文殊師利何者二事難得高心脩行菩薩難
得諸佛如來出世難得文殊師利淨佛國土
中八事難得二事易得應如是知尒時文殊
師利法王子菩薩白佛言世尊此深密解脫
脩多羅中此法門當名何等云何奉持佛告
文殊師利法王子菩薩言文殊師利此法門
名說諸佛如來住持力了義經文殊師利如
來所說了義脩多羅其義如是汝當奉持說
此如來住持力了義經時七万五千菩薩得

BD00936 號　深密解脫經卷五　（13–12）

脩多羅中此法門當名何等云何奉持佛告
文殊師利法王子菩薩言文殊師利此法門
名說諸佛如來住持力了義經文殊師利如
來所說了義脩多羅其義如是汝當奉持說
此如來住持力了義經時七万五千菩薩得
滿足法身文殊師利法子菩薩摩訶薩及諸
一切天人阿脩羅大衆歡喜奉行

深密解脫經卷第五

BD00936 號　深密解脫經卷五　（13–13）

喜
如是展轉至第
子善女人隨喜功德我今說之
當善聽若四百万億阿僧祇世界六趣四
生衆生卵生胎生濕生化生若有形无形有
想无想非有想非无想无足二足四足多足
如是等在衆生數者有人求福隨其所欲娛
樂之具皆給與之一一衆生與滿閻浮提金
銀琉璃車磲馬瑙珊瑚虎珀諸妙珎寶及象
馬車乘七寶所成宮殿樓閣等是大施主如
是布施滿八十年已而作是念我已施衆生
娛樂之具隨意所欲然此衆生皆已衰老年
過八十髮白面皺將死不久我當以佛法而
訓導之即集此衆生宣布法化示教利喜一
時皆得須陀洹道斯陀含道阿那含道阿羅
漢道盡諸有漏於深禪定皆得自在具八解
脫於汝意云何是大施主所得功德寧為多

BD00937 號　妙法蓮華經卷六　　（4–1）

過八十髮白面皺將死不久我當以佛法而
訓導之即集此衆生宣布法化示教利喜一
時皆得須陀洹道斯陀含道阿那含道阿羅
漢道盡諸有漏於深禪定皆得自在具八解
脫於汝意云何是大施主所得功德寧為多
不彌勒白佛言世尊是人功德甚多无量无
邊若是施主但施衆生一切樂具功德无量
何況令得阿羅漢果佛告彌勒我今分明語
汝是人以一切樂具施於四百万億阿僧祇
世界六趣衆生又令得阿羅漢果所得功德
不如是第五十人聞法華經一偈隨喜功德
百分千分百千万億分不及其一乃至筭數
譬喻所不能知阿逸多如是第五十人展轉
聞法華經隨喜功德尚无量无邊阿僧祇何
況最初於會中聞而隨喜者其福復勝无量
无邊阿僧祇不可得比又阿逸多若人為是
經故往詣僧坊若坐若立須臾聽受緣是功
德轉身所生得好上妙象馬車乘珎寶輦轝
及乘天宮若復有人於講法處坐更有人來
勸令坐聽若分座令坐是人功德轉身得帝
釋坐處若梵王坐處若轉輪聖王所坐之處
阿逸多若復有人語餘人言有經名法華可
共往聽即受其教乃至須臾間聞是人功德
轉身得與陀羅尼菩薩共生一處利根智慧
百千万世終不瘖瘂口氣不臭舌常无病口
亦无病齒不垢黑不黃不疏亦不缺落不差
不曲脣不下垂亦不褰縮

BD00937 號　妙法蓮華經卷六　　（4–2）

阿逸多若復有人語餘人言有經名法華可
共往聽即受其教乃至須臾間聞是人功德
轉身得與陁羅尼菩薩共生一處利根智慧
百千万世終不瘖瘂口氣不臭舌常无病口
亦无病齒不垢黑不黄不踈亦不缺落不差
不曲脣不下垂亦不褰縮不麁澁不瘡胗亦
不缺壞亦不喎斜不厚不大亦不黎黑无諸
可惡鼻不膈脎亦不曲戾面色不黑亦不狹
長亦不窪曲无有一切不可喜相脣舌牙齒
悉皆嚴好鼻脩高直面貌圓滿眉高而長額
廣平正人相具足世世所生見佛聞法信受
教誨阿逸多汝且觀是勸於一人令往聽法功
德如此何況一心聽說讀誦而於大衆為人分別
如說脩行尒時世尊欲重宣此義而說偈言
若人於法會　得聞是經典　乃至於一偈　隨喜為他說
如是展轉教　至于第五十　最後人獲福　今當分別之
如有大施主　供給无量衆　具滿八十歲　隨意之所欲
見彼衰老相　髮白而面皺　齒踈形枯竭　念其死不久
我今應當教　令得於道果　即為方便說　涅槃真實法
世皆不牢固　如水沫泡焰　汝等咸應當　疾生猒離心
諸人聞是法　皆得阿羅漢　具足六神通　三明八解脫
最後第五十　聞一偈隨喜　是人福勝彼　不可為譬喻
如是展轉聞　其福尚无量　何況於法會　初聞隨喜者
若有勸一人　將引聽法華　言此經深妙　千万劫難遇
即受教往聽　乃至須臾聞　斯人之福報　今當分別說
世世无口患　齒不踈黄黑　脣不厚褰缺　无有可惡相

BD00937 號　妙法蓮華經卷六　（4–3）

我今應當教　令得於道果　即為方便說　涅槃真實法
世皆不牢固　如水沫泡焰　汝等咸應當　疾生猒離心
諸人聞是法　皆得阿羅漢　具足六神通　三明八解脫
最後第五十　聞一偈隨喜　是人福勝彼　不可為譬喻
如是展轉聞　其福尚无量　何況於法會　初聞隨喜者
若有勸一人　將引聽法華　言此經深妙　千万劫難遇
即受教往聽　乃至須臾聞　斯人之福報　今當分別說
世世无口患　齒不踈黄黑　脣不厚褰缺　无有可惡相
舌不乾黑短　鼻高脩且直　額廣而平正　面目悉端嚴
為人所喜見　口氣无臭穢　優鉢華之香　常從其口出
若故詣僧坊　欲聽法華經　須臾聞歡喜　今當說其福
後生天人中　得妙象馬車　珎寶之輦轝　及乘天宮殿
若於講法處　勸人坐聽經　是福因緣得　釋梵轉輪座
何況一心聽　解說其義趣　如說而脩行　其福不可限

BD00937 號　妙法蓮華經卷六　（4–4）

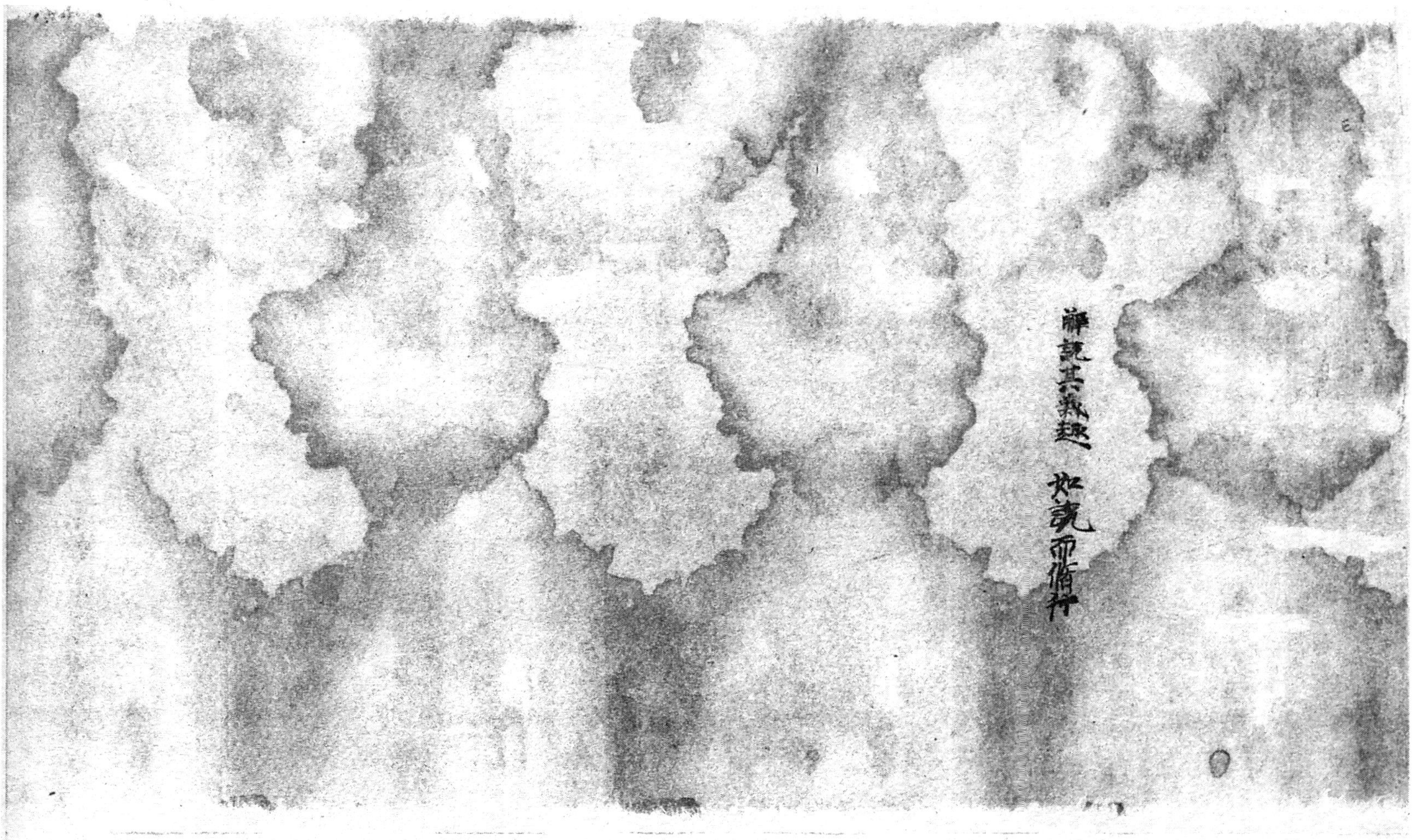
解說其義趣　如說而脩行

BD00937 號背　雜寫　（1–1）

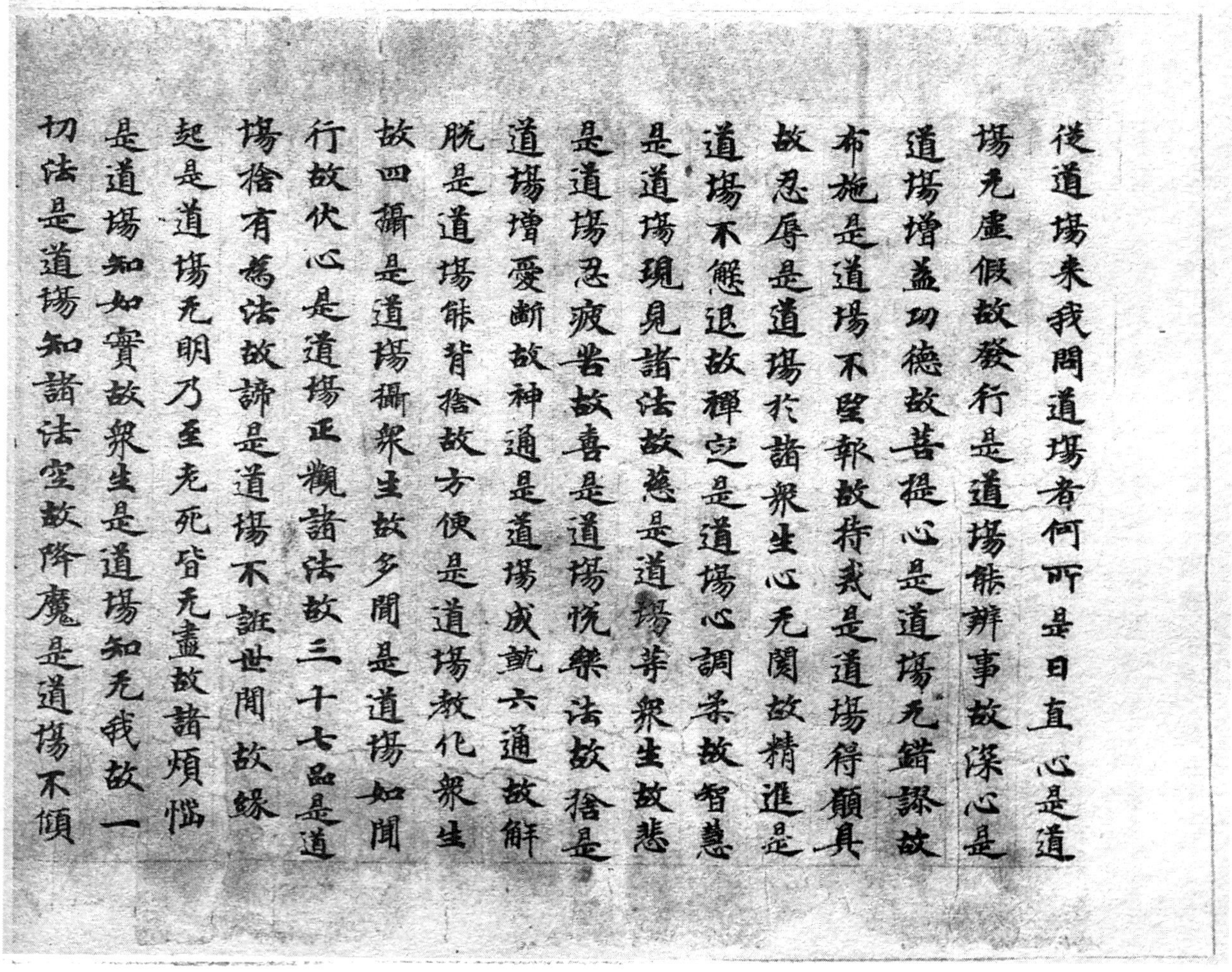
從道場來我問道場者何所是曰直心是道
場无虛假故發行是道場能辨事故深心是
道場增益功德故菩提心是道場无錯謬故
布施是道場不望報故持戒是道場得願具
故忍辱是道場於諸衆生心无閡故精進是
道場不懈退故禪定是道場心調柔故智慧
是道場現見諸法故慈是道場等衆生故悲
是道場忍疲苦故喜是道場悅樂法故捨是
道場憎愛斷故神通是道場成就六通故解
脫是道場能背捨故方便是道場教化衆生
故四攝是道場攝衆生故多聞是道場如聞
行故伏心是道場正觀諸法故三十七品是道
場捨有爲法故諦是道場不誑世間故緣
起是道場无明乃至老死皆无盡故諸煩惱
是道場知如實故衆生是道場知无我故一
切法是道場知諸法空故降魔是道場不傾

BD00938 號　維摩詰所說經卷上　（7–1）

行故伏心是道場正觀諸法故三十七品是道
場捨有為法故諦是道場不誑世間故緣
起是道場无明乃至老死皆无盡故諸煩惱
是道場知如實故衆生是道場知无我故一
切法是道場知諸法空故降魔是道場不傾
動故三界是道場无所趣故師子吼是道場
无所畏故力无畏不共法是道場无諸過故
三明是道場无餘閡故一念知一切法是道
場成就一切智故如是善男子菩薩若應諸
波羅蜜教化衆生諸有所作舉足下足當知
皆從道場來住於佛法矣說是法時五百天
人皆發阿耨多羅三藐三菩提心故我不任
詣彼問疾
佛告持世菩薩汝行詣維摩詰問疾持世白
佛言世尊我不堪任詣彼問疾所以者何憶
念我昔住於靜室時魔波旬從万二千天女
狀如帝釋鼓樂絃歌來詣我所與其眷屬稽
首我足合掌恭敬於一面立我意謂是帝釋
而語之言善來憍尸迦雖福應有不當自恣
當觀五欲无常以求善本於身命財而脩堅
法即語我言正士受是万二千天女可備掃
灑我言憍尸迦无以此非法之物要我沙門
釋子此非我宜所言未訖維摩詰來謂我言
非帝釋也是為魔來嬈固汝耳即語魔言
是諸女等可以與我如我應受魔即驚懼念維
摩詰將无惱我欲隱形去而不能隱盡其神

BD00938號　維摩詰所說經卷上　（7–2）

灑我言憍尸迦无以此非法之物要我沙門
釋子此非我宜所言未訖維摩詰來謂我言
非帝釋也是為魔來嬈固汝耳即語魔言
是諸女等可以與我如我應受魔即驚懼念維
摩詰將无惱我欲隱形去而不能隱盡其神
力亦不得去即聞空中聲曰波旬以
乃可得去魔以畏故俛仰而與介時維摩詰
語諸女言魔以汝等與我今汝皆當發阿耨
多羅三藐三菩提心即隨所應而為說法令
發道意復言汝等已發道意有法樂可以自
娛不應復樂五欲樂也天女即問何謂法樂
荅言樂常信佛樂欲聽法樂供養衆樂離五
欲樂觀五陰如怨賊樂觀四大如毒蛇樂觀
內入如空聚樂隨護道意樂饒益衆生樂敬
養師樂廣行施樂堅持戒樂忍辱柔和樂勤
集善根樂禪定不亂樂離垢明慧樂廣菩提
心樂降伏衆魔樂斷諸煩惱樂淨佛國土樂
成就相好故脩諸功德樂嚴道場樂聞深法
不畏樂三脫門不樂非時樂近同學樂於非
同學中心无恚閡樂將護惡知識樂近善知
識樂心喜清淨樂脩无量道品之法是為菩
薩法樂於是波旬告諸女言我欲與汝俱還
天宮諸女言以我等與此居士有法樂我等
甚樂不復樂五欲樂也魔言居士可捨此女
一切所有施於彼者是為菩薩維摩詰言我

BD00938號　維摩詰所說經卷上　（7–3）

天宫諸女言以我等與此居士有法樂我等
甚樂不復樂五欲樂也魔言居士可捨此女
一切所有施於彼者是為菩薩維摩詰言我
已捨矣汝便將去令一切衆生得法願具足
於是諸女問維摩詰我等云何止於魔宫維
摩詰言諸姊有法門名无盡燈汝等當學无
盡燈者譬如一燈然百千燈冥者皆明明終
不盡如是諸姊夫一菩薩開導百千衆生令
發阿耨多羅三藐三菩提心於其道意亦不
滅盡隨所說法而自增益一切善法是名无
盡燈也汝等雖住魔宫以是无盡燈令无數
天子天女發阿耨多羅三藐三菩提心者為
報佛恩亦大饒益一切衆生尒時天女頭面
礼維摩詰足隨魔還宫忽然不現世尊維摩
詰有如是自在神力智慧辯才故我不任詣
彼問疾
佛告長者子善德汝行詣維摩詰問疾善德
白佛言世尊我不堪任詣彼問疾所以者何
憶念我昔自於父舍設大施會供養一切沙
門婆羅門及諸外道貧窮下賤孤獨乞人期
滿七日時維摩詰來入會中謂我言長者子
夫大施會不當如汝所設當為法施之會何用
是財施會為我言居士何謂法施之會法
施會者无前无後一時供養一切衆生是名
法施之會曰何謂也謂以菩提起於慈心以

BD00938 號　維摩詰所說經卷上　（7–4）

夫大施會不當如汝所設當為法施之會何用
是財施會為我言居士何謂法施之會法
施會者无前无後一時供養一切衆生是名
法施之會曰何謂也謂以菩提起於慈心以
救衆生起大悲心以治正法起於喜心以攝
智慧行於捨心以攝慳貪起檀波羅蜜以化
犯戒起尸波羅蜜以无我法起羼提波羅蜜
以離身心相起毗梨耶波羅蜜以菩提相起
禪波羅蜜以一切智起般若波羅蜜以化衆
生而起於空不捨有為法而起无相示現受
生而起无作護持正法起方便力以度衆生
起四攝法以敬事一切起除慢法於身命財
起三堅法於六念中起思念法於六和起質
直心正行善法起於淨命心淨歡喜起近賢
聖不憎惡人起調伏心以出家法起於深心
以如說行起於多聞以无諍法起空閑處趣
向佛慧起於宴坐解衆生縛起脩行地以具
相好及淨佛土起福德業知一切衆生心念
如應說法起於智業知一切法不取不捨入
一相門起於慧業斷一切煩惱一切鄣閡一
切不善法起一切善業以得一切智慧一切
善法起於一切助佛道法如是善男子是為
法施之會若菩薩住是法施會者為大施主
亦為一切世間福田世尊維摩詰說是法時
婆羅門衆中二百人皆發阿耨多羅三藐三
菩提心我時心得清淨歎未曾有稽首礼維

BD00938 號　維摩詰所說經卷上　（7–5）

一相門起於慧業斷一切煩惱一切鄣閡一
切不善法起一切善業以得一切智慧一切
善法起於一切助佛道法如是善男子是為
法施之會若菩薩住是法施會者為大施主
亦為一切世間福田世尊維摩詰說是法時
婆羅門衆中二百人皆發阿耨多羅三藐三
菩提心我時心得清淨嘆未曾有稽首礼維
摩詰足即解瓔珞價直百千以上之不肯取
我言居士願必納受隨意所與維摩詰乃受
瓔珞分作二分持一分施此會中一最下乞
人持一分奉彼難勝如來一切衆會皆見光明
國土難勝如來又見珠瓔在彼佛上變成四
柱寶臺四面嚴飾不相鄣蔽時維摩詰現神
變已作是言若施主等心施一最下乞人猶
如如來福田之相無所分別等于大悲不求
果報是則名曰具足法施城中一最下乞人
見是神力聞其所說皆發阿耨多羅三藐三
菩提心故我不任詣彼問疾如是諸菩薩各
各向佛說其本緣稱述維摩詰　所言皆曰
不任詣彼問疾

維摩詰經卷上

BD00938號　維摩詰所說經卷上　（7–6）

見是神力聞其所說皆發阿耨多羅三藐三
菩提心故我不任詣彼問疾如是諸菩薩各
各向佛說其本緣稱述維摩詰　所言皆曰
不任詣彼問疾

維摩詰經卷上

BD00938號　維摩詰所說經卷上　（7–7）

…三菩…佛告藥王
又如來滅度之後若有人聞妙法華經乃至
一偈一句一念隨喜者我亦與受阿耨多羅三
藐三菩提記若復有人受持讀誦解說書
寫妙法華經乃至一偈於此經卷敬視如佛
種種供養華香瓔珞抹香塗香燒香繒蓋
幢幡衣服伎樂乃至合掌恭敬藥王當知是
諸人等已曾供養十万億佛於諸佛所成就大
…藥王…
…佛…是諸人等於
未來世必得作佛何以故若善男子善女人
於法華經乃至一句受持讀誦解說書寫種
種供養經卷華香瓔珞抹香塗香燒香繒蓋
幢幡衣服伎樂合掌恭敬是人一切世間所應
瞻奉應以如來供養而供養之當知此人是
大菩薩成就阿耨多羅三藐三菩提哀愍
…願生此間廣演分別妙法華經何況盡
…於…
…愍衆生故生於惡世廣

BD00939號　妙法蓮華經卷四　　（22–1）

大菩薩成就阿耨多羅三藐三菩提哀愍
…願生此間廣演分別妙法華經何況盡
…於…
…愍衆生故生於惡世廣
演此經若是善男子善女人我滅度後能竊
為一人說法華經乃至一句當知是人則如來使
如來所遣行如來事何況於大衆中廣為
人說藥王若有惡人以不善心於一劫中現於
佛前常毀罵佛其罪尚輕若人以一惡言毀
呰在家出家讀誦法華經者其罪甚重藥王
…讀誦法華經者當知是人以佛莊嚴
…至方
…者敬供養尊重讚歎華
香瓔珞抹香塗香燒香繒蓋幢幡衣服餚饌
作諸伎樂人中上供而供養之應持天寶而
以散之天上寶聚應以奉獻所以者何是人
歡喜說法須臾聞之即得究竟阿耨多羅三
藐三菩提故爾時世尊欲重宣此義而說偈言
若欲住佛道　成就自然智　常當勤供養　受持法華者
…欲疾得　一切種智慧　當受持是經　并供持經者
…愍念諸衆生
…者　捨於清淨土　愍衆故生此
當知如是人　自在所欲生　能於此惡世　廣說無上法
應以天華香　及天寶衣服　天上妙寶聚　供養說法者
吾滅後惡世　能持是經者　當合掌禮敬　如供養世尊

BD00939號　妙法蓮華經卷四　　（22–2）

當知如是人自在所欲生能於此惡世廣說无上法
應以天華香及天寶衣服天上妙寶聚供養說法者
吾滅後惡世能持是經者當合掌礼敬如供養世尊
上饌衆甘美及種種衣服供養是佛子冀得須臾聞
若能於後世受持是經者我遣在人中行於如來事
若於一劫中常懷不善心作色而罵佛獲无量重罪
…法華經…罪復過彼
…合掌在我前以无數偈讚
由是讚佛故得无量功德歎美持經者其福復過彼
於八十億劫以最妙色聲及與香味觸供養持經者
如是供養已若得須臾聞則應自欣慶我今獲大利
藥王今告汝我所說諸經而於此經中法華最第一
尒時佛復告藥王菩薩摩訶薩我所說經典
无量千億已說今說當說而於其中此法華經
…信難解藥王此經是諸佛秘要之藏
…之所守護從
…此經者如來現在猶多怨
嫉况滅度後藥王當知如來滅後其能書持
讀誦供養為他人說者如來則為以衣覆
之又為他方現在諸佛之所護念是人有大
信力及志願力諸善根力當知是人與如來
共宿則為如來手摩其頭藥王在在處處
若說若讀若誦若書若經卷所住處皆
…高廣嚴飾不須復安舍利所以
…身此塔應以一切華

BD00939號　妙法蓮華經卷四　（22-3）

共宿則為如來手摩其頭藥王在在處處
若說若讀若誦若書若經卷所住處皆
…高廣嚴飾不須復安舍利所以
…身此塔應以一切華
香瓔珞繒蓋幢幡伎樂歌頌供養恭敬尊重
讚歎若有人得見此塔礼拜供養當知是等
皆近阿耨多羅三藐三菩提藥王多有人在家
出家行菩薩道若不能得見聞讀誦書持供
養是法華經者當知是人未善行菩薩道若
有得聞是經典者乃能善行菩薩之道其
有衆生求佛道者若見若聞是法華經聞
…近阿耨多羅三
…譬如有人渴之須水於彼高原
穿鑿求之猶見乾土知水尚遠施功不已轉
見濕土遂漸至泥其心決定知水必近菩薩亦
復如是若未聞未解未能修習是法華經
當知是人去阿耨多羅三藐三菩提尚遠若得
聞解思惟修習必知得近阿耨多羅三藐三
菩提所以者何一切菩薩阿耨多羅三藐三
…便門示真實相
…無人能到今佛教化
成就菩薩而為開示藥王若有菩薩聞是法
華經驚疑怖畏當知是為新發意菩薩若聲
聞人聞是經驚疑怖畏當知是為增上慢者
藥王若有善男子善女人如來滅後欲為四衆
說是法華經者云何應說是善男子善女之…

BD00939號　妙法蓮華經卷四　（22-4）

或説菩薩而為開示藥王若有菩薩聞是法
華經驚疑怖畏當知是為新發意菩薩若聲
聞人聞是經驚疑怖畏當知是為增上慢者
藥王若有善男子善女人如來滅後欲為四衆
説是法華經者云何應説是善男子善女人
入如來室著如來衣坐如來座尒乃應為四衆
廣説斯經如來室者一切衆生中大慈悲心
是如來座者一切
法空是安住是中然後以不懈怠心為諸
菩薩及四衆廣説是法華經藥王我於餘國
遣化人為其集聽法衆亦遣化比丘比丘尼
優婆塞優婆夷聽其説法是諸化人聞法信
受隨順不逆若説法者在空閑處我時廣遣
天龍鬼神乾闥婆阿脩羅等聽其説法我雖
在異國時時令説法者得見我身若於此經
具足尒時世尊欲重
宣此義而説偈言
欲捨諸懈怠　應當聽此經　是經難得聞　信受者亦難
如人渴須水　穿鑿於高原　猶見乾燥土　知去水尚遠
漸見濕土泥　決定知近水　藥王汝當知　如是諸人等
不聞法華經　去佛智甚遠　若聞是深經　決了聲聞法
是諸經之王　聞已諦思惟　當知此人等　近於佛智慧
若人説此經　應入如來室　著於如來衣　而坐如來座
慈悲為室　柔和忍辱衣
諸法空為座　處此為説法　若説此經時　有人惡口罵

若人説此經　應入如來室　著於如來衣　而坐如來座
慈悲為室　柔和忍辱衣
諸法空為座　處此為説法　若説此經時　有人惡口罵
加刀杖瓦石　念佛故應忍　我千万億土　現淨堅固身
於无量億劫　為衆生説法　若我滅度後　能説此經者
我遣化四衆　比丘比丘尼　及清信士女　供養於法師
引導諸衆生　集之令聽法　若人欲加惡　刀杖及瓦石
則遣變化人　為之作衛護　若説法之人　獨在空閑處
寂漠无人聲　讀誦此經典　我尒時為現　清淨光明身
人具是德　或為四衆説
空處讀誦經　皆得見我身　若人在空閑　我遣天龍王
夜叉鬼神等　為作聽法衆　是人樂説法　分別无罣礙
諸佛護念故　能令大衆喜　若親近法師　速得菩薩道
隨順是師學　得見恒沙佛
妙法蓮華經見寶塔品第十一
尒時佛前有七寶塔高五百由旬縱廣二百五
十由旬從地踊出住在空中種種寶物而莊校
之五千欄楯龕室千万无數幢幡以為嚴飾
垂寶瓔珞寶鈴万億而懸其上四面皆出多
摩羅跋栴檀之香充遍世界其諸幡蓋以金
銀瑠璃車𤦲馬碯真珠玫瑰七寶合成高至
四天王宮三十三天雨天曼陁羅華供養寶塔
餘諸天龍夜叉乾闥婆阿脩羅迦樓羅緊
那羅摩睺羅伽人非人等千万億衆以一切
蓋伎樂供養寶塔恭敬尊重
讚　中出大音聲歎言善哉善

餘諸天龍夜叉乾闥婆阿脩羅迦樓羅緊
那羅摩睺羅伽人非人等千万億衆以一切
…蓋伎樂供養寶塔恭敬尊重
讃…中出大音聲歎言善哉善
哉釋迦牟尼世尊能以平等大慧教菩薩法
佛所護念妙法華經為大衆說如是如是釋
迦牟尼世尊如所說者皆是真實尒時四衆見
大寶塔住在空中又聞塔中所出音聲皆得
法喜怪未曾有從座而起恭敬合掌却住
一面尒時有菩薩摩訶薩名大樂說知一切
世…所疑而白佛言世尊以
何因緣有此寶塔從地踊出又於其中發是
音聲尒時佛告大樂說菩薩此寶塔中有如
來全身乃往過去東方无量千万億阿僧祇世
界國名寶淨彼中有佛号曰多寶其佛行
菩薩道時作大誓願若我成佛滅度之後
於十方國土有說法華經處我之塔廟為聽
是經故踊現其前為作證明讃言善哉彼佛
成道…於天人大衆中告諸比丘
我滅度後欲供養我全身者應起一大塔其
佛以神通願力十方世界在在處處若有說
法華經者彼之寶塔皆踊出其前全身在於
塔中讃言善哉善哉大樂說今多寶如來
塔聞說法華經故從地踊出讃言善哉善
哉是時大樂說菩薩以如來神力故白佛言
世尊…身佛告大樂說菩薩

塔中讃言善哉善哉大樂說今多寶如來
塔聞說法華經故從地踊出讃言善哉善
哉是時大樂說菩薩以如來神力故白佛言
世尊…身佛告大樂說菩薩
摩訶薩是多寶佛有深重願若我寶塔為
聽法華經故出於諸佛前時其有欲以我身示
四衆者彼佛分身諸佛在於十方世界說法盡
還集一處然後我身乃出現耳大樂說我分
身諸佛在於十方世界說法者今應當集大
樂說白佛言世尊我等亦願欲見世尊分身
諸佛礼拜供養尒時佛放白毫一光即見東
方…恒河沙等國土諸佛彼諸
國土皆以頗梨為地寶樹寶衣以為莊嚴
無數千万億菩薩充滿其中遍張寶幔寶
網羅上彼國諸佛以大妙音而說諸法及見无
量千万億菩薩遍滿諸國為衆說法南西北
方四維上下白毫相光所照之處亦復如是
尒時十方諸佛各告衆菩薩言善男子我今應
往娑婆…牟尼佛所并供養多寶如
來寶塔時娑婆世界即變清淨瑠璃為地
寶樹莊嚴黃金為繩以界八道无諸聚落村
營城邑大海江河山川林藪燒大寶香曼陀羅
華遍布其地以寶網幔羅覆其上懸諸寶
鈴唯留此會衆移諸天人置於他土是時諸佛
各將一大菩薩以為侍者至娑婆世界各到

營城邑大海江河山川林藪燒大寶香曼陀羅
華遍布其地以寶網幔羅覆其上懸諸寶
鈴唯留此會衆移諸天人置於他土是時諸佛
各將一大菩薩以爲侍者至娑婆世界各到
寶樹下[illegible]樹高五百由旬枝葉華菓次第
莊嚴諸寶樹下皆有師子之座高五由旬亦
以大寶而校飾之尒時諸佛各於此座結
跏趺坐如是展轉遍滿三千大千世界而於
釋迦牟尼佛一方所分之身猶故未盡時釋
迦牟尼佛欲容受所分身諸佛故八方各
更變二百万億那由他國皆令清淨无有地
獄餓鬼畜生及阿脩羅又移諸天人置於他
土所化之國亦以瑠璃爲地寶樹莊嚴樹高
五百由旬枝葉華菓次第嚴飾樹下皆有寶
師子座高五由旬種種諸寶以爲莊校亦无
大海江河及目真隣陀山摩訶目真隣陀山
鐵圍山大鐵圍山須彌山等諸山王通爲一
佛國土寶地平正寶交露幔遍覆其上懸諸
幡蓋燒大寶香諸天寶華遍布其地釋迦牟
尼佛爲諸佛當來坐故復於八方各變二百
萬億那由他國皆令清淨无有地獄餓鬼畜
生及阿脩羅又移諸天人置於他土所化之
國亦以瑠璃爲地寶樹莊嚴樹高五百由旬
枝葉華菓次第莊嚴樹下皆有寶師子座
高五由旬亦以大寶而校飾之亦无大海江河
及目真隣陀山摩訶目真隣陀山鐵圍山大

BD00939 號　妙法蓮華經卷四　（22–9）

生及阿脩羅又移諸天人置於他土所化之
國亦以瑠璃爲地寶樹莊嚴樹高五百由旬
枝葉華菓次第莊嚴樹下皆有寶師子座
高五由旬亦以大寶而校飾之亦无大海江河
及目真隣陀山摩訶目真隣陀山鐵圍山大
鐵圍山須彌山等諸山王通爲一佛國土寶
地平正寶交露幔遍覆其上懸諸幡蓋燒
大寶香諸天寶華遍布其地尒時東方釋迦
牟尼所分之身百千万億那由他恒河沙等國土
中諸佛各各說法來集於此如是次第十方
諸佛皆悉來集坐於八方尒時一一方四百万
億那由他國土諸佛如來遍滿其中是時諸
佛各在寶樹下坐師子座皆遣侍者問訊
釋迦牟尼佛各齎寶華滿掬而告之言善
男子汝往詣耆闍崛山釋迦牟尼佛所如我
辭曰少病少惱氣力安樂及菩薩聲聞衆
悉安隱不以此寶華散佛供養而作是言彼
某甲佛與欲開此寶塔諸佛遣使亦復如是
尒時釋迦牟尼佛見所分身佛悉已來集各
各坐於師子之座皆聞諸佛與欲同開寶塔即
從座起住虛空中一切四衆起立合掌一心
觀佛於是釋迦牟尼佛以右指開七寶塔
戶出大音聲如却關鑰開大城門即時一切
衆會皆見多寶如來於寶塔中坐師子座全
身不散如入禪定又聞其言善哉善哉釋迦
牟尼佛快說是法華經我爲聽是經故而來至

BD00939 號　妙法蓮華經卷四　（22–10）

衆會皆見多寶如來於寶塔中坐師子座全
身不散如入禪定又聞其言善哉善哉釋迦
牟尼佛快說是法華經我爲聽是經故而來至
此尒時四衆等見過去无量千万億劫滅度佛
說如是言歎未曾有以天寶華聚散多寶佛
及釋迦牟尼佛上尒時多寶佛於寶塔中
分半座與釋迦牟尼佛而作是言釋迦牟尼佛
可就此座即時釋迦牟尼佛入其塔中坐其
半座結加趺坐尒時大衆見二如來在七寶
塔中師子座上結加趺坐各作是念佛座高
遠唯願如來以神通力令我等輩俱處虛空
即時釋迦牟尼佛以神通力接諸大衆皆
在虛空以大音聲普告四衆誰能於此娑婆
國土廣說妙法華經今正是時如來不久當入
涅槃佛欲以此妙法華經付囑有在尒時世
尊欲重宣此義而說偈言
聖主世尊 雖久滅度 在寶塔中 尚爲法來
諸人云何 不勤爲法 此佛滅度 无央數劫
處處聽法 以難遇故 彼佛本願 我滅度後
在在所往 常爲聽法 又我分身 无量諸佛
如恒沙等 來欲聽法 及見滅度 多寶如來
各捨妙土 及弟子衆 天人龍神 諸供養事
令法久住 故來至此 爲坐諸佛 以神通力
移无量衆 令國清淨 諸佛各各 詣寶樹下
如清淨池 蓮華莊嚴 其寶樹下 諸師子座
佛坐其上 光明嚴飾 如夜闇中 然大炬火

BD00939號　妙法蓮華經卷四

（22–11）

各捨妙土 及弟子衆 天人龍神 諸供養事
令法久住 故來至此 爲坐諸佛 以神通力
移无量衆 令國清淨 諸佛各各 詣寶樹下
如清淨池 蓮華莊嚴 其寶樹下 諸師子座
佛坐其上 光明嚴飾 如夜闇中 然大炬火
身出妙香 遍十方國 衆生蒙薰 喜不自勝
譬如大風 吹小樹枝 以是方便 令法久住
告諸大衆 我滅度後 誰能護持 讀說斯經
今於佛前 自說誓言 其多寶佛 雖久滅度
以大誓願 而師子吼 多寶如來 及與我身
所集化佛 當知此意 諸佛子等 誰能護法
當發大願 令得久住 其有能護 此經法者
則爲供養 我及多寶 此多寶佛 處於寶塔
常遊十方 爲是經故 亦復供養 諸來化佛
莊嚴光飾 諸世界者 若說此經 則爲見我
多寶如來 及諸化佛 諸善男子 各諦思惟
此爲難事 宜發大願 諸餘經典 數如恒沙
雖說此等 未足爲難 若接須彌 擲置他方
无數佛土 亦未爲難 若以足指 動大千界
遠擲他國 亦未爲難 若立有頂 爲衆演說
无量餘經 亦未爲難 若佛滅後 於惡世中
能說此經 是則爲難 假使有人 手把虛空
而以遊行 亦未爲難 於我滅後 若自書持
若使人書 是則爲難 若以大地 置足甲上
昇於梵天 亦未爲難 佛滅度後 於惡世中
暫讀此經 是則爲難 假使劫燒 擔負乾草
入中不燒 亦未爲難 我滅度後 若持此經

BD00939號　妙法蓮華經卷四

（22–12）

而以遊行 亦未為難 於我滅後 若自書持
若使人書 是則為難 若以大地 置足甲上
昇於梵天 亦未為難 佛滅度後 於惡世中
暫讀此經 是則為難 假使劫燒 擔負乾草
入中不燒 亦未為難 我滅度後 若持此經
為一人說 是則為難 若持八万 四千法藏
十二部經 為人演說 令諸聽者 得六神通
雖能如是 亦未為難 於我滅後 聽受此經
問其義趣 是則為難 若人說法 令千万億
无量无數 恒沙衆生 得阿羅漢 具六神通
雖有是益 亦未為難 於我滅後 若能奉持
如斯經典 是則為難 我為佛道 於无量土
從始至今 廣說諸經 而於其中 此經第一
若有能持 則持佛身 諸善男子 於我滅後
誰能護持 讀誦此經 今於佛前 自說誓言
此經難持 若暫持者 我則歡喜 諸佛亦然
如是之人 諸佛所歎 是則勇猛 是則精進
是名持戒 行頭陀者 則為疾得 无上佛道
能於來世 讀持此經 是真佛子 住淳善地
佛滅度後 能解其義 是諸天人 世間之眼
於恐畏世 能須臾說 一切天人 皆應供養

妙法蓮華經提婆達多品第十二

尒時佛告諸菩薩及天人四衆 吾於過去无
量劫中求法華經无有懈惓 於多劫中常作
國王發願求於无上菩提心不退轉 為欲滿

妙法蓮華經提婆達多品第十二

尒時佛告諸菩薩及天人四衆 吾於過去无
量劫中求法華經无有懈惓 於多劫中常作
國王發願求於无上菩提心不退轉 為欲滿
足六波羅蜜勤行布施 心无悋惜 象馬七珍
國城妻子奴婢僕從 頭目髓腦 身肉手足 不
惜軀命 時世人民壽命无量 為於法故 捐捨
國位 委政太子 擊鼓宣令 四方求法 誰能為我
說大乘者 吾當終身供給走使 時有仙人來
白王言 我有大乘 名妙法華經 若不違我 當為
宣說 王聞仙言 歡喜踊躍 即隨仙人 供給所
須 採菓汲水 拾薪設食 乃至以身而為牀
座 身心无惓 于時奉事 經於千歲 為於法故
精勤給侍 令无所乏 尒時世尊欲重宣此義
而說偈言
我念過去劫 為求大法故 雖作世國王 不貪五欲樂
椎鍾告四方 誰有大法者 若為我解說 身當為奴僕
時有阿私仙 來白於大王 我有微妙法 世間所希有
若能修行者 吾當為汝說 時王聞仙言 心生大喜悅
即便隨仙人 供給於所須 採薪及菓蓏 隨時恭敬與
情存妙法故 身心无懈惓 普為諸衆生 勤求於大法
亦不為己身 及以五欲樂 故為大國王 勤求獲此法
遂致得成佛 今故為汝說
佛告諸比丘 尒時王者 則我身是 時仙人者
今提婆達多是 由提婆達多善知識故 令我
具足六波羅蜜 慈悲喜捨 三十二相 八十種

逮致得成佛今故為汝說
佛告諸比丘尒時王者則我身是時仙人者
今提婆達多是由提婆達多善知識故令我
具足六波羅蜜慈悲喜捨三十二相八十種
好紫磨金色十力四无所畏四攝法十八不
共神通道力成等正覺廣度衆生皆因提婆
達多善知識故告諸四衆提婆達多却後過
无量劫當得成佛号曰天王如來應供正遍
知明行足善逝世間解无上士調御丈夫天
人師佛世尊世界名天道時天王佛住世二
十中劫廣為衆生說於妙法恒河沙衆生得
阿羅漢果无量衆生發緣覺心恒河沙衆生
發无上道心得无生忍至不退轉時天王佛般
涅槃後正法住世二十中劫全身舍利起七
寶塔高六十由旬縱廣四十由旬諸天人民
悉以雜華末香燒香塗香衣服瓔珞幢幡寶
蓋伎樂歌頌礼拜供養七寶妙塔无量衆
生得阿羅漢无量衆生悟辟支佛不可思議
衆生發菩提心至不退轉佛告諸比丘未來
世中若有善男子善女人得聞妙法蓮華經
提婆達多品淨心信敬不生疑惑者不墮地
獄餓鬼畜生生十方佛前所生之處常聞此
經若生人天中受勝妙樂若在佛前蓮華化
生於時下方多寶世尊所從菩薩名曰智積
白多寶佛當還本土釋迦牟尼佛告智積曰
善男子且待須臾此有菩薩名文殊師利可

BD00939 號　妙法蓮華經卷四

（22–15）

經若生人天中受勝妙樂若在佛前蓮華化
生於時下方多寶世尊所從菩薩名曰智積
白多寶佛當還本土釋迦牟尼佛告智積曰
善男子且待須臾此有菩薩名文殊師利可
與相見論說妙法可還本土尒時文殊師利
坐千葉蓮華大如車輪俱來菩薩亦坐寶華
從於大海娑竭龍宮自然踊出住虛空中詣
靈鷲山從蓮華下至於佛所頭面敬礼二世
尊足修敬已畢往智積所共相慰問却坐
一面智積菩薩問文殊師利仁往龍宮所化衆
生其數幾何文殊師利言其數无量不可稱
計非口所宣非心所測且待須臾自當有證所
言未竟无數菩薩坐寶蓮華從海踊出詣
靈鷲山住在虛空此諸菩薩皆是文殊師利
之所化度具菩薩行皆共論說六波羅蜜本
聲聞人在虛空中說聲聞行今皆修行大乘
空義文殊師利謂智積曰於海教化其事如
是尒時智積菩薩以偈讚曰
大智德勇健　化度无量衆　今此諸大會　及我皆已見
演暢實相義　開闡一乘法　廣度諸羣生　令速成菩提
文殊師利言我於海中唯常宣說妙法華經
智積問文殊師利言此經甚深微妙諸經中
寶世所希有頗有衆生勤加精進修行此經
速得佛不文殊師利言有娑竭羅龍王女年
始八歲智慧利根善知衆生諸根行業得陀

BD00939 號　妙法蓮華經卷四

（22–16）

智積問文殊師利言此經甚深微妙諸經中
寶世所希有頗有衆生勤加精進修行此經
速得佛不文殊師利言有娑竭羅龍王女年
始八歲智慧利根善知衆生諸根行業得陁
羅尼諸佛所說甚深祕藏悉能受持深入禪
定了達諸法於刹那頃發菩提心得不退轉
辯才无礙慈念衆生猶如赤子功德具足心念
口演微妙廣大慈悲仁讓志意和雅能至
菩提智積菩薩言我見釋迦如來於无量
劫難行苦行積功累德求菩薩道未曾止息
觀三千大千世界乃至无有如芥子許非是
菩薩捨身命處爲衆生故然後乃得成菩提
道不信此女於須臾頃便成正覺言論未訖時
龍王女忽現於前頭面礼敬却住一面以偈
讚曰
深達罪福相　遍照於十方　微妙淨法身　具相三十二
以八十種好　用莊嚴法身　天人所戴仰　龍神咸恭敬
一切衆生類　无不宗奉者　又聞成菩提　唯佛當證知
我闡大乘教　度脫苦衆生
時舍利弗語龍女言汝謂不久得无上道是
事難信所以者何女身垢穢非是法器云何
能得无上菩提佛道懸曠經无量劫勤苦積
行具修諸度然後乃成又女人身猶有五障
一者不得作梵天王二者帝釋三者魔王
四者轉輪聖王五者佛身云何女身速得
成佛尒時龍女有一寶珠價直三千……

能得无上菩提佛道懸曠經无量劫勤苦積
行具修諸度然後乃成又女人身猶有五障
一者不得作梵天王二者帝釋三者魔王
四者轉輪聖王五者佛身云何女身速得
成佛尒時龍女有一寶珠價直三千大千世
界持以上佛佛即受之龍女謂智積菩薩尊
者舍利弗言我獻寶珠世尊納受是事疾不
答言甚疾女言以汝神力觀我成佛復速於此
當時衆會皆見龍女忽然之間變成男子具
菩薩行即往南方无垢世界坐寶蓮華成等正
覺三十二相八十種好普爲十方一切衆生演
說妙法尒時娑婆世界菩薩聲聞天龍八
部人與非人皆遥見彼龍女成佛普爲時會
人天說法心大歡喜悉遥敬礼无量衆生聞
法解悟得不退轉无量衆生得受道記无垢
世界六反震動娑婆世界三千衆生住不退
地三千衆生發菩提心而得受記智積菩薩
及舍利弗一切衆會嘿然信受
妙法蓮華經持品第十三
尒時藥王菩薩摩訶薩及大樂說菩薩摩訶
薩與二萬菩薩眷屬俱皆於佛前作是誓言
唯願世尊不以爲慮我等於佛滅後當奉持
讀誦說此經典後惡世衆生善根轉少多增
上慢貪利供養增不善根遠離解脫雖難
可教化我等當起大忍力讀誦此經持說書
寫種種供養不惜身命尒時衆中五百阿
羅漢得受記者白佛言世尊我等亦自誓言

讀誦說此經典後惡世衆生善根轉少多增
上慢貪利供養增不善根遠離解脫雖難
可教化我等當起大忍力讀誦此經持說書
寫種種供養不惜身命尒時衆中五百阿
羅漢得受記者白佛言世尊我等亦自誓
願於異國土廣說此經復有學八千人得受
記者從座而起合掌向佛作是誓言世尊我
等亦當於他國土廣說此經所以者何是娑婆
國中人多弊惡懷增上慢功德淺薄瞋濁
諂曲心不實故尒時佛姨母摩訶波闍波提比
丘尼與學无學比丘尼六千人俱從座而起
一心合掌瞻仰尊顏目不暫捨於時世尊告
憍曇彌何故憂色而視如來汝心將无謂我
不說汝名授阿耨多羅三藐三菩提記耶憍
曇彌我先惣說一切聲聞皆已授記今汝欲
知記者將來之世當於六万八千億諸佛法
中為大法師及六千學无學比丘尼俱為法
師汝如是漸漸具菩薩道當得作佛号一
切衆生憙見如來應供正遍知明行足善逝
世間解无上士調御丈夫天人師佛世尊憍
曇彌是一切衆生憙見佛及六千菩薩轉次
授記得阿耨多羅三藐三菩提尒時羅睺
羅母耶輸陁羅比丘尼作是念世尊於授記中
獨不說我名佛告耶輸陁羅汝於來世百万億
諸佛法中脩菩薩行為大法師漸具佛道
於善國中當得作佛号具足千万光相如來

授記得阿耨多羅三藐三菩提尒時羅睺
羅母耶輸陁羅比丘尼作是念世尊於授記中
獨不說我名佛告耶輸陁羅汝於來世百万億
諸佛法中脩菩薩行為大法師漸具佛道
於善國中當得作佛号具足千万光相如來
應供正遍知明行足善逝世間解无上士調
御丈夫天人師佛世尊佛壽无量阿僧祇劫
尒時摩訶波闍波提比丘尼及耶輸陁羅比
丘尼并其眷属皆大歡喜得未曾有即於佛
前而說偈言
世尊導師　安隱天人　我等聞記　心安具足
諸比丘尼說是偈已白佛言世尊我等亦
能於他方國土廣宣此經尒時世尊視八十
万億那由他諸菩薩摩訶薩是諸菩薩皆
是阿惟越致轉不退法輪得諸陁羅尼即從
座起至於佛前一心合掌而作是念若世尊告
勅我等持說此經者當如佛教廣宣斯法復
作是念佛今嘿然不見告勅我當云何時諸
菩薩敬順佛意并欲自滿本願便於佛前作
師子吼而發誓言世尊我等於如來滅後周
旋往反十方世界能令衆生書寫此經受持
讀誦解說其義如法脩行正憶念皆是佛之
威力唯願世尊在於他方遥見守護即時諸
菩薩俱同發聲而說偈言
唯願不為慮　於佛滅度後　恐怖惡世中　我等當廣說
有諸无智人　惡口罵詈等　及加刀杖者　我等皆當忍

…能令衆生書寫此經受持
讀誦解說其義如法修行正憶念皆是佛之
威力唯願世尊在於他方遥見守護即時諸
菩薩俱同發聲而說偈言
唯願不為慮　於佛滅度後　恐怖惡世中　我等當廣說
有諸无智人　惡口罵詈等　及加刀杖者　我等皆當忍
惡世中比丘　邪智心諂曲　未得謂為得　我慢心充滿
或有阿練若　納衣在空閑　自謂行真道　輕賤人間者
貪著利養故　與白衣說法　為世所恭敬　如六通羅漢
是人懷惡心　常念世俗事　假名阿練若　好出我等過
而作如是言　此諸比丘等　為貪利養故　說外道論議
自作此經典　誑惑世間人　為求名聞故　分別於是經
常在大衆中　欲毀我等故　向國王大臣　婆羅門居士
及餘比丘衆　誹謗說我惡　謂是邪見人　說外道論議
我等敬佛故　悉忍是諸惡　為斯所輕言　汝等皆是佛
如此輕慢言　皆當忍受之　濁劫惡世中　多有諸恐怖
惡鬼入其身　罵詈毀辱我　我等敬信佛　當著忍辱鎧
為說是經故　忍此諸難事　我不愛身命　但惜无上道
我等於來世　護持佛所囑　世尊自當知　濁世惡比丘
不知佛方便　隨宜所說法　惡口而顰蹙　數數見擯出
遠離於塔寺　如是等衆惡　念佛告勅故　皆當忍是事
諸聚落城邑　其有求法者　我皆到其所　說佛所囑法
我是世尊使　處衆无所畏　我當善說法　願佛安隱住
我於世尊前　諸來十方佛　發如是誓言　佛自知我心

妙法蓮華經卷第四

BD00939 號　妙法蓮華經卷四　（22–21）

如此輕慢言　皆當忍受之　濁劫惡世中　多有諸恐怖
惡鬼入其身　罵詈毀辱我　我等敬信佛　當著忍辱鎧
為說是經故　忍此諸難事　我不愛身命　但惜无上道
我等於來世　護持佛所囑　世尊自當知　濁世惡比丘
不知佛方便　隨宜所說法　惡口而顰蹙　數數見擯出
遠離於塔寺　如是等衆惡　念佛告勅故　皆當忍是事
諸聚落城邑　其有求法者　我皆到其所　說佛所囑法
我是世尊使　處衆无所畏　我當善說法　願佛安隱住
我於世尊前　諸來十方佛　發如是誓言　佛自知我心

妙法蓮華經卷第四

BD00939 號　妙法蓮華經卷四　（22–22）

法如如如如智攝一切此
復次善男子一切諸佛
自利益者是法如如利益
於自他利益之事而得自
用故是故分別一切佛法有
差別善男子譬如依止
惱說種種業因種種果報如是於
智說種種佛法說種種獨覺法
聞法依法如如依如如智一切佛法自在成
就是為第一不可思議譬如畫空作莊嚴具
是難思議如是依法如如依如如智成就佛
法亦難思議善男子云何法如如如如智二
無分別而得自在事業成就善男子譬如如
來入於涅槃願自在故種種事業皆得成就
法如如如如智自在事成亦復如是
復次菩薩摩訶薩入无心定依前願力從禪
定起作衆事業如是二法无有分別自在事
成善男子譬如日月無有分別亦如水鏡無

BD00940號　金光明最勝王經卷二　（6–1）

法亦難思議善男子云何法如如如如智二
無分別而得自在事業成就善男子譬如如
來入於涅槃願自在故種種事業皆得成就
法如如如如智自在事成亦復如是
復次菩薩摩訶薩入无心定依前願力從禪
定起作衆事業如是二法无有分別自在事
成善男子譬如日月無有分別亦如水鏡無
有分別光明亦無分別三種和合得有影生
如是法如如如如智亦無分別以願自在故
衆生有感現應化身如日月影和合出現
復次善男子譬如无量无邊水鏡依於光故
空影得現種種異相空者即是無相善男子
如是受化諸弟子等是法身影以願力故於
二種身現種種相於法身地無有異相善男
子依此二身一切諸佛說有餘涅槃依此法
身說無餘涅槃何以故一切餘法究竟盡故
依此三身一切諸佛說無住處涅槃為二身
故不住涅槃離於法身無有別佛何故二身
不住涅槃二身假名不實念念生滅不定住
故數數出現以不定故法身不尒是故二身
不住涅槃法身不二是故不住涅槃故依三
身說無住涅槃
善男子一切凡夫為三相故有縛有障遠離
三身不至三身何者為三一者遍計所執相
二者依他起相三者成就相如是諸相不能
解故不能滅故不能淨故是故不得至於三
身如是三相能解能滅能淨故是故諸佛具
足三身善男子諸凡夫人未能除遣此三心

BD00940號　金光明最勝王經卷二　（6–2）

二者依他起相三者成就相如是諸相不能
解故不能滅故不能淨故是故不得至於三
身如是三相能解能滅能淨故是故諸佛具
足三身善男子諸凡夫人未能除遣此三心
故遠離三身不能得至何者為三一者起事
心二者依根本心三者根本心依諸伏道起事
心盡依法斷道依根本心盡依最勝道根本
心盡起事心滅故得現化身依根本心滅故
得顯應身根本心滅故得至法身是故一切如
來具足三身
善男子一切諸佛於第一身與諸佛同事於
第二身與諸佛同意於第三身與諸佛同體
善男子是初佛身隨衆生意有多種故現種
種相是故說多第二佛身弟子一意故現一
相是故說一第三佛身過一切種相非執相
境界是故說名不一不二善男子是第一身依
於應身得顯現故是第二身依於法身得
顯現故是法身者是真實有无依處故善
男子如是三身以有義故而說於常以有義
故說於無常化身者恒轉法輪處處隨緣方便
相續不斷絕故是故說常非是本故具足大
用不顯現故說為无常應身者從无始來相
續不斷一切諸佛不共之法能攝持故衆生无
盡用亦无盡是故說常非是本故以具足
用不顯現故說為无常法身者非是行法无
有異相是根本故猶如虛空是故說常善男
子離无分別智更无勝智離法如如无勝境

BD00940 號　金光明最勝王經卷二

（6–3）

續不斷一切諸佛不共之法能攝持故衆生无
盡用亦无盡是故說常非是本故以具足
用不顯現故說為无常法身者非是行法无
有異相是根本故猶如虛空是故說常善男
子離无分別智更无勝智離法如如无勝境
界是法如如是慧如如是二種如如如不一
不異是故法身慧清淨故滅清淨故是二
清淨是故法身具足清淨
復次善男子分別三身有四種異有化身非
應身有應身非化身有化身亦應身有非
化身亦非應身何者化身非應身謂諸如來
般涅槃後以願自在故隨緣利益是名化身何
者應身非化身是地前身何者化身亦應身
謂住有餘涅槃之身何者非化身非應身謂
是法身善男子是法身者二无所有所顯現
故何者名為二无所有於此法身相及相處
二皆是无非有非无非一非異非數非非數
非明非闇如是如如智不現相及相處不見
非有非无不見非一非異不見非數非非數
不見非明非闇是故當知境界清淨智慧清
淨不可分別无有中間為滅道本故於此法
身能顯如來種種事業
善男子是身因緣境界處所果依於本難思
議故若了此義是身即是大乘是如來性是
如來藏依於此身得發初心脩行地心而得顯
現不退地心亦皆得現一生補處心金剛之心
如來之心而悉顯現无量无邊如來妙法皆
悉顯現依此法身不可思議摩訶三昧而得顯

BD00940 號　金光明最勝王經卷二

（6–4）

如來藏依於此身得發初心脩行地心而得顯
現不退地心亦皆得現一生補處心金剛之心
如來之心而悉顯現无量无邊如來妙法皆
悉顯現依此法身不可思議摩訶三昧而得顯
現依此法身得現一切大智是故二身依於
三昧依於智慧而得顯現如此法身依於自
體說常說我依大三昧故說於樂依於大智
故說清淨是故如來常住自在安樂清淨依
大三昧一切禪定首楞嚴等一切念處大法
念等大慈大悲一切陀羅尼一切神通一切
自在一切法平等攝受如是佛法悉皆出現
依此大智十力四无所畏四无礙辯一百八
十不共之法一切希有不可思議法悉皆顯現
譬如依如意寶珠无量无邊種種珎寶悉
皆得現如是依大三昧寶依大智慧寶能出
種種无量无邊諸佛妙法善男子如是法身
三昧智慧過一切相不著於相不可分別非
常非斷是名中道雖有分別體无分別雖有
三數而无三體不增不減猶如夢幻亦无所執
亦无能執法體如如是解脫處過死王境
越生死闇一切衆生不能修行所不能至一
切諸佛菩薩之所住處善男子譬如有人願
欲得金處處求覓遂得金礦既得礦已即便
碎之擇取精者爐中銷鍊得清淨金隨意迴
轉作諸鐶釧種種嚴具雖有諸用金性不改
復次善男子若善男子善女人求勝解脫修行
世善得見如來及弟子衆得親近已白佛言

BD00940號　金光明最勝王經卷二　（6–5）

切諸佛菩薩之所住處善男子譬如有人願
欲得金處處求覓遂得金礦既得礦已即便
碎之擇取精者爐中銷鍊得清淨金隨意迴
轉作諸鐶釧種種嚴具雖有諸用金性不改
復次善男子若善男子善女人求勝解脫修行
世善得見如來及弟子衆得親近已白佛言
世尊何者為善何者不善何者正修得清淨
行諸佛如來及弟子衆見彼問時如是思
惟是善男子善女人欲求清淨欲聽正法即
便為說令其開悟彼既聞已正念憶持發心
修行得精進力[illegible]一切罪於諸學
處離不[illegible]初地依初地心
除利有情障得入二地於此地中除不逼惱障
入於三地於此地中除心軟淨障入於四地
於此地中除善方便障入於五地於此地中
除見真俗障入於六地於此地中除見行
相障入於七地於此地中除不見滅相障入

BD00940號　金光明最勝王經卷二　（6–6）

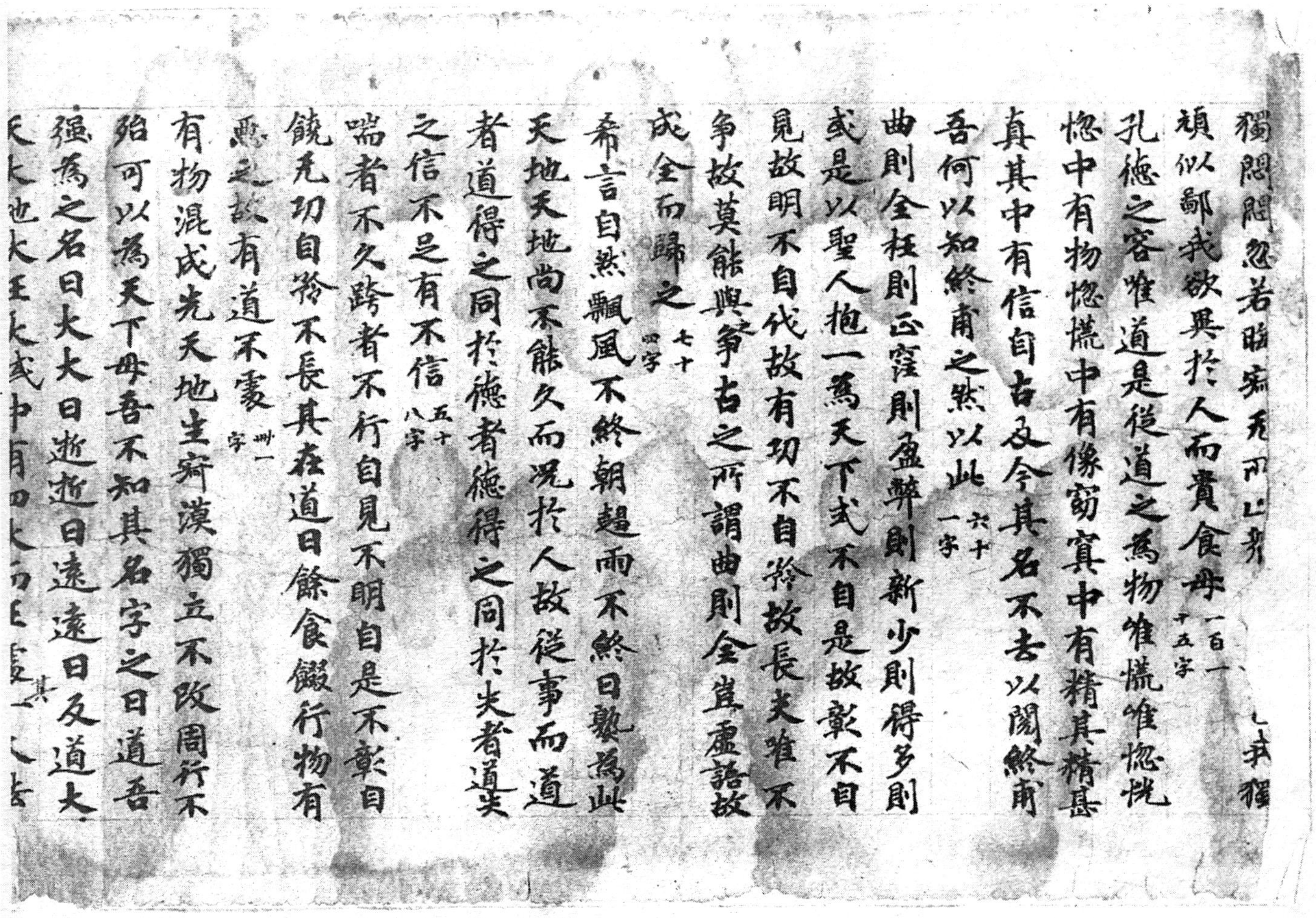
獨悶悶忽若晦寂无所止我獨
頑似鄙我欲異於人而貴食母 一百一十五字
孔德之容唯道是從道之爲物唯慌唯惚
惚中有物惚慌中有像窈冥中有精其精甚
真其中有信自古及今其名不去以閱終甫
吾何以知終甫之然以此 六十一字
曲則全枉則正窪則盈弊則新少則得多則
惑是以聖人抱一爲天下式不自是故彰不自
見故明不自伐故有功不自矜故長夫唯不
爭故莫能與爭古之所謂曲則全豈虛語故
成全而歸之 七十四字
希言自然飄風不終朝趍雨不終日孰爲此
天地天地尚不能久而况於人故從事而道
者道得之同於德者德得之同於失者道失
之信不足有不信 五十八字
喘者不久跨者不行自見不明自是不彰自
饒无功自矜不長其在道曰餘食餟行物有
惡之故有道不處 卌一字
有物混成先天地生寂漠獨立不改周行不
殆可以爲天下母吾不知其名字之曰道吾
強爲之名曰大大曰逝逝曰遠遠曰反道大
天大地大王大域中有四大而王處其一人法

BD00941 號　老子道德經五千文（甲本）　（2–1）

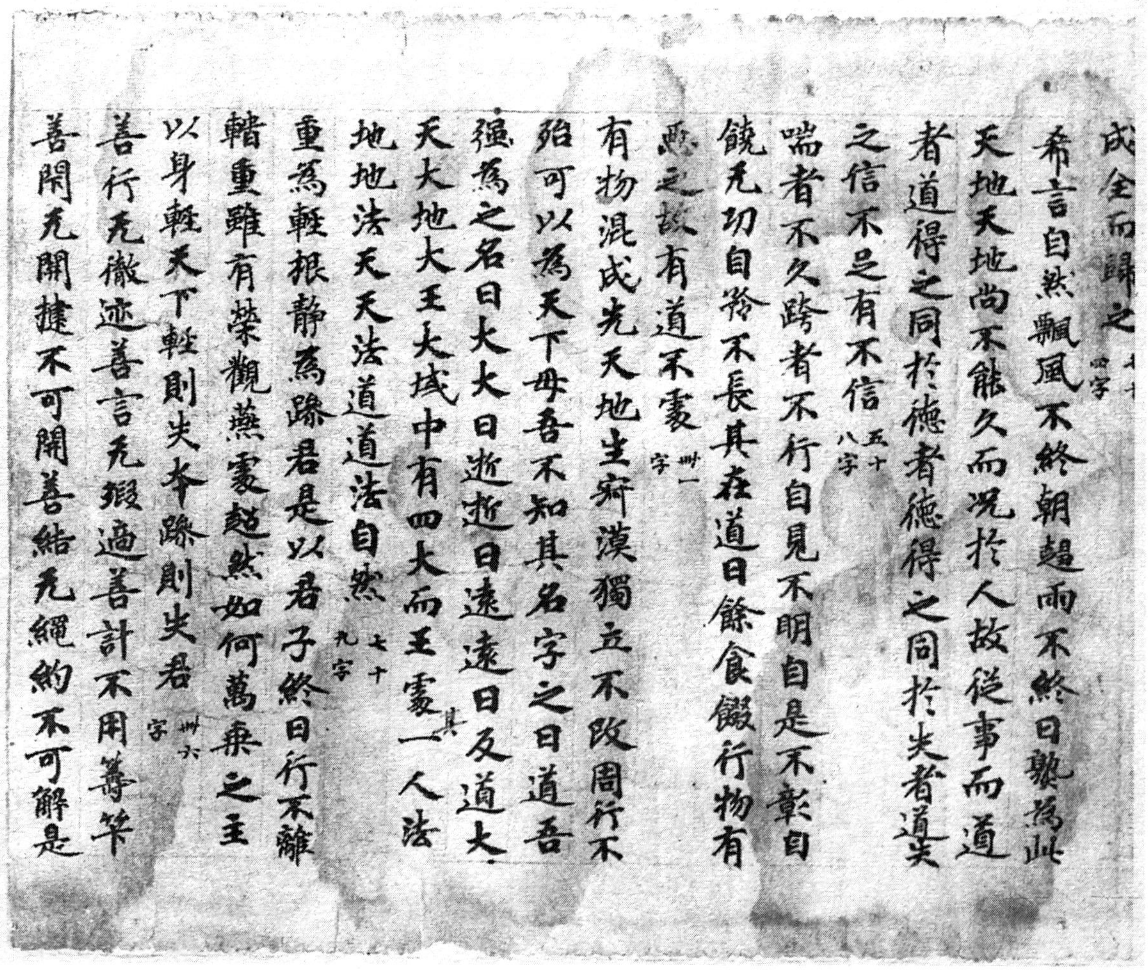
成全而歸之 七十四字
希言自然飄風不終朝趍雨不終日孰爲此
天地天地尚不能久而况於人故從事而道
者道得之同於德者德得之同於失者道失
之信不足有不信 五十八字
喘者不久跨者不行自見不明自是不彰自
饒无功自矜不長其在道曰餘食餟行物有
惡之故有道不處 卌一字
有物混成先天地生寂漠獨立不改周行不
殆可以爲天下母吾不知其名字之曰道吾
強爲之名曰大大曰逝逝曰遠遠曰反道大
天大地大王大域中有四大而王處其一人法
地地法天天法道道法自然 七十九字
重爲輕根靜爲躁君是以君子終日行不離
輜重雖有榮觀燕處超然如何萬乘之主
以身輕天下輕則失本躁則失君 卌六字
善行无徹迹善言无瑕適善計不用籌筭
善閉无關揵不可開善結无繩約不可解是

BD00941 號　老子道德經五千文（甲本）　（2–2）

等障爲具諸善法…
法身前二種身是假
有爲前二身而作相
分別智一切諸佛無有
具足一切煩惱究竟
故法如如如如智攝一切佛
復次善男子一切諸佛利益自他至
自利益者是法如如利益他者是如如智能
於自他利益之事而得自在成就種種無邊
用故是故分別一切佛法有無量無邊種種
差別善男子譬如依止妄想思惟說種種煩
惱說種種業因種種果報如是依法如如依
如如智說種種佛法說種種獨覺…
聞法依法如如依如如智一切佛法自…
是爲第一不可思議譬如畫空作
是難思議如是依法如如依如如智
法亦難思議善男子云何法如如如
無分別而得自在事業成就善男子
未入於涅槃願自在故種種事業皆

BD00942號　金光明最勝王經卷二　（19–1）

是爲第一不可思議譬如畫空作
是難思議如是依法如如依如如智
法亦難思議善男子云何法如如如
無分別而得自在事業成就善男子
未入於涅槃願自在故種種事業皆
法如如如如智自在事成亦復如是
復次菩薩摩訶薩入無心定依前願
定起作衆事業如是二法無有分別
成善男子譬如日月無有分別亦如水鏡無
有分別光明亦無分別三種和合得有影生
如是法如如如如智亦無分別以願自在故
衆生有感現應化身如日月影和合出現
復次善男子譬如無量無邊水鏡依於光故
空影得現種種異相空者即是無相…
如是受化諸弟子等是法身影以
二種身現種種相於法身地無有異相
子依此二身一切諸佛說有餘涅槃依此法
身說無餘涅槃何以故一切餘法究竟盡故
依此三身一切諸佛說無住處涅槃爲二身
故不住涅槃離於法身無有別佛何故二身
不住涅槃二身假名不實念念生滅不定住
故數數出現以不定故法身不尒是故二身
不住涅槃法身不二是故不住涅槃故依三
身說無住涅槃
善男子一切凡夫爲三相故有縛有障遠離
三身不至三身何者爲三一者遍計所執相
二者依他起相三者成就相如是諸相不能

BD00942號　金光明最勝王經卷二　（19–2）

不住涅槃法身不二是故不住涅槃故依三
身說無住涅槃
善男子一切凡夫為三相故有縛有障遠離
三身不至三身何者為三一者遍計所執相
二者依他起相三者成就相如是諸相不能
解故不能滅故不能淨故是故不得至於三
身如是三相能解能滅能淨故是故諸佛具
足三身善男子諸凡夫人未能除遣此三心
故遠離三身不能得至何者為三一者起事
心二者依根本心三者根本心依諸伏道起
事心盡依法斷道依根本心盡依最勝道根
本心盡起事心滅故得現化身依根本心滅
故得顯應身根本心滅故得至法身是故一
切如來具足三身
善男子一切諸佛於第一身與諸佛同事於
第二身與諸佛同意於第三身與諸佛同體
善男子是初佛身隨衆生意有多種故現
種種相是故說多第二佛身弟子一意故現一
相是故說一第三佛身過一切種相非執相
境界是故說名不一不二善男子是第一身
依於應身得顯現故是第二身依於法身得
顯現故是法身者是真實有無依處故善男
子如是三身以有義故而說於常以有義故
說於無常化身者恒轉法輪處處隨緣方便
相續不斷絶故是故說常非是本故具足大
用不顯現故說為無常應身者從無始來相

子如是三身以有義故而說於常以有義故
說於無常化身者恒轉法輪處處隨緣方便
相續不斷絶故是故說常非是本故具足大
用不顯現故說為無常應身者從無始來相
續不斷一切諸佛不共之法能攝持故衆生
無盡用亦無盡是故說常非是本故以具足
用不顯現故說為無常法身者非是行法
無有異相是根本故猶如虛空是故說常善
男子離無分別智更無勝智離法如如無勝境
界是法如如是慧如如是二種如如如如不
一不異是故法身慧清淨故滅清淨故是二
清淨是故法身具足清淨
復次善男子分別三身有四種異有化身非
應身有應身非化身有化身亦應身有非
化身亦非應身何者化身非應身謂諸如來般
涅槃後以願自在故隨緣利益是名化身何
者應身非化身是地前身何者化身亦應身
謂住有餘涅槃之身何者非化身非應身謂
是法身善男子是法身者二無所有所顯現
故何者名為二無所有於此法身相及相處
二皆是無非有非無非一非異非數非非數非
明非闇如是如如智不見相及相處不見
非有非無不見非一非異不見非數非非數
不見非明非闇是故當知境界清淨智慧清
淨不可分別無有中間為滅道本故於此法身
能顯如來種種事業

明非闇如如智不見相及相處不見
非有非無不見非一非異不見非數非非數
不見非明非闇是故當知境界清淨智慧清
淨不可分別無有中間為滅道本故於此法身
能顯如來種種事業
善男子是身因緣境界處所果依於本難思
議故若了此義是身即是大乘是如來性是
如來藏依於此身得發初心修行地心而得
顯現不退地心亦皆得現一生補處心金剛
之心如來之心而悉顯現無量無邊如來妙
法皆悉顯現依此法身不可思議摩訶三昧
而得顯現依此法身得現一切大智是故二
身依於三昧依於智慧而得顯現如此法身
依於自體說常說我依大三昧故說於樂依
於大智故說清淨是故如來常住自在安樂
清淨依大三昧一切禪定首楞嚴等一切念處
大法念等大慈大悲一切陀羅尼一切神通
一切自在一切法平等攝受如是佛法悉皆
出現依此大智十力四無所畏四無礙辯一
百八十不共之法一切希有不可思議法悉
皆顯現譬如依如意寶珠無量無邊種種
珍寶悉皆得現如是依大三昧寶依大智慧
寶能出種種無量無邊諸佛妙法善男子如
是法身三昧智慧過一切相不著於相不可
分別非常非斷是名中道雖有分別體無分
別雖有三數而無三體不增不減猶如夢幻
亦無所執亦無能執法體如如是解脫處過

BD00942 號　金光明最勝王經卷二　　（19–5）

是法身三昧智慧過一切相不著於相不可
分別非常非斷是名中道雖有分別體無分
別雖有三數而無三體不增不減猶如夢幻
亦無所執亦無能執法體如如是解脫處過
死王境越生死闇一切眾生不能修行所不
能至一切諸佛菩薩之所住處善男子譬如
有人願欲得金處處求覓遂得金鑛既得鑛
已即便碎之擇取精者爐中銷鍊得清淨金
隨意迴轉作諸鐶釧種種嚴具雖有諸用金
性不改
復次善男子若善男子善女人求勝解脫修
行世善得見如來及弟子眾得親近已白佛
言世尊何者為善何者不善何者正修得清
淨行諸佛如來及弟子眾見彼問時如是思
惟是善男子善女人欲求清淨欲聽正法即
便為說令其開悟彼既聞已正念憶持發心
修行得精進力除懶惰障滅一切罪於諸學
處離不尊重息掉悔心入於初地依初地心
除利有情障得入二地於此地中除不逼惱
障入於三地於此地中除心軟淨障入於四地
於此地中除善方便障入於五地於此地中
除見真俗障入於六地於此地中除見行
相障入於七地於此地中除不見滅相障入
於八地於此地中除不見生相障入於九地
於此地中除六通障入於十地於此地中除
所知障除根本心入如來地如來地者由三

BD00942 號　金光明最勝王經卷二　　（19–6）

相障入於七地於此地中除不見滅相障入
於八地於此地中除不見生相障入於九地
於此地中除六通障入於十地於此地中除
所知障除根本心入如來地如來地者由三
淨故名極清淨云何為三一者煩惱淨二者
苦淨三者相淨譬如真金鎔銷冶鍊既燒打
已無復塵垢為顯金性本清淨故金體清淨
非謂無金譬如濁水澄渟清淨無復滓穢為
顯水性本清淨故非謂無水如是法身與煩
惱雜苦集除已無復餘習為顯佛性本清淨
故非謂無體譬如虛空烟雲塵霧之所障蔽
若除屏已是空界淨非為無空如是法身一
切衆苦悉皆盡故說為清淨非謂無體譬如
有人於睡夢中見大河水漂泛其身運手動
足截流而渡得至彼岸由彼身心不懈退故
從夢覺已不見有水彼此岸別非謂無心生
死妄想既滅盡已是覺清淨非謂無覺如
是法界一切妄想不復生故說為清淨非是諸
佛無其實體
復次善男子是法身者惑障清淨能現應身
業障清淨能現化身智障清淨能現法身譬
如依空出電依電出光如是依法身故能現
應身依應身故能現化身由性淨故能現法
身智慧清淨能現應身三昧清淨能現化
身此三清淨是故如如不異如如一味如如解
脫如如究竟如如是故諸佛體無有異善男

復次善男子是法身者惑障清淨能現應身
業障清淨能現化身智障清淨能現法身譬
如依空出電依電出光如是依法身故能現
應身依應身故能現化身由性淨故能現法
身智慧清淨能現應身三昧清淨能現化
身此三清淨是故如如不異如如一味如如解
脫如如究竟如如是故諸佛體無有異善男
子若有善男子善女人說於如來是我大師
若作如是決定信者此人即應深心解了如
來之身無有別異善男子以是義故於諸境
界不正思惟悉皆除斷即知彼法無有二相
亦無分別聖所修行如如於彼無有二相正
修行故如是如是一切諸障悉皆除滅如如
一切障滅如是如是法如如如如智得最清
淨如如法界正智清淨如是如是一切自在
具足攝受皆得成就一切諸障悉皆除滅一
切諸障得清淨故是名真如正智真實之相
如是見者是名聖見是則名為真實見佛何
以故如實得見法真如故是故諸佛悉能普
見一切如來何以故聲聞獨覺已出三界求
真實境不能知見如是聖人所不知見一切
凡夫皆生疑惑顛倒分別不能得度如兔浮
海必不能過所以者何力微劣故凡夫之人
亦復如是不能通達法如如故然諸如來無
分別心於一切法得大自在具足清淨深智
慧故是自境界不共他故是故諸佛如來於

海必不能過所以者何力微劣故凡夫之人
亦復如是不能通達法如如故然諸如來無
分別心於一切法得大自在具足清淨深智
慧故是自境界不共他故是故諸佛如來於
無量無邊阿僧祇劫不惜身命難行苦行方
得此身最上無比不可思議過言說境是妙
寂靜離諸怖畏
善男子如是知見法真如者无生老死壽命
无限无有睡眠亦无飢渴心常在定无有散
動若於如來起諍論心是則不能見於如來
諸佛所說皆能利益有聽聞者无不解脫諸
惡禽獸惡人惡鬼不相逢值由聞法故果報
无盡然諸如來无无記事一切境界无欲知
心生死涅槃无有異想如來所說无不決定
諸佛如來四威儀中无非智攝一切諸法无
有不為慈悲所攝无有不為利益安樂諸衆
生者善男子若有善男子善女人於此金光
明經聽聞信解不墮地獄餓鬼傍生阿蘇羅
道常處人天不生下賤恒得親近諸佛如來
聽受正法常生諸佛清淨國土所以者何由
得聞此甚深法故是善男子善女人則為如
來已知已記當得不退阿耨多羅三藐三菩
提若善男子善女人於此甚深微妙之法一
經耳者當知是人不謗如來不毀正法不輕
聖衆一切衆生未種善根令得種故已種善
根令增長成熟故一切世界所有衆生皆勸

BD00942號　金光明最勝王經卷二　（19–9）

經耳者當知是人不謗如來不毀正法不輕
聖衆一切衆生未種善根令得種故已種善
根令增長成熟故一切世界所有衆生皆勸
修行六波羅蜜多
尒時虛空藏菩薩梵釋四王諸天衆等即從
座起偏袒右肩合掌恭敬頂佛足白佛言
世尊若所在處講說如是金光明王微妙經
典於其國土有四種利益何者為四一者國
王軍衆强盛无諸怨敵離於疾病壽命延長
吉祥安樂正法興顯二者中宮妃后王子諸
臣和悅无諍離於諂佞王所愛重三者沙門
婆羅門及諸國人修行正法无病安樂无枉
死者於諸福田悉皆修立四者於三時中四
大調適常為諸天增加守護慈悲平等无傷
害心令諸衆生歸敬三寶皆願修習菩提之
行是為四種利益之事世尊我等亦常為弘
經故隨逐如是持經之人所在住處為作利
益佛言善哉善哉善男子如是如是汝等應
當勤心流布此妙經王則令正法久住於世
金光明最勝王經夢見懺悔品第四
尒時妙幢菩薩親於佛前聞妙法已歡喜踊
躍一心思惟還至本處於夜夢中見大金鼓
光明晃耀猶如日輪於此光中得見十方无
量諸佛於寶樹下坐琉璃座无量百千大衆
圍繞而為說法見一婆羅門桴擊金鼓出大
音聲聲中演說微妙伽他明懺悔法妙幢聞

BD00942號　金光明最勝王經卷二　（19–10）

躍一心思惟還至本處於夜夢中見大金鼓
光明晃耀猶如日輪於此光中得見十方无
量諸佛於寶樹下坐琉璃座无量百千大衆
圍繞而為說法見一婆羅門桴擊金鼓出大
音聲聲中演說微妙伽他明懺悔法妙幢聞
已皆悉憶持繫念而住至天曉已與无量百
千大衆圍繞持諸供具出王舍城詣鷲峯山
至世尊所礼佛足已布設香花右繞三帀退
座一面合掌恭敬瞻仰尊顏白佛言世尊我
於夢中見婆羅門以手執桴擊妙金鼓出大
音聲聲中演說微妙伽他明懺悔法我皆憶
持唯願世尊降大慈悲聽我所說即於佛前
而說頌曰

我於昨夜中 夢見大金鼓 其形極姝妙 周遍有金光
猶如盛日輪 光明皆普耀 充滿十方界 咸見於諸佛
在於寶樹下 各處琉璃座 无量百千衆 恭敬而圍繞
有一婆羅門 以杖擊金鼓 於其鼓聲內 說此妙伽他

金光明鼓出妙聲 遍至三千大千界
能滅三塗極重罪 及以人中諸苦厄
由此金鼓聲威力 永滅一切煩惱障
斷除怖畏令安隱 譬如自在牟尼尊
佛於生死大海中 積行修成一切智
能令衆生覺品具 究竟咸歸功德海
由此金鼓出妙聲 普令聞者獲梵響
證得无上菩提果 常轉清淨妙法輪
住壽不可思議劫 隨機說法利群生
能斷煩惱衆苦流 貪瞋癡等皆除滅

BD00942 號　金光明最勝王經卷二　（19–11）

能令衆生覺品具 究竟咸歸功德海
由此金鼓出妙聲 普令聞者獲梵響
證得无上菩提果 常轉清淨妙法輪
住壽不可思議劫 隨機說法利群生
能斷煩惱衆苦流 貪瞋癡等皆除滅
若有衆生處惡趣 大火猛焰周遍身
若得聞是妙鼓音 即能離苦歸依佛
皆得成就宿命智 能憶過去百千生
悉皆正念牟尼尊 得聞如來甚深教
由聞金鼓勝妙音 常得親近於諸佛
悉能捨離諸惡業 純修清淨諸善品
一切天人有情類 慇重至誠祈願者
得聞金鼓妙音聲 能令所求皆滿足
衆生墮在无間獄 猛火炎熾苦焚身
无有救護處輪迴 聞者能令苦除滅
人天餓鬼傍生中 所有現受諸苦難
得聞金鼓發妙響 皆蒙離苦得解脫

現在十方界 常住兩足尊 願以大慈悲 哀愍憶念我
衆生无歸依 亦无有救護 為如是等類 能作大歸依
我先所作罪 極重諸惡業 今對十力前 至心皆懺悔
我不信諸佛 亦不敬尊親 不務修衆善 常造諸惡業
或自恃尊高 種姓及財位 盛年行放逸 常造諸惡業
心恒起邪念 口陳於惡言 不見於過罪 常造諸惡業
恒作愚夫行 无明闇覆心 隨順不善友 常造諸惡業
或因諸戲樂 或復懷憂惱 為貪瞋所纏 故我造諸惡
親近不善人 及由慳嫉意 貧窮行諂誑 故我造諸惡
雖不樂衆過 由有怖畏故 及不得自在 故我造諸惡

BD00942 號　金光明最勝王經卷二　（19–12）

[illegible]不善友 常造諸惡業
或因諸戲樂 或復懷憂惱 為貪瞋所纏 故我造諸惡
親近不善人 及由慳嫉意 貧窮行諂誑 故我造諸惡
雖不樂衆過 由有怖畏故 及不得自在 故我造諸惡
或為躁動心 或因瞋恚根 及以飢渴惱 故我造諸惡
由飲食衣服 及貪愛女人 煩惱火所燒 故我造諸惡
於佛法僧衆 不生恭敬心 作如是衆罪 我今悉懺悔
於獨覺菩薩 亦无恭敬心 作如是衆罪 我今悉懺悔
無知謗正法 不孝於父母 作如是衆罪 我今悉懺悔
由愚癡憍慢 及以貪瞋力 作如是衆罪 我今悉懺悔
我於十方界 供養无數佛 當願拔衆生 令離諸苦難
願一切有情 皆令住十地 福智圓滿已 成佛道群迷
我為諸衆生 苦行百千劫 以大智慧力 皆令出苦海
我為諸含識 演說甚深經 最勝金光明 能除諸惡業
若人百千劫 造諸極重罪 暫時能發露 衆惡盡消除
依此金光明 作如是懺悔 由斯能速盡 一切諸苦業
勝定百千種 不思議揔持 根力覺道支 修習常无倦
我當至十地 具足珎寶處 圓滿佛功德 濟度生死流
我於諸佛海 甚深功德藏 妙智難思議 皆令得具足
唯願十方佛 觀察護念我 皆以大悲心 哀受我懺悔
我於多劫中 所造諸惡業 由斯生苦惱 哀愍願消除
我造諸惡業 常生憂怖心 於四威儀中 曽无歡樂想
諸佛具大悲 能除衆生怖 願受我懺悔 令得離憂苦
我有煩惱障 及以諸報業 願以大悲水 洗濯令清淨
我先作諸罪 及現造惡業 至心皆發露 咸願得蠲除
未來諸惡業 防護令不起 設令有違者 終不敢覆藏
身三語四種 意業復有三 繫縛諸有情 无始恒相續

諸佛具大悲 能除衆生怖 願受我懺悔 令得離憂苦
我有煩惱障 及以諸報業 願以大悲水 洗濯令清淨
我先作諸罪 及現造惡業 至心皆發露 咸願得蠲除
未來諸惡業 防護令不起 設令有違者 終不敢覆藏
身三語四種 意業復有三 繫縛諸有情 无始恒相續
由斯三種行 造作十惡業 如是衆多罪 我今皆懺悔
我造諸惡業 苦報當自受 今於諸佛前 至誠皆懺悔
於此贍部洲 及他方世界 所有諸善業 今我皆隨喜
願離十惡業 修行十善道 安住十地中 常見十方佛
我以身語意 所修福智業 願以此善根 速成无上慧
我金親對十力前 發露衆多苦難事
凡愚迷惑三有難 恒造極重惡業難
我所積集欲邪難 常起貪愛流轉難
於此世間耽着難 一切愚夫煩惱難
狂心散動顛倒難 及以親近惡友難
於生死中貪染難 瞋癡闇鈍造罪難
生八无暇惡處難 未曽積集功德難
我今皆於最勝前 懺悔无邊罪惡業
我今歸依諸善逝 我礼德海无上尊
如大金山照十方 唯願慈悲哀攝受
身色金光淨无垢 目如清淨紺瑠璃
吉祥威德名稱尊 大悲慧日除衆闇
佛日光明常遍遍 善淨无垢離諸塵
牟尼月照極清涼 能除衆生煩惱熱
三十二相遍莊嚴 八十隨好皆圓滿
福得難思无與等 如日流光照世間
[illegible]如瑠璃淨无垢 [illegible]

牟尼月照極清涼　能除衆生煩惱熱
三十二相遍莊嚴　八十隨好皆圓滿
福得難思无與等　如日流光照世間
色如瑠璃淨无垢　猶如滿月處虛空
妙頗黎網映金軀　種種光明以嚴飾
於生死苦暴流內　老病憂愁水所漂
如是苦海難堪忍　佛日舒光令永竭
我今稽首一切智　三千世界希有尊
光明晃耀紫金身　種種妙好皆嚴飾
如大海水量難知　大地微塵不可數
如妙高山叵稱量　亦如虛空无有際
諸佛功德亦如是　一切有情不能知
於无量劫諦思惟　无有能知德海岸
盡此大地諸山岳　析如微塵能筭知
毛端渧海尚可量　佛之功德无能數
一切有情皆共讚　世尊名稱諸功德
清淨相好妙莊嚴　不可稱量知分齊
我之所有衆善業　願得速成无上尊
廣說正法利群生　悉令解脫於衆苦
降伏大力魔軍衆　當轉无上正法輪
久住劫數難思議　充足衆生甘露味
猶如過去諸最勝　六波羅蜜皆圓滿
滅諸貪欲及瞋癡　降伏煩惱除衆苦
願我常得宿命智　能憶過去百千生
亦常憶念牟尼尊　得聞諸佛甚深法
願我以斯諸善業　奉事无邊最勝尊
遠離一切不善因　恒得修行真妙法

滅諸貪欲及瞋癡　降伏煩惱除衆苦
願我常得宿命智　能憶過去百千生
亦常憶念牟尼尊　得聞諸佛甚深法
願我以斯諸善業　奉事无邊最勝尊
遠離一切不善因　恒得修行真妙法
一切世界諸衆生　悉皆離苦得安樂
所有諸根不具足　令彼身相皆圓滿
若有衆生遭病苦　身形羸瘦无所依
咸令病苦得消除　諸根色力皆充滿
若犯王法當刑戮　衆苦逼迫生憂惱
彼受如斯極苦時　無有歸依能救護
若受鞭杖枷鎖繫　種種苦具切其身
無量百千憂惱時　逼迫身心無暫樂
皆令得免於繫縛　及以鞭杖苦楚事
將臨刑者得命全　衆苦皆令永除盡
若有衆生飢渴逼　令得種種殊勝味
盲者得視聾者聞　跛者能行瘂能語
貧窮衆生獲寶藏　倉庫盈溢無所乏
皆令得受上妙樂　無一衆生受苦惱
一切人天皆樂見　容儀溫雅甚端嚴
悉皆現受無量樂　受用豐饒福德具
隨彼衆生念伎樂　衆妙音聲皆現前
念水即現清涼池　金色蓮花泛其上
隨彼衆生心所念　飲食衣服及牀敷
金銀珎寶妙瑠璃　瓔珞莊嚴皆具足
勿令衆生聞惡響　亦復不見有相違
所受容貌悉端嚴　各各慈心相愛樂

隨彼衆生心所念　飲食衣服及牀敷
金銀珎寶妙琉璃　瓔珞莊嚴皆具足
勿令衆生聞惡響　亦復不見有相違
所受容貌悉端嚴　各各慈心相愛樂
世間資生諸樂具　隨心念時皆滿足
所得珎財無悋惜　亦布施與諸衆生
燒香末香及塗香　衆妙雜花非一色
每日三時從樹墮　隨心受用生歡喜
普願衆生咸供養　十方一切最勝尊
三乘清淨妙法門　菩薩獨覺聲聞衆
常願勿處於卑賤　不墮無暇八難中
生在有暇人中尊　恒得親承十方佛
願得常生富貴家　財寶倉庫皆盈滿
顏貌名稱無與等　壽命延長經劫數
悉願女人變為男　勇健聦明多智慧
一切常行菩薩道　勤修六度到彼岸
常見十方無量佛　寶王樹下而安處
處妙瑠璃師子座　恒得親承轉法輪
若於過去及現在　輪迴三有造諸業
能招可猒不善趣　願得消滅永無餘
一切衆生於有海　生死羂網堅牢縛
願以智劒為斷除　離苦速證菩提處
衆生於此贍部內　或於他方世界中
所作種種勝福因　我今皆悉生隨喜
以此隨喜福德事　及身語意造衆善
願此勝業常增長　速證无上大菩提
所有禮讚佛功德　深心清淨無瑕穢

BD00942號　金光明最勝王經卷二　（19–17）

一切衆生於有海　生死羂網堅牢縛
願以智劒為斷除　離苦速證菩提處
衆生於此贍部內　或於他方世界中
所作種種勝福因　我今皆悉生隨喜
以此隨喜福德事　及身語意造衆善
願此勝業常增長　速證无上大菩提
所有礼讚佛功德　深心清淨無瑕穢
迴向發願福无邊　當超惡趣六十劫
若有男子及女人　婆羅門等諸勝族
合掌一心讚歎佛　生生常憶宿世事
諸根清淨身圓滿　殊勝功德皆成就
願於未來所生處　常得天人共瞻仰
非於一佛十佛所　修諸善根今得聞
百千佛所種善根　方得聞斯懺悔法
尒時世尊聞此說已讚妙幢菩薩言善哉善
哉善男子如汝所夢金鼓出聲讚歎如來真
實功德并懺悔法若有聞者獲福甚多廣
利有情滅除罪障汝今應知此之勝業皆是
過去讚歎發願宿習因緣及由諸佛威力加護
此之因緣當為汝說時諸大衆聞是法已咸
皆歡喜信受奉行

金光明最勝王經卷第二

礦古猛　鍊蓮見　鎔欲鍾　渟大丁　桴覆于　鏁蘇果　羂古縣

BD00942號　金光明最勝王經卷二　（19–18）

非於一佛二佛所　種諸善根今得聞
百千佛所種善根　方得聞斯懺悔法
尒時世尊聞此說已讚妙幢菩薩言善哉善
哉善男子如汝所夢金鼓出聲讚歎如來真
實功德并懺悔法若有聞者獲福甚多廣
利有情滅除罪障汝今應知此之勝業皆是
過去讚歎發願宿習因緣及由諸佛威力加護
此之因緣當為汝說時諸大眾聞是法已咸
皆歡喜信受奉行

金光明最勝王經卷第二

礦古猛　鍊蓮見　鎔欲鍾　渟大丁　桴覆于　鏁蘇果　羂古縣

BD00942 號　金光明最勝王經卷二　（19–19）

佛說無量大慈教經
尒時世尊在舍衛城□□會說法
城中多有眾生不信有眾生不信
信有法不信有僧尒時阿難白佛
此人過去之時當墮何道尒時　[illegible]尊五
難此人過去之時當墮　[illegible]百三十二五
悉皆入中若遇善知識　[illegible]之者不遇
善知識還墮地獄輪迴　[illegible]經歷尒
時阿難白佛言世尊一切眾生貧賤不善
富貴不同或生閻浮或生邊界言語殊
方種種異類茹毛食血不識文字鳥栖露
宿禽獸同類有端坐壽報有客作无地有經行
在外廠鎮妻子女卧鐵床男抱銅柱鐵又
又身鑊湯煎煮汝向所論種種苦皆由此十
惡之業佛說此經為一切愚癡不信佛法眾
生二為邪行眾生三為五逆不孝眾生故說
此經善男子善女人等於此經中生清淨信
者受持　讀誦晝夜奉持脩行此人過去之時

BD00943 號　無量大慈教經　（8–1）

又身鑊湯煎煑汝向所論種 苦皆由此十
惡之業佛說此經為一切愚癡不信佛法衆
生二為邪行衆生二為五逆不孝衆生故說
此經善男子善女人等於此經中生清淨信
者受持 讀誦晝夜奉持脩行此人過去之時
定生西方極樂世界若有衆生讀此經者誹
謗見在世舌即墮落
尒時世尊復語阿難一切不信佛衆生二為邪
行衆生三有不孝父母衆生若見此經更生
輕慢不肯受持此人過去之時定墮阿鼻地
獄二名難閒地獄一百三十六劫悉皆入中百
劫千劫無有出日鐘聲不救
尒時阿難白佛言世尊若有衆生行道遶
須弥山无數帀不如斷酒肉造舍利塔廟遍
十方大地如林不如有人能斷酒肉黄金百万
兩在六天布施不如斷酒肉將恒河沙等身
命布施不如斷酒肉
尒時世尊復語阿難若有衆生念阿弥陁
佛國者一斷酒肉二斷五葷三斷煞生四斷邪
行誓脩善行如此之人舉足一步天堂自至
未來受果如樹提伽受福无量
尒時世尊復語阿難我聞三歸五戒車本是
山中木得聞大慈經死不墮地獄尒時阿難
白佛言大衆我奉諸天世尊菩薩等教育
衆生若有衆生憶我語者念我語者受我

未來受果如樹提伽受福无量
尒時世尊復語阿難我聞三歸五戒車本是
山中木得聞大慈經死不墮地獄尒時阿難
白佛言大衆我奉諸天世尊菩薩等教育
衆生若有衆生憶我語者念我語者受我
語者用我語者我若不救誓當不轉
尒時世尊荅言阿難我看一切衆生喻如赤
子怜愍亦然若有衆生憶我之者我若不
救誓當不轉若有衆生造舍利塔廟遍十方
大地黄金百千万六天布施不如念佛心至尒
時世尊復語阿難若有衆生將瓔珞寶珠
黄金百万兩供養十方比丘福得多不言謂
甚多世尊荅言阿難由不如舉足一步向道塲
中佛說此經為一切法界衆生勸脩淨行一切
天人阿脩羅聞佛所說皆大歡喜作礼而去
信受奉行
尒時世尊厭離娑婆入於涅槃佛告阿難
我去之時未知迴日親屬法等令教衆生波盡
心勞尒時阿難白佛言世尊衆生沉在苦
海无有出期尒時世尊復語阿難由汝等
方便之力善化善育令出苦海尒時阿難白
佛言世尊衆生愚癡現前顛到弃其貴妻
逐他賤妾下漏一種无有二殊衆生心別
尒時世尊聞其經藏演說妙言利益衆生
若有衆生聞是說者心生歡喜當知是人

佛言世尊衆生愚癡現前顛到弃其貴妻
逐他賤妾下漏一種无有二殊衆生心别
尒時世尊開其經藏演說妙言利益衆生
若有衆生聞是說者心生歡喜當知是人
冣上希有尒時阿難白佛言世尊唯有闡
提衆生難化難育尒時世尊荅如牛耕田
由人所遣獼猴作儛由人所教造罪衆生
由人所勸尒時阿難白佛言世尊若有衆生
樂生西方國者緣我身及向我口眼中下不
淨我亦不辞佛語阿難此經大聖若有衆
生勤誦此經者免得三難苦一難四二難病
人三難地獄
尒時世尊語阿難我為閻浮衆生難化難
育故開此經藏出期殊别妙經為汝演說若
人見此經者不生清淨當知是人與我无
業一切經典廣說妙言引度衆生一稱我名
者悲聞悲見隨聲救拔令身劫剥師僧者
死墮寒氷地獄又生蚕中為他煑剥如此等
以逕八万之劫餘受畜生身以經五百劫蠢
動衆生皆悲作遍後受人身瘂残盲跛五
百劫中恒受丠報
尒時世尊荅言阿難行不淨行比丘僧死墮
鐵窟中地獄八万刀輪一時来下斬截其身
尒時阿難白佛言如佛思量此事趂越三界
尒時世尊語阿難飲酒醉乱死墮飲銅地獄

BD00943號　無量大慈教經　（8–4）

尒時世尊荅言阿難行不淨行比丘僧死墮
鐵窟中地獄八万刀輪一時来下斬截其身
尒時阿難白佛言如佛思量此事趂越三界
尒時世尊語阿難飲酒醉乱死墮飲銅地獄
中
尒時阿難白佛言世尊酒之无命何故戒之
尒時世尊復語阿難飲酒醉亂不識尊親我
見波旦國有人因酒婬母破其五戒是以禁之
尒時世尊語諸大菩薩等我從成佛已来於
今五百餘劫經典披遍讀誦周帀未聞是言
未聞是說若有衆生聞此經者宿種善因
宿種善果思尋此經不可思量不可稱盡
尒時如来語諸菩薩我說此語重如太山衆
生聞者輕如微塵此法難聞亦復難見佛
語難若有衆生聞此經者心生歡喜如此之
人盡心為說
尒時世尊復語阿難我見衆生墮落三塗
若將刀割我身體由斯可忍我不忍見於衆生
受大苦惱酸悲忍苦身上演出光明遍照十方
有我緣者得見我身無有緣者不見我想尒
時阿難白佛言世尊如何二種心一種衆生則
有見者則無見者
尒時如来復語阿難日月普照盲者不見
尒時阿難重白世尊云何是明云何是盲
尒時世尊荅言阿難有眼者見日月不有眼

BD00943號　無量大慈教經　（8–5）

有見者則無見者
尒時如來復語阿難日月普照盲者不見
尒時阿難重白世尊云何是明云何是盲
尒時世尊告言阿難脩福者是明不脩福
者是盲阿難復白佛言世尊脩福者不見
由何世尊告阿難脩福不見我身鄣閇佛
光汙溼三寶是以不得見我佛語菩薩聞此
經者心生歡喜如子見母遠行得歸如飢得
食如渴得漿如此之人盡心為説
佛語阿難食肉之者喻如群狗爭骨各各貪
多見其猪羊常作煞想見其晃肉如猫觀
鼠專心用意令身信解佛法者從人道中來
令身不信佛法者從畜生中來造罪不懺
悔者喻如運金填圊損其實物造罪懺者
如病得藥還復差損汙衣水洗還得清淨
佛語普廣菩薩用我語者一偈成佛不信
我者喻如海中求針枉費功力無得見日佛
語諸菩薩令身盜他物者來生与他作奴
牛令他苦打非時苦使受牛身以還五百劫
與他作奴任他駈使心常逃避令被捉得苦刑
卬面非理苦持佛語菩薩伽藍中有二種心
一者善心二者惡心云何為惡人若有衆生
入寺之時唯從衆僧乞索或求僧長短瞰僧
食都無慚愧餅菓菜茹懷挾歸家如此之
人死墮鑊又地獄云何名為善人若有衆生

與他作奴任他駈使心常逃避令被捉得苦刑
卬面非理苦持佛語菩薩伽藍中有二種心
一者善心二者惡心云何為惡人若有衆生
入寺之時唯從衆僧乞索或求僧長短瞰僧
食都無慚愧餅菓菜茹懷挾歸家如此之
人死墮鑊又地獄云何名為善人若有衆生
入寺之時見僧恭敬見佛礼拜受戒懺悔捨
於財物經營三寶不惜身命護持大法如
此之人舉足一步天堂來受果如樹提伽樹
提伽則名為最上善人也佛告大衆我
向所論種種因果此經一名殊別二名殊勝三
名菩薩若有衆生聞此經者一發善心得
生淨土佛告菩薩聞我説者心生歡喜如
旱得水苗稼蘇活不受我語者如石澱水無
有潤時
尒時阿難白佛言世尊汝等見振旦國有人
從七歲脩福至於百年臨命終時破其五戒
此人得福以不
尒時世尊復語阿難喻如般車上万里之极
臨頭翻車連本所損何有得期縱权少多如
雲影日片時之光喻如一口之食能得久飽佛
語衆生我等廣説因緣共同成佛普勸衆
生同脩淨行一切世間天人阿脩羅等聞佛
所説皆大歡喜作礼而去

生淨土佛告菩薩聞我說者心生歡喜如
旱得水苗稼蘇活不受我語者如石澱水無
有潤時
尒時阿難白佛言世尊汝等見振旦國有人
從七歲脩福至於百年臨命終時破其五戒
此人得福以不
尒時世尊復語阿難喻如般車上万里之坂
臨頭翻車連夲所損何有得期縱板少多如
雲影日片時之光喻如一口之食能得久飽佛
語衆生我等廣說因緣共同成佛普勸衆
生同脩淨行一切世間天人阿脩羅等聞佛
所說皆大歡喜作礼而去

佛說大慈教經

BD00943 號　無量大慈教經　（8–8）

BD00943 號背　雜寫　（1–1）

著　録　凡　例

本目錄採用條目式著錄法。諸條目意義如下：

1.1　著錄編號。用漢語拼音首字“BD”表示，意為“北京圖書館藏敦煌遺書”，簡稱“北敦號”。文獻寫在背面者，標註為“背”。一件遺書上抄有多個文獻者，用數字 1、2、3 等標示小號。一號中包括幾件遺書，且遺書形態各自獨立者，用字母 A、B、C 等區別。

1.2　著錄分類號。本條記目錄暫不分類，該項空缺。

1.3　著錄文獻的名稱、卷本、卷次。

1.4　著錄千字文編號。

1.5　著錄縮微膠卷號。

2.1　著錄遺書的總體數據。包括長度、寬度、紙數、正面抄寫總行數與每行字數、背面抄寫總行數與每行字數。如該遺書首尾有殘破，則對殘破部分單獨度量，用加號加在總長度上。凡屬這種情況，長度用括弧標註。

2.2　著錄每紙數據。包括每紙長度及抄寫行數或界欄數。

2.3　著錄遺書的外觀。包括：（1）裝幀形式。（2）首尾存況。（3）護首、軸、軸頭、天竿、縹帶，經名是書寫還是貼簽，有無經名號，扉頁、扉畫。（4）卷面殘破情況及其位置。（5）尾部情況。（6）有無附加物（蟲繭、油污、線繩及其他）。（7）有無裱補及其年代。（8）界欄。（9）修整。（10）其他需要交待的問題。

2.4　著錄一件遺書抄寫多個文獻的情況。

3.1　著錄文獻首部文字與對照本核對的結果。

3.2　著錄文獻尾部文字與對照本核對的結果。

3.3　著錄錄文。

3.4　著錄對文獻的說明。

4.1　著錄文獻首題。

4.2　著錄文獻尾題。

5　著錄本文獻與對照本的不同之處。

6.1　著錄本遺書首部可與另一遺書綴接的編號。

6.2　著錄本遺書尾部可與另一遺書綴接的編號。

7.1　著錄題記、題名、勘記等。

7.2　著錄印章。

7.3　著錄雜寫。

7.4　著錄護首及扉頁的內容。

8　著錄年代。

9.1　著錄字體。如有武周新字、合體字、避諱字等，予以說明。

9.2　著錄卷面二次加工的情況。包括句讀、點標、科分、間隔號、行間加行、行間加字、硃筆、墨塗、倒乙、刪除、兌廢等。

10　著錄敦煌遺書發現後，近現代人所加內容，裝裱、題記、印章等。

11　備註。著錄揭裱互見、圖版本出處及其他需要說明的問題。

上述諸條，有則著錄，無則空缺。

為避文繁，上述著錄中出現的各種參考、對照文獻，暫且不列版本說明。全目結束時，將統一編制本條記目錄出現的各種參考書目。

本條記目錄為農曆年份標註其公曆紀年時，未經行歲頭年末之換算，請讀者使用時注意自行換算。

條　記　目　錄

BD00882—BD00943

1.1　BD00882 號
1.3　妙法蓮華經卷二
1.4　盈 082
1.5　105：4731
2.1　(4.9 +932.4) ×24.2 厘米；21 紙；550 行，行 17 字。
2.2　01：4.9 +13.4，11；　02：46.9，28；　03：46.9，28；
04：46.8，28；　05：47.0，28；　06：47.0，28；
07：47.1，28；　08：47.0，28；　09：46.9，28；
10：47.0，28；　11：46.9，28；　12：47.0，28；
13：47.0，28；　14：47.0，28；　15：47.0，28；
16：47.0，28；　17：47.0，28；　18：47.1，28；
19：46.9，28；　20：46.9，28；　21：26.6，07。
2.3　卷軸裝。首殘尾全。經黄紙。打紙。尾有原軸，兩端所塗漆的顏色不同，一為咖啡色，一為黑色。第 2 紙前下方有 1 處撕裂。上下邊多水漬。有烏絲欄。已修整。
3.1　首 3 行上下殘→大正 262，9/11B11 ~14。
3.2　尾全→9/19A12。
4.2　妙法蓮華經卷第二（尾）。
8　7 ~8 世紀。唐寫本。
9.1　楷書。
11　圖版：《敦煌寶藏》，86/28B ~40B。
從背面揭下古代裱補 1 塊，素紙，今編為 BD16488 號。

1.1　BD00883 號
1.3　梵網經盧舍那佛說菩薩心地戒品第十卷下
1.4　盈 083
1.5　143：6754
2.1　(24.3 +265.5) ×24.5 厘米；7 紙；164 行，行 17 字。
2.2　01：15.8，08；　02：8.5 +40，27；　03：49.0，28；
04：49.0，28；　05：48.5，27；　06：46.5，27；
07：32.5，19。
2.3　卷軸裝。首殘尾斷。尾紙中部有殘洞。紙張變色。有烏絲欄。已修整。
2.4　本遺書包括 2 個文獻：（一）《梵網經盧舍那佛說菩薩心地戒品第十卷下》，164 行，今編為 BD00883 號。（二）《白畫金剛力士》（擬），今編為 BD00883 號背。
3.1　首 12 行上中殘→大正 1484，24/1007B9 ~21。
3.2　尾殘→24/1009B23。
7.3　卷背有雜寫“持誦念人”、“文”，上有花紋。
8　7 ~8 世紀。唐寫本。
9.1　楷書。
9.2　有硃筆斷句。有行間校加字。
11　圖版：《敦煌寶藏》，101/483A ~488B。
從該卷背面揭下古代裱補紙共 43 塊，編爲如下諸號：BD16211 號，2 塊；BD16212 號，1 塊；BD16213 號，1 塊；BD16214 號，1 塊；BD16215 號，31 塊（無字）；BD16216 號，1 塊；BD16217 號，1 塊；BD16218 號，1 塊；BD16219 號，2 塊；BD16220 號，2 塊。

1.1　BD00883 號背
1.3　白畫金剛力士（擬）
1.4　盈 083
1.5　143：6754
2.4　本遺書由 2 個文獻組成，本號為第 2 個。餘參見 BD00883 號之第 2 項、第 11 項。
3.4　說明：
第 4 紙卷背有白畫金剛力士。

1.1　BD00884 號
1.3　妙法蓮華經卷五
1.4　盈 084
1.5　105：5564
2.1　(5.5 +685.1) ×25.5 厘米；16 紙；406 行，行 17 字。
2.2　01：5.5 +20，14；　02：46.5，28；　03：46.5，28；
04：46.4，28；　05：46.5，28；　06：46.5，28；
07：46.6，28；　08：46.5，28；　09：46.4，28；

10：46.4，28；　11：46.4，28；　12：46.4，28；
13：46.4，28；　14：46.4，28；　15：44.7，27；
16：16.5，01。
2.3　卷軸裝。首殘尾全。經黄紙。第2紙下有殘破。卷首有古代裱補。尾題與燕尾紙張乃後補。有烏絲欄。
3.1　首3行上下殘→大正262，9/40A7～9。
3.2　尾全→9/46B14。
4.2　妙法蓮華經卷第五（尾）。
8　7～8世紀。唐寫本。
9.1　楷書。
11　圖版：《敦煌寶藏》，93/67B～78A。

1.1　BD00885號
1.3　金光明最勝王經卷二
1.4　盈085
1.5　083：1518
2.1　(18.5+530.2+8)×25.6厘米；14紙；336行，行17字。
2.2　01：04.5，02；　02：14+31，28；　03：45.5，28；
04：45.5，28；　05：45.5，28；　06：45.4，28；
07：45.2，28；　08：11.0，07；　09：45.3，28；
10：45.2，28；　11：45.3，28；　12：45.3，28；
13：45.0，28；　14：35+8，19。
2.3　卷軸裝。首殘尾全。卷首中下部殘缺，卷尾殘破嚴重。有烏絲欄。已修整。
3.1　首11行中下殘→大正665，16/409A2～14。
3.2　尾全→16/413C6。
4.2　金光明最勝王經卷第二（尾）。
5　尾附音義。
7.3　第11紙下方有雜寫“金、通、門、大夫、本”等。尾題旁及尾題下有淡墨筆跡，無法辨認。卷背有墨筆雜寫，似“無夫”。
8　8～9世紀。吐蕃統治時期寫本。
9.1　楷書。
11　圖版：《敦煌寶藏》，68/267B～274A。
從該件上揭下殘片4塊，現編爲BD16059號，3塊；BD16060號，1塊。

1.1　BD00886號
1.3　空號（維摩經注）
1.4　盈086

1.1　BD00887號
1.3　大般若波羅蜜多經卷一一〇
1.4　盈087
1.5　084：2295
2.1　(8.2+607.7)×25厘米；14紙；352行，行17字。
2.2　01：8.2+15，14；　02：48.0，28；　03：47.7，28；
04：47.8，28；　05：48.0，28；　06：47.5，28；
07：48.0，28；　08：47.6，28；　09：48.0，28；
10：48.1，28；　11：48.0，28；　12：48.0，28；
13：48.0，28；　14：18.0，02。
2.3　卷軸裝。首殘尾全。尾有原軸，軸頭已脱落。第1紙横向破裂、上邊下邊殘缺，第2紙有横向撕裂，第3紙横向破裂，第4紙有縱向開裂，第5、6紙及7、8紙接縫處下開裂，第8、9紙接縫處上開裂。有烏絲欄。已修整。
3.1　首5行上下殘→大正220，5/606A20～24。
3.2　尾全→5/610A27。
4.2　大般若波羅蜜多經卷第一百一十（尾）。
8　7～8世紀。唐寫本。
9.1　楷書。
11　圖版：《敦煌寶藏》，72/568B～576A。

1.1　BD00888號
1.3　妙法蓮華經卷三
1.4　盈088
1.5　105：5143
2.1　(323.2+4.3)×24.1厘米；7紙；187行，行17字。
2.2　01：49.9，28；　02：48.6，28；　03：48.5，28；
04：48.8，28；　05：48.8，28；　06：48.7，28；
07：29.9+4.3，19。
2.3　卷軸裝。首尾均殘。第3紙上方有1道斜裂，5紙上方有1豎裂。卷面多斑點。有烏絲欄。已修整。
3.1　首殘→大正262，9/23A13。
3.2　尾2行下殘→9/25C10。
8　7～8世紀。唐寫本。
9.1　楷書。
11　圖版：《敦煌寶藏》，89/183B～188A。

1.1　BD00889號
1.3　大般若波羅蜜多經卷二二四
1.4　盈089
1.5　084：2576
2.1　(11+345.9)×26厘米；8紙；201行，行17字。
2.2　01：11+38.1，28；　02：49.0，28；　03：49.0，28；
04：49.2，28；　05：49.0，28；　06：48.6，28；
07：48.0，28；　08：15.0，05。
2.3　卷軸裝。首殘尾全。尾有原軸，軸兩端有硃漆，上軸頭已壞。第1紙有殘洞、横向撕裂及上邊下邊殘缺，第5紙下邊殘缺。第7紙背面有古代裱補。有烏絲欄。已修整。
3.1　首6行下殘→大正220，6/124C20～25。
3.2　尾全→6/127A21。
4.2　大般若波羅蜜多經卷第二百廿四（尾）。
7.1　第1紙背面有墨筆勘記“廿三”，為本號所屬袟次；硃書“四”，為本號所屬袟内卷次。
8　8～9世紀。吐蕃統治時期寫本。

9.1 楷書。有武周新字“正”，使用不周遍。
9.2 有刮改。有行間校加字。
11 圖版：《敦煌寶藏》，74/114A～118B。

1.1 BD00890號
1.3 四分比丘尼戒本
1.4 盈090
1.5 157：6899
2.1 1216×26厘米；26紙；717行，行19字。
2.2 01：46，28；02：46.5，28；03：46.5，28；
04：46.5，28；05：46.5，28；06：46.5，28；
07：46.5，28；08：47.0，28；09：47.0，28；
10：47.0，28；11：47.0，28；12：47.0，28；
13：47.0，28；14：47.0，28；15：47.0，28；
16：47.0，28；17：47.0，28；18：47.0，28；
19：47.0，28；20：47.0，28；21：47.0，28；
22：47.0，28；23：47.0，28；24：47.0，28；
25：47.0，28；26：45.0，17。
2.3 卷軸裝。首脫尾全。首紙有殘洞，第4紙下方撕裂並有殘洞，第1至6紙上邊下邊有等距離殘破，第11、12紙接縫下方開裂。有烏絲欄。
3.1 首殘→大正1431，22/1031C14。
3.2 尾全→22/1041A18。
4.2 四分尼戒本（尾）。
8 9～10世紀。歸義軍時期寫本。
9.1 楷書。
9.2 有行間加行。有行間校加字。有刮改。
11 圖版：《敦煌寶藏》，102/406B～422A。

1.1 BD00891號
1.3 勝天王般若波羅蜜經卷一
1.4 盈091
1.5 091：3485
2.1 （11.3＋830.5）×26.1厘米；18紙；461行，行17字。
2.2 01：3.9，2；02：7.4＋42.7，28；03：50.4，28；
04：50.2，28；05：50.7，28；06：50.4，28；
07：50.4，28；08：50.4，28；09：50.5，28；
10：50.5，28；11：50.2，28；12：50.4，28；
13：50.3，28；14：50.5，28；15：50.8，28；
16：50.7，28；17：50.4，28；18：31.0，11。
2.3 卷軸裝。首尾均殘。卷首殘損、殘破嚴重。有等距離殘洞。9、10紙接縫處中間開裂，15、16紙接縫處開裂、殘損，卷尾數紙殘損、殘破嚴重。卷面多黴斑、黴爛。有烏絲欄。已修整。
3.1 首6行上中殘→大正231，8/688B23～28。
3.2 尾全→8/693C16。
4.2 勝天王般若波羅蜜經卷第一（尾）。
8 8世紀。唐寫本。

9.1 楷書。
9.2 有行間校加字。
11 圖版：《敦煌寶藏》，78/223A～233B。

1.1 BD00892號
1.3 妙法蓮華經卷三
1.4 盈092
1.5 105：5085
2.1 （21.8＋729.1＋3.6）×24.8厘米；17紙；450行，行17字。
2.2 01：08.6，05；02：13.2＋33.3，28；03：46.6，28；
04：46.8，28；05：46.6，28；06：46.6，28；
07：46.6，28；08：46.7，28；09：46.7，28；
10：46.6，28；11：46.6，28；12：46.7，28；
13：46.6，28；14：46.6，28；15：46.5，28；
16：46.7，28；17：42.9＋3.6，25。
2.3 卷軸裝。首尾均殘。麻紙。打紙。第2、14紙内有殘洞，有横裂。有烏絲欄。已修整。
3.1 首13行上下殘→大正262，9/20B27～C10。
3.2 尾全→9/27B8。
8 7世紀。唐寫本。
9.1 楷書。
11 圖版：《敦煌寶藏》，88/532B～544A。

1.1 BD00893號
1.3 大般若波羅蜜多經卷三〇一
1.4 盈093
1.5 084：2831
2.1 239.3×25.8厘米；5紙；140行，行17字。
2.2 01：48.2，28；02：48.2，28；03：47.5，28；
04：47.7，28；05：47.7，28。
2.3 卷軸裝。首尾均脫。第1、5紙下邊殘破，第2、3紙接縫處下開裂。有烏絲欄。已修整。
3.1 首殘→大正220，6/533C20。
3.2 尾殘→6/535B13。
8 8～9世紀。吐蕃統治時期寫本。
9.1 楷書。
11 圖版：《敦煌寶藏》，75/199B～202B。
在吐蕃時期寫經中屬於較优者。

1.1 BD00894號
1.3 藥師瑠璃光如來本願功德經
1.4 盈094
1.5 030：0292
2.1 171.5×25厘米；5紙；99行，行17字。
2.2 01：13.0，07；02：48.5，28；03：48.5，28；
04：48.0，28；05：13.5，08。

2.3　卷軸裝。首尾均斷。有烏絲欄。已修整。
3.1　首殘→大正 450，14/406A8。
3.2　尾殘→14/407B6。
8　7～8 世紀。唐寫本。
9.1　楷書。
9.2　有刮改。
11　圖版：《敦煌寶藏》，57/645A～647B。
從該號背揭下殘片 1 塊，今編爲 BD16011 號。

1.1　BD00895 號
1.3　大比丘尼戒經
1.4　盈 095
1.5　173：7080
2.1　（1.5＋545）×26 厘米；16 紙；357 行，行 25 字。
2.2　01：1.5＋46.5，26；　02：09.5，06；　03：10.0，07；
04：37.0，25；　05：37.0，25；　06：37.0，25；
07：37.0，25；　08：37.0，24；　09：37.0，25；
10：36.5，25；　11：37.0，25；　12：37.0，25；
13：37.0，25；　14：37.0，24；　15：37.0，25；
16：35.5，20。
2.3　卷軸裝。首殘尾全。第 1 至 5 紙上下方均有撕裂。有燕尾。無烏絲欄。
3.4　説明：
本文獻首行下殘，尾全。未為歷代大藏經所收。
4.2　大比丘尼戒經一卷（尾）。
7.1　卷尾有題記“一校竟”三字。
8　4～5 世紀。東晉寫本。
9.1　楷書。
9.2　有行間校加字。有重文號。有倒乙。有墨筆科分。
11　圖版：《敦煌寶藏》，104/96A～103A。

1.1　BD00896 號 A
1.3　金剛般若波羅蜜經
1.4　盈 096
1.5　094：3612
2.1　（4.7＋513.9）×25.5 厘米；12 紙；293 行，行 17 字。
2.2　01：4.7＋17.5，13；　02：49.7，28；　03：49.6，28；
04：49.7，28；　05：49.8，28；　06：49.7，28；
07：49.9，28；　08：49.7，28；　09：49.7，28；
10：49.1，28；　11：46.5，27；　12：03.0，01。
2.3　卷軸裝。首殘尾全。麻紙。第 1、2 紙及 3、4 紙間的接縫開裂；第 1～3 紙有橫裂；第 12 紙有下殘，且有殘洞。卷尾用帶有竹製天竿的《般若心經》護首作爲褙補紙。有烏絲欄。
3.1　首 3 行上殘→大正 235，8/749A6～7。
3.2　尾全→8/752C3。
4.2　金剛般若波羅蜜經（尾）。
7.3　卷尾褙補紙上有藏文。
7.4　背面用《心經》護首作本號的褙補紙。有護首經名“般若多心經”。
8　7～8 世紀。唐寫本。
9.1　楷書。
11　從背面揭下古代褙補紙 9 塊，編號如下：BD16103 號，1 塊；BD16104 號，1 塊；BD16105 號，2 塊；BD16106 號，1 塊；BD16107 號，1 塊；BD16108 號，1 塊；BD16109 號，1 塊；BD16110 號，1 塊。
圖版：《敦煌寶藏》，79/135B～142A。

1.1　BD00896 號 B
1.3　般若波羅蜜多心經
1.4　盈 096
1.5　102：4476
2.1　53.2×25 厘米；2 紙；22 行，行 17 字。
2.2　01：04.0，護首；　02：49.2，22。
2.3　卷軸裝。首尾均全。有護首。首尾兩端有撕裂處。有燕尾。有烏絲欄。
3.1　首全→大正 251，8/848C4。
3.2　尾全→8/848C24。
4.1　般若波羅蜜多心經卷（首）。
4.2　般若波羅蜜多心經（尾）。
5　與《大正藏》本對照，經文後附持誦功德文。
7.1　經文後附有持誦功德文 4 行，錄文如下：
誦此經破十惡五逆，九十五種耶（邪）道。若欲供/養十方諸佛，報十方諸佛恩，誦《觀自在般/若》百遍、千遍，滅罪不虛。晝夜常誦，無願/不果。/
（錄文完）
8　7～8 世紀。唐寫本。
9.1　楷書。
11　圖版：《敦煌寶藏》，83/310A。

1.1　BD00897 號
1.3　大般若波羅蜜多經卷二八〇
1.4　盈 097
1.5　084：2761
2.1　515×26.3 厘米；11 紙；295 行，行 17 字。
2.2　01：48.4，28；　02：48.4，28；　03：48.5，28；
04：48.5，28；　05：48.5，28；　06：48.4，28；
07：48.4，28；　08：48.5，28；　09：48.4，28；
10：48.5，28；　11：30.5，15。
2.3　卷軸裝。首脱尾全。第 9 紙上邊下邊殘破。有烏絲欄。
3.1　首殘→大正 220，6/420C26。
3.2　尾全→6/424B4。
4.2　大般若波羅蜜多經卷第二百八十（尾）。
7.1　第 1 紙背端有勘記“二百八十，廿九，乾”1 行。其中“廿九”為本文獻所屬袟次；“乾”為敦煌乾元寺，本遺書原為

敦煌乾元寺所藏。
8　8～9 世紀。吐蕃統治時期寫本。
9.1　楷書。
9.2　有行間校加字。有刮改。有刪除。
11　圖版：《敦煌寶藏》，75/25B～32A。

1.1　BD00898 號
1.3　摩訶般若波羅蜜經（四十卷本）卷三七
1.4　盈 098
1.5　088：3466
2.1　（2.8＋632.7）×25.8 厘米；14 紙；354 行，行 17 字。
2.2　01：2.8＋12.4，9；　02：49.3，28；　03：49.4，28；
04：49.3，28；　05：49.3，28；　06：49.5，28；
07：49.5，28；　08：49.5，28；　09：49.5，28；
10：49.5，28；　11：49.5，28；　12：49.5，28；
13：49.4，28；　14：27.1，09。
2.3　卷軸裝。首殘尾全。打紙，研光上蠟。尾有原軸，兩端塗黑漆。卷內間或有撕裂開裂。卷首背面有大張古代裱補紙。有烏絲欄。已修整。
3.1　首 2 行上下殘→大正 223，8/403A7～8。
3.2　尾全→8/407B3。
4.2　摩訶般若波羅蜜經卷第卅七（尾）。
5　與《大正藏》本對照，卷次、品名、品次均不同。《大正藏》本至此為卷二五，《思溪藏》、《普寧藏》、《嘉興藏》及日本《宮內寮》等三十卷本至此為卷二八。本文獻至此為卷三七，則無疑應為四十卷本。
8　7～8 世紀。唐寫本。
9.1　楷書。
9.2　有硃筆校改。
11　圖版：《敦煌寶藏》，78/120A～128A。

1.1　BD00899 號
1.3　妙法蓮華經卷四
1.4　盈 099
1.5　105：5217
2.1　（27.5＋880）×26 厘米；25 紙；615 行，行 19 字。
2.2　01：5，護首；　02：17.5，11；　03：5＋13，12；
04：50.0，35；　05：50.0，35；　06：12.2，8；
07：37.0，25；　08：51.0，35；　09：51.0，35；
10：51.0，35；　11：49.0，33；　12：21.0，14；
13：19.0，13；　14：28.0，19；　15：50.0，34；
16：50.0，34；　17：50.0，34；　18：36.5，25；
19：18.5，13；　20：24.8，17；　21：50.5，35；
22：50.5，35；　23：50.5，35；　24：50.5，35；
25：16.0，08。
2.3　卷軸裝。首殘尾全。有護首，已殘。尾有原軸，軸頭塗漆，咖啡色。卷首殘破嚴重，第 3 紙、4 紙嚴重殘損，第 10、11、20 紙有殘洞。有等距離黴斑。已修整。
3.1　首 14 行上中殘→大正 262，9/27B16～C2。
3.2　尾全→9/37A2。
4.1　□…□品第八，四（首）。
4.2　妙法蓮華經卷第四（尾）。
8　9～10 世紀。歸義軍時期寫本。
9.1　楷書。
9.2　有行間校加字。
11　圖版：《敦煌寶藏》，89/559B～573A。

1.1　BD00900 號
1.3　金光明最勝王經卷七
1.4　盈 100
1.5　083：1824
2.1　（14.3＋623）×25.5 厘米；14 紙；373 行，行 17 字。
2.2　01：14.3＋30.5，27；　02：47.1，28；　03：47.2，28；
04：47.0，28；　05：47.0，28；　06：47.2，28；
07：47.0，28；　08：47.3，28；　09：47.2，28；
10：47.2，28；　11：47.3，28；　12：47.0，28；
13：47.0，28；　14：27.0，10。
2.3　卷軸裝。首殘尾全。尾有原軸，兩端塗漆，一為醬色，一為紫紅色。通卷破損。背有古代裱補 1 塊，為《金光明最勝王經》護首。有烏絲欄。已修整。
3.1　首 9 行中殘→大正 665，16/433A16～22。
3.2　尾全→16/437C13。
4.2　金光明最勝王經卷第七（尾）。
5　尾附音義。
7.3　卷背裱補紙上有護首經名殘字“金光明最□…□”，上有倒乙。
8　8～9 世紀。吐蕃統治時期寫本。
9.1　楷書。
11　圖版：《敦煌寶藏》，70/214A～222A。

1.1　BD00901 號
1.3　藥師如來本願經
1.4　昃 001
1.5　029:0250
2.1　257.8×27.5 厘米；6 紙；115 行，行 18～22 字不等。
2.2　01：43.5，20；　02：43.3，20；　03：43.5，20；
04：43.5，20；　05：43.0，20；　06：41.0，15。
2.3　卷軸裝。首脫尾全。第 4、5 紙間的接縫上方開裂。背有古代裱補紙。有燕尾。有烏絲欄。已修整。
3.1　首殘→大正 449，14/403A8。
3.2　尾全→14/404C7。
4.2　新翻藥師經一卷（尾）。
6.1　首→BD06745 號。
8　7～8 世紀。唐寫本。

9.1　楷書。
11　圖版:《敦煌寶藏》, 57/447B～451A。
從該號上揭下殘片1塊,今編爲BD16007號。

1.1　BD00902號
1.3　淨度三昧經卷下
1.4　昃002
1.5　279:8223
2.1　456.4×26厘米;13紙;294行,行17字。
2.2　01:34.5,23;　02:34.5,23;　03:34.5,23;
04:34.7,23;　05:34.5,23;　06:34.7,23;
07:34.7,23;　08:34.7,23;　09:34.7,23;
10:35.0,23;　11:34.7,23;　12:34.7,23;
13:40.5,18。
2.3　卷軸裝。首脫尾全。尾有原軸,兩端塗漆,黑色。第8紙下邊撕裂。卷面有鳥糞污痕。有烏絲欄。已修整。
3.1　首殘→《藏外佛教文獻》, 7/第304頁第4行。
3.2　尾全→《藏外佛教文獻》, 7/第326頁第6行。
4.2　淨度三昧經卷下(尾)。
8　5～6世紀。南北朝寫本。
9.1　楷書。
9.2　有校改。有重文號。
11　圖版:《敦煌寶藏》, 109/329B～335B。

1.1　BD00903號
1.3　辯中邊論頌(兌廢稿)
1.4　昃003
1.5　203:7222
2.1　187.6×30.8厘米;4紙;117行,行20字。
2.2　01:46.0,30;　02:46.9,27;　03:47.4,30;
04:47.3,30。
2.3　卷軸裝。首全尾脫。首紙前部上下及中部多有撕裂、殘損,第2紙有2道豎裂,2、3、4紙接縫處下部開脫。首3行爲重複抄寫,尾部文字未抄完。通卷折疊攔,第2紙有上下刻畫界欄,第3、4紙有烏絲欄。部分文字抄寫沖出上下界欄。已修整。
3.1　首全→大正1601, 31/477C2。
3.2　尾殘→31/480A28。
4.1　辯中邊論頌,彌勒菩薩造,三藏法師玄奘奉詔譯(首)。
7.3　前3行爲經文雜寫,内容為《辯中邊論頌》之首部文字。
8　8～9世紀。吐蕃統治時期寫本。
9.1　楷書。
9.2　有倒乙。有校改。有行間校加字。
11　圖版:《敦煌寶藏》, 104/617B～619B。

1.1　BD00904號
1.3　金剛蓮華大摧碎真言
1.4　昃004
1.5　238:7434
2.1　42.8×30.1厘米;1紙;23行,行字不等。
2.3　卷軸裝。首尾均全。已修整。
3.4　説明:
本文獻未為歷代大藏經所收。
6.1　首→BD00909號。
6.2　尾→BD00907號。
8　9～10世紀。歸義軍時期寫本。
9.1　楷書。
9.2　有行間校加字。
11　圖版:《敦煌寶藏》, 106/250B。

1.1　BD00905號
1.3　東方金剛大集想
1.4　昃005
1.5　262:7669
2.1　48.5×29.2厘米;1紙;15行,行字不等。
2.3　卷軸裝。首尾均全。下邊殘破。尾有餘空。有烏絲欄。已修整。
3.4　説明:
本文獻首尾均全。未爲歷代大藏經所收。
4.1　東方金剛大集想一本(首)。
8　9～10世紀。歸義軍時期寫本。
9.1　行楷。
9.2　有行間校加字。
11　圖版:《敦煌寶藏》, 107/281B。

1.1　BD00906號
1.3　金光明最勝王經卷四
1.4　昃006
1.5　404:8546
2.1　(3.8+43.4+3.1)×26厘米;2紙;31行,行17字。
2.2　01:3.8+35.4,24;　02:8+3.1,07。
2.3　卷軸裝。首尾均殘。通卷殘破嚴重,有等距離殘洞,上、下邊殘破。有烏絲欄。已修整,後配《趙城藏》軸。
3.1　首2行中殘→大正665, 16/419B9～11。
3.2　尾2行下殘→16/419C12～13。
8　8～9世紀。吐蕃統治時期寫本。
9.1　楷書。
11　圖版:《敦煌寶藏》, 110/559A～B。
從該件上揭下古代裱補紙10塊,編號如下:BD16301號,2塊;BD16302號,8塊。

1.1　BD00907號
1.3　金剛蓮華大摧碎真言
1.4　昃007
1.5　238:7435

2.1　42.2×29.9 厘米；1 紙；22 行，行字不等。
2.3　卷軸裝。首尾均全。
8　9～10 世紀。歸義軍時期寫本。
3.4　説明：
本文獻未為歷代大藏經所收。
6.1　首→BD00904 號。
9.1　楷書。
9.2　有校改。
11　圖版：《敦煌寶藏》，106/251A。

1.1　BD00908 號
1.3　梵網經盧舍那佛說菩薩心地戒品第十卷下
1.4　戾 008
1.5　143:6710
2.1　(180.6+3)×25.5 厘米；7 紙；正面 118 行，背面 6 行(藏文)，行 17 字。
2.2　01：18.5，13；　02：15.3，10；　03：34.8，22；
04：35.0，22；　05：34.5，22；　06：34.5，22；
07：8+3，07。
2.3　卷軸裝。首脱尾殘。全卷破碎嚴重，已斷爲三截。背有古代裱補 7 塊。有烏絲欄。已修整。
2.4　本遺書包括 2 個文獻：(一)《梵網經盧舍那佛說菩薩心地戒品第十》卷下，118 行，抄寫在正面，今編為 BD00908 號。(二) 藏文，古代裱補紙上 6 行，抄寫在背面，今編為 BD00908 號背。
3.1　首殘→大正 1484，24/1004B11。
3.2　尾 2 行上中殘→24/1005C22～24。
8　7～8 世紀。唐寫本。
9.1　楷書。
11　圖版：《敦煌寶藏》，101/294B～297A。

1.1　BD00908 號背
1.3　藏文
1.4　戾 008
1.5　143:6710
2.4　本遺書由 2 個文獻組成，本號為第 2 個，6 行。餘參見 BD00908 號之第 2 項、第 11 項。
3.4　説明：
僅殘賸 5 個半行。
8　8～9 世紀。吐蕃統治時期寫本。

1.1　BD00909 號
1.3　金剛蓮華大摧碎真言
1.4　戾 009
1.5　261:7668
2.1　42.2×29.8 厘米；1 紙；20 行，行字不等。
2.3　卷軸裝。首全尾脱。已修整。與 BD00904 號、BD00907 號為同一人抄寫。
3.4　説明：
本文獻未爲歷代大藏經所收。
4.1　金剛蓮華大摧碎真言 (首)。
6.2　尾→BD00904 號。
7.1　背面有勘記"諸雜真言"。
8　9～10 世紀。歸義軍時期寫本。
9.1　楷書。
9.2　有行間校加字。有重文號。
11　圖版：《敦煌寶藏》，107/280B～281A。

1.1　BD00910 號
1.3　維摩詰所說經卷上
1.4　戾 010
1.5　070:0871
2.1　(5+759.8)×24 厘米；17 紙；423 行，行 17 字。
2.2　01：5+5.5，6；　02：49.5，29；　03：49.5，29；
04：49.5，29；　05：49.5，28；　06：48.0，27；
07：49.0，28；　08：49.5，28；　09：49.5，28；
10：47.0，27；　11：49.5，28；　12：49.5，28；
13：49.5，28；　14：49.5，28；　15：49.5，28；
16：48.8，24；　17：17，拖尾。
2.3　卷軸裝。首殘尾全。尾有原軸，上下軸頭脱落。第 1 紙中間有撕裂，第 2 紙下邊有撕裂，第 1、2 紙接縫處下邊有撕裂。有烏絲欄。已修整。
3.1　首 3 行上下殘→大正 475，14/538C29～539A3。
3.2　尾全→14/544A19。
4.2　維摩詰經卷第一 (尾)。
8　9～10 世紀。歸義軍時期寫本。
9.1　楷書。
9.2　有行間校加字。
11　圖版：《敦煌寶藏》，63/299B～310A。

1.1　BD00911 號
1.3　妙法蓮華經 (八卷本) 卷八
1.4　戾 011
1.5　105:6063
2.1　(9.5+494.5)×26.5 厘米；11 紙；294 行，行 17 字。
2.2　01：9.5+25.5，20；　02：47.5，28；　03：47.5，28；
04：47.5，28；　05：47.5，28；　06：47.5，28；
07：47.5，28；　08：43.5，26；　09：47.0，28；
10：47.0，28；　11：46.5，24。
2.3　卷軸裝。首殘尾全。經麻紙。未入潢。第 1 紙上邊有撕裂。第 11、12 紙接縫處中間開裂。有黴斑。卷尾有等距離蟲蛀洞。有烏絲欄。
3.1　首 5 行下殘→大正 262，9/58B6～11。
3.2　尾全→9/62B1。

5　與《大正藏》本對照，本號分卷不同，屬於八卷本。
4.2　妙法蓮華經卷第八（尾）。
8　7～8世紀。唐寫本。
9.1　楷書。
9.2　有刮改。
11　圖版：《敦煌寶藏》，96/453A～459B。

1.1　BD00912號
1.3　大般若波羅蜜多經（兑廢稿）卷一八
1.4　昃012
1.5　084:2052
2.1　47×26厘米；1紙；25行，行17字。
2.3　卷軸裝。首全尾脱。有烏絲欄。經文未抄全，尾有餘空。已修整。
3.1　首全→大正220，5/96A7。
3.2　尾缺→5/96B5。
4.1　大般若波羅蜜多經卷第十八/初分教誡教授品第七之八，三藏法師玄奘奉詔譯/（首）。
8　8～9世紀。吐蕃統治時期寫本。
9.1　楷書。
11　圖版：《敦煌寶藏》，71/485B。

1.1　BD00913號
1.3　大般若波羅蜜多經（兑廢稿）卷二六二
1.4　昃013
1.5　084:2702
2.1　48.3×28.1厘米；1紙；26行，行17字。
2.3　卷軸裝。首尾均脱。尾有餘空。有烏絲欄。
3.1　首殘→大正220，6/328A6。
3.2　尾殘→6/328B2。
8　8～9世紀。吐蕃統治時期寫本。
9.1　楷書。
9.2　上邊有一“兑”字。
11　圖版：《敦煌寶藏》，74/451A。

1.1　BD00914號
1.3　思益梵天所問經卷一
1.4　昃014
1.5　043:0416
2.1　（2+246.5）×25厘米；5紙；131行，行17字。
2.2　01：2+48，28；　02：50.0，28；　03：50.0，28；
04：50.0，28；　05：48.5，19。
2.3　卷軸裝。首殘尾全。卷背有鳥糞污痕。有燕尾。已修整。
3.1　首行下殘→大正586，15/39A2～3。
3.2　尾全→15/40B20。
4.2　思益經卷第一（尾）。
8　9～10世紀。歸義軍時期寫本。
9.1　楷書。
9.2　有硃筆、墨筆校加字。
11　圖版：《敦煌寶藏》，59/1A～4A。

1.1　BD00915號
1.3　阿彌陀經
1.4　昃015
1.5　014:0143
2.1　（10.5+196.4）×25.5厘米；5紙；111行，行17字。
2.2　01：10.5+23.5，19；　02：50.7，28；　03：50.8，28；
04：50.5，28；　05：20.9，08。
2.3　卷軸裝。首殘尾全。第1紙上邊下邊有破損，第2紙前下有殘缺撕裂，第3、4紙的上邊欄有等距離火燒殘洞，各紙粘縫處下部多開裂。有烏絲欄。已修整。
3.1　首6行上下殘→大正366，12/346C6～13。
3.2　尾全→12/348A29。
4.2　佛說阿彌陀經（尾）。
8　7～8世紀。唐寫本。
9.1　楷書。
11　圖版：《敦煌寶藏》，56/635A～637B。

1.1　BD00916號
1.3　大般若波羅蜜多經卷三四
1.4　昃016
1.5　084:2088
2.1　（17.3+808.5）×25.1厘米；18紙；472行，行17字。
2.2　01：17.3+30.2，26；　02：47.5，27；　03：47.3，27；
04：47.6，27；　05：48.2，28；　06：48.2，28；
07：48.5，28；　08：48.0，28；　09：49.2，28；
10：48.3，28；　11：48.4，27；　12：48.3，28；
13：48.5，28；　14：48.0，28；　15：47.3，28；
16：47.5，28；　17：47.5，28；　18：10.0，02。
2.3　卷軸裝。首殘尾全。尾有原軸，軸兩端塗漆，棕色；軸頭頂端有五瓣花紋。第1紙有殘洞及横向撕裂，第2、3、5、6、11紙有破裂，第7、8紙接縫處上開裂。第1紙第1、2等行的横裂部分和背面粘連。第1、8、14紙背面有古代裱補。
3.1　首9行中下殘→大正220，5/187A25～B7。
3.2　尾全→5/192C5。
4.1　大般若波羅蜜多經卷第卅四/初分教誡教授品第七之廿四，三藏法師玄奘奉詔譯/（首）。
4.2　大般若波羅蜜多經卷第卅四（尾）。
8　9～10世紀。歸義軍時期寫本。
9.1　楷書。
9.2　有行間校加字。
11　圖版：《敦煌寶藏》，71/613B～624A。

1.1　BD00917號

1.3 四分律戒本疏卷一
1.4 昃017
1.5 169:7035
2.1 (5.5+747)×30厘米；18紙；511行，行31字。
2.2 01：5.5+21，18； 02：43.0，29； 03：42.5，29；
04：42.5，29； 05：42.5，29； 06：42.5，29；
07：42.5，29； 08：42.5，29； 09：42.5，29；
10：42.5，29； 11：43.0，29； 12：42.5，29；
13：43.0，29； 14：43.0，29； 15：43.0，29；
16：43.0，29； 17：43.0，29； 18：42.5，29。
2.3 卷軸裝。首殘尾脫。第2、12紙下方撕裂，第5、6紙與9、10紙接縫下部開裂，第8、9紙上下撕裂，第14、16、17紙上方撕裂，尾端中部撕裂，上角殘損。有烏絲欄。已修整。
3.1 首4行上下殘→大正2787，85/0567A20~26。
3.2 尾殘，第194行→85/0571A11。
3.4 說明：
本文獻未為我國歷代大藏經所收。《大正藏》依據首全尾殘之伯2064號收入。本號前194行相當於大正2787，85/0567A20~571A11，後317行爲《大正藏》本所無。本號可補伯2064號之缺文，甚爲可貴。
7.3 上邊有一墨筆雜寫"波"。
8 9世紀。吐蕃統治時期寫本。
9.1 楷書。
9.2 有硃筆科分。有重文號。
11 圖版：《敦煌寶藏》，103/577A~586A。

1.1 BD00918號
1.3 金光明最勝王經卷九
1.4 昃018
1.5 083:1938
2.1 (2.7+380.6+2.5)×26.3厘米；9紙；224行，行17字。
2.2 01：2.7+32.5，21； 02：48.5，28； 03：48.7，28；
04：48.5，28； 05：48.2，28； 06：48.5，28；
07：48.5，28； 08：48.5，28；
09：8.7+2.5，07。
2.3 卷軸裝。首尾均殘。卷尾有殘洞。卷面多水漬，變色嚴重。有烏絲欄。已修整。
3.1 首2行下殘→大正665，16/447B16~17。
3.2 尾2行下殘→16/450B27。
8 9~10世紀。歸義軍時期寫本。
9.1 楷書。
11 圖版：《敦煌寶藏》，71/52A~56B。

1.1 BD00919號1
1.3 觀世音經
1.4 昃019
1.5 105:5966
2.1 223.7×29.5厘米；6紙；106行，行20~30字。
2.2 01：20.0，護首； 02：45.5，25； 03：46，27；
04：46.0，27； 05：46.2，27；
06：20.0，拖尾。
2.3 卷軸裝。首尾均全。有護首和拖尾，卷尾有芨芨草竿，繫有麻繩。護首有芨芨草天竿。有烏絲欄。
2.4 本遺書包括2個文獻：（一）《觀世音經》，94行，今編為BD00919號1。（二）《地藏菩薩經》，12行，今編為BD00919號2。
3.1 首全→大正262，9/56C2。
3.2 尾全→9/58B7。
4.1 妙法蓮花經觀世音菩薩普門品第廿五（首）。
4.2 觀音經一卷（尾）。
8 9~10世紀。歸義軍時期寫本。
9.1 楷書。
11 圖版：《敦煌寶藏》，96/230A~232B。

1.1 BD00919號2
1.3 地藏菩薩經
1.4 昃019
1.5 105:5966
2.4 本遺書由2個文獻組成，本號為第2個，12行。餘參見BD00919號1之第2項、第11項。
3.1 首全→大正2909，85/1455B23。
3.2 尾全→85/1455C12。
4.1 佛說地藏菩薩經（首）。
4.2 地藏菩薩經一卷（尾）。
8 9~10世紀。歸義軍時期寫本。
9.1 楷書。

1.1 BD00920號
1.3 金剛般若波羅蜜經（菩提留支三十二分本）
1.4 昃020
1.5 095:4433
2.1 (268.6+12.9)×26.2厘米；6紙；154行，行17字。
2.2 01：51.0，28； 02：51.0，28； 03：51.0，28；
04：51.0，28； 05：50.1，28；
06：(14.5+12.9)，14。
2.3 卷軸裝。首脫尾斷。經黄紙。卷尾斜斷。有烏絲欄。
3.1 首殘→大正236，8/753B29。
3.2 尾6行下殘→236，8/755A29~B5。
5 與《大正藏》本對照，本號為三十二分本，每分均有子目。
7.3 本卷上邊有藏文雜寫2處，下邊有藏文雜寫1處，文為"dkon-mchogdkon"（法寶）。
8 9~10世紀。歸義軍時期寫本。
9.1 楷書。
11 圖版：《敦煌寶藏》，83/211B~215A。

1.1　BD00921 號
1.3　妙法蓮華經（八卷本）卷六
1.4　昃 021
1.5　105:6525
2.1　583.4×26.5 厘米；13 紙；正面 346 行，行 17 字。背面 25 行，行約 30 字母。
2.2　01：46.0，26；　02：46.7，28；　03：46.8，28；
04：46.7，28；　05：47.0，28；　06：22.2，13；
07：45.1，27；　08：47.2，28；　09：47.2，28；
10：47.3，28；　11：47.1，28；　12：47.2，28；
13：46.9，28。
2.3　卷軸裝。首全尾脱。經黄紙。第 1 紙上邊有等距殘破 4 處，第 6、7 紙及第 8、9 紙接縫處上開裂。有烏絲欄。已修整。
2.4　本遺書包括 2 個文獻：（一）《妙法蓮華經》（八卷本）卷六，346 行，抄寫在正面，今編為 BD00921 號。（二）藏文，25 行，抄寫在背面，今編為 BD00921 號背。
3.1　首全→大正 262，9/44A5。
3.2　尾殘→9/49C2。
4.1　妙法蓮華經分别功德品第十七，六（首）。
5　與《大正藏》本對照，分卷不同，相當於《大正藏》本卷五分别功德品第十七開始至卷六法師功德品第十九後部分。
8　7 世紀。唐寫本。
9.1　楷書。
11　圖版：《敦煌寶藏》，93/394B～404A。

1.1　BD00921 號背
1.3　藏文佛經
1.4　昃 021
1.5　105:6525
2.4　本遺書由 2 個文獻組成，本號為第 2 個，25 行。餘參見 BD00921 號 1 之第 2 項、第 11 項。
3.4　説明：
第 1、2 紙背面有藏文 25 行。行約 30 字母，首尾均全，佛經。首作：敬禮十方諸佛。phyogs－bcuvi－Sangs－rgyas－thams－Chad－La－phyag－Vtsal－lo。
8　8～9 世紀。吐蕃統治時期寫本。

1.1　BD00922 號
1.3　妙法蓮華經卷七
1.4　昃 022
1.5　105:6037
2.1　101×25 厘米；3 紙；62 行，行 17～18 字。
2.2　01：41.5，25；　02：42.0，27；　03：17.5，10。
2.3　卷軸裝。首尾均殘。第 1 紙下邊有殘缺和横撕裂。有烏絲欄。已修整。
3.1　首殘→大正 262，9/57B5。
3.2　尾殘→9/58B8。
8　7～8 世紀。唐寫本。
9.1　楷書。
11　圖版：《敦煌寶藏》，96/367A～368A。

1.1　BD00923 號
1.3　維摩詰經疏（擬）
1.4　昃 023
1.5　073:1314
2.1　73×25.8 厘米；2 紙；40 行，行字不等。
2.2　01：35.8，21；　02：37.2，19。
2.3　卷軸裝。首脱尾全。卷首有横裂。有烏絲欄，淡而難辨。書寫沖出界欄。
3.4　説明：
本文獻首殘尾全，無題名。察其内容，為對《維摩詰所説經》的疏釋。與《維摩詰所説經》對照，此卷所疏釋内容為該經卷下第十一品。該文獻未為歷代大藏經所收。
6.1　首→BD00924 號。
7.1　卷尾有題記“一校竟”。
8　5～6 世紀。南北朝寫本。
9.1　楷書。
9.2　有行間校加字。有校改。有删節號。
11　圖版：《敦煌寶藏》，66/505B～506A。

1.1　BD00924 號
1.3　維摩詰經疏（擬）
1.4　昃 024
1.5　073:1313
2.1　192.7×25.8 厘米；6 紙；124 行，行字不等。
2.2　01：38.4，23；　02：02.4，01；　03：37.5，25；
04：38.2，25；　05：38.2，25；　06：38.0，25。
2.3　卷軸裝。首尾脱。各紙接縫處上下或有開裂；首尾 2 紙上下邊沿處有殘損。有烏絲欄，淡而難辨。已修整。
3.4　説明：
本文獻首尾均殘，無題名。察其内容，為對《維摩詰所説經》的疏釋。與《維摩詰所説經》對照，此卷所疏釋内容為該經卷中第八品至卷下第十一品。該文獻未為歷代大藏經所收。
6.1　首→BD00926 號。
6.2　尾→BD00923 號。
7.3　卷背有墨寫“入”字。
8　5～6 世紀。南北朝寫本。
9.1　楷書。
9.2　有倒乙。有行間校加字。有墨筆科分。有删除號。有重文號。
11　圖版：《敦煌寶藏》，66/530A～505A。

1.1　BD00925 號
1.3　妙法蓮華經卷七

1.4 昃025
1.5 105:6113
2.1 353×25.5 厘米；8 紙；200 行，行 17 字。
2.2 01：49.5，28； 02：45.5，28； 03：46.0，28；
04：45.5，28； 05：45.5，28； 06：46.0，28；
07：46.0，28； 08：29.0，04。
2.3 卷軸裝。首脱尾全。經黄紙。第 1 紙上方有 3 處鼠嚙殘洞，接縫處下部有開裂。卷尾上下有多排等距離小洞。有燕尾。有烏絲欄。已修整。
3.1 首殘→大正 262，9/59C5。
3.2 尾全→9/62B1。
4.2 妙法蓮華經卷第七（尾）。
8 7~8 世紀。唐寫本。
9.1 楷書。
11 圖版：《敦煌寶藏》，97/36B~41A。

1.1 BD00926 號
1.3 維摩詰經疏（擬）
1.4 昃026
1.5 073:1312
2.1 （11.1+346）×25.5 厘米；10 紙；227 行，行 29~31 字。
2.2 01：11.1+25.7，24； 02：36.6，24； 03：37.1，24；
04：37.2，23； 05：37.0，23； 06：37.2，24；
07：32.2，20； 08：34.0，23； 09：31.2，20；
10：37.8，22。
2.3 卷軸裝。首尾均脱。首紙前部殘破，上下有殘損；前數紙上下有撕裂殘損，接縫處有開裂；尾數紙上下邊沿處有殘損。有烏絲欄，淡而難辨。已修整。
3.4 説明：
本文獻首 7 行上下殘，尾殘，無題名。察其内容，為對《維摩詰所説經》的疏釋。與《維摩詰所説經》對照，此卷所疏釋内容為該經卷中第五品至第八品。該文獻未為歷代大藏經所收。
6.2 尾→BD00924 號。
8 5~6 世紀。南北朝寫本。
9.1 楷書。
9.2 有行間校加字。有倒乙。有墨筆科分。
11 圖版：《敦煌寶藏》，66/498A~502B。

1.1 BD00927 號
1.3 四分律比丘戒本
1.4 昃027
1.5 156:6842
2.1 （22+596）×26.4 厘米；15 紙；385 行，行 18 字。
2.2 01：22+24，27； 02：48.0，31； 03：48.0，31；
04：48.0，31； 05：48.0，31； 06：48.0，31；
07：48.0，30； 08：48.0，31； 09：48.0，31；
10：28.0，17； 11：20.0，11； 12：41.0，21；
13：13.0，08； 14：45.0，30； 15：41.0，24。
2.3 卷軸裝。首殘尾脱。首紙殘碎嚴重，卷背有多處古代裱補；第 3、4 紙中部撕裂。卷中有一紙為後補。已修整。
3.1 首 13 行上下殘→大正 1429，22/1015B25~C2。
3.2 尾殘→22/1020C20。
8 9~10 世紀。歸義軍時期寫本。
9.1 楷書。
9.2 有行間校加字、行間加行。有硃筆校加字。有刪除號。有倒乙。
11 圖版：《敦煌寶藏》，102/192B~200A。

1.1 BD00928 號
1.3 藥師瑠璃光如來本願功德經
1.4 昃028
1.5 030:0295
2.1 （23+342.2）×25.2 厘米；10 紙；212 行，行 17 字。
2.2 01：01.7，01； 02：21.3+18.8，24； 03：40.2，24；
04：40.2，24； 05：37.5，23； 06：41.0，24；
07：41.5，24； 08：41.5，24； 09：41.5，24；
10：40.0，20。
2.3 卷軸裝。首殘尾全。第 2~4 紙有多處撕裂破損，卷尾有横向撕裂。有燕尾。有烏絲欄。已修整。
3.1 首 14 行上下殘→大正 450，14/405C26~406A12。
3.2 尾全→14/408B25。
4.2 佛説藥師瑠璃光如來本願功德經（尾）。
8 7~8 世紀。唐寫本。
9.1 楷書。前 5 紙字迹與後 5 紙不同。
11 圖版：《敦煌寶藏》，57/654A~659A。

1.1 BD00929 號
1.3 四分律比丘戒本
1.4 昃029
1.5 156:6830
2.1 （12.5+350+14）×26 厘米；10 紙；204 行，行 20 字。
2.2 01：12.5+29，16； 02：42.0，24； 03：43.5，27；
04：43.0，27； 05：30.0，18； 06：23.5，13；
07：39.5，20； 08：39.5，20； 09：39.5，20；
10：20.5+14，19。
2.3 卷軸裝。首尾均殘。首紙後補，補時剪損第 2 紙首行。首紙下部殘損，尾紙上中部殘缺並有等距離殘洞。折疊欄。已修整。
3.1 首 5 行下殘→大正 1429，22/1015C15~20。
3.2 尾 8 行上中殘→22/1020A24~27。
8 9~10 世紀。歸義軍時期寫本。
9.1 楷書。
9.2 有行間加行、行間校加字。有塗抹、修改。
11 圖版：《敦煌寶藏》，102/130B~135A。

1.1　BD00930 號
1.3　阿彌陀經義述
1.4　昃 030
1.5　379:8501
2.1　305.2×29.8 厘米；9 紙；174 行，行字不等。
2.2　01：41.5，24；　02：41.7，24；　03：42.0，24；
04：42.0，24；　05：18.0，10；　06：12.3，07；
07：42.0，24；　08：42.0，24；　09：23.7，13。
2.3　卷軸裝。首尾均斷。打紙。砑光上蠟。紙厚 0.09 毫米。卷中有一殘片，文字未接續。第 1 紙有橫裂，第 2、3 紙有小孔多個。第 6、7 紙斷爲兩截。有烏絲欄。已修整。
3.1　首 6 行上下殘→大正 1756，37/0307C15～24。
3.2　尾第 167 行→37/0310B23。
3.4　説明：
本《阿彌陀經義述》為唐慧淨撰，收入日本《卍續藏》與《大正藏》。與《大正藏》本對照，本文獻首部殘缺 500 餘字，尾部多出約 150 字。參見《敦煌學大辭典》第 660 頁。
8　7～8 世紀。唐寫本。
9.1　行草。
9.2　有行間校加字。有校改。有倒乙。
11　圖版：《敦煌寶藏》，110/463A～467A。

1.1　BD00931 號
1.3　妙法蓮華經卷六
1.4　昃 031
1.5　105:5707
2.1　（172＋5）×26 厘米；5 紙；110 行，行 20 字。
2.2　01：26.5，17；　02：46.8，29；　03：46.0，29；
04：45.7，29；　05：7＋5，06。
2.3　卷軸裝。首尾均殘。第 1、2 紙下部殘缺嚴重，接縫處開裂；卷後部有等距離殘破。已修整。
3.1　首行下殘→大正 262，9/47A5～6。
3.2　尾 3 行下殘→9/48C11～13。
8　9～10 世紀。歸義軍時期寫本。
9.1　楷書。
9.2　有行間校加字。
11　圖版：《敦煌寶藏》，94/363A～365B。

1.1　BD00932 號
1.3　金光明最勝王經卷三
1.4　昃 032
1.5　083:1610
2.1　（23.5＋537.3）×26 厘米；14 紙；298 行，行 17 字。
2.2　01：18.0，10；　02：5.5＋36，23；　03：41.8，23；
04：41.7，23；　05：41.8，23；　06：42.0，23；
07：42.0，23；　08：41.6，23；　09：41.5，23；
10：42.0，23；　11：42.0，23；　12：41.8，23；
13：41.8，23；　14：41.3，12。
2.3　卷軸裝。首殘尾全。卷端殘碎嚴重，第 8～9 紙接縫處開裂脱落。背面有古代裱補紙。有烏絲欄。已修整。
3.1　首 13 行中下殘→大正 665，16/414A20～B3。
3.2　尾全→16/417C16。
4.2　金光明最勝王經卷第三（尾）。
5　尾附音義。
7.3　卷首背部有雜寫“◇真”、“什罕”。
8　9～10 世紀。歸義軍時期寫本。
9.1　楷書。
11　圖版：《敦煌寶藏》，68/618A～625A。

1.1　BD00933 號
1.3　無量大慈教經
1.4　昃 033
1.5　282:8234
2.1　（4.2＋143.4＋16.5）×25.5 厘米；4 紙；92 行，行 17 字。
2.2　01：4.2＋22.3，15；　02：49.2，28；　03：49.0，28；
04：22.9＋16.5，21。
2.3　卷軸裝。首尾均殘。卷面殘損嚴重，有殘洞。有烏絲欄。已修整。
3.1　首 2 行下殘，第 15 行→大正 2903，85/1445A12。
3.2　尾 8 行下殘→85/1445C23～1446A01。
4.2　佛說無量大慈□…□（尾）。
5　與《大正藏》本對照，《大正藏》所收為殘本，本號首部多 15 行。可以補正《大正藏》之不足。
8　9～10 世紀。歸義軍時期寫本。
9.1　楷書。
9.2　有行間校加字。
11　圖版：《敦煌寶藏》，109/362A～364A。

1.1　BD00934 號
1.3　金剛般若波羅蜜經
1.4　昃 034
1.5　094:3948
2.1　（7.5＋282＋16）×25.5 厘米；6 紙；168 行，行 17 字。
2.2　01：7.5＋43.5，28；　02：51.0，28；　03：51.0，28；
04：51.0，28；　05：51.0，28；
06：34.5＋16，28。
2.3　卷軸裝。首尾均脱。麻紙。首紙上下殘，第 1、2 紙脱斷兩截，第 3 紙有豎裂。接縫處有開裂。上部有殘洞。卷首下部、卷尾紙張變色。卷尾殘碎嚴重。有烏絲欄。已修整。
3.1　首 4 行上下殘→大正 235，8/749C20～24。
3.2　尾 9 行下殘→8/751C20～29。
5　與《大正藏》本對照，本號缺少冥司偈。參見大正 235，8/751C16～19。
8　7～8 世紀。唐寫本。

9.1　楷書。
11　圖版：《敦煌寶藏》，81/291A～295A。

1.1　BD00935 號
1.3　太子瑞應本起經卷下
1.4　昃 035
1.5　131:6642
2.1　（3.5＋475）×23.5 厘米；14 紙；297 行，行 19 字。
2.2　01：3.5＋26，19；　02：34.0，22；　03：34.0，22；
04：34.0，21；　05：34.0，21；　06：34.0，21；
07：34.0，21；　08：34.0，22；　09：33.8，22；
10：34.0，22；　11：35.7，23；　12：36.0，23；
13：36.0，23；　14：35.5，15。
2.3　卷軸裝。首殘尾全。尾有原軸，兩端塗漆，黑色。第 1 紙背有古代裱補 2 塊。有烏絲欄。已修整。
3.1　首 2 行上下殘→大正 185，3/478B26～27。
3.2　尾全→3/483A13。
4.2　佛說太子瑞應本起經下（尾）
8　5～6 世紀。南北朝寫本。
9.1　隸書。
9.2　有重文號。有倒乙。
11　圖版：《敦煌寶藏》，101/54A～60A。

1.1　BD00936 號
1.3　深密解脫經卷五
1.4　昃 036
1.5　041:0396
2.1　473.4×45.5 厘米；10 紙；250 行，行 17 字。
2.2　01：35.9，20；　02：50.0，28；　03：50.0，28；
04：49.5，28；　05：50.0，28；　06：50.0，28；
07：50.0，28；　08：50.0，28；　09：50.0，28；
10：38.0，06。
2.3　卷軸裝。首殘尾全。前四紙下端殘損嚴重，後數紙下部均有破損。卷尾有鳥糞污漬。有燕尾。有烏絲欄。已修整。
3.1　首上下殘→大正 675，16/685A20。
3.2　尾全→16/688A26。
4.2　深密解脫經卷第五（尾）。
8　7 世紀。唐寫本。
9.1　楷書。
11　圖版：《敦煌寶藏》，58/511A～517A。

1.1　BD00937 號
1.3　妙法蓮華經卷六
1.4　昃 037
1.5　105:5717
2.1　（5.7＋103.5）×25.5 厘米；3 紙；64 行，行 17 字。
2.2　01：5.7＋20.5，15；　02：47.5，28；　03：35.5，21。
2.3　卷軸裝。首殘尾斷。唐經紙。第 1 紙上邊有殘洞。有烏絲欄。已修整。
3.1　首 3 行上下殘→大正 262，9/46C4～6。
3.2　尾殘→9/47C1。
7.3　第 3 紙背有經文雜寫一行"解說其義趣，如說而修行"，乃正面末行經文。
8　7～8 世紀。唐寫本。
9.1　楷書。
11　圖版：《敦煌寶藏》，94/379A～381A。

1.1　BD00938 號
1.3　維摩詰所說經卷上
1.4　昃 038
1.5　070:1037
2.1　214×24.5 厘米；5 紙；115 行，行 17 字。
2.2　01：49.0，28；　02：49.0，28；　03：49.0，28；
04：49.0，28；　05：18.0，03。
2.3　卷軸裝。首脫尾全。通卷下邊撕裂殘缺。第 1、2 紙接縫處中上部開裂。有 1 殘片可與第 2 紙 12、13 行下部相綴接，現已綴接。卷尾有殘洞。背有古代裱補 2 塊。有烏絲欄。已修整。
3.1　首殘→大正 475，14/542C14。
3.2　尾全→14/544A19。
4.2　維摩詰經卷上（尾）。
8　7～8 世紀。唐寫本。
9.1　楷書。
9.2　有硃點。
11　圖版：《敦煌寶藏》，64/433A～436A。

從背面揭下古代裱補紙 6 塊，4 塊有字，2 塊無字。今編為 BD16453 號。

1.1　BD00939 號
1.3　妙法蓮華經卷四
1.4　昃 039
1.5　105:5326
2.1　（4＋786.9）×26 厘米；19 紙；447 行，行 17 字。
2.2　01：4＋17，11；　02：44.5，25；　03：43.3，25；
04：44.0，25；　05：44.0，25；　06：44.0，25；
07：44.0，25；　08：44.0，25；　09：44.0，25；
10：44.0，26；　11：44.0，25；　12：45.0，26；
13：45.0，26；　14：45.0，26；　15：45.0，26；
16：45.0，26；　17：45.0，26；　18：44.8，26；
19：15.3，03。
2.3　卷軸裝。首殘尾全。有 3 紙斷片可以綴接，現已綴接。第 3、4、5、6、7、8 各紙有等距殘破或殘洞。有燕尾。有烏絲欄。已修整。
3.1　首 1 行上殘→大正 262，9/30C6～7。
3.2　尾全→9/37A2。

4.2 妙法蓮華經卷第四（尾）。
8 9～10 世紀。歸義軍時期寫本。
9.1 楷書。
11 圖版：《敦煌寶藏》，90/660B～671B。其中有 2 張殘片被顛倒。

1.1 BD00940 號
1.3 金光明最勝王經卷二
1.4 昃 040
1.5 404:8540
2.1 （12.5＋176.7＋1.4）×24.8 厘米；5 紙；119 行，行 17 字。
2.2 01：12.5＋29.9，27； 02：45.0，28；
03：45.3，28； 04：45.0，28；
05：11.5＋1.4，08。
2.3 卷軸裝。首尾均殘。第 5 紙有殘洞，第 1、5 紙上下有縱向撕裂，第 1 紙下有横向撕裂，第 4 紙下有縱向撕裂，第 1、2、4、5 紙有横向破裂。通卷上邊下邊殘破。卷尾有殘洞。通卷背面有古代裱補多塊。有烏絲欄。已修整。
3.1 首 8 行下殘→大正 665，16/408C4～12。
3.2 尾行下殘→16/410A16。
8 8～9 世紀。吐蕃統治時期寫本。
9.1 楷書。
11 圖版：《敦煌寶藏》，110/550B～553A。

1.1 BD00941 號
1.3 老子道德經五千文（甲本）
1.4 昃 041
1.5 365:8446
2.1 （1.2＋43.2）×24.3 厘米；1 紙；28 行，行 17 字。
2.3 卷軸裝。首尾均脱。已修。有烏絲欄。
3.4 説明：
參見《敦煌道教文獻研究》第 161 頁、第 276 頁、第 287 頁。但本遺書上接哪一遺書，第 276 頁與第 287 頁所述不同。
6.1 首→散 0668F。
6.2 尾→散 0668A。
8 7～8 世紀。唐寫本。
9.1 楷書。
11 圖版：《敦煌寶藏》，110/341A～B。

1.1 BD00942 號
1.3 金光明最勝王經卷二
1.4 昃 042
1.5 083:1515
2.1 （13＋658.4）×26 厘米；15 紙；387 行，行 17 字。
2.2 01：10.0，05； 02：3＋44，28； 03：47.3，28；
04：47.3，28； 05：47.3，28； 06：47.3，28；
07：47.4，28； 08：47.2，28； 09：47.3，28；
10：47.3，28； 11：47.3，28； 12：47.0，28；
13：47.5，28； 14：47.2，28； 15：47.0，18。
2.3 卷軸裝。首殘尾全。尾有原軸，鑲有蓮蓬形軸頭。上軸頭已斷，下軸頭塗漆，紫紅色。卷端破損嚴重，有烏絲欄。
3.1 首 7 行下殘→大正 665，16/408B25～C6。
3.2 尾全→16/413C6。
4.2 金光明最勝王經卷第二（尾）。
5 尾附音義。
8 8 世紀。唐寫本。
9.1 楷書。
9.2 有刮改。
11 圖版：《敦煌寶藏》，68/243A～251B。

1.1 BD00943 號
1.3 無量大慈教經
1.4 昃 043
1.5 282:8227
2.1 （14＋237.5）×25 厘米；6 紙；140 行，行 17 字。
2.2 01：14＋33，27； 02：50.0，28； 03：50.0，28；
04：50.5，28； 05：50.0，28； 06：04.0，01。
2.3 卷軸裝。首尾均全。麻紙。首紙殘損。背有古代裱補。第 2、3、4 紙接縫處下方開裂。有烏絲欄。已修整。
3.1 首 8 行中下殘，第 59 行→大正 2903，85/1445A12。
3.2 尾全→85/1446A1。
5 與《大正藏》本對照，《大正藏》所收為殘本，本號首尾均全，首部多 58 行，僅文字略有殘損。甚可寶貴。
4.1 佛說無量大慈教經（首）。
4.2 佛說大慈教經（尾）。
7.3 卷尾背面有殘字，無法辨認。
8 7～8 世紀。唐寫本。
9.1 楷書。
11 圖版：《敦煌寶藏》，109/345A～348B。

新舊編號對照表

一、千字文號與北敦號、縮微膠卷號對照表

千字文號	北敦號	縮微膠卷號
盈 082	BD00882 號	105:4731
盈 083	BD00883 號	143:6754
盈 083	BD00883 號背	143:6754
盈 084	BD00884 號	105:5564
盈 085	BD00885 號	083:1518
盈 086	BD00886 號	
盈 087	BD00887 號	084:2295
盈 088	BD00888 號	105:5143
盈 089	BD00889 號	084:2576
盈 090	BD00890 號	157:6899
盈 091	BD00891 號	091:3485
盈 092	BD00892 號	105:5085
盈 093	BD00893 號	084:2831
盈 094	BD00894 號	030:0292
盈 095	BD00895 號	173:7080
盈 096	BD00896 號 A	094:3612
盈 096	BD00896 號 B	102:4476
盈 097	BD00897 號	084:2761
盈 098	BD00898 號	088:3466
盈 099	BD00899 號	105:5217
盈 100	BD00900 號	083:1824
昃 001	BD00901 號	029:0250
昃 002	BD00902 號	279:8223
昃 003	BD00903 號	203:7222
昃 004	BD00904 號	238:7434
昃 005	BD00905 號	262:7669
昃 006	BD00906 號	404:8546
昃 007	BD00907 號	238:7435
昃 008	BD00908 號	143:6710
昃 008	BD00908 號背	143:6710
昃 009	BD00909 號	261:7668
昃 010	BD00910 號	070:0871
昃 011	BD00911 號	105:6063
昃 012	BD00912 號	084:2052
昃 013	BD00913 號	084:2702
昃 014	BD00914 號	043:0416
昃 015	BD00915 號	014:0143
昃 016	BD00916 號	084:2088
昃 017	BD00917 號	169:7035
昃 018	BD00918 號	083:1938
昃 019	BD00919 號 1	105:5966
昃 019	BD00919 號 2	105:5966
昃 020	BD00920 號	095:4433
昃 021	BD00921 號	105:6525
昃 021	BD00921 號背	105:6525
昃 022	BD00922 號	105:6037
昃 023	BD00923 號	073:1314
昃 024	BD00924 號	073:1313
昃 025	BD00925 號	105:6113
昃 026	BD00926 號	073:1312
昃 027	BD00927 號	156:6842
昃 028	BD00928 號	030:0295
昃 029	BD00929 號	156:6830
昃 030	BD00930 號	379:8501
昃 031	BD00931 號	105:5707
昃 032	BD00932 號	083:1610
昃 033	BD00933 號	282:8234
昃 034	BD00934 號	094:3948
昃 035	BD00935 號	131:6642
昃 036	BD00936 號	041:0396
昃 037	BD00937 號	105:5717
昃 038	BD00938 號	070:1037
昃 039	BD00939 號	105:5326
昃 040	BD00940 號	404:8540
昃 041	BD00941 號	365:8446
昃 042	BD00942 號	083:1515
昃 043	BD00943 號	282:8227

二、縮微膠卷號與北敦號、千字文號對照表

縮微膠卷號	北敦號	千字文號
	BD00886 號	盈 086
014:0143	BD00915 號	昃 015
029:0250	BD00901 號	昃 001
030:0292	BD00894 號	盈 094
030:0295	BD00928 號	昃 028
041:0396	BD00936 號	昃 036
043:0416	BD00914 號	昃 014
070:0871	BD00910 號	昃 010
070:1037	BD00938 號	昃 038
073:1312	BD00926 號	昃 026
073:1313	BD00924 號	昃 024
073:1314	BD00923 號	昃 023
083:1515	BD00942 號	昃 042
083:1518	BD00885 號	盈 085
083:1610	BD00932 號	昃 032
083:1824	BD00900 號	盈 100
083:1938	BD00918 號	昃 018
084:2052	BD00912 號	昃 012
084:2088	BD00916 號	昃 016
084:2295	BD00887 號	盈 087
084:2576	BD00889 號	盈 089
084:2702	BD00913 號	昃 013
084:2761	BD00897 號	盈 097
084:2831	BD00893 號	盈 093
088:3466	BD00898 號	盈 098
091:3485	BD00891 號	盈 091
094:3612	BD00896 號 A	盈 096
094:3948	BD00934 號	昃 034
095:4433	BD00920 號	昃 020
102:4476	BD00896 號 B	盈 096
105:4731	BD00882 號	盈 082
105:5085	BD00892 號	盈 092
105:5143	BD00888 號	盈 088
105:5217	BD00899 號	盈 099
105:5326	BD00939 號	昃 039
105:5564	BD00884 號	盈 084
105:5707	BD00931 號	昃 031
105:5717	BD00937 號	昃 037
105:5966	BD00919 號 1	昃 019
105:5966	BD00919 號 2	昃 019
105:6037	BD00922 號	昃 022
105:6063	BD00911 號	昃 011
105:6113	BD00925 號	昃 025
105:6525	BD00921 號	昃 021
105:6525	BD00921 號背	昃 021
131:6642	BD00935 號	昃 035
143:6710	BD00908 號	昃 008
143:6710	BD00908 號背	昃 008
143:6754	BD00883 號	盈 083
143:6754	BD00883 號背	盈 083
156:6830	BD00929 號	昃 029
156:6842	BD00927 號	昃 027
157:6899	BD00890 號	盈 090
169:7035	BD00917 號	昃 017
173:7080	BD00895 號	盈 095
203:7222	BD00903 號	昃 003
238:7434	BD00904 號	昃 004
238:7435	BD00907 號	昃 007
261:7668	BD00909 號	昃 009
262:7669	BD00905 號	昃 005
279:8223	BD00902 號	昃 002
282:8227	BD00943 號	昃 043
282:8234	BD00933 號	昃 033
365:8446	BD00941 號	昃 041
379:8501	BD00930 號	昃 030
404:8540	BD00940 號	昃 040
404:8546	BD00906 號	昃 006